la maîtrise de votre
subconscient

collection "Psycho - soma"

(le corps et l'esprit)

AUTRES OUVRAGES DU MEME AUTEUR

Livres disponibles :

Relaxation psychosomatique (Editions Dangles).
Maigrir et vaincre la cellulite par la détente nerveuse (Editions Dangles).
Chassez la fatigue en retrouvant la forme ! (Editions Dangles).
La Maîtrise de votre subconscient (Editions Dangles).
L'Esthétique corporelle (Editions Dangles).
Psychosomatique de la cellulite (Editions Amphora).
La vie recommence à 40 ans (Presses-Pocket).

Livres épuisés :

Techniques et pratiques de l'hypnose (Editions Belfond).
La Magie de l'amour (Editions J'ai Lu).
Techniques de l'acte sexuel (Editions J'ai Lu).
Virilité et puissance sexuelle (Editions J'ai Lu).
Santé et beauté plastique de votre enfant (La Pensée Moderne).
Lire dans votre main (Editions Balland).
Dormir enfin sans problèmes (Editions Balland).
La Santé dans votre assiette (Editions Balland).
Maigrir par la gymnastique (Editions Balland).
Les Stimulants de l'amour (Editions Balland).
Le Dictionnaire de la culture physique (Editions Casterman).
Le Guide des plantes médicinales (Editions Belfond).
Le Comportement sexuel de la femme (Editions Belfond).

Cassettes « Self-méthodes » (pour les particuliers) et **cours et méthodes** (pour les professionnels), s'adresser à :

Service M. Rouet - Commercial Club de Paris - 12, rue Saint-Florentin - 75001 Paris.

Marcel ROUET

la maîtrise de votre
subconscient

**La solution de vos problèmes personnels
par l'auto-hypnose
associée à la pensée créatrice**

49 e mille

Éditions Dangles

18, rue Lavoisier
45800 ST-JEAN-DE-BRAYE

ISSN : 0397-4294

ISBN : 2-7033-0241-X

© Editions Dangles, St-Jean-de-Braye (France) - 1982

Tous droits de traduction, de reproduction
et d'adaptation réservés pour tous pays

Entre les philosophies d'Extrême-Orient faites de renoncement et de non-attachement et les mœurs occidentales matérialistes et acquisivistes, il semble qu'un pont puisse être jeté pour réaliser une symbiose qui associerait la sérénité orientale aux joies concrètes que nous apporte le progrès scientifique. Cette conception que reflète notre ouvrage est ce que nous appelons LA VOIE MEDIANE. Elle doit conduire à l'Epanouissement personnel qui conditionne la pleine réussite de la Vie.

Marcel ROUET (1909-1982)

Marcel Rouet est l'un des auteurs qui a le plus prospecté la gamme étendue des disciplines d'épanouissement personnel. Athlète complet, chef de file de la culture physique en France, ses recherches se sont étendues à l'hypnose, à la psychomorphopsychologie, à la sexologie, à la diététique, à l'esthétique corporelle, à la relaxation, etc., avec un égal succès car nombreux sont ceux qui, ayant découvert l'un de ses quelque 30 ouvrages, recherchent ensuite avec avidité chacun de ses autres titres, entre autres *Relaxation psychosomatique,* best-seller qui a fait connaître ses méthodes au monde entier. Marcel Rouet est le créateur de la relaxologie ; il a formé des spécialistes relaxologues dirigeant des *Psycho-center* qui accueillent une clientèle de plus en plus nombreuse et enthousiasmée par ses méthodes.

Il crée la « méthode d'amaigrissement psychosomatique », attirant l'attention du corps médical et de ses lecteurs sur le traitement psychique des cellulites et des obésités dont la plupart se développent sous l'effet de la tension nerveuse. Enfin, il poursuit ses travaux par la publication d'œuvres concernant la pratique de l'hypnose ; il compose des enregistrements en cassettes qui rendent ses méthodes plus vivantes et plus accessibles encore.

Marcel Rouet se range donc parmi ceux qui — hélas ! encore trop peu nombreux — ont lutté avec toute leur énergie contre la dégradation de la nature et des conditions de vie, et œuvré pour qu'une nouvelle forme de « qualité de la vie » puisse se développer à la faveur de la formation d'une nouvelle conscience collective, plus portée à rechercher le bonheur intrinsèque que les valeurs factices.

Avant-propos

Ce sont les lettres que je reçois journellement de mes lectrices et lecteurs qui m'ont incité à publier ce nouveau livre. Effectivement, dans la plupart d'entre elles revient comme un leitmotiv : « *J'ai un problème personnel.* » Beaucoup me disent leur satisfaction « d'avoir découvert » mes livres, en particulier *Relaxation psychosomatique, Maigrir par la détente nerveuse* et les quelques ouvrages que j'ai publiés en sexologie. C'est que l'éventail de ces titres correspond justement aux problèmes existentiels qui se posent à la majorité des femmes et des hommes du monde d'aujourd'hui. Plus nous avançons dans la voie du progrès technique, plus les difficultés se diversifient et se multiplient.

Des problèmes de tous ordres surgissent, qui tiennent à la nécessité de faire face au quotidien dans une société de consommation où tout est axé sur le confort matériel, les plaisirs que procurent les loisirs et les activités culturelles et sportives qui les meublent. Une publicité savamment orchestrée pour le profit développe, chez le consommateur, une avidité sans bornes pour les biens matériels, véritable fuite en avant qui charge l'individu de responsabilités dépassant souvent sa capacité d'y faire face. Il s'ensuit une anxiété permanente qui fait que, dans notre civilisation, chacun **oublie de vivre le présent pour ne supputer que le bonheur aléatoire d'un avenir incertain,** et d'autant plus aléatoire que, par l'inquiétude dans laquelle il se trouve, il tisse, sans en avoir conscience, la trame d'un destin adverse. C'est ce qui dresse de nombreux obstacles sur la route du devenir, d'où les multiples problèmes, tant matériels qu'intimes, se posant en permanence et qui, par leur acuité ou leur dramatisation, menacent l'équilibre personnel.

Vus de l'extérieur, comme nous le voyons, ces problèmes paraissent souvent faciles à résoudre, alors que la personne qui en pâtit ne sait comment y faire face. *Elle se trouve dans la situation d'un petit animal qui, étant enfermé dans une cage, avide de liberté, affolé et ne trouvant aucune issue, serait saisi par l'angoisse et ne verrait même pas que la porte de la cage est restée entrouverte.* **Il y a toujours une issue,** mais il est difficile de la découvrir quand on se trouve personnellement concerné. Les solutions les plus simples vous échappent, car il est difficile d'appréhender lucidement ses problèmes quand l'esprit est préoccupé et que l'on doit affronter les mille et une difficultés de la vie journalière.

Les lettres que je reçois m'ont montré, au fil des ans, que les problèmes qui affectent les femmes et les hommes ne sont pas tellement différents les uns des autres. Si chacun a sa personnalité, il n'en reste pas moins que l'être humain est animé par des mobiles semblables se résumant dans ce que Freud a nommé : « *Le principe plaisir-déplaisir »,* qui fait que chaque personne recherche avant tout le bonheur et évite ce qui peut lui être désagréable et même néfaste. J'ai, dans cette optique, établi *six besoins fondamentaux* qui sont comme les fils qui agitent les marionnettes que nous sommes (voir page 84). Mais nous sommes des marionnettes qui pouvons prendre en main notre destin en modifiant notre comportement. Et, par cette attitude, *les problèmes personnels qui nous obsèdent trouveront leur solution.*

Pour cela je propose **deux démarches,** généralement opposées, mais dont la synthèse (qui participe de la pensée extrême-orientale et de la civilisation scientiste qui est la nôtre) apporte les moyens d'influer sur le cours des événements qui nous concernent et de se tracer en toute lucidité un « **plan de vie** » en conformité avec ses idéations et ses possibilités réalisatrices.

Le **yoga** et le **bouddhisme zen** ont une philosophie que nous exposons, diamétralement différente de nos concepts occidentaux. Certains, qui rejettent leurs incomplétudes ou leurs malheurs sur les excès de notre civilisation occidentale, se tournent vers ce qu'ils pensent devoir leur apporter la sérénité. *Ils ne font en cela qu'aggraver et multiplier leurs difficultés existentielles,* par suite de l'ambivalence d'une existence qui recherche le non-attachement, le rejet du passé et la négation de l'avenir dans l'attente d'un nirvâna qui peut n'être que le fruit de l'imagination, et des nécessités et facilités de la vie occidentale avec ses contraintes et ses plaisirs immédiats.

Il faut donc trouver un moyen terme entre ces idéaux et comportements. Ce moyen est ce que nous appelons la **voie médiane.**

Devant en tracer les grandes lignes, disons que la voie médiane se propose comme un pont jeté entre les idéologies fumeuses en ce qui concerne nos esprits cartésiens et notre pensée objective, occultiste. Non pas cet occultisme qui, pour les profanes, sent encore le soufre, mais cette philosophie reposant sur les lois universelles que méconnaît notre civilisation scientiste qui, par cette ignorance, *conduit l'individu et les sociétés à leur perte.* De prendre conscience de ces lois intangibles qu'on ne peut transgresser impunément et de les appliquer à la conduite de sa vie *modifient inéluctablement le présent* par l'intervention de ce que nous appelons la providence, et prépare pour l'avenir proche et lointain *les circonstances qui donnent la quiétude et la joie de vivre.*

Il n'est pas question, dans cette démarche, de se laisser entraîner aux élucubrations démentielles de certaines sectes conduisant à la dissociation de la personnalité, mais de prendre dans ces philosophies de l'Orient ce qu'elles ont d'admissible et de logique, dont le **karma** qui nous rend responsable, la « **présence au présent** » qui nous fait vivre pleinement le temps qui s'écoule, **la modération de nos avidités,** le retour à plus de simplicité, à moins de vanité et d'agressivité, sans pour autant renier les plaisirs matériels qui, dans notre concept, ne sont aucunement en contradiction avec la sagesse orientale.

Encore faut-il ne pas compter uniquement sur la providence. « *Aide-toi, le ciel t'aidera* » est un axiome à ne jamais oublier. Dans cet esprit, je propose d'abord *d'explorer son subconscient* pour se libérer des refoulements et complexes paralysants et inhibiteurs de l'action, pour en extraire les facultés qui ne sont qu'à l'état latent et que l'on peut développer. Puis, se connaissant, je conseille *de se fixer un but* et de tracer les étapes qui y mèneront. C'est le « *plan de vie* » qui cristallise les énergies. Enfin, nous dynamiserons les motivations, motrices de l'action.

Ce concept n'est encore que fragmentaire. Il implique de trouver les moyens qui, d'une part, résoudront les difficultés existentielles et, d'autre part, apporteront une réponse satisfaisante aux problèmes personnels.

C'est pourquoi, fort des résultats obtenus en relaxation et en amaigrissement *(reconditionnement psychophagique)* (1) par l'ensemencement du subconscient, je me suis appliqué, après avoir montré comment on accède à ce que j'appelle l'**infra-hypnose,** à apporter des formulations dont la diversité *répond à la majorité des problèmes qui m'ont été posés.* Le lecteur disposera ainsi d'un arsenal dans lequel il pourra puiser pour composer, s'il le désire, des formules encore plus adéquates à son cas particulier.

---

(1) Méthode de l'auteur appliquée dans les Psycho-Center.

Par ailleurs, j'ai cru devoir rendre accessibles aux lecteurs et aux lectrices peu initiés à la terminologie psychosomatique, les exposés la concernant par un lexique (cf. page 343) dont l'originalité (renvois aux autres mots du lexique) leur permettra de faire une abondante moisson de connaissances facilitant la compréhension de textes qui, sans cela, eussent pu paraître sibyllins.

Enfin, et ceci n'est pas le moins important, *je ne me suis pas limité à la sphère du mental* en ignorant l'importance du soma (le corps) sur la psyché comme le font en général les spécialistes se penchant sur les problèmes psychologiques et les anomalies du psychisme. En toile de fond, on retrouvera *mon souci de l'épanouissement intégral de la personnalité* par la recherche de l'harmonie du corps, de sa capacité de plaisir dans la proposition d'une nouvelle éthique sexuelle libératrice des tensions, ayant rejeté tous les tabous qui continuent à peser lourdement sur les consciences individuelles. Aussi, **par l'accession aux pouvoirs de l'esprit.** Par **l'entraînement de la pensée,** on peut acquérir la faculté de s'auto-hypnotiser pour programmer son subconscient et résoudre ainsi les problèmes qui tiennent aux circonstances adverses que l'on peut modifier, *au climat moral qu'il est possible de transformer pour le rendre euphorique,* à l'esthétique corporelle que la pensée influence bénéfiquement et, enfin, *à la maladie* que l'action subconsciente permet *soit d'éviter, soit de vaincre quand elle est déclarée.* **Car, en définitive, nous sommes ce que nous pensons.**

Marcel Rouet

PREMIÈRE PARTIE

Le subconscient et l'auto-hypnose

CHAPITRE I

Découvrez votre subconscient

1. Le développement inquiétant du cerveau

Dans l'évolution de l'espèce, l'histoire du cerveau est l'aventure la plus stupéfiante qui soit. Alors que le cerveau primitif — indépendant de notre conscience — qu'on appelle le **diencéphale** et qui préside aux fonctions organiques ne s'est que peu modifié, le **cortex** (ou cerveau conscient) a connu un développement considérable. Sans entrer dans les détails de l'évolution, rappelons que ce n'est guère que cinq cent mille ans avant nous qu'apparurent les premiers hominidés.

Des fouilles en Afrique du Sud ont permis de découvrir des restes de squelettes qui dateraient de cette époque, alors que des savants affirmaient qu'en Asie vivaient les ancêtres de l'homme, les *pithécanthropes,* qui façonnaient déjà des armes et des outils en taillant des silex. L'homme dit *de Pékin* chassait et savait faire du feu. On possède peu de connaissances sur la période qui précède la découverte de *l'homme du Neanderthal,* trouvé dans une grotte de ce nom. Cet être, dont la longueur des membres supérieurs et le front bas aux arcades sourcilières proéminentes lui confèrent un aspect simiesque, ne semble pas avoir eu encore un langage articulé, contrairement à *l'homme de Cro-Magnon* découvert en Dordogne et qui devait succéder à celui du Neanderthal dans la lignée humaine. L'homme de Cro-Magnon préfigurait celui d'aujourd'hui, moins massif et de plus grande taille. Les arcades sourcilières moins avancées, un crâne plus volumineux, le menton moins fuyant font qu'il peut être considéré comme notre ascendant direct. Les quinze mille années nous en séparant n'ont apporté que des modifications de détail résultant plutôt de l'influence plastique d'un milieu de plus en plus civilisé que de mutations génétiques. Cependant, **le cerveau devait connaître d'étonnantes métamorphoses.**

L'apparition d'un langage rudimentaire préludait au développement de l'expression orale. A partir de cette capacité à communiquer qui devait se perfectionner pendant des millénaires, l'homme devait voir son cerveau évoluer vers sa forme actuelle **qui donne la primauté au cortex,** alors que le cerveau primitif conservait son caractère archaïque et même régressait en certaines de ses particularités. Le **cortex** (ou cerveau conscient) s'est développé chez l'homme à une vitesse exponentielle dans les derniers millénaires. La masse des circonvolutions cérébrales — *dont les plis, s'ils étaient étendus à plat sur une sphère de la dimension d'une barrique, la recouvriraient* — se trouve désormais à l'étroit dans la boîte crânienne, sans que le diencéphale (qu'on appelle aussi le **cerveau viscéral**) suive cette énorme expansion. Alors que, chez l'homme contemporain, la masse cérébrale a un volume moyen de 1 500 cm³, elle n'atteint que 600 cm³ chez le gorille et ne faisait, estime-t-on, que 900 cm³ chez le pithécanthrope. Il semble que le cortex ne puisse plus se développer qu'au détriment des parties qui l'avoisinent, et que l'avenir de la race humaine ne puisse être envisagé avec sérénité qu'en limitant la prépondérance du cerveau conscient — donc de l'intelligence — sur la vie instinctive, organique, au profit du diencéphale. Autrement, le déséquilibre, selon les savants, se traduirait par **la multiplication des névroses et affections psychosomatiques** qui affectent de plus en plus douloureusement les « cerveaux pensants » que nous sommes devenus.

Avant de montrer que le diencéphale, ce parent pauvre de notre monde scientiste, **n'a pas à se trouver infériorisé par rapport au cerveau conscient,** et cela à cause de sa symbiose avec le subconscient intelligent, il n'est pas superflu de définir au moins sommairement les structures de l'appareil cérébral.

2. Les structures de votre cerveau

On compare classiquement le cerveau à un cerneau de noix à cause de ses deux hémisphères. Sous l'appellation d'encéphale sont groupés le cerveau situé en avant, le cerveau moyen et, en arrière, le cervelet, l'ensemble surplombant le tronc encéphalique qui, lui-même, domine la moelle épinière. C'est en se repliant sur lui-même, au cours de l'évolution, que ce qui n'était que le tube neural primitif a donné naissance au nouveau cerveau, ou *néo-cortex*. Le tronc de l'encéphale se confond avec la *formation réticulaire* et le *rhinencéphale* qui abrite une partie du thalamus et l'hypothalamus.

a) Le diencéphale et la formation réticulaire

Des travaux récents font apparaître l'importance du rôle de la formation réticulaire qui opérerait en liaison avec l'hypothalamus. Cette formation s'étend du cortex à la moelle. Il s'agit d'une substance blanche et grise, aux délimitations imprécises, qui sert d'intermédiaire aux voies sensitives et sans lesquelles elle serait inopérante. La formation réticulaire (on dit aussi réticulée) est en étroite liaison avec le cerveau viscéral qui, sans être bien déterminé anatomiquement, intégrerait avec celle-ci les messages émotionnels et sensoriels, en assurant le retentissement sur les réactions et le comportement de l'individu.

La formation réticulée et le cerveau viscéral ont donc pour mission :
— *de réguler (équilibrer) le système nerveux neurovégétatif (le sympathique), donc la veille et le sommeil ;*
— *de doser l'activité motrice (le mouvement) ;*
— *de sérier et de contrôler les messages (l'information) émotionnels et sensoriels pour harmoniser le comportement.*

C'est dans le rhinencéphale que se situe l'hypothalamus dont l'étude va nous mener aux mécanismes qui, *par l'intermédiaire du subconscient,* exercent des actions sur le fonctionnement organique, effets qui, nous le verrons, peuvent se déclencher sous l'influence de la pensée positivement concentrée ou de l'ensemencement du subconscient en état d'infra-hypnose.

b) Les fonctions de l'hypothalamus

L'hypothalamus, qui ne pèse guère plus de 4 grammes et n'est pas plus grand que l'ongle du pouce, exerce cependant des actions diversifiées extrêmement importantes pour l'économie. Dans l'hypothalamus siègent les centres de commande de l'appétit, de la faim et de la satiété (voir *Maigrir par la détente nerveuse*) (1). Tout proches, se situent ceux de la sexualité, de la haine et de la colère, de l'angoisse et de la peur. L'hypothalamus abrite également nos centres émotionnels, ceux de l'affectivité et de l'amour (voir tableau n° 1).

---

1. Editions Dangles.

Tableau n° 1
LE CERVEAU ET L'HYPOTHALAMUS

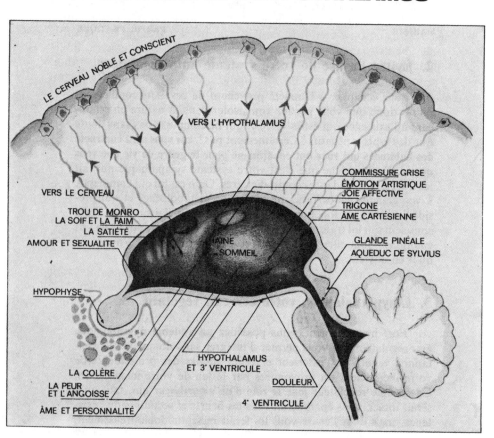

D'après : *Le Sympathique dans la vie moderne,* professeur M. Landry
(Librairie S.A. Maloine).

L'hypothalamus est situé à la base du cerveau. Il est formé par la masse du 3e ganglion, sous le thalamus. A la partie moyenne et inférieure, se trouvent la zone médiane responsable de la satiété et deux zones latérales qui interviennent dans les actions nutritionnelles et dont le rôle est d'activer la faim. Ces deux postes de commande retentissent l'un sur l'autre, le centre de la satiété freinant celui de la faim et ce dernier entrant en activité lorsqu'il est stimulé par le besoin organique de nourriture ou par la sollicitation sensorielle. La destruction expérimentale du centre de la satiété entraîne une forte agitation, une faim insatiable, ainsi qu'une rapide augmentation du poids corporel.

On voit sur ce document la position de l'hypothalamus par rapport au cortex (cerveau conscient ou écorce cérébrale) dont il reçoit les influx nerveux selon les sollicitations et les stress de la vie active. L'hypothalamus réagit en sécrétant des hormones qui agissent elles-mêmes sur l'hypophyse qui commande le jeu hormonal des autres glandes ; ces dernières transmettent les ordres reçus aux ganglions de la chaîne sympathique, d'où émanent les nerfs efférents, à tous les niveaux des tissus et des organes par le moyen de médiateurs chimiques que délèguent les vaisseaux et les nerfs.

A l'origine du dysfonctionnement de ces relais se trouvent donc les agressions qui affectent l'hypothalamus dont les centres de l'angoisse et de la peur (centres émotionnels). Ceux du sommeil et de la sexualité déséquilibrent par réaction de voisinage ceux qui commandent la satiété, quand ils sont traumatisés ou n'ont pas assez de répit.

Figure n° 1

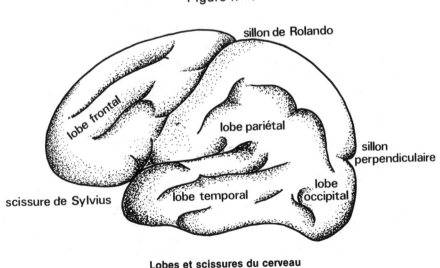

Lobes et scissures du cerveau
(Schéma extrait de l'ouvrage de Robert Tocquet :
La Biodynamique du cerveau - Editions Dangles)

Pour comprendre le rôle capital que joue l'hypothalamus dans le comportement, il ne faut pas perdre de vue la double définition de notre système nerveux, à la fois conscient par le cortex **de plus en plus prédominant chez l'être humain évolué,** inconscient et automatique par le système sympathique. C'est là qu'intervient dans notre comportement le facteur émotionnel qui peut influer sur la fonction hypothalamique par les messages du cortex que nous contrôlons, ou par les incitations de l'instinct qui tiennent à notre économie qui, elle, se trouve *sous la dépendance de notre sympathique.*

c) L'équilibre glandulaire dépend du contrôle émotionnel

J'avais déjà mis l'accent sur cette interdépendance dans mon ouvrage sur la relaxation (2) dont un extrait montrera la relation existant entre le système nerveux et le fonctionnement des endocrines : « *La santé est tributaire d'un parfait équilibre réalisé entre le contrôle émotionnel, l'intégrité du système végétatif et la régulation glandulaire. L'un de ces facteurs vient-il à être perturbé, c'est l'équilibre des autres qui se trouve compromis. Le désordre émotionnel retentit sur une glande maîtresse, l'hypophyse, par l'influence équilibrante ou perturbatrice de l'hypothalamus.* »

L'hypothalamus est intimement lié à l'hypophyse, glande ovoïde, de la taille d'une noisette, qui y est appendue et qui, sous l'incitation de nos émotions, commande à notre économie en stimulant ou en modérant nos organes par le jeu de ses hormones. L'hypophyse reçoit le stress par répercussion et exerce sa souveraineté (*on l'a nommée le chef d'orchestre des glandes endocrines*) sur les autres glandes à sécrétion interne, les surrénales le plus fréquemment (*décharges d'adrénaline élevant la tension sous les effets du stress*), les gonades (*tensions au niveau testiculaire, syndrome hyperfolliculinique,* etc.), la thyroïde, le foie, le pancréas, la peau, etc.

d) Les nerfs sont les messagers de nos émotions

Voyons maintenant quels sont les agents de ces influences. La sécrétion hormonale, celle de l'hypophyse surtout, de quelque endocrine qu'elle provienne, retentit sur les autres glandes par l'intermédiaire du sang et de la lymphe en exerçant des effets régulateurs

---

2. *Relaxation psychosomatique* (Editions Dangles).

quand la commande (*l'hypothalamus*) n'est pas faussée. Mais la voie nerveuse n'en a pas moins un rôle prioritaire par l'intermédiaire de ses médiateurs chimiques. Car, en définitive, *ce sont les nerfs qui inhibent ou activent la contraction des muscles et la sécrétion des glandes, selon les ordres qu'ils reçoivent du système nerveux central* par l'entremise des substances chimiques qu'ils sécrètent. Ces substances sont les *médiateurs,* dont l'**acéthylcholine** (à effets vasodilatateurs et activateurs) et la **sympathine** (à effets vasoconstricteurs et inhibiteurs).

L'acétylcholine, ou ACh, élève la tension du liquide céphalorachidien et produit la contraction des muscles striés. Cette excitation est renforcée par l'*adrénaline* que sécrètent la partie centrale des glandes surrénales et certaines fibres nerveuses du sympathique. Ce sont ces médiateurs qui préparent à la fuite ou à l'attaque, *quand on se sent menacé,* et qui mettent le corps en état de tension.

Mais le sympathique est composé de deux éléments antagonistes :

— l'*orthosympathique* qui libère l'adrénaline et la sympathine ;
— le *parasympathique* dont le médiateur est l'acétylcholine.

Or, l'orthosympathique est vasoconstricteur et contracturant. Libérant la sympathine, il est source de rétraction, d'angoisse. *Par contre, le parasympathique, dont le médiateur est l'acétylcholine, est vasodilatateur. Il est euphorisant.*

En résumé, pour ce qui doit requérir notre attention, c'est l'acétylcholine qui relâche les artères, produit la déconnexion du mental et la relaxation, qui donc détend les nerfs et libère de l'anxiété et de la peur.

e) Le cortex, ennemi du sympathique

La dualité des systèmes nerveux peut être difficile à appréhender si on s'en tient à la seule physiologie ; plus démonstratif est de montrer, par des exemples concrets, comment se comporte chacun des deux systèmes et comment ils peuvent se conforter l'un l'autre, se paralyser ou s'opposer en leurs effets multiples. Parmi ces exemples, *nous choisirons celui qui nous semble devoir apporter le meilleur éclairage,* car plus ou moins familier à la plupart des individus : celui des difficultés sexuelles. Effectivement, et nous y reviendrons dans le chap. VIII, quel homme n'a pas connu quelque échec (ou semi-échec) dans sa relation amoureuse, quelle femme, malgré l'attirance qu'elle pouvait avoir pour un homme, ne se trouva pas dépitée de n'avoir pu accéder à l'orgasme, bien que son partenaire se fût montré bon amant ? Cela, en marge de l'impossibilité pour une majorité d'hommes de ne pouvoir faire l'amour longuement et de 40 à 60 % de femmes — *selon les sexologues* — qui ne connaissent pas l'orgasme. C'est que si le conscient — *donc le cortex* — est roi dans les fioritures amoureuses demandant de l'initiative et de l'imagination consciente, il n'en est pas de même pour le mécanisme de la tumescence clitoridienne et de l'érection pénienne *qui sont soumises à la souveraineté du sympathique,* bien que le cortex, comme nous allons le voir, comme dans une course de relais, prenne d'abord le départ pour s'effacer ensuite au profit du sympathique. Cette merveilleuse mécanique qu'est la montée du désir sexuel fonctionne au mieux chez l'être fruste ou le primitif que des considérations éthiques ou l'angoisse de l'échec n'effleurent même pas ; mais nous allons voir qu'il en est tout autrement chez l'individu évolué, ou tout simplement excessivement délicat ou timoré, *chez lequel la pensée négative la plus fugitive peut paralyser le sympathique.*

3. Le développement normal de l'excitation sexuelle

Chez l'homme, quand le cortex ne l'entrave pas et laisse le sympathique s'exprimer pleinement, le désir sexuel se manifeste sous l'effet d'une représentation mentale érotique ou par l'intermédiaire des sens, par exemple, l'*odor di femina*, la vue d'un corps attrayant ou sa caresse, des paroles incitatrices, ou évocatrices de joies partagées. L'organisme se met alors sous tension *par élévation de la pression du liquide céphalo-rachidien* et par une décharge de l'adrénaline sécrétée par la partie centrale des glandes surrénales et par certaines fibres nerveuses du système sympathique, *de l'orthosympathique.* Mais ce dernier ne fait pas que libérer de l'adrénaline ; il associe à cet effet celui du médiateur chimique qu'est la sympathine. Or, **la sympathine, vasoconstrictive, est source d'anxiété, d'angoisse et de tensions.** Son excès bloque le jeu respiratoire par constriction thoracique, *développe les inhibitions.* Cause de retrait et de repliement, elle est paralysante.

Par contre, appareil compensateur et modérateur, le **parasympathique** (dont le médiateur est l'acétylcholine) *est vasodilatateur et décontracturant.* Il libère l'appareil respiratoire et les muscles de leurs strictions ; il est le vecteur *de l'épanouissement et de l'euphorie morale* et organique puisqu'il délivre les organes de leur tension.

Sous la pulsion du désir, l'adrénaline et l'orthosympathique font monter la tension. La pression artérielle s'élève, les glandes sexuelles entrent en activité. Sans l'intervention du parasympathique compensateur, la contracture interviendrait, *le moindre sentiment participant d'une émotivité excessive entraînerait l'inhibition.* Mais le parasympathique antagoniste intervient. Se situant à la partie supérieure et inférieure de la moelle, par l'acétylcholine *il exerce des effets décontractants,* relâche les artères, favorise l'afflux sanguin vers les organes génitaux, provoque la déconnexion du mental et la relaxation pour ne laisser subsister que la perception de la sensation sexuelle dans une pratique que l'homme peut poursuivre longuement, *dans la relégation au second plan de l'orthosympathique contracturant.* Notons que, par l'éducation, il est possible par certains moyens (*dont la relaxation*) de faire prédominer le parasympathique dont le rôle est le suivant : par son médiateur, il stimule le nerf érecteur dont l'action gonfle et rend rigides, par la dilatation de leurs artères, le pénis ou le clitoris, gorge également d'afflux sanguin les territoires avoisinants. *Cette commande provient des ganglions autonomes qui se trouvent dans la moelle épinière.* Le mécanisme est facile à comprendre. Le centre de l'érection est situé entre le 2e et le 5e segment de la moelle épinière sacrée (partie basse). L'excitation des terminaisons nerveuses des organes génitaux est transmise par le nerf dorsal du pénis et, ensuite, par le nerf honteux, pour atteindre le centre de l'érection (voir tableau p. 337). Les nerfs érecteurs entrent alors en jeu *pour dilater les artères et produire la tumescence des corps caverneux.*

Nous retrouvons cette action décontractante du parasympathique dans tous les cas qui l'opposent aux effets angoissants du sympathique. C'est le cas pour l'artiste qui entre en scène et connaît le trac. Dans un premier temps, l'orthosympathique le prépare à sa prestation en le mettant sous pression ; mais s'il n'embraye pas sur le parasympathique décontractant, toutes les manifestations pénibles du trac que nous décrivons par ailleurs (voir le chap. V) le paralysent, comme l'est l'homme qui, appréhendant de décevoir sa partenaire, est victime d'un fiasco. **Nous voyons que la compréhension de ce phénomène est très importante** ; des disciplines que nous allons exposer permettent de le maîtriser ; cette capacité octroie *la faculté de résoudre de nombreux problèmes personnels* résultant d'une excessive émotivité, ou encore de la résurgence, dans le pré-conscient, d'affects refoulés.

4. La maîtrise de votre sympathique

Le cortex et le conscient sont liés ; nous verrons comment, bénéficiant des découvertes faites sur les immenses possibilités du cerveau, nous pouvons élargir les perceptions de la conscience. Parallèlement à cette dualité de l'écorce cérébrale et de la conscience, se trouve celle du sympathique et du subconscient. **Se rendre maître du premier, c'est aussi avoir la capacité de modifier les réactions de son subconscient,** les deux systèmes (conscient et subconscient) exerçant, par ailleurs, des influences réciproques. Car, en fait, *nous disposons, pour équilibrer notre sympathique, de deux voies* : celle de la **conscience** au moyen de pensées et d'actes délibérés, et celle du **subconscient** dans l'effacement des facultés de vigilance. C'est cette alternative que nous exposerons.

a) La libération des instincts

Le cerveau conscient s'étant développé à outrance chez l'homme, les instincts se sont amenuisés. L'intelligence, si elle a permis à l'humanité d'avancer à pas de géant dans la voie de la connaissance, lui a posé des problèmes existentiels *d'une complexité de plus en plus grande.* Les facultés qui participent de la sphère du conscient (la logique, l'esprit critique, le raisonnement, etc.) *ont étouffé la voix de l'instinct,* ce dernier duquel découlaient la protection du sympathique, l'acuité de la perception sensorielle et l'intégrité de facultés qui appartenaient au subconscient et qui, à moins d'une éducation particulière jusqu'ici méprisée par le monde scientiste, se sont atrophiées. **De ce déséquilibre est issue la névrose contemporaine des individus comme des sociétés.** Faut-il donc donner de nouveau libre cours aux instincts au détriment de l'intelligence ? Telle n'est pas notre pensée. Bien au contraire, *il nous faut réhabiliter la vie instinctive,* sans pour autant renoncer au contrôle et aux délectations du cortex. Nous retrouverons ainsi ces précieuses facultés que sont l'intuition et la prescience, peut-être pas au niveau que les possède le chien alerté bien à l'avance d'un tremblement de terre, *mais dans l'obtention de certains pouvoirs, telles la télépathie et la prémonition.*

Une autre raison doit nous inciter à rechercher la restitution des facultés instinctives qui sont liées à la vie animale. Le cortex se développant, *l'homme a vu s'atrophier son système musculaire* au profit de son cerveau et de son système nerveux. **Il en résulte un déséquilibre flagrant entre ces deux fonctions.** Or, et nous avons déjà attiré l'attention sur ce phénomène, la névrose se développe électivement chez les sujets les plus intelligents et chez les étudiants, comme l'observent les médecins. Nous avons déjà émis l'hypothèse que l'accroissement de la taille chez les jeunes, attribué aux progrès de l'hygiène, devait provenir de la stimulation des endocrines participant à la croissance, sous l'effet d'une cérébralité accrue. Certes, de meilleures conditions de vie ont contribué à ce développement mais, parallèlement, **on observe que les morphologies deviennent filiformes** : les épaules, les bassins sont plus étroits, le format diminue, ainsi qu'en font foi les « tailles » du prêt-à-porter. Une qualité fondamentale pour la résistance à la maladie, la **robustesse** (ou la *rusticité*) a pratiquement disparu, remplacée par la fragilité. Cette fragilité ne concerne pas seulement le physique, *mais aussi les structures mentales qui souffrent de ce manque de fond.* D'abord spécialiste de culture physique, nous avons constaté que ce déséquilibre entre le muscle et le nerf est l'une des causes essentielles de la névrose, des problèmes personnels qui surgissent de ce fait. **Il suffit de rétablir l'équilibre compromis entre les deux systèmes pour apaiser les conflits chez les névrosés,** et même chez les psychotiques, pour résoudre nombre de situations ayant résisté aux traitements classiques. Par exemple, il est rare qu'une insomnie rebelle, qu'on ne peut attribuer à aucune cause organique, ne cède pas à l'action conjuguée de la relaxation psychosomatique et de l'exercice progressif. *Nous en avons maints exemples en Psycho-Center.*

L'un des moyens les plus aptes à rétablir l'équilibre psychosomatique, dont celui du sympathique, est donc *la remusculation progressivement intensifiée* de sujets — *ils sont très nombreux* — montrant un amenuisement musculaire. Beaucoup de problèmes seront ainsi résolus ; par exemple, **un complexe d'infériorité peut être combattu par l'accroissement de la force et du volume musculaires** qui donnent de l'assurance à celui ou à celle qui les possèdent.

Si nous avons insisté sur cet aspect du reconditionnement de la personnalité, *c'est que l'effort procède de la pulsion instinctive.* Et l'effort physique, musculaire, a des propriétés qu'ignorent les personnes qui lui sont hostiles et, hélas, la majorité des médecins qui en négligent les vertus prophylactiques et régénératrices !

b) Redécouvrez la vie instinctive

L'instinct de l'être humain, lorsqu'il n'est pas anéanti par des conditions de vie artificielles, est de vivre sainement en accord avec les lois de la nature. **L'instinct nous pousse à rejeter nos habitudes nocives.** Le besoin de mouvement, d'espace, de soleil et, surtout, d'air sain, celui des larges horizons, de l'altitude, des plaines verdoyantes, de la mer calme ou déchaînée, est en chacun de nous comme une réminiscence ancestrale. Mais nous résistons à la voix intérieure de notre instinct, le refoulant, *tellement nos habitudes malsaines sont devenues tyranniques.*

Vous ne vous montrerez jamais assez vigilant envers les appels de votre subconscience qui vous demande de satisfaire à ces besoins. Prendre conscience de ses velléités instinctuelles, c'est faire un retour vers une vie plus normale et plus saine. Car, **qu'on le veuille ou non, la plus grande part du bonheur tient à la joie organique.** Les joies artificielles de l'intellectuel névrosé, de l'adepte émacié de certaines sectes, de l'obsédé, ne sont nullement comparables en intensité et en qualité à celles d'un être bien équilibré, débordant d'énergie vitale, éprouvant un besoin constant d'activité.

Les joies de la plénitude physique sont cependant à la portée de chacun. Il est facile d'en faire l'expérience. Un dimanche matin, au lieu de rester paresseusement au lit, levez-vous très tôt et allez faire une longue randonnée à bicyclette, ou du *jogging*, qui n'est autre que le footing ! alias la course à pied. Faites ensuite une série de respirations complètes (3) puis prenez une douche et frictionnez-vous tout le corps. Si vous êtes habituellement inactif, vous vous sentirez transformé, vous mangerez avec l'appétit de la jeunesse, *vous éprouverez l'euphorie morale et physique qui est la récompense de l'effort.* Vous aurez retrouvé le paradis perdu de l'enfance.

c) N'entravez plus vos besoins organiques

Ne pas entraver la satisfaction de nos besoins organiques est nécessaire à notre équilibre. Plus l'homme est policé, plus il contrarie les desseins de la nature. L'être primitif donnait libre cours à ses instincts, courait, sautait, grimpait aux arbres, nageait quand il en avait

---

3. L'initiation respiratoire - Voir : *Chassez la fatigue en retrouvant la forme* (Editions Dangles).

envie, mangeait quand il avait faim, faisait l'amour quand il en éprouvait le désir sans s'occuper de l'heure qu'il était. L'homme civilisé, au contraire, se met à table à heures fixes et mange même sans appétit. Il se couche à des heures déterminées, quelle que soit sa fatigue. Très nombreux sont ceux qui contrarient les fonctions les plus naturelles, comme la miction et la défécation. *Il en résulte de graves troubles de santé.* Il suffit d'observer le plus fidèle de nos compagnons, le chien, pour voir combien nous nous sommes éloignés de la nature. Le chien qui n'a pas faim — *nous ne parlons pas du chien de boudoir* — ne touche pas à sa pâtée et attend que l'appétit vienne ; s'il est fatigué ou souffrant, il reste immobile ou dort ; s'il est en bonne santé, il jappe joyeusement et court jusqu'à l'essoufflement. Donnez à un chien des aliments nocifs, essayez de lui faire boire de l'alcool, il se détournera. Livré à lui-même, l'animal ne se retient jamais pour satisfaire un besoin naturel. En marge des disciplines de cet ouvrage pour lesquelles il est conseillé de respecter la loi du rythme sur laquelle nous reviendrons, **il faut dans la mesure du possible céder aux injonctions de l'instinct,** cela, pour libérer le diencéphale et éviter le refoulement.

d) L'obéissance aux instincts

Ecouter la voix de l'instinct ne veut pas dire obéir aveuglément à toutes les impulsions. Le cortex — *autrement dit la censure* — doit exercer son contrôle. On connaît le déchaînement aveugle des soldats en occupation — *de ceux qui n'ont pas le contrôle d'eux-mêmes* — qui pillent et violent en l'absence de consignes sévères. La consigne, *c'est le Surmoi qui s'oppose aux débordements du Ça,* afin d'établir un juste équilibre entre la satisfaction du désir et l'évitement d'une sanction trop contraignante qui perturberait l'équilibre toujours instable du Moi. C'est ainsi que **les instincts les plus violents peuvent être canalisés ou détournés de leur but.** Ce qui est dangereux, c'est de lutter de front contre les instincts. Il est en chacun de nous des instincts qui doivent être dominés. Eduquer son instinct, c'est développer certaines facultés qui améliorent la personnalité et se rendre maître des mauvais instincts. Les pulsions de reproduction, de domination, d'agressivité et de destruction sont autant de manifestations primitives de l'instinct **qui peuvent être utilisées pour l'épanouissement personnel :** *l'instinct de reproduction* peut enrichir la vie d'un amour passionné et durable ; *l'instinct de domination* peut donner naissance à l'ambition légitime de devenir un chef compréhensif mais respecté ;

l'instinct de destruction peut trouver sa satisfaction dans la substitution de nouvelles doctrines, techniques ou méthodes à des idées périmées qui doivent s'effacer devant le progrès.

En résumé de ce qui précède, **la tendance à mépriser les exigences organiques et à se tourner entièrement vers une existence spirituelle ou contemplative est une aberration** qui prépare quelquefois de terribles réveils de l'instinct, qui, dans le meilleur des cas, produit le déséquilibre des instances psychiques et dégrade le somatique.

Rechercher l'équilibre entre le corps et l'esprit, telle est la loi de l'unicité de l'être humain. L'être trop matériel évolue vers l'animalité et régresse sur l'échelle des valeurs humaines ; l'être spiritualisé à l'extrême ne peut pas, étant soumis à la loi biologique et physiologique, ne pas apercevoir le côté matériel de son individualité. Il subit nécessairement les influences de sa nature *et cela donne lieu à des luttes internes incessantes qui confinent au déséquilibre,* quelquefois le précipitent quand le terrain est névrosé.

5. Les tensions émotionnelles

a) Déchargez-vous des tensions

Dans le même ordre d'idées — *la libération des contraintes* — le souci de montrer une maîtrise de soi absolue, un flegme imperturbable ne doit pas donner lieu à une tension permanente de l'esprit. *Cela irait à l'encontre du but recherché.* Cette attitude de relaxation doit s'intégrer sans effort au comportement. Ne dit-on pas que « *l'habitude est une seconde nature* » ? Il faut donc se montrer vigilant à cet égard et, dans les débuts de l'auto-initiation, ne pas être trop strict dans le contrôle de la maîtrise de soi, jusqu'à ce que se soient créés les réflexes conditionnés de détente par la relaxation et l'autosuggestion en infra-hypnose qui secondent la fonction de vigile du cortex.

Selon Alexander (4) : « *L'innervation des mouvements d'expression tels que les larmes, les soupirs, le rire, les rougeurs, la gesticulation, les grimaces, est un phénomène physiologique. Elle se produit sous la tension de certaines émotions spécifiques.* » Ces mouvements complexes, explique l'auteur, « *expriment certaines émotions en libé-*

---

4. Petite Bibliothèque Payot.

rant en même temps la tension émotionnelle : la tristesse, l'apitoie-
ment sur soi-même, la gaieté... ». Il en est ainsi de l'impatience, de la
colère qui représentent également une décharge tensionnelle. Alexander souligne pertinemment que « *du point de vue physiologique, les*
phénomènes sexuels appartiennent à la même catégorie. Ils sont éga-
lement des phénomènes de décharge aux fins de libération des ten-
sions émotionnelles instinctuelles ». Nous-même, dans *La Magie de*
l'Amour (5), avons montré les conséquences tensionnelles de la frustration sexuelle de la femme et comment les résoudre : « *L'orgasme*
est une nécessité biologique dont on ne peut méconnaître l'impor-
tance. L'absence d'orgasme chez la femme est à l'origine de troubles
névrotiques et psychosomatiques. Elle éprouve, par rapport à
l'homme et aux femmes qui ont réalisé la plénitude de leur sexualité,
un sentiment de frustration. Il en résulte chez la femme insatisfaite de
la nervosité, une irritabilité caractérielle qui se transforme le plus sou-
vent en des manifestations rancunières ou d'agressivité plus ou moins
conscientes envers le partenaire. Physiologiquement, l'orgasme est la
décharge d'une tension libidinale et neuromusculaire. En ce sens, il
provoque la détente des nerfs et la résolution des contractures muscu-
laires mieux que ne saurait le faire aucun autre moyen. » Et combien
d'hommes harassés par leur journée, ou près de succomber sous le
poids des responsabilités, les nerfs tendus comme des cordes à piano,
vont se faire faire des massages aux noms exotiques qui ne trompent
personne, et en ressortent apaisés...!

b) La décharge des tensions est aussi affaire de tempérament

Un sanguin marqué par le soleil explosera, alors qu'une vénusienne marquée par la lune pourra, comme le fait un saturnien, res-
sasser sans arrêt ses griefs, refouler son agressivité. Il va de soi que le
premier sera moins menacé que les seconds, dont les sentiments
revendicatifs sont intériorisés et d'autant plus délétères qu'ils se nour-
rissent eux-mêmes de fantasmes corrosifs.

c) Comment opérer la décharge des tensions ?

Les tensions accumulées, quelquefois incompressibles, peuvent
être libérées de diverses manières. Bien entendu, par la colère, mais **la**

---

5. Épuisé.

colère est préjudiciable en ce sens qu'elle est souvent responsable d'actes irréfléchis, de violences qui sont ensuite chèrement payés. Elle propage des ondes qui atteignent ceux qui en sont l'objet, *mais* aussi celui qui s'y laisse aller, par le phénomène du « *choc en retour* » que nous expliquons par ailleurs. La colère provoque des décharges d'adrénaline, sortes de coups de bélier du système cardio-vasculaire dont les effets vont de l'élévation brutale de la tension artérielle à l'apoplexie. *Le tempérament colérique est particulièrement exposé* car, chez lui, la colère n'est pas exceptionnelle, et comme il s'agit d'un sanguin déjà menacé par la maladie cardiaque, cette propension est un facteur aggravant.

Relevons le lien qui existe fréquemment entre la colère et le sentiment d'infériorité ; elle permet de masquer, par les éclats de voix, la faiblesse de la volonté, la médiocrité de la personnalité.

Plusieurs moyens permettent de libérer cette force explosive qu'est la colère, et les tensions internes tout aussi pernicieuses, car plus ou moins fortes et permanentes. Ce sont la *communication,* le *recours lucide aux mécanismes de défense,* la *respiration,* la *relaxation psychosomatique.*

d) La communication

Les états de tension se développent sous l'effet de la contrainte. **Ils sont particulièrement dangereux chez le couple qui connaît la mésentente.** Se poursuivant *des années durant parfois,* elle a conduit plus d'hommes et de femmes prématurément au tombeau qu'on ne croit. Cette mésentente chronique ne provient cependant, dans l'immense majorité des cas, que de deux facteurs : *l'insatisfaction sexuelle, le manque de communication entre les partenaires,* le premier étant, sauf cas d'espèce, la résultante du second. Il ne manque pas de femmes frigides qui n'ont pas une pleine satisfaction charnelle, ni d'hommes ayant des difficultés en ce domaine ou qui n'osent faire part de leurs secrètes tendances érotiques. J'ai traité de ce problème dans un ouvrage spécialisé dont voici un extrait (6) : « *La plupart des couples vivent dans une absence quasi totale de communication. Quand celle-ci est établie, elle ne l'est que dans la limite des tabous sexuels, des interdits socioculturels, de la morale conformiste et des coutumes ancestrales qui régissent encore la vie conjugale. La femme et l'homme s'enferment chacun dans leur tour d'ivoire, la communi-*

---

6. Marcel Rouet : *La Magie de l'amour* (épuisé).

cation se réduisant aux banalités de la vie journalière, cependant que le domaine affectif et sexuel reste interdit aux explorations réciproques. » J'ai défini le procédé qui permet d'abattre ces barrières comme « *la concertation analytique du couple »,* sorte de catharsis réciproque libérant des incomplétudes et supprimant les tensions — *donc les malaises* — qui empoisonnent l'existence de trop d'hommes et de femmes unis ou non par les liens du mariage. Cette absence de communication ne se limite pas nécessairement à la relation sexuelle ; un couple peut avoir des dissentiments multiples concernant, par exemple, la famille, les enfants, les difficultés d'argent, l'adultère ou sa menace, etc. Ainsi, des discussions peuvent s'élever à propos de tout et de rien. *Le ton monte, alors que la cause ayant déclenché l'hostilité est dérisoire.* Un excellent conseil a été donné par un psychologue : que les antagonistes, après s'être affrontés, recommencent leur discussion en outrant leurs propos. Ce que nous avons vu à Marseille où deux porteurs de la gare Saint-Charles s'empoignant — *mais se gardant bien d'en venir aux coups* — en vinrent à de telles exagérations verbales, que la dispute se termina en éclats de rire, à la grande joie des badauds, dont nous étions... Le couple procédant ainsi ne peut finalement que s'assagir et **préférer bientôt la communication à l'affrontement.**

e) Vos mécanismes de défense

(Voir tableau page 70.) La compensation peut vous libérer de vos tensions. L'apéritif avec les copains a défoulé plus d'un homme ayant à la maison une épouse acariâtre ; plus d'une femme a rejeté, souvent abusivement, sur son enfant l'amour qu'elle eût aimé manifester à son conjoint l'ayant sentimentalement déçue. Des couples frustrés, s'ennuyant ensemble, s'entourent pour s'étourdir d'une cohorte de relations et d'amis. Mais pour beaucoup, **le mécanisme de compensation** qui sauve de l'intenable, de la névrose, est dangereux. *Il peut porter à une vie dissolue,* à des excès de toutes sortes (dont l'alcool) qui altèrent la cohésion de la personnalité. Moins nuisibles sont les hobbies, collections de timbres, etc., de même que sont bénéfiques pour la santé les activités sportives. Cependant la frustration, les contraintes mal supportées de la vie professionnelle, *restent comme la toile de fond anxiogène du vécu.* **La résolution lucide et courageuse des problèmes personnels est préférable au recours à ces phénomènes de fuite.**

Un autre mécanisme, **celui de la substitution,** permet de se libérer de tensions excessives. La colère éclate, mais elle s'en prend à un autre objet. C'est la femme en colère qui brise un vase, l'homme qui, ne voulant pas frapper sa femme, s'en va en claquant brutalement la porte. Mais cette décharge émotionnelle peut être délibérée. Rien n'empêche que le colérique installe chez lui un punching-ball pour se défouler et, s'il n'en a pas, de dériver son énergie en frappant dans son oreiller ou en cassant du bois. **C'est que l'action est le procédé de choix pour se libérer des tensions qui ne sont qu'une accumulation d'énergie.** L'indécision, les atermoiements ont des effets tensionnels que l'action annihile. Chaque fois que vous vous sentez inquiet, tendu, *entreprenez immédiatement quelque chose,* un travail intellectuel ou manuel, peu importe, et vous verrez comme vous vous détendrez immédiatement.

f) La respiration salvatrice des états tensionnels

Il est facile, quand on en possède la technique, de résoudre les états tensionnels par la maîtrise respiratoire. Nous en expliquerons le processus, qui est analogue quelles que soient les causes de tension, à travers les données de notre méthode de « *Sex-control* » (7) qui permet de remédier à l'éjaculation précoce dont la cause la plus commune *est une émotivité excessive.* « Le sympathique est le cerveau inconscient qui préside à la fonction sexuelle ; or, le sympathique agissant est constricteur et générateur d'anxiété. Sa déconnexion, qui laisse la commande nerveuse au parasympathique, est vasodilatatrice et relaxante, ainsi que nous le rappelons. Or, **la déconnexion du mental est indissoluble de la détente musculo-organique et nerveuse,** mais cette dernière ne peut être obtenue avec une fonction respiratoire bloquée *dont la constriction provient de l'émotivité,* ce blocage s'opposant par réciprocité à la détente. Cela s'observe quand l'exercice sexuel s'accompagne de cette constriction thoracique. Les mouvements respiratoires deviennent courts, saccadés, et n'arrivent plus à libérer le sang du CO_2 qui l'encombre, ce qui a pour effet de produire une libération de la sympathine dont nous connaissons les effets contracturants et inhibiteurs. Mais l'accélération du rythme cardio-respiratoire a aussi pour conséquence *de produire des décharges d'adrénaline* dont l'action, renforçant celle de la sympathine, *rend l'orgasme incontrôlable.*

---

7. Cassette C 60 (Self-méthode).

On comprend que, dans ce cas, **il s'agit de déclencher le phéno-mène inverse.** En libérant le thorax de sa constriction, on régule le rythme cardiaque et la respiration redevient ample et profonde. Le sang se trouve débarrassé du CO_2 en excès et les muscles se déten-dent ; *l'euphorie se substitue à l'angoisse.* Dans le cas que nous avons pris comme démonstration, le sujet qui ne pouvait maîtriser son réflexe éjaculateur, « embraye » sur le parasympathique, ce qui donne une prédominance à l'acétylcholine et, détendu, **conserve l'érection autant qu'il le désire.**

g) Comment dominer votre émotivité

La confusion s'établit souvent entre la sensibilité et l'émotivité. On peut être sensible, tout en dominant ses réactions. Un étudiant en chirurgie qui restera imperturbable à ses débuts n'est pas nécessaire-ment dénué de sensibilité ; celui qui serait émotif pourrait ne pas pou-voir s'adapter à la profession. Cependant, *chacun est plus ou moins impressionnable* et émotif, bien qu'il y ait des constitutions qui y pré-disposent. Les timides, les personnes généralement anxieuses et ner-veuses, complexées, peu enclines à l'action, montrent généralement une émotivité qu'on peut qualifier de maladive. **De vaincre cette émo-tivité, c'est déjà résoudre la plupart de leurs problèmes.** Nous revien-drons sur l'aspect psychologique des problèmes que pose l'émotivité pour ne considérer que les moyens qui permettent de remédier dans l'instant à ses manifestations physiques, *car de les juguler retentit sur le psychisme dans le sens de l'apaisement.* Par ces disciplines, nous nous rendons maître de notre sympathique et, par cette maîtrise, nous nous libérons des conséquences de la tension émotionnelle.

h) La respiration complète

La respiration complète que nous décrivons dans une autre par-tie de l'ouvrage est le préambule de cette technique. C'est l'initiation à la respiration complète des yogis qui donne la possibilité d'utiliser toute la surface pulmonaire (voir tableau p. 141), de ne dilater qu'une fraction des poumons, de stopper le respir, de le ralentir ou de le pro-longer. Mais **pour dominer immédiatement la crise émotionnelle, il n'est que d'user d'une technique qui n'est pas sans analogies avec celle utilisée dans l'accouchement sans douleur.** Elle s'assimile sur certains côtés à la respiration haletante qui a pour effet d'éviter que la femme ne se crispe et souffre pendant la délivrance. Il s'agit de faire une inspiration profonde par la bouche quand on sent, par exemple, que va survenir la crise émotive, que le visage va s'empourprer, que les mains tremblent, etc. De respirer par la bouche ne nécessite pas de l'ouvrir en grand, cela peut se faire discrètement. Une forte inspiration buccale étant prise, *on conserve l'air tout en contractant et avançant légèrement la paroi abdominale,* ce qui donne l'impression « *de se tasser sur son ventre ».* En réalité, le diaphragme bloqué appuie sur la masse des viscères abdominaux, ce qui agit sur le plexus solaire et permet, *par la pensée,* pendant cette courte immobilisation, de s'autosuggérer la dissipation et même la non-apparition des troubles. Mais, aussitôt la panique dominée, il faut débloquer le respir et respirer par la bouche, *glotte bien ouverte,* en inspirations profondes moyennement rapides, mais se faisant uniquement de la base des poumons (*respir ventral*).

Ce processus long à décrire est très rapide. Le premier temps qui dure deux ou trois secondes *dissipe aussitôt l'anxiété* et le parasympathique décontractant reprend sa prééminence que la respiration contrôlée buccalement pendant quelques instants lui conservera. Ainsi, même dès l'entrée en scène, un acteur victime du trac parvient à le dominer.

i) La relaxation

Dans la résolution des tensions émotionnelles, la relaxation est la discipline de choix. La maîtrise respiratoire a déjà pour effet de détendre le système neuro-musculaire, et nos méthodes se sont toujours appuyées sur cette observation ; les sophrologues qui avant préconisaient le calme respiratoire ont adopté notre optique.

L'action est un moyen de libération du diencéphale, mais la contraction volontaire, celle que nécessite l'exercice des muscles, n'a rien à voir avec la contraction involontaire que produisent par exemple l'anxiété latente ou les préoccupations de toute nature. De résoudre ces contractions dont on n'a pas conscience, c'est le but de la relaxation psychosomatique qui, ainsi, par la détente obtenue, **libère des tensions émotionnelles qu'on eût difficilement réduites consciemment.** Nos méthodes qui reposent sur l'imprégnation du subconscient dans l'effacement des facultés vigiles sont, évidemment pour la raison que ces contractions ne nous sont pas perceptibles, mieux adaptées par rapport aux mécanismes que nous avons exposés que des méthodes faisant appel à la prise de conscience. Ce qui ne veut pas dire que cette prise de conscience ne soit pas nécessaire *quand les réflexes conditionnés de détente se sont constitués,* car la conscience (*le cortex*) doit prendre le relais des facultés subconscientes pour en retirer la quintessence dans la lucidité des objectifs et des voies à emprunter pour y parvenir.

6. La conscience et ses possibilités

a) Qu'est-ce que la conscience ?

La conscience est une instance difficile à cerner. De nombreuses définitions ont été proposées. Pour les uns, elle est définie par l'action réelle, par l'efficacité immédiate, pour d'autres, elle se limiterait au phénomène psychique, pour d'autres encore, elle participerait également de l'émotion. La meilleure définition que nous en ayons, à notre sens, est celle de Freud, que nous empruntons au *Vocabulaire de la psychanalyse* (8) : « *La conscience est la face subjective d'une partie des processus physiques se produisant dans le système neuronique, nommément les processus perceptifs... Elle donne une priorité dans les phénomènes de la conscience à la perception et, principalement, à la perception du monde extérieur... L'accès à la conscience est lié avant tout aux perceptions que nos organes sensoriels reçoivent du monde extérieur.* » Freud complète cette définition en considérant la conscience comme « *un organe sensoriel pour la perception des qualités psychiques* » et, d'autre part, elle percevrait « *les états de tension pulsionnelle et les décharges d'excitation sous forme de qualités de déplaisir-plaisir* ».

Ce qu'il importe de retenir **est que la conscience est liée aux états sensoriels** et que, par conséquent, l'éducation sensorielle, et même sensualisante que nous avons préconisée dans *Les Stimulants de l'amour* (9), en affinant et intensifiant la perception, *est susceptible d'élargir notre champ de conscience.* Nous verrons dans la suite de l'ouvrage comment la conscience permet d'appréhender le contenu de l'inconscient et encore mieux ce qui stagne dans **le préconscient** qui se situerait, selon Freud, entre le système inconscient et la conscience, sa

---

8. Par Laplanche et Pontalis (P.U.F.).
9. Épuisé.

fonction consistant à éviter la venue à la conscience des préoccupations perturbantes.

b) Des états altérés de la conscience

Une abondante littérature, un engouement venant d'outre-Atlantique, ont donné lieu à une sorte de « psycho-fiction » mettant l'accent sur les états altérés de la conscience qui seraient provoqués selon Marilyn Fergusson (10) (laquelle écrit cependant que « *décrire les états altérés de la conscience, c'est essayer de nager dans des sables mouvants...* ») Ces états altérés de la conscience peuvent être produits par les drogues psychédéliques, la méditation transcendantale, mais aussi la recherche du satori par le yoga — il existe de nombreuses formes de yoga — au moyen des disciplines kundalini à base de méditation et de jeûne prolongé. L'auteur précédemment cité relate comment Gopi Krishna, étant parvenu à l'état « *d'Eveillé* », décrit son expérience : « *Soudain, dans un rugissement de cascade, j'ai senti un courant de lumière liquide remontant de la moelle épinière pour pénétrer le cerveau. L'illumination devenait de plus en plus éclatante, le rugissement montait en amplitude. J'ai ressenti une sensation de roulis, et je me suis alors senti quitter mon corps en glissant, entièrement enveloppé d'un halo de lumière (...) Je sentais se dilater ce point de conscience qui était moi, j'étais cerné par des vagues de lumière.* » Très sérieusement, Fergusson précise : « *Ce stade, Gopi Krishna y est parvenu dix-sept ans après avoir commencé à méditer, mais il avait auparavant éprouvé des phénomènes moins forts.* »

Cet auteur, dont le livre est bien documenté, relate une autre expérience non moins curieuse. Elle concerne des personnes invitées à concentrer leur attention sur un vase bleu, et voici ce que l'un des sujets relate après la fixation du vase pendant quinze minutes : « *Le vase s'est mis à irradier. J'avais conscience de ce qui avait l'air d'être des particules (...) qui semblaient provenir de la source lumineuse, à ma droite. Cela me fascinait. Je sentais que c'était une chaleur radiante. J'en recevais de la chaleur, et je me suis alors rendu compte que (...) tout était sombre autour (...) je sentais qu'il y avait aussi de la lumière qui venait du haut.* »

La recherche des états altérés de la conscience donne lieu à des manifestations tout aussi délirantes chez les adeptes de certaines idéologies qui mêlent en un cocktail indigeste la philosophie orientale, la

---

10. *La Révolution du cerveau* (Calmann-Lévy).

méditation dite transcendantale, le yoga, le zen, la macrobiotique, etc. Voyons ce qu'il en est et si nous pouvons retirer certains enseignements de ces pratiques dont beaucoup sont millénaires.

c) La conscience et la pensée orientaliste

Curieusement, alors que le monde asiatique découvre les joies que procurent nos sociétés occidentales, adopte beaucoup de nos mœurs et coutumes, apprécie les délices de notre gastronomie, et que les Japonais nous précèdent largement en ce qui concerne la technologie industrielle, des Occidentaux pensent résoudre leurs problèmes existentiels en tournant leurs regards vers les idéologies de l'Orient. Nous verrons ce qu'il en est...

Résumant les grandes lignes de cette philosophie, pour une meilleure compréhension, nous avons réuni en un tableau (voir tableau p. 38) les définitions des mots clés qui reviennent comme des leitmotive dans les textes consacrés aux disciplines yogies et bouddhistes.

Une idéologie est commune à ces philosophies qui s'écartent des religions occidentales en ce sens que leurs fidèles (ou adeptes) *croient aux réincarnations successives*. Cette croyance est symboliquement représentée par la « **Roue de Devenir** », que Humphreys (11) définit en ces termes : « *La Roue est un symbole commun à bien des religions. Dans le bouddhisme, elle évoque l'incessant devenir humain et ses limitations (le fini). L'homme y reste enchaîné aussi longtemps qu'il sera dans le leurre. Mais dès lors qu'il réalise que son " Moi " est une chimère, il s'en dégage et atteint la libération, à l'état d'infinitude appelé nirvâna.* »

Pour la théosophie, l'homme aurait derrière lui une longue évolution sur « *d'autres chaînes que la nôtre* », et cette évolution se produirait sous l'effet d'une énergie universelle. « *Ces énergies, nous dit Annie Besant (12), qui se manifestent et se dévoilent au cours de l'évolution, sont cumulatives dans leur action. Enrobées dans la pierre, dans le monde minéral, elles grandissent, elles s'affirment et accomplissent leur évolution dans le monde minéral. Devenues trop fortes pour le monde minéral, elles passent au règne végétal. Là, leur diversité se manifeste de plus en plus, jusqu'au moment où, devenues trop puissantes pour le végétal, elles deviennent l'animal. Leur expansion intérieure se poursuit ; elles assimilent les expériences de l'animal*

---

11. *Concentration et Méditation* (Editions Dangles).
12. *Introduction au yoga* (Editions Adyar).

Tableau n° 2 :
QUELQUES TERMES ORIENTAUX

Bouddha

Signifie « **l'Eveillé** ». Le Bouddha est né dans l'actuelle région du Népal, vers 560 av. J.-C. Il mourut vers l'âge de 81 ans, après avoir eu la révélation du **nirvâna**. Dans le bouddhisme, l'adepte devient lui-même **bouddha** quand il reçoit l'**illumination** ; c'est alors un **éveillé**.

Chakra

Terme sanscrit qui signifie « **roue** ». Les hindous reconnaissent 7 principaux chakras. Ce sont des centres d'énergie correspondant sensiblement aux plexus nerveux. Les chakras atrophiés chez le non-initié peuvent être rendus plus actifs par la charge prânique et la prise de conscience de la circulation de cette énergie cosmique à laquelle l'adepte se trouve intégré (voir page 310).

L'Eveillé

Désigne l'état de l'homme qui a dépassé les limites étroites de la conscience personnelle, et qui accède à la conscience universelle. C'est l'état de **bouddha**, le **nirvâna**, le **satori**.

Illumination

L'instant évanescent ou définitif que connaît l'adepte zen, souvent après bien des années de pratique de **koans** et de **méditation**.

Karma

Principe de la loi de cause à effet des occultistes. Le karma peut signifier « destinée », mais avec cette conception que notre karma est déterminé par nos existences et comportements des vies passées. Les épreuves que nous subissons au cours des réincarnations successives doivent nous mener à l'illumination suprême. Le karma ne concerne pas seulement l'individu ; sa loi régit également la famille, les sociétés ainsi que les ethnies.

Koan

Mot, expression ou aphorisme défiant toute analyse intellectuelle, par lequel l'adepte parvient à anéantir les entraves de la pensée conceptuelle. C'est l'exercice du koan qui a conféré au zen son unicité dans la culture extrême-orientale.

Tableau N° 2
QUELQUES TERMES ORIENTAUX

Kundalini

Puissant pouvoir occulte qui se trouve endormi et comme enroulé sur lui-même à la base de la colonne vertébrale. Lorsque l'activité de ce serpent est éveillée, son pouvoir pénètre l'un après l'autre les centres nerveux psychiques (chakras). S'élevant comme le mercure dans la colonne de verre, il atteint le **lotus aux mille pétales** du centre cervical (chakra du sommet du crâne). Etant ainsi pénétré du suprême pouvoir spirituel, le yogi obtient l'**illumination.**

Méditation

Dans le zen, « la méditation véritable consiste en l'affranchissement de tous les mirages, de toutes les fausses valeurs résultant des vices de fonctionnement de la pensée et de ses abus. Elle aboutit à la dissolution du " Moi ", de ses violences, de ses tensions contradictoires, de ses avidités » (Linssen). La méditation implique une focalisation de l'attention. Cependant, par divers moyens (répétition d'un koan, de paroles, un bruit monotone), un rythme alpha permanent peut être obtenu. La méditation peut être bénéfique mais aussi très dangereuse lorsqu'elle confine au délire, c'est-à-dire lorsqu'elle n'est pas dirigée par les facultés conscientes. C'est souvent le cas dans la méditation transcendantale (M.T.).

Nirvâna

Terme des réincarnations successives avec l'illumination du **satori.** Il est impossible de désigner le nirvâna ou de tenter d'y parvenir, car tout ce qui est désirable ou concevable en tant qu'objet d'une action est, par définition, non nirvâna.

Prâna

La pratique du yoga qui concerne la captation du prâna s'appelle « prânayama ». Le prâna est une énergie subtile (qui n'est ni l'air ni l'oxygène qu'il contient), un principe que l'on trouve partout dans l'univers. Le yogi le capte par la respiration complète et rythmée, le concentre dans ses centres nerveux et acquiert la faculté de le projeter (analogie avec le magnétisme animal) ou de le distribuer à ses organes par l'intermédiaire des chakras correspondants.

Tableau N° 2

QUELQUES TERMES ORIENTAUX

Satori

Il existe divers degrés de satori, allant du simple éclair de réalisation jusqu'à l'état d'illumination intégrale. La conscience individuelle se fond dans la conscience cosmique.

Tantrisme

Le tantrisme se propose de sublimer le pôle féminin inhérent à l'âme masculine ou le pôle masculin de la femme, cela à l'imitation de l'androgynat mystique de Shiva. L'introversion tire les chakras de leur léthargie, structure en corps surréel le pôle féminin de l'homme et le pôle masculin de la femme et, parallèlement, les métamorphose en entités dynamiques.

Yoga

Signifie « joindre », réaliser l'union du corps et de l'esprit. Dans l'idéologie hindoue, le yoga est une mystique comportant une ascèse destinée à placer le Moi sous le joug de l'esprit. Il existe diverses formes de yoga dont les voies sont différentes, mais dont les concepts sont identiques. Ainsi, le **Karma yoga** tend à l'épanouissement par la maîtrise de la volonté, alors que le **Bhakti yoga** recourt à la prière. Le **Hatha yoga** discipline le corps dans le but d'harmoniser les énergies corporelles et obtenir ainsi santé mentale et physique. Quant au **Prânayama,** il repose sur la science de la respiration, de ses modalités et de ses effets.

Zazen

Posture dite aussi du « lotus » chez les yogis. Elle est prise pour la méditation chez les adeptes zen pour conditionner le corps et le mettre sous le joug du psychisme.

Zen

Il nie le passé et le futur, considérant que chaque instant qui passe est unique, et qu'il faut vivre uniquement dans le présent. De ce fait, il rejette les acquis de la mémoire et prône le non-attachement. La pratique du zen conduit à l'**Eveil**, ou illumination du **satori.**

et prennent le caractère humain. Dans l'être humain, elles ne cessent de grandir, s'accumulent avec une force toujours croissante, exercent sur les barrières qui les enserrent une pression toujours plus vigoureuse. Enfin, quittant le règne humain, elles gagnent le niveau surhumain. Ce dernier processus évolutif se nomme Yoga. »

Cette mystique de la réincarnation jusqu'au nirvâna est séduisante ; elle a également nombre d'adeptes parmi les spirites, parmi les occultistes occidentaux, et il n'est pas étonnant que les deux tiers de la population du globe y soit acquise. *Elle est rassurante,* l'homme atteint le nirvâna par ses propres efforts. *Elle est consolante* eu égard aux inégalités, aux malheurs et souffrances que nous éprouvons sur terre, puisque nous expions nos erreurs des vies antérieures. *Elle est réconfortante* pour ceux — c'est la majorité dans toutes les religions — n'ayant pas une foi authentique, mais qui ont peur de l'après-mort et ont l'espoir de revivre charnellement. *Elle est charitable* car, quelles que soient les fautes commises, elle ne condamne pas irrémédiablement le pécheur dont la sanction est de parvenir moins vite à l'état de nirvâna. *Elle est morale,* car nous seuls sommes responsables de nos actes. De surcroît, la notion de karma donne le sentiment, d'ailleurs justifié, que ce sont nos pensées et nos actes du présent — *de l'ici-maintenant* — qui déterminent les événements fastes ou néfastes de notre lendemain, *qui tissent la toile de notre destinée.*

Afin d'accéder au nirvâna, de recevoir enfin l'illumination, l'adepte dont la foi peut se fortifier au fil des jours observe certains principes que nous empruntons au zen, bien qu'ils soient communs au yoga ainsi qu'aux mystiques extrême-orientales.

d) Le non-attachement et le renoncement au Moi

Le nirvâna n'est pas la réalisation du Moi, mais la cessation de tout attachement et affirmation du Moi. « *L'homme grand,* dit Chouang Tzu, *n'a plus de Moi, car il a relié toutes les parties de son être en une contemplation extatique de l'unité universelle.* » La compréhension du zen nous délivre de l'attachement au corps et aux associations mentales ou émotionnelles (Linssen). Cette adhésion à une philosophie du renoncement détache le disciple des plaisirs sensuels : « *On croit communément que le renoncement aux plaisirs des sens rend la vie insipide, à tort. Il existe en fait une forme de plaisir, de loin supérieure au plaisir ordinaire et à la satisfaction des sens.* »

(Dhiravamsa) (13). Il s'agit, en fait, de s'affranchir de la tyrannie des sens, de la pulsion, pour transmuer cette énergie dans les disciplines qui mènent au satori. Selon l'auteur que nous venons de citer : « *Il nous faut également surmonter toutes les formes d'attachement, car l'attachement, indépendamment de son objet, cause la stagnation.* »

Cette attitude ne s'applique pas seulement aux plaisirs de la chair et au don affectif, **elle concerne le renoncement à l'acquisition intellectuelle, aux valeurs sociales et morales.** L'attachement au Moi, à une conscience individuelle ayant un but, des désirs, des avidités de possession et de richesse, cherchant le plaisir, la notoriété, « **restreint et limite la conscience** ». Pour l'adepte zen, les *Eveillés* ont pour principe que l'exercice de la volonté rend notre mental rigide et que ce durcissement constitue un obstacle pour l'accession aux profondeurs subconscientes. Il faut en somme se délivrer de tout ce qui peut, participant des facultés objectives et des intentions réalisatrices qui tendent vers un but matériel à atteindre, s'opposer à l'état extatique de la méditation qui laisse ouvert l'accès à l'illumination du satori. *En somme, l'Eveillé n'a ni à vouloir ni à agir ; de s'intégrer à la conscience cosmique le dispense d'efforts dans la recherche des satisfactions matérielles de la vie et de la réussite sociale, qui les facilite cependant, par l'aisance qu'elle procure.*

Le pratiquant zen observe un autre principe qui va à l'encontre de la pensée occidentale : **celui de se délivrer de la continuité.** L'homme, qu'il qualifie d'ordinaire, ressasse le passé, cherche à en retirer des enseignements et se projette dans l'avenir. **Le disciple du zen fait table rase du passé et ne suppute pas son devenir ;** il attend l'Illumination dans la sérénité de sa foi. Chez lui, le besoin de posséder, l'impatience des satisfactions plus ou moins réalistes du vécu futur sont anéantis. De cette optique *découle une ascèse qui consiste à vivre uniquement l'instant présent ;* la minute qui vient de s'écouler, *c'est déjà le passé* qu'on ne peut ressusciter ; celle qui va suivre, inutile d'y penser, *c'est déjà le futur*, et l'évocation du futur avec ses concupiscences et ses désirs avides ne peut que charger le karma de maléfices.

e) La voie de l'initiation au zen

Elle paraît absurde à l'Occidental. Voici ce que nous en dit Watts : « *La pratique continue du za-zen confère alors au novice un*

---

13. V.-R. Dhiravamsa : *La Voie du non-attachement* (Editions Dangles).

esprit clair et désobstrué, dans lequel il peut lancer le koan comme on lance un caillou dans un étang, et observer simplement ce que son esprit en fait. » Les koans consistent en « *actions impossibles ou en jugements absurdes* » destinés à déconcerter l'élève. Grâce aux koans, « *grandissent dans l'esprit du chercheur une intensité et une finesse d'investigation qui, un jour, mèneront à l'effondrement intellectuel (...) quand les mécanismes de la pensée cèdent, la compréhension l'emporte* » (14). Voici deux koans dont on retrouve l'énoncé dans beaucoup d'écrits sur le zen : « *Le bruit résulte d'un claquement de mains. Quel est le bruit produit par une seule main ?* » « *Si vous possédez un bâton, je vous l'enlèverai.* »

f) Le zen macrobiotique

Le zen macrobiotique, dont le maître fut Ohsawa, mort en 1966 à l'âge de 73 ans, prône une diététique basée sur les insuffisances ou les excès de yin ou de yang. Pour Ohsawa, les fruits crus, crudités, sucreries, glaces, chocolat, graisses, sauces, fromages gras et fermentés, viandes et charcuteries sont yin et malsains : par contre, les volailles, poissons maigres, œufs, racines, céréales sont excellents préparés d'une certaine manière, en général cuits à l'huile végétale et à l'eau et salés au sel marin naturel. Certains aliments très yin sont prohibés : pommes de terre, tomates, aubergines. Le café, le sucre et les aliments sucrés sont du poison, et il ne faut manger ni fruits ni légumes cultivés par les engrais chimiques, ainsi que des produits contenant des colorants artificiels, cette dernière recommandation nous paraissant judicieuse. L'eau, elle-même, est yin, et il faut boire le moins possible. Bien entendu, tout alcool est interdit, mais aussi les boissons de conserve du commerce. Il est en outre *recommandé de donner au moins 50 coups de mâchoire par bouchée et d'aller jusqu'à 100 quand on le peut.*

Le régime macrobiotique serait miraculeux. Il guérirait tous les maux ! Ohsawa affirmant que rien n'est plus facile que de guérir le cancer et que, si on a compris la philosophie d'Extrême-Orient et que l'on sache préparer ses repas macrobiotiques, on peut guérir de la leucémie en dix jours ; il en serait de même pour de nombreuses affections, telles que le diabète, l'asthme... Si on a un décollement de la rétine et que l'on suive le régime en ne prenant aucune boisson pendant quelques jours, le médecin est surpris par les résultats obtenus.

---

14. Alan W. Watts : *L'Esprit du zen* (Editions Dangles).

Quant aux cheveux, pour cesser de les perdre, il suffit de renoncer aux abus des vitamines C, de fruits, de sucre, de salades, de produits riches en potasse et phosphore qui sont yin.

g) Les enseignements de la philosophie bouddhique

Ce qu'ils ont de positif apparaîtra dans la suite de l'ouvrage. Nous le résumerons ainsi : la **compréhension des lois qui nous gouvernent** et qui, échappant à l'homme ordinaire, lui fait affronter la vie à contre-courant. Le **sentiment de dominer son destin** plutôt que de le subir, par l'observance de la loi karmique qui nous rend comptables de notre devenir immédiat et lointain. L'**abandon des valeurs factices,** des avidités, des désirs insatiables, etc., au regard des ambitions démesurées. Le **non-attachement** qui contrebalance les passions dévorantes. Le **rejet du passé et de la crainte des développements de l'avenir** au profit de la « présence au présent » qui élargit le champ de la conscience. La **prééminence donnée à la perception intuitive** sur les facultés qui ressortissent de la pensée cartésienne, de l'intelligence discursive. L'**affranchissement envers les pesanteurs de la mémoire et l'acquisition intellectuelle outrancière** qui s'opposent à la découverte des facultés subconscientes, à l'accession à un nouvel état de conscience libéré de ses entraves scientistes. Enfin, *la méditation en zazen,* apaisante, menant à la sérénité en tant qu'adjuvant des moyens de l'auto-hypnose qui rejoignent les effets de cette discipline bouddhiste et taoïste, mais qui, à partir de cet état caractérisé par les ondes alpha, **permettent en outre d'ensemencer le subconscient en formulations positives.** Le préambule que nous décrirons de l'auto-hypnose, qui recherche le vide mental, lorsqu'on s'y arrête et qu'on le maintient, **conduit aux mêmes phénomènes extatiques que la méditation zen.** Un sentiment de légèreté, de béatitude se substitue à la pesanteur ; mais là n'est pas notre propos.

La méditation zen est différente de celle préconisée par d'autres instances religieuses ou de méditations participant de la réflexion. **Elle consiste en une prise de conscience de l'ici-et-maintenant.** Il ne s'agit pas en réalité de l'élargissement du champ de conscience, mais d'une extension de la conscience dans le sens de la verticalité **en s'intégrant au mental cosmique.** En cette acceptation, la méditation zen peut favoriser la connaissance intuitive des lois qui nous régissent (voir au chap. II).

*
* *

7. Les états de conscience

Le degré de vigilance, le comportement, les données de l'introspection et plus spécialement l'enregistrement encéphalographique (E.E.G.), ont permis de déterminer les niveaux de conscience, c'est-à-dire les états intermédiaires entre la veille et le plus profond sommeil. Ainsi, **les états de conscience peuvent être mesurés** grâce au tracé encéphalographique. Des électrodes fixées au crâne enregistrent l'activité du cerveau, ce qui a permis d'élucider par l'E.E.G. le phénomène du sommeil. C'est ainsi qu'on a découvert le rôle des périodes R.E.M. qui correspondent au rêve, des expériences ayant montré que, sans elles, la mort surviendrait à brève échéance. **Ce sont les grandes ondes alpha qui seraient les plus bénéfiques** ; de là à chercher à les produire, il n'y avait qu'un pas à franchir. Il semble que la maîtrise de la relaxation conduit à cette possibilité. En Amérique, un appareil : *le biofeed-back* a été commercialisé, qui permet le contrôle des ondes électrocérébrales. Il pourrait être utilisé en relaxation pour s'assurer de l'état des sujets.

Toutefois, les données scientifiques sont encore mal précisées et souvent incohérentes, *certains auteurs décrivant des états correspondant à un niveau de conscience déterminé, d'autres attribuant des caractéristiques différentes à ce même niveau.* Par ailleurs, les frontières entre ces niveaux de conscience ne sont pas toujours bien délimitées, des fuseaux d'onde bêta pouvant par exemple apparaître au milieu d'un tracé d'ondes alpha.

Une littérature délirante, venant d'Amérique, où l'on trouve pêle-mêle la parapsychologie, le spiritisme, le chamanisme, les rites vaudous, le biofeed-back, la cybernétique **(dans laquelle la fabulation domine)** fait état de prétendus pouvoirs psychiques obtenus par la maîtrise du rythme alpha (voir le tableau n° 3) et du rythme thêta : évasion extra-temporelle, méditation transcendantale, créativité accrue, etc. Il est indéniable que ces recherches peuvent aboutir à une meilleure maîtrise de nos facultés cérébrales, *mais il faut se défier des affirmations mensongères et outrancières quant aux résultats mentionnés* qui tiennent de la science-fiction. En Amérique, les sectes de méditants se fourvoyant dans le maquis des états altérés de la conscience, le miroitement de soi-disant « voyages » qui s'apparentent à ceux des drogués, font que beaucoup d'adeptes du zen et de la méditation transcendantale, **perdant le sens de la réalité,** deviennent des malades mentaux alimentant les établissements psychiatriques. *Un*

Tableau n° 3 : ÉCLAIRAGE SUR LES ÉTATS DE CONSCIENCE

L'**électroencéphalographe** enregistre les ondes du cerveau au moyen d'électrodes fixées sur le crâne ; le résultat en est l'**encéphalogramme (E.E.G.)**.

Les ondes émanant du cortex s'enregistrent en millionièmes de volts. Le tracé de ces ondes est reproduit sur papier par un stylet, car elles sont très amplifiées. La force de chaque impulsion détermine l'amplitude par la hauteur du tracé ; la fréquence est indiquée par le nombre de crêtes et de creux tracés par secondes.

Des appareils scientifiques sérieux servent pour l'examen du cœur et du cerveau ; ces E.E.G. médicaux permettent de déceler nombre d'anomalies de ces deux organes.

Les appareils **biofeed-back** dérivent des appareils médicaux ; ils sont trop souvent imprécis car mal élaborés ; ils risquent donc de donner de fausses interprétations.

Voici à quoi correspond la nature des ondes relevées avec les appareils médicaux :

Rythme alpha : entre 8 et 13 cycles par seconde.

Apparaît au moment de l'endormissement. Le sujet est éveillé, mais détendu. Correspond à la relaxation et à la méditation. Les ondes sont lentes, ce qui indique un état agréable de sérénité.

Rythme bêta : entre 14 et 30 cycles par seconde.

Ce rythme rapide, serré, indique une concentration intense, et peut correspondre à l'agitation mentale.

Rythme delta : 0,5 à 3,5 cycles par seconde.

Effacement du conscient. Peut correspondre à la fatigue, à la sénescence, à la maladie.

Rythme Thêta : entre 4 à 7 cycles par seconde.

Rythme lent, qui donne une profusion d'images. C'est celui de l'imagination créatrice, de la méditation profonde. Il est exceptionnel chez le sujet éveillé ; il peut être provoqué par l'hypnophorèse.

Américain sur dix, d'après les statistiques, est appelé à y séjourner ;
c'est l'une des industries les plus florissantes qui soit...

8. La voie médiane

Entre les philosophies d'Extrême-Orient faites de renoncement et de non-attachement et les mœurs occidentales matérialistes et acquisivistes, il semble qu'un pont puisse être jeté pour réaliser une symbiose qui associerait la sérénité orientale aux joies concrètes que nous apporte le progrès scientifique. Cette conception que reflète cet ouvrage est ce que nous appelons « **La voie médiane** ». *Elle doit conduire à l'épanouissement personnel qui conditionne la réussite de la vie.*

Pour le bouddhiste zen, la nourriture, le vêtement, le toit et l'outil suffisent au bonheur. De manger un bol de riz sans beurre, de se vêtir de bure, de vivre dans une pièce, souvent à plusieurs sans confort, de cultiver son jardin pour récolter des céréales et légumes exempts d'engrais chimiques, de vaquer aux occupations ménagères et de faire de la poterie ou du tissage est un idéal respectable pour qui veut s'adonner à la méditation au sein d'une communauté religieuse. Ce qui l'est moins, c'est de se prétendre adepte du zen en se rasant le crâne et de se livrer à la mendicité pour faire du prosélytisme au sein de la communauté urbaine ; *les néophytes qui se laissent prendre au jeu ne tardent pas à se trouver déchirés en des contradictions qui leur posent des problèmes insolubles.* Car comment concilier l'aspiration à cette existence monacale avec les impératifs qu'impliquent la vie familiale, les nécessités de la vie professionnelle, le confort acquis dont il est difficile de se séparer quand on y est accoutumé. Ne pas se préoccuper de l'avenir, se montrer indifférent envers les biens matériels, compter sur le mental cosmique pour faire face à toutes les obligations du vécu quotidien **est, en réalité, une vue de l'esprit.** En admettant qu'on revienne à plus de simplicité, qu'on ne désire plus rien pour se consacrer davantage à une existence contemplative, du moment que l'on vit dans une société policée on ne peut se soustraire ni aux nécessités du quotidien ni à ses responsabilités concernant son avenir et celui des siens. En outre, nous avons souligné les affirmations pour le moins irresponsables du zen macrobiotique qui prétend faire la panacée du régime céréalien, **alors que c'est un régime carencé, dangereux en ce sens qu'il est entaché de sectarisme et déve-**

loppe de redoutables frustrations débouchant sur de terribles réveils ou sur la maladie mentale. La pratique du yoga ou du zen, quand elle s'engage dans la voie d'une spiritualité qui renie tout du confort que nous offre la société de consommation, des plaisirs qui satisfont la sensualité, *ne peut que déboucher sur la dissociation de la personnalité,* antichambre de la schizophrénie.Car, dans ce cas, *les problèmes personnels se multiplient* et la politique du renoncement ne fait que les aggraver ; en dépit de son mépris pour l'argent, l'adepte se trouve confronté aux nécessités terre à terre, *qu'il le veuille ou non,* d'avoir un loyer à payer ou une résidence dont il faut régler les frais de réfection, les assurances, les impôts, etc. Par ailleurs, cette idéologie peut ne pas être partagée par le milieu familial. Comment concilier au moment du repas le régime macrobiotique avec les plaisirs légitimes de la table ; de manger de bon appétit en suivant son instinct, ce qui assure une bonne digestion avec les cent coups de mâchoire par bouchée ordonnés par la macrobiotique et qui font que le macrobiote n'en est qu'au début du repas quand les autres convives en sont au café (ce dernier est interdit alors que, curieusement, le thé est recommandé). *On comprend pourquoi nombre des adeptes de ces idéologies sont des assistés, quand ils ne deviennent pas des marginaux.*

Le tableau que nous ne ferons que brosser de l'existence de la plupart des hommes et des femmes qui vivent en Occident, et particulièrement dans les grandes agglomérations, n'est pas moins alarmant. **Vivant dans l'avenir, dans la poursuite de ses ambitions, l'Occidental est mort au présent.** Il oublie de vivre, dans l'espoir souvent déçu de pouvoir vivre mieux. Dans cette optique, *il se projette dans un futur incertain,* mû par une ambition souvent démesurée, alimentée soit **par la nécessité** quand ses désirs dépassent ses possibilités réalisatrices, soit **par l'amour-propre et la vanité** pour se prouver à lui-même sa supériorité ou surclasser les autres par ce qu'il appelle sa réussite qui n'est quelquefois concrétisée matériellement que par les biens acquis et l'importance du compte en banque. *Toujours plus d'argent, toujours plus de richesse, une avidité sans bornes n'est pas le moyen d'accéder au bonheur,* et beaucoup de ceux qui ont tout axé sur un tel but se retrouvent souvent les mains vides au crépuscule de leur existence. Mais renoncer aux plaisirs que procure sinon la fortune du moins une bonne aisance matérielle, ne nous semble pas plus raisonnable que de s'y livrer sans retenue dans l'occultation des besoins fondamentaux de l'être intérieur qui sait « *qu'il y a autre chose* », ce qui crée également la frustration. Quant aux joies du corps, elles sont loin d'être méprisables. L'attachement à un être que l'on aime, l'entente charnelle dans le ciment de ce que nous avons appelé l'érotisme transcendant, les plaisirs sybaritiques de la gastronomie, les joies ludiques du sport, les enivrements de la communion avec la nature sont autant d'assouvissements pour notre libido. *Ils évitent les conflits intimes qui sont à l'origine de la plupart des problèmes personnels.* Autrement dit : **ni ange ni bête mais les deux à la fois** pour être heureux, pour vivre libéré.

Pouvons-nous réaliser cette symbiose qui propose une voie médiane : **la recherche de notre être spirituel pour animer et enrichir notre vie intérieure, la maîtrise et l'exaltation de toutes les ressources de notre corps pour en retirer le maximum de jouissance.** *Nous répondons par l'affirmative.* Mais cela ne peut être obtenu que par l'épanouissement de la personnalité. *En en considérant l'unicité* et non dans le rejet des plaisirs matériels ou dans le mépris des valeurs spirituelles.

Cette voie médiane qui utilise les ressources fantastiques du subconscient, qui permet d'étendre la perception intuitive et d'élargir le champ de conscience par l'accession au mental cosmique, est jalonnée par les moyens que nous exposons au long des pages qui suivent. Ces moyens participent de la synthèse culturelle dont nous ne nous sommes jamais démarqué, afin d'éviter le piège du sectarisme.

CHAPITRE II

La philosophie de l'existence

1. Les lois qui nous gouvernent

Par définition, l'auto-hypnose a pour objet de favoriser l'épanouissement et l'affirmation de la personnalité et d'octroyer à celui qui s'y livre des pouvoirs qu'il ne saurait développer par l'étude ou l'effort volontaire. Cela implique de faire une sorte de bilan de ses traits caractériels, de ses aptitudes et facultés et de bien préciser les buts à atteindre, les étapes par lesquelles on accédera aux objectifs qu'on se sera fixé en toute lucidité.

Comment cette approche pourrait-elle se faire, si on est ignorant des influences et des lois universelles qui dictent ou infléchissent nos conduites, si nous n'appréhendons pas à l'intérieur de nous-même — de notre mental — les mécanismes qui déclenchent tel ou tel de nos comportements. Or, les hommes les plus intelligents comme les plus cultivés, les médecins, même les psychanalystes ou psychiatres sont, dans leur immense majorité, ignorants des lois universelles de la sphère du mental. C'est qu'elles ne sont pas enseignées dans les universités, étant issues de l'occultisme, de la Kabbale, science secrète réservée aux Initiés ; elles sentent le soufre, **alors qu'elles sont l'essence même de la vie.** Nous n'hésiterons pas à les exposer, persuadé que plus d'un lecteur profane en la matière ne manquera pas d'en retirer le plus grand bénéfice pour la conduite de sa vie. Bien entendu, nous ne pourrons que condenser cet enseignement, mais nous le ferons dans l'esprit de cet ouvrage, incitant le néophyte qui désire s'engager sur cette voie de la connaissance à consulter des travaux plus élaborés (1). Car, ainsi que l'a dit Colin Wilson (2), « *l'art, la musique, la philosophie, le mysticisme, sont les routes qui nous sont offertes pour fuir l'étroitesse navrante du quotidien, mais ils exigent une première mise de fonds importante d'efforts conscients... En comparaison, la magie (ou occultisme) est une méthode simple et directe pour fuir la petitesse de la vie quotidienne. Au lieu de se tourner vers l'extérieur, vers le monde des grands compositeurs et des philosophes, l'adepte occulte se retranche en lui-même et s'efforce d'atteindre ses profondeurs subliminales* ». N'est-ce pas le postulat que nous embrassons ici ?

a) Libre arbitre ou déterminisme ?

Pour l'occultiste comme pour le théosophe, nous forgeons notre destinée au cours de vies successives. Mais cela ne veut pas dire que nous ne sommes pas déterminés dans une certaine mesure. Papus, dans son *Traité de Magie pratique* (3), nous semble avoir donné l'image la plus juste de notre destinée — de ses aléas et de ses faveurs — en ce sens que nous sentons très bien que certaines circonstances de notre vie ne sont aucunement fortuites. « *L'homme,* dit-il, *est le seul créateur et le seul juge de sa destinée. Il est libre d'agir à sa guise dans le cercle de sa fatalité, autant qu'un voyageur peut, dans un train et dans un steamer, agir comme il lui plaît dans son compartiment ou dans sa cabine. Dieu ne peut pas être rendu plus complice des fautes humaines que le chef de train ou le capitaine du steamer ne sont responsables des fantaisies des voyageurs qui conduisent en avant.* »
La notion du karma éclaire cette image d'un jour singulier. On sait que le karma est issu de la doctrine hindoue qui veut que nous devions expier en des vies successives les mauvaises actions commises au cours de notre existence pour atteindre finalement par cette renaissance (samsâra), la délivrance (moksha), autrement dit : le nirvâna.

b) La loi de responsabilité

Nous abordons là l'une des grandes lois de l'occulte ; elle n'est pas si évidente pour le matérialiste irréfléchi. Quoi que nous fassions,

---

1. Paul Carton : *La Science occulte* (Librairie Le François) et Papus : *A.B.C. illustré d'occultisme* (Editions Dangles).
2. *L'Occulte* (Albin Michel).
3. Editions Dangles.

nos actions les plus insignifiantes en apparence *comportent leur sanction* : bénéfique ou maléfique selon leur nature. Que nous soyons athée ou croyant importe peu dans l'optique du vécu qui est le nôtre dans l'existence actuelle. Certes, nous pouvons porter le fardeau d'un lourd karma, mais *n'en sera-t-il pas plus léger à porter si nous pensons qu'il s'agit d'un châtiment mérité* et non d'une injustice ? Par ailleurs, quelle éthique pourrait se montrer plus équitable que cette notion karmique qui permet le rachat des fautes en un cycle de renaissances à l'issue desquelles on trouve la libération. Mieux, dans chacune de celles-ci, **le présent n'est que la conséquence du passé**, et le comportement actuel fait la litière de notre avenir, selon la sagesse du dicton populaire qui affirme : « *on se couche comme on fait son lit* ». Ainsi, nos pensées et nos actes de maintenant construisent inéluctablement soit nos défaites, soit nos succès. Et les désastres sont à la dimension des triomphes bâtis sur les mauvaises actions, l'orgueil ou la violence. C'est le lot de tous ceux qui s'élèvent par la prévarication, l'ambition démesurée, la sécheresse du cœur et la cruauté : **plus hauts sont les sommets, plus dure est la chute.** J'ai illustré cette loi de responsabilité par une image que j'extrais d'un ouvrage précédent (4) : « *Si nous prenons l'exemple d'un homme marié ayant une liaison qu'il dissimule à sa femme, si celle-ci l'apprend et le quitte, il ne s'agit pas nécessairement d'une fatalité ; mais la fatalité était peut-être dans la rencontre avec cette femme. Là, la volonté pouvait intervenir pour dompter l'être instinctif et juguler le désir.* » Mais une autre loi occulte fera mieux comprendre les effets du karma ; elle ressortit au monde du mental.

c) Nous avons plusieurs corps

Pour l'occultiste, les pensées sont des choses, elles s'inscrivent de manière indélébile dans l'éther ; en surplus, telles des ondes, elles vont frapper leur objectif et nous sont retournées avec une force accrue. C'est ce qu'on appelle « **le choc en retour** ». Mais cela n'est accessible à l'entendement que si on connaît les lois du mental telles qu'elles ont été exposées en certains ouvrages initiatiques.

La notion de base du **microcosme** et du **macrocosme** contient en germe toute l'explication de la structure des êtres et des choses. La structure de l'homme est analogue à celle du cosmos ; tout n'est que différence de vibrations et spécificité. Mais la nature de l'énergie est

---

4. *La Magie de l'amour* (épuisé).

la même. C'est ce qu'affirmait Leadbeater, avant qu'Hector Durville ne le citât (5) : « *... même dans les substances les plus denses, jamais deux atomes ne se touchent, chaque atome a toujours son champ d'action et de vibration, chaque molécule, à son tour, possède un champ encore plus grand ; de sorte qu'il y a toujours de l'espace entre ces atomes et ces molécules, et, cela, dans toute circonstance possible. Chaque atome physique est baigné dans une mer de matière astrale qui l'environne et remplit tous les interstices de matière physique...* » Nous sommes donc constitués d'énergie, l'éther interpénétrant tous les corps. Or, il ne fait plus aucun doute pour les hommes de science que **le corps physique est doublé d'un corps magnétique** (le *corps astral* des occultistes) ainsi que le montrent des travaux sur lesquels nous reviendrons. Cette assertion des médiums, avant les observations des parapsychologues, était tournée en dérision. Aussi peut-on affirmer maintenant, sans être taxé d'illuminisme, que nous possédons bien **un double éthérique** et, pourquoi pas, comme l'affirment toujours les occultistes, **un corps mental** encore plus subtil que le corps astral qui serait le siège de l'intelligence, de la pensée et de la volonté.

Selon Durville, « *ce serait le principe supérieur qui gouverne toutes nos fonctions, qui préside à toutes nos actions conscientes* ». En fait, le corps astral correspondrait au subconscient dont il serait le support à la fois sensitif et réalisateur en symbiose avec le diencéphale, et le corps mental pourrait être assimilé à la conscience — et à la préconscience freudienne — avec les possibilités d'élargissement de son champ de supputation, d'investigation et de connaissance qui lui est propre. Cela nous est confirmé par une remarque de l'auteur qui observe qu'en principe le corps physique serait soumis à l'astral pendant le sommeil et au mental pendant la veille.

Le corps mental relié au corps physique, temporel, par l'intérim du corps astral **formerait une entité,** mais ces entités seraient à la fois interdépendantes et indissociables, sauf en certaines conjonctures ; dans l'hypnose, par exemple, et au moment de ce qui est considéré comme la mort. Effectivement, dans le sommeil induit par magnétisme, à un certain stade, on obtient **l'extériorisation de la sensibilité.** Si on pince l'atmosphère à quelques centimètres d'une partie du corps du sujet, celui-ci pousse un cri, comme si on avait pincé réellement la peau à cet endroit. Les Kirlian dont nous relaterons ultérieurement les travaux (voir le chap. III) affirment que « *les Russes ont souvent eu*

5. *Le Magnétisme personnel* (Editions Perthuis).

Tableau n° 4

DUALITÉ	TRINITÉ	Septenaire	St Thomas	Couleurs	Sanscrit	Théosophes
1 **ÂME** Pensée Triade immortelle Individualité	**1** **Esprit** Corps psychique Inspiration	Ame du corps psychique Ame divine **1**	La Lumière divine	Violet	Atma	Corps causal
		Vie du corps psychique Ame angélique **2**	L'âme intellectuelle supérieure angélique	Indigo	Buddhi	
		Matière du corps psychique Ame du corps astral Ame humaine **3**	L'âme intellectuelle inférieure humaine	Bleu	Manas	Corps mental
2 **CORPS** Désirs Quaternaire périssable Personnalité	**2** **Vie** Corps astral Passions	Vie du corps astral Ame animale **4**	L'âme sensitive animale	Vert	Kama rupa	
		Matière du corps astral Ame du corps physique Corps astral **5**	L'âme végétative	Jaune	Linga sharina	Corps astral
	3 **Matière** Corps physique Besoins	Vie du corps physique Vitalité du fondamental **6**	Le souffle vital	Orangé	Jiva	Corps éthérique
		Matière du corps physique Corps physique **7**	Le corps élémentaire physique	Rouge	Rupa	Corps physique

Les divisions binaire, ternaire et septénaire de la constitution de l'homme, d'après Papus.

l'occasion de photographier le corps-énergie (le corps astral) *au moment de la mort... Petit à petit, tandis que se meurt le corps physique, on peut voir des étincelles et des éclairs provenant du corps bioplasmatique jaillir dans l'espace, s'élever lentement dans les airs, puis disparaître hors de vue... ».*

Ce double éthérique constitue probablement le support de la projection de nos pensées, présidant au phénomène du dédoublement ainsi qu'à ceux de la télépathie, de la télékinésie, etc. La reconnaissance de ce corps-énergie, **dont l'existence est encore corroborée par les données énergétiques de la médecine chinoise,** facilite l'adhésion à cette thèse jusqu'ici combattue de la transmission de la pensée à distance, de sa possibilité de projection sous l'impulsion de la volonté. Cette dernière se ferait sous la forme d'ondes ondulatoires excentriques, analogues à celles qu'on observe à la surface d'une eau tranquille quand on y projette une pierre. Si bien que nos pensées, loin d'être ces choses fugitives qu'on imagine, évanescentes, **seraient bien des choses tangibles qui s'inscriraient de manière indélébile dans l'astral.**

Plus la pensée serait concentrée, persistante et ardente, plus elle serait capable de laisser des traces durables ou indélébiles. Le médium ne ferait rien d'autre que de puiser dans ce réservoir de l'humanité pensante quand il reproduit une sonate de Liszt sans avoir même appris le solfège, ou lorsqu'il écrit dans une langue qu'il n'a jamais connue.

d) Le choc en retour

L'initié n'ignore pas que la pensée a un pouvoir fabuleux. Des pensées de violence et de haine, des idées de vengeance se retournent contre celui qui les a émises avec une force accrue que les occultistes appellent « le choc en retour ». Le même phénomène se produit, mais avec des effets bénéfiques, quand on émet des pensées bienveillantes, généreuses. C'est la loi du karma. Toutefois, **la pensée n'a pas besoin d'être projetée pour exercer ses effets.** Une mauvaise hygiène du mental, le pessimisme, le doute, la délectation morose, etc., créent un climat intime qui détruit celui qui s'y complaît ; c'est ainsi que nous verrons que la maladie (et même la mort) peut résulter de cet état d'esprit habituel. Bien entendu, de substituer à ce climat d'inquiétude un climat de confiance et d'euphorie produit l'effet inverse. Il ne fait pas de doute que **nous pouvons modifier profondément notre destin** en élaguant de notre esprit tous les sentiments délétères qui, non seulement, l'empoisonnent, mais encore assombrissent le karma, nous réservant de cruelles épreuves. Aussi, c'est à cette hygiène du mental que nous réserverons nos premiers efforts quand nous aborderons l'auto-hypnose.

Autre chose est la pensée projetée selon certaines lois. Nous y reviendrons, mais nous attirons déjà l'attention **sur la possibilité d'exercer une influence à distance,** soit pour modifier les sentiments d'une personne à notre égard, soit pour déclencher des conjonctures favorables à la réalisation de nos objectifs. Il est évident que selon la loi du choc en retour, la pensée ne doit pas être colorée d'hostilité ni contraindre qui que ce soit à des actions blâmables ou altérer son équilibre (6).

e) La loi de l'équilibre des forces

C'est aussi la loi des contraires. Les deux extrêmes s'opposant s'équilibrent au centre. Ainsi, dans le domaine psychologique, la pusillanimité est aux antipodes de l'autoritarisme ; l'autorité est la qualité à rechercher. L'égoïsme est en opposition avec la prodigalité ; la générosité est une vertu (voir tableau p. 190). Dans le domaine qui nous intéresse ici, celui de l'énergie cosmique, l'unité, **le tao des Anciens,** se résout en deux forces contraires qui s'équilibrent et se complètent. On retrouve l'illustration de cette loi dans le **yang** et le **yin.** Ce sont, pour les Chinois, les deux agents de la force vitale. Le yang est créateur, actif, positif, chaud, céleste ; le yin est formateur, passif, négatif, froid, terrestre. Le yang, c'est le mouvement, la force de concentration ; le yin, le repos, la force de dispersion. Dans le traitement par l'acupuncture, les aiguilles ont pour objet **de tonifier quand le yin est excessif, et de disperser lorsque le yang domine.** La santé se rétablit dans le rééquilibrage de ces deux forces complémentaires de l'énergie vitale. Ainsi, « *cette puissance vitale primordiale crée, forme et soutient éternellement tout ce qui existe ; elle règle la course des planètes, l'alternance des saisons, la croissance des plantes, le fonctionnement du corps humain. Sa loi suprême est l'équilibre ; elle se manifeste dans l'ordre naturel par l'action harmonieuse de deux principes opposés et complémentaires tendant, l'un à l'activité, l'autre à l'inertie* ».

Chacun connaît l'exercice sportif qui consiste à former deux équipes, chacune tirant sur l'extrémité d'une corde pour entraîner

---

6. P.-C. Jagot : *L'Influence à distance* (Editions Dangles).

l'autre. Tant que les forces s'équilibrent, les équipes restent sur place ; l'une d'elles vient-elle à faiblir ? Aussitôt, elle se trouve entraînée. C'est l'image même qui permet de comprendre la loi de l'équilibre des forces.

f) La loi du rythme et de l'alternance

On a redécouvert que notre organisme (et partant, dans l'optique psychosomatique, notre intellect), que nos réactions, notre comportement sont soumis à des rythmes biologiques. Nous connaissons les perturbations physiologiques dont sont responsables les décalages horaires des longs voyages en avion. **L'alternance est une loi de nature :** le jour succède à la nuit, la veille au sommeil, la chaleur de l'été au froid hivernal, le flux au reflux des vagues, la diastole à la systole... **Le rythme est une force ;** ne fait-on pas rompre le pas cadencé à une troupe lors du franchissement d'un pont que les vibrations risqueraient de faire écrouler ? Nous verrons que l'observance de cette loi est importante pour rétablir l'équilibre psychosomatique quand il est compromis, ainsi que pour retirer la quintessence de l'entraînement à l'auto-hypnose. Mais la connaissance des autres lois universelles n'est pas moins importante pour découvrir les causes déterminantes des phénomènes que nous observons, ainsi que les influences qui dictent nos conduites. Nous ne ferons que les énoncer, laissant au lecteur le soin de les approfondir par la méditation et la réflexion.

g) La loi de causalité

Carton, ce grand occultiste, nous montre le cheminement par lequel, hors des normes rationalistes, il est possible d'accéder à la connaissance des lois qui nous gouvernent : « ... *quand on se trouve en face de l'incompréhensible, c'est-à-dire de ce qu'on ne peut expliquer par ce que l'on sait déjà ou par les enseignements généralement admis, il n'y a plus qu'un moyen d'aboutir et de découvrir la vérité, c'est de faire l'âne de bonne volonté, c'est-à-dire de faire table rase de tout ce qui est routine, préjugé, convention, approbation, consentement et de reprendre le problème par la base, en s'instruisant prudemment par essais, expériences et contre-épreuves, puis en corrigeant les résultats, pour les ériger en lois et, enfin, en rassemblant les lois secondaires partielles, pour aboutir à la loi générale synthétique et à la Cause initiale. »*

De remonter des effets à la cause par ce mode de pensée que nous enseigne Carton évite de s'arrêter à la superficialité des choses pour en dégager le pourquoi. Ainsi, en thérapeutique, de ne considérer que les symptômes sans se préoccuper des causes déclenchantes de la maladie, causes auxquelles on peut remonter par paliers successifs des effets secondaires partiels à leur causalité, est une erreur fondamentale de la médecine symptomatique en opposition avec la médecine de terrain, psychosomatique, **qui considère l'homme dans son unicité.**

On peut donc poser en principe **qu'il n'y a pas d'effet sans cause.** C'est un mode de pensée coutumier chez l'occultiste ; il lui dévoile le fond des choses, le garde de la crédulité et des idées toutes faites ; il lui évite les erreurs de conduite lourdes de conséquences pour l'avenir proche et lointain.

h) La loi d'analogie

Dans un ouvrage précédent (7) consacré à la chirologie, j'utilisai cette loi d'analogie qui permet d'emblée, sans étude préalable, d'interpréter la forme et les lignes de la main dans la plus pure Tradition. Nous écrivions : « *La loi d'analogie s'appliquant au visible, par exemple à notre personnalité physique, fait apparaître l'identité structurale des diverses régions de notre corps, et nous verrons qu'elle se retrouve dans la constitution des tempéraments et le psychisme.* »

On ne peut pas ne pas être frappé de la similitude qu'on observe entre les diverses régions corporelles : même analogie entre les membres supérieurs et les membres inférieurs ; morphologiquement l'épaule, le bras, l'avant-bras, la main correspondent dans l'ordre à la hanche, à la cuisse, à la jambe et au pied. La main se subdivise elle-même, puisque la paume comprend trois parties qui, comme les doigts, représentent trois mondes. La partie haute (doigts vers le ciel) correspond à la partie supérieure onglée des doigts, la partie moyenne à la partie médiane des doigts (les phalangines), la partie basse à la partie basse des doigts, celle qui les relie à la paume. Et, stupéfiante analogie : du spirituel, la partie haute dirigée vers le ciel, au matériel dirigé vers la terre, les trois mondes sont représentés : divin, naturel, matériel — ou si on préfère psychique, animique, instinctif, ou encore spirituel, respiratoire, instinctif.

L'analogie se retrouve :
— **Dans la couleur :** les lignes, les ongles, les chairs sont-ils d'un

----

7. Marcel Rouet : *Lire dans votre main* (épuisé).

rose agréable, comme nacré ? C'est un indice favorable, d'équilibre, de bonne santé. La teinte est-elle livide, comme privée de sang, ou rouge sombre virant au brun ? Ce sont autant d'indices défavorables qu'il faut interpréter selon chaque partie de la main — ou du corps — et dans la perspective d'une synthèse réunissant tous les éléments recueillis.

— **Dans l'amplitude** : elle est caractérisée par la dilatation et la rétraction, la largeur et la hauteur, la longueur et ce qui est court. Des ongles larges indiquent le positivisme, le sens pratique ; allongés, c'est signe de réserve, de retenue ; effilés et étroits, ils sont le signe de la subtilité, des tendances artistiques.

— **Dans la densité** : des mains fermes indiquent l'énergie, molles la faiblesse. Dures à l'extrême, c'est la sécheresse du cœur, voire la cruauté. Il en est de même pour le corps ; des chairs peu consistantes correspondent au tempérament lymphatique, souvent à l'aboulie ; denses et fermes, elles appartiennent au tempérament bilieux, volontaire et combatif.

D'autres lois ne sont pas moins riches d'enseignements. Elles s'inscrivent dans l'héritage de la Tradition occulte. Nous n'en ferons que l'énoncé assorti d'un bref commentaire.

i) La loi d'évolution et d'adaptation

Rien ne meurt, mais ce qui est composé se dissocie, se divise. Le but de cette division n'est pas la destruction, mais le renouvellement ; les civilisations s'engloutissent, les systèmes politiques dépérissent pour renaître sous d'autres formes qui, au sommet de leur évolution, disparaîtront à leur tour.

j) La loi de l'unité

C'est le principe initial, force énergétique de l'univers, qui engendre tout. « *La science moderne,* disait déjà Carton, *a fourni, par la puissance de ses moyens d'analyse et de synthèse, la plus éclatante confirmation de l'unité matérielle des forces cosmiques, en édifiant la doctrine de l'énergétisme universel.* » Il ajoute : « *A l'époque préhistorique, l'idée de l'Un qui se lève et s'érige pour créer, dans l'occulte comme dans le visible, a été représentée par les pierres levées, les monolithes, les menhirs.* » L'homme, comme la science, doit retrouver son unité ; unité de la force qui régit le corps (et ses fonctions) qui ne saurait être dissociée du corps bio-énergétique et mental ; c'est la conception unicitaire du psychosomaticien d'aujourd'hui. Esprit de synthèse dominant la spécialisation **dont les œillères donnent naissance à l'incapacité d'élargir ses horizons, au dogmatisme et à l'intolérance.**

k) La loi du binaire

Elle se retrouve dans toute la création, car rien ne saurait exister sans les alternances et les contraires. C'est d'elle que se dégage le complémentarisme qui recrée l'unité. La structure même de l'être humain relève de la loi du binaire. L'entité que forme le couple résulte de la jonction corporelle et fluidique de ses deux éléments. Nous avons deux hémisphères cérébraux, deux poumons, deux reins, notre cœur est composé de deux ventricules ; de même, il nous a été donné deux bras et deux jambes. Ces contraires sans lesquels le monde n'existerait pas, on les rencontre dans le plus et le moins, le jour et la nuit, le blanc et le noir, la raison et l'instinct, etc. **On les observe dans l'alternance** (loi du rythme) ; le sommeil succède à la veille, la marée basse à la marée haute, et tout l'univers est animé de cette gigantesque pulsation à laquelle sont associés les êtres et les choses.

l) La loi du ternaire

Le ternaire, symbolisé par le chiffre 3, apporte la clé de l'économie humaine à travers la connaissance des trois mondes. Effectivement, notre être comprend trois centres réagissant les uns sur les autres, mais ayant chacun des fonctions spécifiques. La tête est le domaine de l'esprit et de la pensée, le thorax est le siège de la vitalité, l'abdomen celui des instincts. Cette triade correspond aux centres *intellectuel, animique* et *instinctif* de Papus. **La corrélation entre cette loi et celles de l'analogie et de l'équilibre ouvre des horizons infinis aux facultés déductives.** Nous n'en donnerons qu'un exemple : si nous prenons les trois parties du visage (front, région médiane, bouche et mâchoire), considérant que l'équilibre se trouvant dans l'égalité de leurs dimensions respectives, observant une prédominance accentuée de l'une d'elles, nous en déduirons, s'il s'agit de la partie médiane, une forte puissance instinctive et émotionnelle qui peut, en outre, se traduire par des pulsions sexuelles irrésistibles si le bas du visage (l'instinct) prédomine également sur la sphère cérébrale. Bien entendu, la loi du ternaire peut s'extrapoler au monde universel et spirituel (la Trinité dans la religion judéo-chrétienne).

m) La loi du quaternaire

Le quaternaire qui est symboliquement représenté par le chiffre 4 est, selon les occultistes, l'expression de la synthèse la plus stable et la mieux équilibrée dans tout l'univers. C'est que les mondes sont formés de 4 éléments qui se retrouvent partout dans la nature : « **La terre** est le symbole de l'état matériel solide et de la sécheresse. **L'eau** est le symbole de l'état matériel liquide. **L'air** est le symbole de l'état matériel gazeux et volatil. **Le feu** est le symbole de l'énergie imminente, éthérée et immatérielle ; il est aussi le symbole de la vibration motrice qui agite les mondes atomiques. » On peut multiplier les exemples de cette constitution quaternaire de l'univers ; on y découvre **les quatre phases de la lune, les quatre saisons, les quatre races humaines,** etc. Dans la main, la loi du quaternaire n'est pas moins évidente si on se réfère aux caractéristiques psycho-tempéramentales qu'elle révèle (voir tableau p. 63).

Cette loi du quaternaire nous fournit de précieuses indications sur la complexion de l'être humain, sur ses idiosyncrasies, ses tendances et caractéristiques tempéramentales, ces dernières modelant son caractère et celui-ci présidant à ses réactions et à son comportement. Depuis Hippocrate, aucun système psycho-morphologique n'a fourni autant d'indications que le quaternaire appliqué à l'humain. Les quatre tempéraments nous indiquent la prédominance **de la bile, des nerfs, du sang ou de la lymphe.** Ils sont aisément déterminés par les lois précédemment énoncées, en particulier, celles de l'équilibre et du ternaire ; la couleur, l'amplitude, la densité nous permettent de préciser le diagnostic. Ainsi, le teint pâle, les lignes de la main blanches, larges et peu nombreuses du lymphatique ne sauraient être confondus avec le teint jaune, les lignes fines et enchevêtrées du nerveux, les mêmes caractères se retrouvant au niveau du corps, blanc, mou et humide du premier, ambré, dur et sec du second. Cela indiquant les propensions maladives qu'il est possible de combattre, en en étant averti, par des disciplines naturelles préventives (8).

Une autre loi, participant de l'occulte et prenant pour base l'astrologie, va achever de nous éclairer. C'est celle du septénaire.

---

8. Marcel Rouet : *Lire dans votre main* (épuisé).

Fig. n° 2 : **LOI DU TERNAIRE**

Correspondance des trois mondes
Analogie entre le visage et la main

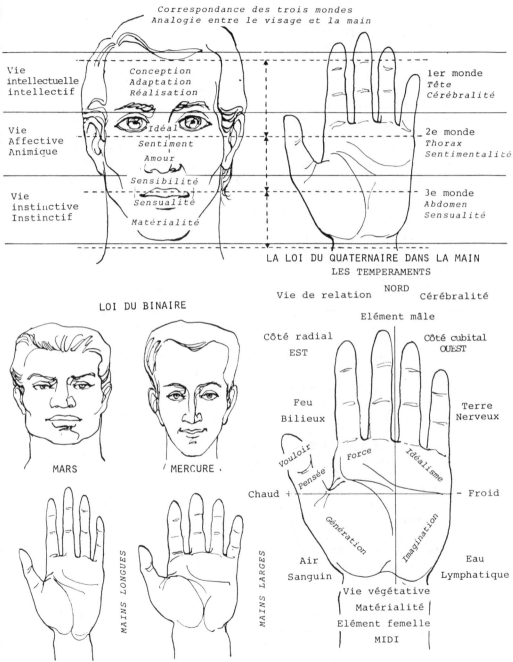

Vie intellectuelle intellectif	Conception Adaptation Réalisation	1er monde *Tête Cérébralité*
Vie Affective Animique	*Idéal* Sentiment Amour	2e monde *Thorax Sentimentalité*
Vie instinctive Instinctif	*Sensibilité* Sensualité Matérialité	3e monde *Abdomen Sensualité*

LA LOI DU QUATERNAIRE DANS LA MAIN
LES TEMPERAMENTS

LOI DU BINAIRE

Vie de relation   NORD   Cérébralité

Elément mâle

Côté radial
EST

Côté cubital
OUEST

Feu
Bilieux

Terre
Nerveux

Vouloir
pensée   *Force*   *Idéalisme*

Chaud —|— Froid

Génération   *Imagination*

Air
Sanguin

Eau
Lymphatique

Vie végétative
Matérialité
Elément femelle
MIDI

MARS

MERCURE

MAINS LONGUES

MAINS LARGES

n) La loi du septénaire

Concernant la science millénaire, nous allions dire instinctive, de l'astrologie, nous observions que ce qu'écrivait Papus, déjà cité, reste valable : « *Les connaissances astronomiques des Anciens étaient beaucoup plus étendues que ne le croient nos profanes. Et toutes les découvertes de nouvelles planètes, comme celles d'Uranus et de Neptune, que peuvent encore faire les astronomes contemporains, ne nuiront aucunement à la véritable astrologie dont les enseignements n'ont jamais varié à travers les siècles.* » Cela est bien évident puisque nous subissons l'influence des planètes les plus proches et que, depuis la nuit des temps, les hommes lucides ont reconnu cette influence. Que des scientifiques, ajoutons-nous, nient une semblable évidence **montre la limitation de leur savoir au monde matériel, dérisoire partie de la connaissance intégrale.**

Le chiffre 7 est l'un des plus édifiants de la symbolique occulte. Nous ne pouvons pas entrer dans le détail de ce symbolisme, nous limitant à relever que, pour une majorité de croyants ayant été nourris de la Tradition ésotérique, l'être humain est composé de 7 corps, du plus matériel au plus éthéré (voir tableau p. 55) ; le prisme fait apparaître 7 couleurs ; la semaine comporte 7 jours. Hippocrate ne décrivit-il pas la division septénaire du monde et, partant, celle de l'homme, car si les vents sont septénaires, il y a aussi 7 subdivisions dans le corps qui fait 7 têtes. Il y a sept âges (d'où l'affirmation que le corps se renouvelle tous les sept ans) : le petit enfant, l'enfant, l'adolescent, le jeune homme, l'homme fait, l'homme âgé, le vieillard.

Nous pourrions multiplier les exemples, mais au sujet du septénaire, la connivence qui s'établit entre l'astrologie et la morphologie nous semble encore plus édifiante. Le psycho-morphologue retient les 7 planètes traditionnelles pour préciser son analyse. Ce sont : **Vénus, Jupiter, Saturne, Soleil, Mercure, Mars, Lune.** Chacune d'entre ces planètes étant influencée par l'astre qui nous porte : la Terre et qui, par conséquent, se trouve exclue du concert d'influences qu'exercent les autres astres dont nous recevons la marque à la naissance. L'application sommaire de la loi d'analogie va nous permettre une courte démonstration du mode de pensée qui permet de situer, à travers le septénaire, un individu, tant sur le plan somatique que psychologique.

Opposons deux types, ou signatures, bien différentes : **Vénus et Mars.** Observons d'abord la relation mythologique : Vénus, c'est la grâce, la beauté et l'amour. C'est également l'indolence, la nonchalance. Tout en elle est rondeur et féminité. Mars, au contraire, c'est la sécheresse, la dureté, voire la violence. C'est aussi l'action impétueuse, l'allure vive et décidée. On le voit, à l'opposé de la signature vénusienne (qui se reconnaît par un visage d'un ovale court) se situe celle de Mars (visage inscrit dans un carré avec des lignes rigides et rectilignes).

Nous ne pouvons nous étendre ici sur la morphologie, mais que l'on croie ou non à l'influence des astres, **on ne peut qu'être frappé par la justesse des analyses qui résultent de l'observation des types dits planétaires,** tant les caractéristiques physiques, idiosyncrasiques et caractérielles, et même les tendances morbides, se retrouvent avec constance et précision dans chacun des types zodiacaux. La loi du septénaire éclaire donc singulièrement nos structures physiques et mentales et, par conséquent, nos actions et réactions comportementales.

La connaissance de l'ensemble de ces lois, bases fondamentales de l'occultisme, **est indispensable pour nous situer comme partie de l'univers,** de ce tout constitué d'énergie vibratoire, obéissant, comme nous, à des principes intangibles qui ne nous apparaissent que par cette connaissance. Nous verrons ultérieurement combien cette approche nous sera précieuse pour la résolution des problèmes personnels. C'est à la psychanalyse que nous allons maintenant demander d'autres clartés, celles-ci dirigées en dedans de nous-mêmes pour comprendre la nature et la complexité de nos pensées, les mobiles de nos actes.

2. La psychanalyse

Freud, dont chacun sait qu'il naquit en Moravie le 6 mai 1856 et mourut en 1939 après avoir, en compagnie de Breuer, créé la psychanalyse, avait d'abord eu recours à l'hypnose après avoir suivi les cours de Charcot à Paris, à la Salpêtrière. Il devait ensuite renoncer à l'hypnose dans le traitement de ses malades, au profit de ce qu'on appelle « *les associations libres* », le patient dévoilant les tréfonds de son subconscient sans être endormi, au cours d'analyses qui s'étendent souvent sur plusieurs années. Le postulat de Freud repose sur deux volets : *l'interprétation des rêves* qui puiseraient leur essence dans le refoulement, et *la sexualité infantile.* Il réunit un matériel considérable qui faisait apparaître un monde souterrain jusqu'alors ignoré ou seulement soupçonné ; celui de l'**inconscient** (ou subcons-cient). Ses travaux seront publiés en de nombreux ouvrages, dont l'*Introduction à la psychanalyse* (9). Il serait hors de notre propos de traiter de l'interprétation des rêves qui donne lieu, de la part des psychanalystes, à *des révélations trop souvent délirantes,* tant le symbolisme peut revêtir des aspects multiformes. Et, par ailleurs, nous pensons que le rêve ne puise pas la majorité de sa substance dans le refoulement, dans les résurgences du passé, mais surtout dans **cette immense mémoire de l'astral où toutes les pensées s'inscrivent en marques indélébiles,** ainsi que le prouvent les sujets plongés en som-nambulisme qui en retrouvent les vestiges, et les médiums réalisant des œuvres artistiques dont ils se montreraient incapables à l'état de veille.

Nous ne nous étendrons pas davantage sur les stades de la forma-tion prégénitale, orale ou anale ; pas davantage sur le stade phallique. Et les complexes (complexes d'Œdipe, d'Electre, etc.) ne nous inté-resseront pas dans leur phase de constitution, mais lorsqu'ils seront en relation avec le comportement de l'adolescent et de l'adulte, ainsi qu'ultérieurement, quand il s'agira de résoudre tel ou tel problème y ressortissant. Nous n'aurons pas non plus à nous occuper des phéno-mènes de transfert et de contre-transfert sur lesquels il semble que les psychanalystes aient beaucoup brodé, puisque ce livre est consacré à l'**auto-influence** et que nous sommes opposé à des traitements dont la durée (des mois et des années) implique de nombreux abandons ou échecs, sachant que les difficultés **peuvent être beaucoup plus rapide-ment résolues par l'hypnose et l'auto-hypnose** ainsi qu'il apparaît dans ces pages. Car il n'est pas du tout assuré que la résurgence à la conscience des traumas de l'enfance libère des affects négatifs ou inhibiteurs, et que les indications que fournit la *catharsis* (voir lexi-que) permettent, mieux que ne le ferait l'introspection étayée par la connaissance, de résoudre ses problèmes personnels.

Il ne fait cependant pas de doute que Freud, et avec lui les écoles qui se sont inspirées de ses travaux ou qui les ont discutés, ont permis de cerner les instances du psychisme, d'en démonter le mécanisme. Il est indéniable que la connaissance des principes fondamentaux qui concernent l'organisation de la psyché *apporte une contribution majeure à la compréhension lucide des structures mentales et du com-portement.* Mais là se borneront nos emprunts à la psychanalyse.

---

9. Petite Bibliothèque Payot.

3. Les instances de l'appareil psychique

Freud a déterminé que l'appareil psychique est formé de trois instances distinctes : le **Ça** qui correspond aux instincts, à la pulsion ; le **Surmoi** qui préside à la censure, incarne la conscience morale ; le **Moi,** ou ego, dont l'activité est à la fois consciente, préconsciente et inconsciente.

Nous retrouvons là *la loi du ternaire* et celle de *l'équilibre des forces,* le Surmoi freinant les excès du Ça dans la recherche de la régulation des forces contradictoires et de l'harmonie du Moi.

a) Le Ça

Il correspond aux instincts et désigne ce qu'il y a de plus primitif dans l'homme. Il se compose de pulsions innées, agressives et sexuelles, ainsi que de désirs refoulés. Pour Freud, *le Ça est le grand réservoir de la libido,* de l'énergie pulsionnelle qui peut devenir créatrice dans sa forme sublimée et désexualisée. Mais le Ça n'a, par son essence même, aucune organisation et *ne peut procéder d'une volonté délibérée.* La notion du Ça est donc liée à celle des pulsions qui tendent à la satisfaction de nos besoins fondamentaux issus des grands impératifs de la conservation de l'espèce, donc de l'individu : *la fonction de nutrition et la fonction sexuelle.* On considère qu'une tension effective — la non-satisfaction tendancielle du Ça — **est source d'angoisse et que la résolution de cette angoisse produit du plaisir.** Cependant, nous verrons que cette satisfaction peut être source de culpabilité.

b) Le Surmoi

Cette autre instance psychique, inconsciente, apparaîtrait au moment de *la liquidation du complexe d'Œdipe* (attachement à la mère ou au père) ; elle se structure sous l'action des influences parentales et socioculturelles. Le Surmoi reçoit l'empreinte de la morale conventionnelle **et a pour action de s'opposer à la prise de conscience des désirs,** à leur réalisation effective. *Cette censure peut s'exercer en marge du conscient* qui en reste ignorant, dans le rêve par exemple. Cette instance, qui paralyse les désirs n'étant pas en conformité avec la loi morale, n'a pas seulement un rôle de limitation de la pulsion instinctive et d'interdiction ; *elle promeut et renforce l'idéal du Moi,* mettant en jeu divers mécanismes de défense, dont la sublimation (voir lexique).

c) Le Moi (ou ego)

Il se structure progressivement sous l'effet de la maturation, des conditions de vie culturelle, sociale, professionnelle, affective et sexuelle. Il nous suffit ici de résumer le rôle que joue cette instance eu égard à l'hygiène du mental, ainsi que nous l'avons fait dans *Relaxation psychosomatique*. *« Le Moi a pour mission d'adapter le comportement à la réalité, de l'appréhender rationnellement. Le Moi assume la fonction arbitrale entre les instincts et la censure, autrement dit : entre le Ça et le Surmoi. Le Moi exerce ses effets sur un double plan : conscient pour les décisions et les actes de la vie courante, inconscient dans la mobilisation des mécanismes de défense. Lorsque le Moi s'affaiblit, comme chez les névrotiques, le Ça l'emporte sur le Surmoi qui se trouve impuissant à exercer normalement sa censure. La conduite est alors en contradiction avec les interdits. D'où des conflits donnant lieu à des comportements jugés paradoxaux. Le psychisme se trouve alors perturbé par l'incapacité du Moi à pouvoir arbitrer ces états conflictuels qui dissocient la personnalité en lui posant des problèmes en apparence insolubles. »*

d) Le préconscient

La notion de préconscient établie par Freud dans sa deuxième topique *est loin d'être négligeable en ce qui concerne l'introspection.* **Effectivement, le préconscient serait à la lisière de l'inconscient et du conscient.** Echappant à la conscience claire, *il constituerait une sorte de sas entre ce qui est profondément enfoui dans le subconscient et ce qui pourrait être appréhendé par la conscience et s'intégrerait au Moi.* On peut être fondé à penser que l'extraction du préconscient des affects qui y séjournent *peut favoriser une libération des représentations et sentiments refoulés dans les abysses du subconscient.*

4. L'enseignement des principes de Freud

Les notions qui précèdent ne peuvent apparaître en pleine lumière qu'éclairées *par l'exposé des grands principes* qui sont le fondement de la psychanalyse et par *la compréhension des mécanismes de défense* que nous avons préféré résumer en un tableau auquel on se reportera avec profit au cours de la lecture des divers chapitres de cet ouvrage (voir pages 70 et 71). *Quatre principes essentiels retiendront par priorité notre attention.*

a) Le principe de constance

La décharge des tensions procure une satisfaction, alors que les excès d'excitation sont source d'inquiétude. *Le principe de constance tend à maintenir l'équilibre entre les deux pôles énergétiques de l'appareil psychique.* On peut donc rapprocher ce mécanisme autorégulateur (comparable à la fonction homéostasique de Cannon dans le domaine physiologique) du **yin** et du **yang** de la conception chinoise des énergies, conception de laquelle est issue l'acupuncture dont l'objet est de rétablir cet équilibre dans la recherche de la guérison des maladies. Pour Freud, le principe de constance *tend à réduire à un seuil aussi bas que possible la somme des excitations,* afin de maintenir à un taux raisonnable les pulsions du Ça. Cependant, nous verrons que cette régulation (de laquelle dépendent la détente et la sérénité) peut être infléchie dans le sens de la réduction optimale ou dans le sens d'une élévation de son seuil, par exemple, dans les états asthéniques *où il nous faudra développer de puissantes motivations* qui ne peuvent aller de pair avec un abaissement excessif de la tension énergétique.

Au pôle inférieur de la constance, nous trouvons ce que Freud, après Barbara Low, a désigné comme le principe de **nirvâna.** Selon Laplanche et Pontalis (10) : « Le terme " *nirvâna* ", répandu en Occident par Schopenhauer, est tiré de la religion bouddhique où il désigne l' " **extinction** " **du désir humain** », l'anéantissement de l'individualité qui se fond dans l'âme collective, un état de quiétude et de bonheur parfait. Ce principe s'énoncerait comme suit : « ... *tendance à la réduction, à la constance, à la suppression de la tension d'excitation interne.* »

Nous savons à quels renoncements, *à quels déséquilibres conduit cette recherche illusoire du nirvâna ;* nous l'avons souligné dans le premier chapitre de cet ouvrage, traitant de cette mystification par rapport aux problèmes personnels.

---

10. *Dictionnaire de la psychanalyse* (P.U.F.).

Tableau n° 5

LES 10 MÉCANISMES DE DÉFENSE

Le refoulement

Le refoulement, mécanisme de défense du Moi, est inconscient, c'est-à-dire que les sensations, les souvenirs, le vécu pénible et culpabilisant, les pulsions réprouvées par le Surmoi n'émergent pas dans le champ de la conscience. Ils en sont bannis, car en désaccord avec la personnalité morale et les lois sociales admises, avec les convictions religieuses et idéologiques.

La sublimation

C'est la transposition d'une énergie instinctuelle vers un but social, artistique, etc., élevé. Ainsi, les conflits peuvent être résolus par la poursuite d'idéations accaparant l'activité cérébrale ou physique. La sublimation est un mécanisme d'adaptation au milieu susceptible de résoudre des situations conflictuelles et, même, d'utiliser leur potentiel dynamique dans la structuration du Moi.

Le déplacement

C'est un mécanisme inconscient différent de la sublimation. Il n'est pas exhaustif comme la sublimation. Selon Freud, il s'agit d'un processus primaire du subconscient. Le bébé privé du sein maternel suce son pouce ; l'instinct ne pouvant se satisfaire a déplacé son objet. Le déplacement permet donc de se libérer des tensions provoquées par la censure (Surmoi) et le Moi, par rapport aux forces instinctuelles (le Ça).

La régression

C'est un phénomène de fuite par la régression à un stade de la vie de moindre maturation. L'aliénation de la personne apparaît à la suite de la frustration par le refuge à un stade antérieur de la structuration du Moi. Par exemple, l'enfant ayant grandi, soudain confié à des mains étrangères, se sentant affectivement frustré, peut régresser au stade sadique-anal, devenir énurésique.

La projection

Le psychisme se libère de tendances obsédantes génératrices de conflits par la projection sur autrui de pulsions censurées. C'est ainsi que l'homosexuel refoulé prête ses tendances à l'inversion à une foule de personnages en vue qui ne le sont aucunement. La projection revêt un autre aspect quand une image émanant de soi est projetée idéalement sur un être qui semble incarner des éléments inhibés de la personnalité.

.../...

L'identification

Pour aimer, l'enfant doit admirer. Il a besoin d'un modèle dont il subisse le rayonnement, dont il reconnaisse la supériorité. Par une sorte de mimétisme, il s'approprie le rôle, la puissance d'un être proche, le père le plus souvent. Le mécanisme d'identification joue aux divers stades de la structuration psychologique. Il arrive que l'adolescent veuille ressembler à telle ou telle vedette. Cela peut influer sur son comportement, voire susciter une vocation dans un sens bénéfique ou défavorable, selon que son identification va dans le sens des possibilités réalisatrices ou n'y correspond aucunement.

La compensation

La compensation peut être inconsciente, mais alors elle s'assimile aux états névrotiques, elle est un mécanisme de fuite. C'est le comportement de l'homme qui, ayant essuyé des échecs dans sa vie professionnelle, trouve la compensation dans une fantasmagorie où il tient le rôle gratifiant d'un conquérant ou d'un personnage aux exploits légendaires. Mais la compensation reste un phénomène normal chez l'être équilibré ; elle lui permet d'échapper à la sanction morale de l'échec, celui-ci étant inhérent à l'entreprise humaine, comme le succès.

La substitution

C'est un mécanisme qui entre en jeu pour libérer l'individu de ses tensions quand il y a frustration. Ainsi, le garçon déçu qui ne peut satisfaire son désir sexuel avec la femme qu'il convoite et qui substitue aux rapports hétérosexuels, l'auto-érotisme masturbatoire. Cet ersatz ne lui apporte pas la même satisfaction, mais libère une tension devenue insupportable.

La fantaisie

Ce mécanisme de défense participe de l'imagination ; c'est une sorte de rêve éveillé qui consiste en la résolution des tensions que font naître les états conflictuels. La pulsion, au lieu de trouver son exutoire dans l'action, le trouve dans l'imagerie mentale incontrôlée. La fantaisie nourrit les rêveries et parfois les délires ; c'est aussi une fuite devant les difficultés de la vie. A un degré moindre, la fantaisie permet d'échapper aux états névrotiques qui peuvent se développer à la suite d'échecs et de frustrations.

La dissociation

Il s'agit d'un mécanisme de défense qui s'apparente aux phénomènes de fuite et de régression, mais caractérisé par des ambivalences multiples qui donnent un comportement étrange et flottant, insaisissable pour l'entourage. Le laisser-aller, la démission des adultes ont donné naissance à une génération de schizophrènes qui se complaît dans le refus de se colleter avec la vie, dans la paresse. L'individu, une fois que le pli est pris, devient irrécupérable et accroît les charges de la société.

b) Le principe plaisir-déplaisir

C'est le maintien de *la constance énergétique* qui, selon Freud, équivaut au principe de plaisir. Mais surtout, dans notre optique différente, dans l'évitement de tensions excessives submergeant le principe de réalité et le contrôle inconscient du Surmoi. Pour nous, cela n'est pas en contradiction avec les émois passionnels, du moment qu'ils ne conduisent pas aux débordements préjudiciables à la cohésion de la personnalité. Car vivre sans passion — *négativisme du zen* — n'est pas réellement vivre. L'élan passionnel, seul, permet, par le renforcement des motivations, une action efficiente et réalisatrice. **Il semble qu'une rigueur excessive du principe de plaisir, loin de diminuer les tensions,** est susceptible de les accroître par un autocontrôle excessif ou tyrannique qui, renforçant la censure, s'oppose à la libération des pulsions instinctuelles que nous pouvons réduire ou intensifier, voire canaliser par une aperception lucide de leurs prémices. *C'est que le principe de plaisir est soumis au principe de réalité* qu'on peut identifier en ses effets au Surmoi, mais non en son mécanisme, le premier participant du subconscient, le second de la conscience.

c) Le principe de réalité

Ainsi que l'observe Daniel Lagache, « *l'emprise progressive du principe de réalité est loin d'être uniforme et générale, et les pulsions lui échappent pour une large part* ». Cet auteur nous précise le rôle du principe de réalité : « *En ce qui concerne l'appareil mental, la substitution du principe de réalité au principe de plaisir se traduit par le développement des fonctions conscientes d'ajustement à la réalité, l'attention, la mémoire, le jugement, qui se substitue au refoulement, l'action adéquate à la réalité, qui se substitue à la décharge motrice* (11) ». Le principe de réalité *est régulateur de la fonction psychique* en ce sens qu'il s'oppose à ce que les pulsions se satisfassent sans obstacle. Le principe de plaisir qui les sous-tend se trouve différé dans sa satisfaction, la reportant à plus tard en d'autres voies moins dangereuses ou à des détours mieux adaptés à la conjoncture ou aux diktats de la réalité. Ce principe de réalité *est représentatif de la morale conventionnelle* et renforce les structures du Moi ; cela est bien évident si on considère que le sens des réalités, donc des responsabilités, se trouve particulièrement affaibli chez les névrosés, donnant ainsi le feu vert à l'anarchie du comportement. **Appréhender les pulsions** (autrement dit les incitations du Ça) **dans le préconscient**

---

11. Daniel Lagache.

afin de les confronter (sans pour autant les refouler) avec la réalité **est bien une des lois fondamentales de l'hygiène du mental.**

d) La compulsion de répétition

Il s'agit d'une répétition inconsciente de conduites stéréotypées. Cette répétition convulsive participe du principe de plaisir et « *apparaît comme un principe psychologique solidement ancré dans le biologique* » (Lagache). Le sujet retombe toujours dans les mêmes errements malgré ce qu'ils ont de douloureux, et *on retrouve toujours les mêmes processus* conduisant soit au renforcement des névroses, soit à l'échec *sans que celui-ci obère aucunement de nouvelles tentatives vouées aux mêmes vicissitudes.* On peut donner l'exemple d'un homme ambitieux, actif et astucieux en affaires, mais renouvelant dans sa conduite les mêmes erreurs et qui, sans se décourager de sa déconfiture, n'en persiste pas moins dans le même domaine en utilisant toujours des moyens similaires.

Cette compulsion de répétition est partie intégrante de la **névrose d'échec,** de l'**autodestruction** que nous évoquerons au sujet de la résolution des problèmes personnels, cette confrontation apportant des éléments éclairants sur ce comportement qui peut sembler de prime abord déroutant, quoique sa fréquence relève de l'observation courante.

Deux autres postulats de la psychanalyse mériteraient ici de retenir notre attention. Ce sont la **libido** et le **narcissisme.** Nous en traiterons dans le cadre des difficultés sexuelles. Ce n'est aussi qu'ultérieurement que nous nous pencherons sur les **états névrotiques,** qui ressortissent aux problèmes personnels. Dans l'immédiat, nous abordons la partie pratique de l'ouvrage, avec la nécessité pour le lecteur de « *faire le point* » concernant son comportement coutumier, ses réactions caractérielles et l'intérêt de se tracer un « **plan de vie** » par rapport à des objectifs préalablement définis. Dans notre perspective, celle du contenu et de l'action du subconscient, il nous faudra indiquer les moyens qui permettent l'exploration de cette instance psychique.

5. D'abord, faire le point

Il ne servirait à rien de s'initier à l'auto-hypnose puis d'élaborer des formules d'autosuggestion **si on ne s'assigne pas initialement un**

but à atteindre, si on n'a pas médité sur les voies les plus faciles et les plus courtes à emprunter, en les confrontant avec le **principe de réalité,** pour parvenir à son objectif ; puis, si on ne s'assure pas d'un certain nombre d'atouts par l'introspection, afin de dépister les entraves qui s'opposent à la réussite et au bonheur — cela en toute lucidité et honnêteté — et de reconnaître sans fausse modestie les qualités, voire les dons qu'on possède et *qu'il est possible de développer et d'exploiter,* fussent-ils à l'état embryonnaire.

a) Le passé, le présent et l'avenir

C'est manquer de réalisme, sous prétexte de l'élargissement du champ de conscience, de faire table rase du passé et de « ne pas vivre dans l'avenir » pour exister seulement dans le présent (zen), que de ne jamais se pencher sur son passé et de faire fi des perspectives, des développements et des menaces du lendemain. Il semble toutefois que les principes zen, en dépit de ce que l'idéologie a de puéril, ne soient pas à rejeter en totalité ; *un moyen terme entre le ·détachement qu'implique le satori et la réalité des faits peut concilier les deux thèses du spirituel chimérique et du rationnel objectif.*

Relevons, afin d'illustrer notre propos, une anecdote d'un excellent livre qui en fourmille (12) ; J. Arthur Rank, parlant du *Wednesday Worry Club* (Le Club du souci du Mercredi) dit : « *J'ai trouvé le moyen de me débarrasser de mes soucis. Je suis devenu membre du Wednesday Worry Club. Nous avons pour règle, lorsqu'un souci, un problème se présente à nous, de le noter sur un morceau de papier que nous plaçons dans une boîte qui n'est ouverte que le mercredi. Ce qui remet tous les soucis à ce jour-là. Lorsque nous ouvrons la boîte, nous nous apercevons que la plupart de nos problèmes ont trouvé leur solution. Ceux qui ne sont point résolus sont remis, jusqu'au mercredi suivant, dans la boîte.* »

La recette est excellente et nous n'avons pas manqué de l'utiliser depuis longtemps. Mais en dehors de ce qu'il n'est pas nécessaire de faire partie d'un club pour cela (les Américains sont « très club »), nous préférons faire face immédiatement pour les problèmes d'extrême urgence. Vous êtes avisé que votre compte en banque vient d'être bloqué par votre percepteur, et vous avez des chèques en circulation. Votre intérêt n'est-il pas de vous rendre immédiatement à la banque pour résoudre le problème au mieux ? Plutôt que d'appliquer

---

12. Déjà cité.

« la politique de l'autruche » qui, selon la loi du karma *(on récolte ce que l'on sème),* ne pourrait que vous attirer les pires désagréments.

S'il faut élaguer de l'esprit (et nous entendons par esprit le conscient et le subconscient) les traumatismes et le souvenir des faits culpabilisants du passé, **il n'en faut pas moins en retirer les leçons pour modifier notre comportement dans le présent fugitif qui prépare l'avenir et tracer les grandes lignes de cet avenir plus ou moins lointain.** C'est se montrer réaliste. Ce n'est pas conduire à l'aveuglette, se bouchant les yeux pour ne pas voir les embûches de la route.

b) Penchez-vous sur votre passé

Selon le principe du refoulement, vous avez certainement, comme nous avons tous, tendance à occulter les faits désagréables qui sont survenus au cours de votre existence, *à travestir la vérité à votre profit.* Or, les affects qui en résultent sont beaucoup moins difficiles à appréhender que ne le prétendent les psychanalystes dont l'intérêt n'est évidemment pas de le reconnaître. Bien entendu, cette auto-analyse que nous préconisons sera beaucoup plus aisée et menée en profondeur quand vous aurez appris à vous mettre en ce que nous appelons *l'infra-hypnose* (voir le lexique).

Il n'empêche qu'il existe une autre démarche pour les faits qui remontent à la conscience (appréhension du préconscient). C'est celle que vous devez adopter dès maintenant.

Par le jeu des associations d'idées, des souvenirs déplaisants surgissent du passé. Ils le seront d'autant plus que vous aurez avancé sur le chemin de votre développement personnel, *car personne n'aime reconnaître ses erreurs ou ses défaites.* Cela est bien manifeste dans le domaine matériel où, par exemple, un homme « *qui a réussi* » renie ses origines très modestes (ou s'en glorifie à tout propos par surcompensation) ainsi que ses amitiés d'antan.

c) Le bien et le mal

L'être humain se trouve partagé, souvent déchiré, entre des tendances contradictoires, entre le bien et le mal. Stekel (13) a bien défini cette ambivalence que chacun discerne confusément, en un raccourci

---

13. *La Femme frigide* (Gallimard).

dont voici la relation : « *... ces perturbations éternelles de notre âme, avec ses tendances bipolaires : l'entraînement vers le haut, et le désir des abîmes. Tous les êtres se sentent entraînés vers les sommets : se distinguer, dépasser les autres, s'élever au-dessus d'eux, s'améliorer, s'anoblir, se perfectionner, monter, être angélique, arriver plus près de Dieu, voler dans le pays des miracles que nous pressentons et que nous saisissons plutôt par le sentiment que par la raison. Mais, à côté de cela, l'individu est poussé vers les abîmes : disparaître au milieu de la foule, goûter les plaisirs de la bassesse, être une bête (épuiser ses forces vitales), céder aux impulsions basses et vulgaires, goûter des plaisirs diaboliques, satisfaire Satan et ses démons, vider la coupe de la vie jusqu'à la lie. Ce sont deux idéaux qui nous dominent, Dieu et Satan.* »

Ce sont ces pulsions contradictoires **auxquelles personne ne saurait échapper** (*la Faute de l'abbé Mouret* en est l'illustration) dont il vous faut prendre conscience. Mais là, il nous faut considérer *la morale traditionnelle* qui a cours dans la société qui est la nôtre, dans le milieu où nous évoluons, et *notre éthique personnelle* forgée à travers le poids des interdits et l'importance que nous lui attribuons, la somme de nos expériences dont les effets bénéfiques et maléfiques nous font séparer le bon grain de l'ivraie, *nous culpabilisant plus ou moins selon la rigueur ou la laxité de nos instances morales*. Nous avons eu l'exemple d'une femme adultère et extrêmement croyante, même religieuse, dont le sentiment — pour elle — de blasphème et de péché décuplait le plaisir par la satisfaction de cette attirance vers le bas dont parle Stékel, mais ne manquait pas, en dépit de la confession, de créer des conflits intimes par le fait d'avoir transgressé la loi divine. Une femme non dévote n'eût pas éprouvé la même intensité passionnelle, ni la même culpabilité.

La vie sexuelle à laquelle se trouvent attachés les pulsions les plus fortes et le plaisir le plus intense est évidemment le creuset dans lequel se constituent en majorité les complexes et les sentiments d'infériorité et de culpabilité ; nous y reviendrons à propos des problèmes personnels.

Nous insisterons ici sur la nécessité de se constituer une éthique personnelle en tenant compte des expériences du passé et en recherchant une sorte de *modus vivendi* entre la morale conventionnelle et la satisfaction des désirs ; cela afin d'éviter les incomplétudes et frustrations qui résulteraient d'un étouffement extrême des désirs, et une licence sans frein *qui culpabiliserait et réserverait des lendemains douloureux.*

d) Les lois morales ont une infinie variété

Malinowski (14) soulignant qu'aux îles Trobriand « *les person-nes âgées n'interviennent pas dans la vie sexuelle des enfants* », relate que dès l'âge de six ou huit ans, ceux-ci, « *se livrent à des jeux de dis-tractions qui leur permettent de satisfaire leur curiosité touchant l'aspect et la fonction des organes génitaux... La manipulation des organes génitaux et de petites perversions telles que la stimulation orale de ces organes... Les petits garçons et les petites filles sont, dit-on, souvent initiés par leurs camarades un peu plus âgés qui leur permettent d'assister à leurs propres badinages amoureux* ». L'atti-tude des grands et même des parents, ajoute l'auteur, à l'égard de ces amusements enfantins est celle d'une complète indifférence ou de complaisance : ils les trouvent naturels et ne voient aucune raison de gronder les enfants ou d'intervenir. Par contre, ces indigènes n'admettent pas l'inceste ni les rapports entre frères et sœurs, alors qu'il est admis par les hommes que les femmes abusent des étrangers en des jeux érotiques teintés de sadisme. Il me souvient — alors qu'élevé pendant la guerre par des grands-parents rigoristes — que je fréquentais une institution mixte religieuse. Agé de 6 ou 7 ans, je lais-sais tomber mon crayon bien plus souvent que si c'eût été simplement accidentel pour, en me baissant pour le ramasser, contempler l'aligne-ment des fesses des petites filles, qui dépassaient les bancs étroits. Le manège fut remarqué. Ce qui provoqua un drame dans la famille et l'institution. Alors qu'il eût été si simple de me diriger vers l'école communale d'où, à ma déconvenue, les petites filles étaient absentes, sans me donner la raison de ce transfert.

Combien d'existences furent gâchées et le sont encore par ces réminiscences jugées coupables d'un comportement infantile qui ne devrait rien avoir de répréhensif, car naturel. Nous verrons comme, dans notre société, la masturbation est encore chargée d'opprobre, ainsi que l'homosexualité, et comme *ce que certains nomment à tort des déviations* pèse encore lourdement sur la vie sexuelle des individus et des couples. La connaissance de la physiologie du plaisir, celle des mœurs spécifiques à chaque ethnie et leur confrontation, **doivent vous permettre une libération lucide des affects culpabilisants dont le refoulement est source d'inquiétude et de tension.**

Vous avez comme chacun des souvenirs agréables, des succès qui confortent l'excellente opinion que vous avez de vous-même. Mais

---

14. *La Vie sexuelle des sauvages* (Petite Bibliothèque Payot).

aussi des humiliations, des échecs *dont vous repoussez le souvenir quand ils remontent à la surface.* Ce ne sont pas toujours les plus dramatiques qui sont les plus nocifs. Le moindre petit fait dévalorisant peut s'incruster dans le subconscient pour y exercer ses ravages. Ainsi, l'humiliation résultant d'une infériorité reconnue par des tiers en divers domaines, sur le plan intellectuel ou physique, alors qu'on se serait vanté d'une supériorité ; celle d'une discussion ayant tourné à votre désavantage, ou encore, un comportement inadéquat en telle ou telle circonstance, comme de n'avoir pas profité d'une bonne fortune qui s'offrait. **Les regrets sont également stériles.** Certaines personnes sont rongées par le fait de ne pas avoir, dans le passé, suffisamment usé des plaisirs de l'existence ; elles se morfondent de ce que leur situation présente, leur âge les empêchent de recréer les circonstances dont elles n'ont pas su profiter. *Mais peut-on, après avoir refermé la main dont une poignée de sable s'est échappée, la retrouver en essayant de la saisir de nouveau.* Qu'il s'agisse d'occasions perdues concernant les affaires ou la promotion sociale, d'un amour qui s'est brisé, mais dont le souvenir est lancinant, **il est impossible de revenir en arrière.** Je ne sais qui a dit : « *Il ne fait pas bon suivre deux fois la même route, un vent froid se lève et rend triste...* » Pendant que vous vous appesantissez sur un passé révolu, **le temps passe et vous ne vivez pas éveillé au présent.** Vous ne vivez que d'une vie végétative, c'est comme si vous étiez mort mentalement et spirituellement. Dites-vous que si vous pouviez revivre les temps heureux du passé, dans l'instant même, *peut-être éprouveriez-vous une grande déception,* car les personnes que vous avez cotoyées, celles que vous avez aimées ont, comme vous, évolué. *Elles ne sont plus les mêmes* et le corps, que vous avez étreint avec frénésie et dont vous avez la nostalgie, n'est plus celui que vous avez serré dans vos bras, puisque les cellules qui le constituent se renouvellent tous les sept ans. **Sous l'empreinte de la vie journalière et du temps qui s'écoule, le caractère, les goûts et les idéaux changent également.** L'entente prolongée d'un couple peut créer une identité de sentiments, assurer sa pérennité ; l'absence prolongée, elle, fait diverger les éléments qui assuraient sa cohésion.

Est-ce à dire qu'il faut abolir tous les souvenirs fastes, faire complètement table rase du passé ? Ce n'est pas dans l'esprit de cet ouvrage qui enseigne la maîtrise du mental. D'analyser ses comportements antérieurs **est riche d'enseignements pour l'avenir.** Par exemple, quand ils participent de la compulsion de répétition, des conduites d'échec. Comment, sans l'évocation du passé, pourrait-on modifier ces conduites d'échec et leur en substituer d'autres, mieux adaptées donc assurant la réussite ? *D'explorer le passé est donc indispensable* pour se tracer un plan de vie cohérent en tenant compte des possibilités de réalisation.

Un dicton affirme qu'en amour « *il est préférable d'avoir des remords plutôt que des regrets* ». Si cela dépend de l'éthique personnelle et en ce qui concerne l'adultère, de l'indulgence ou de la compréhension du conjoint, il n'en est pas de même des mauvaises actions qui peuvent laisser des traces indélébiles et redoutables, **car ce sont elles qu'on enfouit le plus profondément dans les abysses du subconscient,** quand elles ont tendance à la résurgence. Le moyen de se délivrer des pensées délétères qu'elles suscitent est au contraire de les exhumer **pour les regarder avec fixité.** Et même, pour se délivrer de l'inquiétude latente qu'elles entretiennent, d'en exagérer la virulence. En psychanalyse, la **catharsis** désigne la réaction produisant la libération d'un résidu affectif ancien ou d'une situation conflictuelle refoulée perturbatrice du psychisme. On sait que la remontée à la conscience de ces refoulements a pour objet d'en annihiler les effets nocifs ou inhibiteurs. *Le procédé est aussi valable pour les pensées pernicieuses qui émergent du préconscient.*

Le conscient doit alors prendre le relais pour parachever l'assainissement du mental par une aperception plus claire de la réalité quotidienne. Votre personnalité se renouvelant, comme les cellules de votre corps, *vous n'êtes plus aujourd'hui ce que vous étiez hier.* Les mauvaises actions, les vilenies que vous avez commises dans le passé, si noires, si démentes qu'elles puissent vous paraître maintenant, dites-vous que l'ami que vous estimez le plus, l'homme public que vous enviez ou admirez, *en a commis aussi.* Ce qui vous différencie est qu'elles ne sont pas les mêmes. Si vous mettez en doute ces propos, faites une honnête introspection et vous reconnaîtrez **qu'il y a en vous deux personnages,** car il ne peut en être autrement. Celui que vous êtes réellement qui n'est pas obligatoirement mauvais, mais qui connaît nécessairement *les faiblesses et les travers qui tiennent à la condition humaine,* et celui du **Moi idéal** auquel vous tentez de vous identifier le plus possible et dont vous donnez l'image. Car chacun — *si pénible que ce soit pour notre vanité* — est peu ou prou en représentation dans sa vie relationnelle.

Bien sûr, si vous pouvez réparer les dommages que vous avez causés, faites-le ! Mais si vous vous trouvez dans l'impossibilité de le faire, *libérez une fois pour toutes votre esprit de ses regrets et remords* en considérant que cette personne qui a mal agi était quelqu'un d'autre que vous-même, puis, que la nature humaine étant ainsi faite, partagée entre le bien et le mal, **il est inéluctable qu'elle commette des fautes.** C'est la raison pour laquelle la religion catholique a institué la confession. Mais en définitive, *c'est à vous qu'il appartient de vous donner l'absolution,* sans repentir destructeur, avec par contre, en bénéficiant des leçons du passé, *la détermination de ne pas retomber dans les mêmes errements* qui chargeraient encore davantage votre karma.

6. L'hygiène du mental

Le comportement du psychasthénique est typique. Il est surtout caractérisé par le manque d'initiative et de décision. Nous reviendrons sur cette névrose. Sans entrer dans cette classification, nombreuses sont les personnes qui sont timorées, indécises, qui remettent toujours au lendemain ce qu'elles ont à faire, *qui ne savent jamais se décider,* aussi bien pour les choses importantes que pour les menus détails de la vie quotidienne. **Rien n'est plus éprouvant pour le psychisme.**

L'initiation à l'infra et à l'auto-hypnose (voir chap. IV) va vous permettre une parfaite maîtrise de votre mental. Vous pourrez à volonté chasser les pensées dépressives, leur substituer des pensées euphoriques, ne penser qu'à une chose à la fois ou ne penser à rien pour détendre les ressorts de votre esprit. Cette faculté que vous aurez acquise de sélectionner vos idées, de les maintenir longuement dans l'intellect ou de les élaguer de votre esprit constitue en fait une authentique hygiène du mental *qui évite la confusion et l'éparpillement de la pensée* ; elle conditionne en outre la récupération des énergies, car c'est le désordre de la pensée — *son incohérence* — qui sape les énergies, développe finalement la fatigue cérébrale qui conduit tôt ou tard à des états plus ou moins caractérisés de psychasthénie. *Ce peut être le prélude de la dépression nerveuse.*

a) L'élagage de votre esprit

L'élagage est une opération que l'on fait pour les arbres, afin d'en assurer la propreté et l'ordonnance et pour leur donner une nouvelle vigueur. Il doit en être de même pour votre esprit *que l'encom-*

brement par des pensées parasitaires affaiblit. Les courriers que je reçois sont révélateurs des tensions et problèmes personnels divers qui résultent de ce que la pensée des correspondants est décousue et ne parvient pas à tracer une ligne de conduite raisonnable, expurgée des intentions qui pourraient lui nuire et s'opposer à la réalisation d'objectifs consciemment et clairement élaborés. Nous observons que les écritures de ces correspondants sont celles dont la graphologie révèle qu'elles appartiennent à des sujets qui, bien que souvent intelligents, *sont intériorisés et généralement asthéniques.* Le caractère est tourmenté, indécis, versatile et émotif. De mettre de l'ordre dans la sphère du mental *améliore aussitôt un comportement désordonné,* parfois même extravagant car ne tenant aucun compte du sens des réalités.

Avant d'établir le plan de vie, il nous paraît indispensable de procéder à l'opération la plus simple qui consiste à prendre l'habitude de se débarrasser, dans l'immédiat, *de toutes les petites choses qui empoisonnent l'existence des indécis.*

b) Ne jamais remettre au lendemain...

Vous recevez une lettre à laquelle vous devez répondre. Vous la mettez de côté, soit que vous ayiez la paresse de l'écrire ou que vous manquiez de temps pour le faire immédiatement. Ou encore, cette lettre vous inquiète ; elle émane d'un créancier, de la banque, du percepteur ou de votre assurance. Ce peut être par contre d'un ami, et vous ne savez pourquoi — *mais votre subconscient le sait* — vous remettez à plus tard de lui répondre. Il se peut aussi, qu'ayant une idée intéressante, mais qui exigerait que vous preniez un contact immédiat avec la personne qui vous serait utile pour la réaliser, vous ajourniez la réponse ou la démarche que vous devriez faire et, dans ce cas, *vous vous donnez toutes sortes de bonnes raisons* (votre idée est farfelue, votre proposition sera mal reçue, la conjoncture n'est pas favorable, etc.) pour remettre à plus tard, voire pour renoncer à l'action que vous deviez entreprendre.

Dans le même ordre d'esprit, vous avez une tâche à accomplir. Vous la remettez au lendemain bien que vous sachiez pertinemment que vous devrez vous y soumettre, car elle est indispensable. Et le lendemain, *vous trouvez un bon prétexte pour la remettre de nouveau à plus tard.* Ce comportement — soyez-en certain — **vous démolit intérieurement,** car il maintient non seulement votre mental, mais aussi votre organisme, dans *un état permanent de tension.* Il est en réalité encore plus redoutable que le refoulement des mauvaises actions dont nous nous sommes entretenus, car **il développe une anxiété latente,** quasi permanente, dont vous n'avez pas conscience. *Vous vivez dans une inquiétude perpétuelle* qui vous mine et qui déclenche inéluctablement des forces délétères qui forgeront à votre égard des conjonctures défavorables, par l'effet des lois du mental (*les pensées de même nature s'attirent*).

De prendre des décisions immédiates concernant les choses les plus simples crée des réflexes conditionnés qui jouent également dans les grandes circonstances, quand il s'agit de résoudre des problèmes personnels épineux. En outre, cette attitude *favorise grandement la réussite dans la vie.* Donnons quelques exemples de ce que doit être ce comportement, sur lequel nous insistons, car il est l'un des fondements de l'équilibre de la personnalité *dont il assure la quiétude et l'efficience.* Un ami vous téléphone pour vous demander une recommandation auprès d'un personnage important de vos relations. Vous promettez de le faire, mais vous remettez de jour en jour. C'est cependant un excellent ami. Que croyez-vous qu'il va se passer ? Votre subconscient a enregistré cette demande ; il va vous le rappeler et vous allez refouler cette requête. Cependant, **une obscure inquiétude** — le sentiment de « n'avoir pas fait quelque chose » — **va assombrir votre moral.** Puis, cet ami peut vous rappeler, cela encore vous menace obscurément. Vous eussiez agi sagement si, n'étant pas en mesure d'accéder à la demande de cet ami, vous le lui aviez déclaré sans ambages, ou, dans la possibilité d'y répondre, si, *aussitôt après avoir raccroché votre téléphone,* vous aviez appelé la personne pouvant être utile pour lui exposer la demande. Qu'il s'agisse d'une réponse favorable ou d'une fin de non-recevoir, de rappeler votre ami pour le mettre au courant *vous libère l'esprit.*

Je vais vous livrer une formule préalable aux techniques d'auto-hypnose exposées par ailleurs. Elle est plus concise que l'excellent axiome : « *Ne remettez pas au lendemain ce que vous pouvez faire le jour même.* » Dans quelque circonstance que ce soit, quand vous vous trouvez confronté à la nécessité d'agir, dites-vous : « **Faire face et tout de suite** », car la fuite est rarement payante.

Recevez-vous une feuille d'impôts que vous ne pouvez payer ? Ne la mettez pas de côté ; allez voir aussitôt le percepteur pour obtenir des délais, qu'il vous accordera. Trouvez-vous une contravention sur votre pare-brise ? Si vous le pouvez, *réglez-la tout de suite.* Etes-vous menacé de saisie par vos créanciers ? Attrapez le téléphone et prenez des arrangements de longue durée avec eux ; une sorte de concordat personnel. Cela vous évitera des frais de justice. Recevez-vous une lettre à laquelle vous devrez répondre ? *Ecrivez-la immédiatement* ou au plus tard dans un moment creux de la journée.

Agissez de même dans le domaine professionnel. Ne soyez pas négligent. A moins qu'elles ne doivent être mûrement réfléchies, et encore nous verrons que le subconscient est souvent plus lucide que le raisonnement, *prenez des décisions immédiates,* surtout en ce qui concerne celles dont l'intérêt ou l'urgence ne laisse planer aucun doute. *Ne tergiversez jamais,* c'est oui ou non, jamais peut-être. *Etablissez-vous un planning de rendement effectif. Sériez les difficultés et les occupations.* Peut-être serez-vous mieux disposé à certaines heures pour certains travaux, selon votre tempérament. Il faut en tenir compte. Ainsi, en ce qui me concerne, je réponds au courrier le soir, j'écris mes ouvrages dès six heures le matin. Je ne travaille jamais après le dîner.

Votre vie sentimentale, vos loisirs ne doivent pas davantage être source d'inquiétude et de refoulements. **Efforcez-vous d'harmoniser vos idéaux et vos désirs avec la réalité.** Nous reviendrons sur ce sujet important, étant donné qu'il ressortit aux pulsions, donc au passionnel aveuglant. En ce qui concerne l'organisation des loisirs, *ménagez-vous des instants de détente* qui alterneront avec les fatigues inhérentes aux déplacements et à la pratique du sport. Apprenez à récupérez vos énergies rapidement par la relaxation (voir le chap. IV).

c) Avoir un emploi du temps

L'une des meilleures choses que vous puissiez faire pour vivre « relax », sans énervement et sans tensions est de vous établir un emploi du temps. Il serait préférable d'en enseigner les principes aux étudiants plutôt que de leur farcir le crâne de données qui ne leur serviront pratiquement à rien. Combien de gens sont toujours tendus, agressifs, *à cause du sentiment qu'ils ont de ne pouvoir suffire à la tâche.* Ce n'est pas une question de travail. Certaines personnes oisives sont toujours « débordées » ; **elles ne savent pas s'organiser.** Voici, eu égard à cet aspect de l'hygiène de vie, les conseils que je donnais dans un petit livre maintenant épuisé : « *C'est avant votre sommeil que vous devez organiser votre emploi du temps du lendemain. Commencez par réviser dans votre tête tous les événements de la journée, revoyez tous les actes que vous avez effectués, toutes les*

Tableau n° 6
LES 6 BESOINS FONDAMENTAUX

Quels que soient les individus, leur race, leur sexe, leur tempérament, qu'ils soient pauvres ou riches, stupides ou intelligents, ignares ou cultivés, beaux ou laids, malades ou en bonne santé, mariés ou célibataires, jeunes ou vieux, les structures mentales sont initialement les mêmes, ce qui implique des tendances et réactions similaires. Ces tendances et réactions, nous les avons transposées en six besoins fondamentaux dont la satisfaction conditionne l'équilibre de l'être humain et son bonheur découlant d'un sentiment de plénitude. C'est l'hypertrophie de certains de ces besoins fondamentaux (ou leur atrophie) qui crée la disharmonie de la personnalité, mais aussi lui confère son originalité. Observant la loi de l'équilibre et le rapport de forces des contraires, nous chercherons à valoriser les valeurs les plus faibles, et à modérer celles dont l'excès est préjudiciable.

.
. .

Le besoin de valorisation
(lié à l'individualité)

Il existe, dans chaque individu, un instinct qui est partie intégrante de l'instinct de conservation : c'est l'instinct d'évolution qui incite l'homme à avancer sans cesse dans la voie du progrès. C'est cet instinct qui pousse l'individu à se dépasser, parfois pour compenser un sentiment d'infériorité.

*
* *

Le besoin de possession (lié à l'agressivité)

En marge du concept freudien agressivité/sexualité, on peut dire que sans agressivité l'individu se trouve désarmé. Le besoin de possession, qu'il s'agisse de la conquête d'une femme ou de celle qui permet de gravir les échelons de l'échelle sociale, participe de cet instinct d'agressivité qui peut être sublimé.

*
* *

.../...

Le besoin d'affectivité (lié à l'instinct oblatif)

Il s'agit, d'une part, de la résurgence du sentiment de protection que donnait la mère (particulièrement dans la période d'allaitement et que l'adulte recherche inconsciemment) et, d'autre part, d'un sentiment intime de rachat, de déculpabilisation que compense le besoin de dévouement et de sacrifice.

*
* *

Le besoin érotique (lié à l'instinct sexuel)

C'est l'expression du « principe de plaisir » (Freud). Il est provoqué par la tension libidinale qui se résout dans la relation sexuelle en libérant les forces explosives dont la rétention était péniblement ressentie. La pratique érotique, qui est la sublimation de l'instinct sexuel, devient un besoin impérieux chez l'homme évolué.

*
* *

Le besoin de merveilleux (lié à la peur endémique)

Il est à la base de toutes les croyances, de beaucoup de pratiques religieuses et des idéologies les plus aberrantes. L'homme inquiet pour son devenir, qu'il soit athée ou croyant, a besoin de se rassurer. Il trouve dans les perspectives de la vie éternelle, dans les rituels des églises et des communautés, l'antidote de sa peur endémique.

*
* *

Le besoin de sécurité (lié à l'instinct de protection)

Ce besoin provient certainement de la conscience primitive, quand l'homme se trouvait désarmé dans un environnement hostile, livré sans défense à ses propres forces. De nos jours, les modalités de cet instinct se sont transposées sur l'avidité de l'argent et du pouvoir dont la protection répond au besoin de sécurité.

paroles que vous avez prononcées. Puis faites votre autocritique.
Voyez votre comportement sans indulgence. Pensez à ce que vous
auriez réellement dû faire dans telle ou telle circonstance, et
promettez-vous d'agir ainsi à l'avenir dans une circonstance analo-
gue. Puis songez à votre emploi du temps du lendemain. Pensez à
votre réveil et décidez de l'heure à laquelle vous devez vous lever, à ce
que vous ferez ensuite pendant toute la journée. Prenez enfin la déci-
sion de faire exactement ce que vous aviez décidé, sans vous laisser
entraîner par vos désirs ou vos relations dans des incidences que vous
vous reprocheriez ensuite. L'emploi du temps, sa stricte observance,
sont des éléments importants de la relaxation du corps et de l'esprit.
Ils évitent la compression de la pensée, les actions impulsives qui sont
génératrices de tension cérébrale et de ces lassitudes qui sont le signe
d'une baisse de vitalité. »

Votre emploi du temps sera établi en fonction des objectifs que
vous voulez atteindre. Faites en sorte de ménager suffisamment
d'intervalles entre les occupations nécessaires de la journée, pour consacrer ces coupures à votre épanouissement personnel. Les rendez-
vous, les démarches seront *suffisamment espacés pour éviter toute*
précipitation. Pensez toujours à vous hâter lentement. Cela veut dire
qu'ayant un esprit clairvoyant, « *des réflexes jouant au quart de*
tour », vous gagnerez un temps considérable sur ceux dont la pensée
s'éparpille, qui sont brouillons et fébriles dans toutes les tâches qu'ils
font. A cette hygiène du comportement qui rend extrêmement effi-
cient, vous pouvez vous entraîner par les choses les plus simples et les
plus terre à terre. Par exemple, en vous habillant avec célérité, mais
sans gestes inutiles ; **faites de même pour tous les gestes que vous**
accomplissez quotidiennement, vous gagnerez considérablement en
efficacité.

d) Etablissez votre « plan de vie »

Sans la création d'objectifs précis, la notion claire et pénétrante
des voies à emprunter pour les atteindre, *il n'est pas d'évolution et de*
réussite possible. C'est pourquoi vous devez (en contradiction avec le
zen qui préconise la politique d'abandon et recommande de ne vivre
que dans le présent) projeter vos désirs et vos idéations dans l'avenir.
N'hésitez pas à viser haut, en ayant la certitude que dans le domaine
que vous avez choisi, vous serez un jour le premier. *Ne croyez pas que*
vous êtes incapable d'accomplir telle ou telle chose ou de parvenir à
telle ou telle situation enviable. **Vous pouvez tout,** car votre subcons-

Tableau n° 7

OBJECTIFS PRIMORDIAUX PARTICIPANT DU
PLAN DE VIE PERSONNALISÉ

1. Prise de conscience de la fonction du Surmoi.

2. Libération lucide des interdits et tabous de la morale conventionnelle.

3. Prise de conscience des mécanismes de défense.

4. Conciliation des forces conservatrices et des pulsions primaires et secondaires.

5. Prise de conscience des incomplétudes et frustrations.

6. Elimination objective et concrète des sentiments d'infériorité.

7. Liquidation des affects négatifs et culpabilisants.

8. Prise de conscience des inhibitions paralysantes.

9. Normalisation de la fonction sexuelle et recherche de la plénitude érotique.

10. Neutralisation des préoccupations d'ordre esthétique et morphologique.

11. Intégration des menaces ou atteintes concernant la santé.

12. Maîtrise des processus existentiels.

13. Développement de la capacité à se conduire en prévoyant les effets ultérieurs du comportement présent.

14. Prééminence des qualités d'initiative et du sens des responsabilités.

15. Aptitude à maintenir le potentiel énergétique et à le moduler.

16. Ajustement des aspirations à l'âge, aux possibilités personnelles, au milieu environnant et social.

17. Développement parallèle et contrôlé des facultés imaginatives et réalisatrices.

18. Elaboration d'un nouveau comportement pouvant satisfaire le besoin d'affectivité.

19. Résolution de l'anxiété due au vieillissement.

20. Dissipation de l'angoisse métaphysique.

cient ensemencé pour cela développera extraordinairement certaines potentialités qui sont en vous *et que sans doute vous ignorez* (voir chap. V). Ces possibilités révélées, votre conscient (c'est-à-dire vos facultés positives) *prendra le relais pour vous hisser aux sommets.* Car, de penser qu'il suffit de faire une prière quotidienne, ou de compter uniquement sur une influence que vous aurez développée dans l'astral pour réussir en tout, est une vue de l'esprit. *Sans action conjointe, il n'est pas d'évolution possible dans quelque domaine que ce soit.*

Là encore, l'organisation de l'emploi du temps est essentielle. Nous savons que *la répétition fait la force de la suggestion* et nous avons compris quelle puissance représente le rythme. L'association de ces deux éléments pour votre épanouissement personnel se concrétise dans ce qu'on appelle la **constance.** Vous ne pouvez rien accomplir de valable si vous êtes inconstant car, dans ce cas, *les énergies se trouvent dissoutes par des activités évanescentes et disparates.* Je vais vous donner deux exemples, l'un du domaine de l'acquisition intellectuelle, l'autre de celui de la lutte contre les déformations dues à la cellulite (15). Vous désirez apprendre une langue étrangère, et vous en commencez l'étude. Puis, après trois mois, vous abandonnez pour apprendre la guitare. Vous aurez bientôt perdu les premiers rudiments du langage que vous aviez assimilé et *les efforts que vous aurez faits auront été inutiles.* Vous avez de la cellulite localisée aux hanches et vous avez entrepris de la faire disparaître après avoir lu mon livre *L'Esthétique corporelle* (16) : faites les quelques exercices spécifiques que j'ai décrits et décidez d'automasser la région atteinte chaque jour avec une crème dissociante anticellulitique. Vous le faites régulièrement, pleine d'ardeur, puis vous abandonnez au bout de deux semaines. Non seulement vous aurez perdu de l'argent, *mais aussi le bénéfice des premiers résultats obtenus.* Car, pensez-vous qu'en deux semaines, seulement, vous réduirez une localisation cellulitique qui a, quelquefois, mis un an à se constituer ? Mais si vous ne faites rien, *elle ne pourra que s'aggraver.* **La persévérance, en toutes choses, est la condition** *sine qua non* **du succès.**

Efforcez-vous, par conséquent, lorsque vous avez décidé d'entreprendre une activité favorisant votre épanouissement personnel ou pouvant résoudre un problème intime, **de maintenir votre motivation à un très haut niveau d'intensité** ; c'est cette motivation

15. Marcel Rouet : *Psychosomatique de la cellulite* (Amphora).
16. Éditions Dangles.

que nous vous apprendrons à développer *qui cristallise vos énergies,* les empêche de faiblir.

Si vos occupations vous le permettent, **observez la loi du rythme.** Que chacune de vos activités culturelles ait lieu à la même heure, à des jours aux intervalles réguliers ; vous en recueillerez davantage de résultats.

Il n'est pas nécessaire de consacrer beaucoup de temps à chaque activité. Reprenons l'exemple précédent de l'apprentissage d'une langue étrangère. Avez-vous pensé que les leçons enregistrées sur cassettes peuvent être écoutées pendant les quelques minutes que vous passez chaque jour à la toilette. *Cela fait de 18 à 35 heures d'audition dans l'année.* Vous pourriez aussi bien placer un diffuseur sous votre oreiller avant de dormir, ou faire en sorte que l'audition s'arrête après que vous vous soyez endormi, au moyen d'un dispositif spécial (17). Également en ce qui concerne l'automassage, il suffit, selon le cas, de ne se masser que pendant 3 ou 5 minutes, mais trois minutes par jour, **régulièrement,** assurent le succès des manœuvres dissociantes.

Le « plan de vie » doit tenir compte de ces possibilités, en établissant un programme de longue durée. Bien sûr, dans cette perspective, ce ne sont que les grandes lignes qui seront tracées. Des incidences pourront intervenir qui en changeront quelque peu les modalités. *Mais ce qui importera, c'est de conserver le cap,* comme le navigateur qui se trouve momentanément détourné de sa route, mais qui, la tempête ayant cessé, reprend la barre bien en main.

Nous ne croyons pas à la fatalité d'une condition obscure. Certes ! la naissance, le milieu dans lequel on évolue, favorisent ou peuvent entraver l'évolution sociale, l'accession aux hauts postes de responsabilités. Mais les exemples abondent de personnalités aux origines obscures, n'ayant qu'une instruction primaire, **qui sont parvenues à la notoriété.** Si de venir au monde étant déjà nanti, bénéficiant ensuite de relations influentes, favorise un bon départ dans la vie, **il ne semble pas que ce soit réellement un avantage.** Dans une société de compétition à outrance, si la chance est un élément non négligeable, *elle doit être confortée et prolongée par d'authentiques qualités.* D'autre part, de suivre une filière conformiste nuit à l'originalité, tend à une certaine sclérose, **à former un cerveau analytique aux**

---

17. Magnétophone à minuterie incorporée.

œillères opaques, plutôt qu'un esprit de synthèse capable de largeur de vues, de créativité et d'initiatives hardies. Il semble que de plus en plus l'uniformité, l'encadrement, les assurances multiples qui font des individus des assistés, qui les sécurisent à l'extrême, *leur ôtent toute ambition en développant en eux un esprit moutonnier,* ce qui est contraire à la loi de l'espèce qui veut que ce soient la lutte et les facultés d'adaptation qui assurent la survie.

Cette démission fait que de nombreux jeunes (hommes et femmes) en pleine force de l'âge sont dépourvus d'ambition, baissent les bras par manque de confiance en eux. C'est ainsi qu'une jeune fille ayant une certaine ambition se résignera à rester dactylo toute sa vie, alors que si elle s'était tracé un « plan de vie » pour devenir un jour secrétaire de direction bilingue, elle eut, en quelques années, accédé à une situation enviable. Mais, pour cela, il fallait apprendre deux langues étrangères, le secrétariat, le classement, et même, **supputant les développements de l'avenir,** la programmation en informatique. Une telle qualification évite d'accroître la cohorte des chômeurs, car les personnes réellement qualifiées, n'ayant pas nécessairement de diplômes mais des capacités pratiques, *sont avidement recherchées,* car rarissimes.

Faisant le bilan de vos qualités et de vos manques par les moyens que nous exposerons — l'introspection par la radiesthésie et l'écriture automatique — vous serez à même d'exalter les unes et de remédier aux autres. Ayant détecté vos potentialités non encore révélées, *vous pourrez vous fixer un but et développer, pour l'atteindre, de fortes motivations.* Car ce qui différencie deux individus dont l'un a réussi — *et nous n'entendons pas par réussite seulement la réussite matérielle, mais aussi ce qui fait l'épanouissement de la personne humaine* — et l'autre n'a subi que des échecs, *c'est la différence de motivation au départ.* L'un a dominé les événements, l'autre s'est laissé porter par eux.

Par l'imagerie mentale dont je vous enseignerai la technique — *elle n'a rien de commun avec la rêverie subjective* — vous forgerez dans l'astral des conjonctures qui vous seront favorables, que certains appelleront la chance, mais dont vous serez l'artisan ; puis **vous transformerez et affirmerez votre personnalité** afin de réussir dans les domaines de votre choix et dont, jusqu'ici, l'accès vous avait peut-être été interdit.

Certaines idéologies, s'apparentant à des attitudes de fuite devant la réalité, préconisent le mépris des biens matériels, le renoncement aux satisfactions que l'argent apporte. Certes, le bonheur ne réside pas dans la possession d'une fortune permettant de satisfaire tous ses désirs. *On peut même dire que d'avoir trop d'argent est une source de soucis et même de frustrations,* car celui qui en possède beaucoup n'est jamais certain de ses amitiés et des attachements qu'on lui témoigne. Dans le monde chaotique d'aujourd'hui, rien n'est plus fragile que la fortune, qu'elle soit financière ou politique ; nous en avons chaque jour maints exemples. Mais à l'opposé, **la misère et même la gêne ne sont pas moins à redouter.** Elles infériorisent celui qui en est victime ; elles lui posent en permanence des problèmes d'argent qui lui paraissent insolubles, *et empoisonnent son existence et celle de sa famille.* Dans ces conditions, il devient difficile, quand l'huissier sonne à la porte, quand on refuse une traite qu'on a acceptée, de se détendre et de s'efforcer de résoudre ses problèmes personnels. C'est pourquoi je me suis étendu sur la nécessité d'établir un « **plan de vie** », que ce soit pour ne pas se laisser entraîner par une avidité sans bornes, ou pour, par la réussite matérielle, *libérer l'esprit de préoccupations lancinantes.* Nous verrons comment, par rapport aux problèmes personnels, le subconscient permet de procéder à cette hygiène mentale pour se situer à mi-chemin de responsabilités excessives et de la médiocrité. Mais auparavant, *il nous faut forger l'outil qui permettra d'exploiter les prodigieux pouvoirs du subconscient.* Cet instrument, c'est **l'auto-hypnose** qui procède des techniques de l'hypnose obtenue par le praticien et dont l'exposé va vous révéler les cheminements par lesquels, dans ces états, on accède à ces pouvoirs.

CHAPITRE III

L'hétéro-hypnose

1. Qu'est-ce que l'hypnose ?

Si nous consacrons une partie de cet ouvrage à l'hypnotisme, alors que sa couverture montre sans équivoque qu'il s'agit bien d'un livre spécifique sur l'auto-hypnose, c'est, d'une part, *qu'il est difficile de dissocier les deux phénomènes* et que, d'autre part, cette brève étude (1) peut être, pour le lecteur profane en ce domaine, *riche en enseignements pour l'entraînement à l'auto-influence* que nous développerons ensuite. On peut même affirmer que de s'initier à l'art d'hypnotiser ne peut que conduire plus rapidement à la faculté de se plonger par soi-même dans cet état particulier, sans que pour autant cet abord soit indispensable pour parvenir à ses fins. On peut toutefois discerner un autre intérêt à cette approche : *celui de la connaissance des modalités du sommeil hypnotique,* qu'on qualifie aussi d'artificiel.

Nous avons traité à fond, par le détail, de l'hypnose et de l'entraînement du praticien dans un ouvrage précédent auquel le lecteur peut se reporter, ainsi qu'à un autre livre sur la question (2). Aussi, certains aspects ne seront-ils que fragmentairement étudiés et seulement **dans la mesure où ils présentent un certain intérêt en ce qui concerne l'auto-hypnose** ; par exemple, *le magnétisme* dont nous avons largement montré les possibilités, ainsi que les moyens de le

---

1. Développée dans le livre de Marcel Rouet : *Techniques et pratique de l'hypnotisme* (épuisé).
2. P.-C. Jagot : *Méthode pratique de Magnétisme, Hypnotisme, Suggestion* (Editions Dangles).

capter, de le condenser et de le projeter *pour obtenir le sommeil magnétique.*

Cette initiation à la pratique de l'hypnose présente encore un autre avantage : celui d'apprendre à un familier à vous endormir, afin de **vous rendre plus apte à vous plonger par vous-même en auto-hypnose.** Nous reviendrons sur cette possibilité de l'hétéro-hypnose. Mais nous verrons d'abord à travers les travaux des précurseurs de l'hypnotisme, ce qu'est l'état d'hypnose et quels sont les moyens utilisés qui permettent de l'induire.

L'hypnose est un phénomène qui peut se produire spontanément ; il y a dissociation de la conscience. C'est le cas dans l'hypnose collective telle qu'on l'observe chez les Aîssaoua, les derviches tourneurs ou chez les Vaudous. Le rêve éveillé n'est autre qu'une dissociation de la conscience. Qui ne s'est pas surpris au volant de sa voiture à penser à tout autre chose qu'à la conduite de son véhicule — *alors contrôlé par son subconscient* — étreint d'une peur rétrospective en prenant conscience du phénomène ?

L'étude de cette dualité nous a déjà permis d'appréhender, au moins partiellement, le mécanisme de l'effacement du conscient et des modalités qui y président. Examinons-le maintenant à travers l'hypnose provoquée par un praticien, *afin que vous puissiez ensuite mieux obtenir cet état par vous-même.*

2. L'hypnose et le magnétisme

Des querelles d'écoles ont opposé les médecins du siècle dernier sur les moyens de provoquer l'hypnose. Les procédés sont diversifiés et chacun d'eux compte à son actif de bons résultats consignés dans les écrits de leurs auteurs.

Le magnétisme animal de Mesmer, l'hypnose sensorielle de Charcot, la fascination de Braid et de l'abbé Faria, la suggestion de Liebault et de Bernheim jalonnent l'historique et les procédés de l'hypnose.

Le **magnétisme animal** participe de la théorie du *fluide universel* chère aux occultistes et qui aurait, à travers Paracelse et Van Helmont (ces alchimistes de l'époque médiévale), influencé Mesmer qui, dans un pittoresque amalgame, s'approprie les effets curatifs des aimants dont l'usage était fort répandu à Vienne, l'analogie avec l'électricité, l'action dynamisante de la musique, le tout englobé dans un rituel impressionnant s'apparentant à l'hallucination collective, exerçant ses effets miraculeux *au même titre que les mystiques religieuses ou profanes.*

Mesmer arrive à Paris, après des démêlés avec les médecins de Vienne jaloux de son succès, en mars 1778. C'est de Puységur, dont nous reparlerons, qui a donné la description la plus concise de ce qui a le plus contribué à frapper les imaginations, son fameux baquet : « *Le fond,* nous dit l'auteur dans ses *Mémoires, est composé de bouteilles, arrangées entre elles d'une manière particulière. Au-dessus de ces bouteilles, on met de l'eau jusqu'à une certaine hauteur ; des baguettes de fer, dont une extrémité touche à l'eau, sortent de ce baquet, et l'autre extrémité, terminée en pointe, s'applique sur les malades. Une corde, en communication avec le réservoir magnétique et le réservoir commun, lie tous les malades les uns aux autres ; ce qui, s'il existe une circulation de fluide ou de mouvement, sert à établir l'équilibre entre eux.* » Héléna Charles (3) nous décrit les effets qui s'ensuivaient : « *Au bout d'un certain temps, les malades " entraient en crise ", c'est-à-dire dans un état d'agitation violente qui, suivant le terme employé, était destiné à " exsuder " la maladie. Certains hurlaient et devaient être portés par les aides de Mesmer dans une salle spéciale que l'on nomma plus tard " l'enfer aux convulsions ".* » Pour cet auteur — elle-même magnétiseuse aux résultats convaincants — les crises n'auraient pas été que des crises d'hystérie collective et auraient pu résulter des différences de « potentiel » fluidique et des secousses du système nerveux qui s'expliqueraient par la mise en contact de tous autour d'une même « source ». Elle souligne très pertinemment que cette recherche des crises « *a été récupérée par... la médecine officielle* » et que : « *Les méthodes dites de choc en psychiatrie ne procéderaient pas d'un autre principe.* »

Mesmer n'avait pas seulement recours à son baquet pour soulager de leurs maux les malades qui affluaient : il pratiquait **l'imposition des mains** et les **passes magnétiques.**

Il n'est pas dans notre propos de montrer comment on capte, accumule, projette ce fluide magnétique, en ayant exposé toute la technique dans un livre précédent ; nous nous contenterons ultérieurement d'indiquer comment le magnétisme peut être utilisé pour l'auto-endormissement. **Car, pour nous qui l'avons expérimenté, le magnétisme existe bien**, et peu importe l'appellation qu'on lui donne. Effectivement, on ne peut nier sa réalité. Voulant prouver l'existence du magnétisme animal, nous pourrions rappeler les photographies

---

3. *Votre guérison par le magnétisme* (Editions La Colombe).

fluidiques obtenues en début de siècle par Hector Durville, les précisions concordantes des médiums concernant formes et couleurs des « *auras* » ; enfin les *momifications* d'éléments putressibles, l'un, non magnétisé, servant de témoin. La suggestion a été invoquée pour expliquer les effets curatifs du magnétisme, mais Héléna Charles **réduit facilement à néant cette affirmation :** « *Vous direz tout ce que vous voudrez sur les possibilités, écrit-elle, de la suggestion. Vous ne parviendrez pas à faire admettre par une personne sensée qu'il soit possible de suggestionner un bébé nouveau-né, ni un animal, ni un humain évanoui ou plongé dans le coma. Donc, l'explication par la suggestion, dans ces différents cas, tombe dans le vide.* »

Pour Du Potet, célèbre magnétiseur du siècle dernier, « *ce fluide* (le magnétisme) *est répandu dans toute la nature, mais il n'y a que l'homme qui sache l'employer. C'est par une vertu que sa volonté met en action, et qu'à défaut d'un terme plus convenable, on peut nommer vertu magnétique* ».

Des recherches scientifiques ont été entreprises et sont poursuivies, particulièrement dans les pays de l'Est, qui confirment l'exactitude de ce qu'affirmaient les empiriques qui, n'en déplaise, expérimentaient sans relâche, *ce que ne font pas les théoriciens d'aujourd'hui* qui réfutent le magnétisme sans même s'y être exercé. A savoir : *l'existence d'une force subtile, d'une énergie que nous possédons et qui se manifesterait visiblement dans « le corps astral » des occultistes et des médiums.*

Ce sont les hommes de science et non les médecins traditionnalistes qui ont administré **la preuve irréfutable que nous possédons bien un corps éthérique** différent de notre corps physique et pouvant s'en dissocier ; sur lequel nous pouvons exercer notre volonté, en distraire de l'énergie pour la communiquer ou la projeter, ainsi que l'affirmaient les magnétiseurs d'autrefois, et ceux d'aujourd'hui traités de charlatans.

Déjà, vers 1900, un médecin anglais, Kilner, avait observé qu'il pouvait voir l'aura, ou corps éthérique, au travers de plaques enduites de cyanine. D'après lui, ce corps — *corps astral des occultistes* — avait une coloration diversifiée, son épaisseur étant de 15 à 20 centimètres, et l'état de santé en altérait l'épaisseur et la luminosité.

Selon des techniques participant des champs électriques de haute fréquence, techniques dont l'exposé sortirait du cadre de cet ouvrage (4), un électrotechnicien russe, Kirlian, réussit avec sa femme

---

4. *Techniques et pratique de l'hypnotisme* (épuisé).

Valentina à obtenir des clichés de l'aura ; clichés en couleurs encore plus convaincants que ne l'étaient ceux d'Hector Durville *qui ne bénéficiaient pas alors des progrès de la technique.* Mieux, les Kirlian, au moyen d'un appareil de leur invention, purent observer directement le phénomène. Nous laisserons parler les auteurs du livre que nous citons, qui ont eux-mêmes observé ces effets : « *Kirlian plaça le premier sa main sous les lentilles des instruments optiques, et mit le contact. Le monde étonnant de l'invisible apparut soudain devant les yeux de Semyon et de Valentina. On eût dit la Voie lactée au milieu d'un ciel étoilé. A l'intérieur de la main, un feu d'artifice éclatait sur un fond d'azur et d'or, des gerbes d'étincelles multicolores jaillissaient au milieu de flammes et d'éclairs éblouissants. Certaines lumières avaient l'éclat régulier des cierges, d'autres encore éclataient, aveuglantes, pour ensuite se ternir lentement. Certaines passaient comme des météores fulgurants. A divers endroits, on voyait flotter comme des vapeurs obscures. Des feux follets éblouissants sillonnaient d'étincelants labyrinthes, comme un vaisseau spatial en quête de nouvelles galaxies.* »

Il ne s'agit pas de science-fiction. Les savants soviétiques qui ont contrôlé les expériences des Kirlian ont affirmé : « Tous les êtres vivants *(plantes, animaux, êtres humains)* possèdent, outre leur corps matériel composé d'atomes et de molécules, *un second corps d'énergie pure...* » Ce corps serait polarisé, mais il a été prouvé qu'il ne s'agit aucunement d'une énergie connue ; *elle serait différente de l'électricité et du magnétisme terrestre.* Pourtant, **malgré les preuves administrées** tant par la concordance des témoignages des médiums de tout temps et de toutes latitudes, qui ont toujours décrit le corps éthérique comme un double fluidique coloré, et des scientifiques qui l'ont étudié et reconnu, cette énergie **est encore controversée par les médecins qui se refusent à admettre la réalité du magnétisme humain** et, *a fortiori*, à en utiliser les vertus thérapeutiques. Comment s'en étonner ? La télépathie, ou possibilité de communiquer la pensée à distance, fut longtemps contestée par les savants. Les phénomènes paranormaux — dénommés ensuite sous le terme de « *phénomène Psy* » — furent alors étudiés dans le cadre de l'observation scientifique, cette « nouvelle » science prenant le nom de « *parapsychologie* ». Les observations de Rhine, de l'Université Duke, démontrèrent la réalité de la télépathie. Celui qui prétendait découvrir des sources au moyen d'une baguette de coudrier était, voici quelques décennies, considéré comme fou ou sorcier ; il n'empêche que la **radiotellurie** *(qui participe du monde des ondes)* est utilisée dans la prospection du pétrole et des minerais.

Soulié de Morant fut jalousé et combattu quand, revenant d'Extrême-Orient, il voulut introniser, dans les années 30, **l'acupuncture** qu'il avait apprise en Chine. Aujourd'hui, la circulation de l'énergie qui n'est pourtant pas matériellement prouvée, *le yin* et le *yang,* ou l'opposition des contraires qui définit l'équilibre, *ne sont plus contestés* (5). Des médecins qui dédaignaient aiguilles et moxas *les manient maintenant avec allégresse...* sinon avec compétence.

L'hypnose, qui suscita tant d'enthousiasme et de polémiques du temps de Charcot, fut ensuite taxée par les scientifiques de supercherie. Mais, ces dernières années, elle a été « redécouverte » par les médecins ; elle forme, *sous de nouvelles dénominations qui ne trompent que les personnes non averties,* la trame, pour ne pas dire l'essentiel de ce qu'on appelle maintenant « *sophrologie* ». Depuis les temps les plus reculés, certains êtres particulièrement doués ont obtenu des guérisons par des passes ou impositions des mains. Les observations les concernant ne sont pas moins édifiantes que celles recueillies auprès de scientifiques, tel Kirlian. C'est ainsi que Serge Alalouf, un guérisseur ne soignant que par le magnétisme, relate comment, étant traduit devant un tribunal pour exercice illégal de la médecine, il procéda à une guérison spectaculaire qui ne laisse aucun doute sur les effets du magnétisme. « *Il me faut raconter,* dit-il dans la préface de son livre (6), *la séance extraordinaire au cours de laquelle j'ai guéri sur-le-champ, en plein tribunal, un avocat que je voyais pour la première fois. La scène se déroula le 22 novembre 1952, devant la deuxième chambre de la cour d'appel de Paris. A la barre avaient défilé un certain nombre de témoins qui, tous, avaient déclaré que je les avais guéris par la simple imposition des mains. Pourtant, le président de la cour d'appel restait perplexe. Il eut alors l'idée de demander si, parmi les avocats qui assistaient aux débats, il ne s'en trouverait pas un, par hasard, qui, malade, accepterait de mettre à l'épreuve l'efficacité de mes dons. On vit alors s'avancer vers la barre un homme courbé en deux par une sciatique rebelle qui l'accablait depuis plusieurs années. J'avoue que je n'étais pas très rassuré car enfin, je l'ai déjà dit, certains malades ne " prennent " pas mon fluide. Je conservai cependant tout mon calme, m'avançai vers l'avocat, et posai mes mains sur la partie malade. Il régna dans l'enceinte du tribunal un silence impressionnant jusqu'au moment où*

---

5. Académie de Médecine traditionnelle chinoise (Pékin) : *Précis d'Acuponcture chinoise* (Editions Dangles).
6. Alalouf : *Des mains qui guérissent* (Laffont).

l'on vit notre avocat se redresser en s'écriant : " Je suis guéri, Monsieur le Président, je suis guéri : c'est un véritable miracle ! "... Et, le 5 décembre, la cour d'appel rendait un jugement d'acquittement... »

Comment se fait-il que le magnétisme humain n'ait pas encore été « découvert » par la médecine classique ? *Difficulté sans doute de lui trouver une autre appellation.* Cependant, quelques médecins ont repris le test de la chute arrière attirant le sujet par l'imposition des mains au niveau des omoplates ; non sans débaptiser le procédé, l'intitulant « *balancement* ».

Nous pensons toutefois que dans un avenir proche des médecins reconnaîtront la valeur thérapeutique du magnétisme, comme ils l'ont fait pour d'autres moyens dont ils niaient auparavant la réalité.

Nous verrons (au chap. IV) **que l'automagnétisation peut favoriser l'auto-endormissement.** J'en profiterai pour énoncer les lois du magnétisme dont je me suis efforcé de démontrer qu'il n'est pas une vue de l'esprit et, qu'en tant qu'énergie scientifiquement démontrée, *ses effets ne sauraient être confondus avec ceux de la suggestion* dont nous allons maintenant montrer le mécanisme.

3. L'hypnose et la suggestion

D'avoir une connaissance suffisante des lois de la suggestion *va vous permettre de mieux appréhender les processus de l'auto-hypnose* et, plus particulièrement, ceux de l'ensemencement du subconscient par des formules autosuggestionnantes.

Auparavant, nous ferons un court historique concernant les écoles qui, au XIXe siècle, ont codifié l'art de la suggestion, car il s'agit autant d'un art que d'une science ; ne devient pas qui veut bon suggestionneur.

L'époque actuelle n'a rien apporté à l'art de suggestionner. Niant la force-pensée, *contre toute évidence fournie par la parapsychologie,* pour donner la priorité à une soi-disant persuasion *qui n'est autre que la suggestion douce de Bernheim,* les médecins se sont privés de ce qui donne à la suggestion son plus grand pouvoir dynamique. Et, bien avant la sophrologie qui substitue ce terme à la suggestion, aux alentours des années 1920, Henri Durville écrivait : « *C'est aux docteurs Bernheim de Nancy et Dubois de Berne que nous devons* *la reconnaissance de la suggestion raisonnée, c'est-à-dire du conseil lentement imposé à la pensée, à la raison qui l'accepte... »*

Ayant eu écho des étonnantes guérisons obtenues par Liébault, un médecin de campagne de l'est de la France qui s'était toujours intéressé à l'hypnose et surtout aux procédés de Braid, Bernheim, professeur à l'Université de Nancy, alors âgé de 45 ans, se rend auprès de lui en 1882 et, convaincu par les résultats qu'il observe, alors qu'il était auparavant sceptique, l'invite à le rejoindre à Nancy pour y fonder l'école dont la réputation devait éclipser les procédés sensoriels de Charcot et s'étendre à l'étranger.

C'est en 1886 que Bernheim devait publier ses travaux sur la méthode dite psychologique, qui accordait une place prépondérante à la suggestion, celle-ci étant définie comme suit : *La suggestion est l'action qui consiste à éveiller une idée dans le cerveau et à la faire connaître comme réelle par les facultés conscientes, ou encore à l'imposer par l'entremise du subconscient.*

4. Les lois de la suggestion

Il existe en nous une dualité psychologique dont la connaissance permet de comprendre le mécanisme de la suggestion. Nous avons assez développé, dans le chapitre I, cette structure des instances psychiques pour n'y pas revenir. Rappelons seulement que pour que la suggestion puisse s'opérer sans obstacles, **il est nécessaire que les facultés conscientes se mettent en veilleuse ou s'effacent pour faire place à l'activité subconsciente.**

En suggestion, cela se réalise grâce au concours d'une aptitude particulière que nous possédons à accepter pour vrai *a priori* toute affirmation vraisemblable. Bernheim nous parle de cette tendance inhérente à l'esprit humain : la crédivité, en la différenciant de la crédulité. Or, *nous avons tous à un degré variable une certaine crédivité qui nous porte à croire ce qu'on nous dit.* C'est à Durand, de Gros, également pionnier de la suggestion, que nous emprunterons l'explication de cette faculté : *« La crédivité, dit-il, nous est donnée pour que nous puissions croire sur parole sans exiger de preuves rationnelles ou morales à l'appui. C'est un lien moral des plus importants. Sans lui, pas d'éducation, pas de traditions, pas d'histoire, pas de transactions, point de pacte social, car étant étranger à toute impulsion de ce sentiment, tout témoignage serait pour nous non avenu, et*

*les assurances de notre meilleur ami nous annonçant d'une voix hale-
tante que notre maison prend feu ou que notre enfant se noie, nous
trouveraient aussi froid, aussi impassible que si l'on se fût contenté de
dire : " il fait beau " ou " il pleut ". Notre esprit resterait fixe et
imperturbable dans l'équilibre du doute et l'évidence seule aurait la
puissance de l'en faire sortir. En un mot, croire sans la crédivité serait
aussi difficile que de voir sans la vue ; ce serait radicalement impossible.* »

Bernheim précise encore le rôle de la crédivité dans la suggestion : « *La crédivité est une propriété normale du cerveau ; quand
cette crédivité devient excessive, elle s'appelle crédulité. La crédivité
est physiologique, la crédulité est une infirmité. Pour qu'il y ait suggestion, il faut que cette idée soit acceptée par le cerveau, il faut que le
sujet croie. Or, la croyance résulte de la crédivité inhérente à l'esprit
humain. Si je dis à quelqu'un : " Vous avez une mouche sur le
front ", il me croit jusqu'à plus ample informé, parce qu'il n'a
aucune raison de ne pas me croire. L'idée introduite dans son cerveau
devient une suggestion. Mais si le sujet finit par reconnaître que je l'ai
trompé, il aura perdu sa crédivité vis-à-vis de moi. Et si, plus tard,
j'essaie de lui suggérer la même idée, il ne l'acceptera plus. L'idée ne
deviendra plus une suggestion.* »

La crédivité est donc bien une qualité spécifique de l'être humain
qui le rend réceptif — ou vulnérable — à la suggestion.

5. Le mécanisme de la suggestion

Agent d'exécution de la suggestion, l'inconscient obéit à une loi
psychologique qui veut que toute idée, toute impression *tende à se
transformer en acte.* L'impression sensorielle devient idée, et cela a
pour effet d'actionner les cellules cérébrales qui transformeront en
réalisations effectives le cliché mental. Pour que la suggestibilité
devienne pleinement efficace, il faut que la conscience cède la place
aux facultés subjectives, l'émotion, l'imagination par exemple. Dans
cette conjoncture, **la suggestion devient irrésistible** car elle n'est aucunement contrecarrée par des contre-suggestions issues du domaine des
qualités objectives. Encore faut-il tenir compte de deux facteurs
d'influence qui, en dépit d'une certaine vigilance, permettent l'action
suggestionnante. Ce sont *l'attention expectante* que l'hypnotiseur
connaît bien, et ce que C. Baudoin (dont les travaux sont dans le

droit fil de ceux de Liébault et de Coué) définit comme *la loi de l'effort converti* (7).

L'attention expectante est le doute qui s'infiltre dans l'esprit d'un sujet quant à sa capacité de résister aux suggestions qui lui sont faites ; c'est une *dualité psychologique :* d'une part, l'affirmation qu'on ne saurait être influencé quoi qu'il arrive, mais, d'autre part, la voie subconsciente qui infirme la certitude : « *Et si je subissais l'influence, si je ressentais tels ou tels effets...* » C'est ainsi que j'ai souvent endormi des personnes qui m'affirmaient, sûres d'elles : « *Vous ne m'endormirez pas.* » Le plus petit effet obtenu par des moyens que j'ai largement décrits dans un autre ouvrage *ouvre une brèche dans cette certitude* par laquelle s'engouffrent les affirmations inhibitrices du conscient.

La loi de l'effort converti est définie par C. Baudoin de la façon suivante : « *L'effort apparaît en général en contradiction avec la suggestion. Il est surtout malencontreux lorsqu'il prétend entrer en lutte avec une forte suggestion antérieure... Lorsqu'une idée a déclenché une suggestion, et tant que cette idée domine l'esprit, tous les efforts que le sujet peut faire contre la suggestion déclenchée ne servent qu'à activer celle-ci...* » Ce mécanisme est particulièrement illustré dans l'inhibition sexuelle, l'impuissance, la frigidité étant, dans la majorité des cas, d'*origine psychique* (8). Plus l'homme (ou la femme) veut entrer en érection (ou accéder à l'orgasme), plus la déconfiture s'accentue. **Et plus la volonté se tend pour parvenir au plaisir, plus l'échec est cuisant.** Un traumatisme affectif, un semi-échec ou même une pensée fugitive contrariant la montée du désir peuvent former une suggestion difficile à vaincre autrement que par l'hypnose, attendu que ce sont les facultés objectives qu'il faut annihiler.

Toute idée tend donc à se transformer en acte lorsqu'elle ne subit pas l'action inhibitrice de pensées contre-suggestives.

Le processus de l'acte suggéré s'explique facilement : par l'intermédiaire des sens, le cerveau reçoit une idée, c'est un *phénomène centripète ;* cette idée donne naissance à une sensation, c'est un *phénomène centrifuge.* Chaque localisation cérébrale correspondant à une faculté mentale ou physique, *comment douter de la puissance de la*

---

7. Première édition de *Relaxation psychosomatique.*
8. Marcel Rouet : *Virilité et puissance sexuelle* et *Le Comportement sexuel de la femme* (épuisés).

suggestion, puisqu'on sait que toutes les manifestations de la vie végétative sont commandées par les centres diencéphaliques ? De multiples effets du pouvoir de l'idée sur l'économie humaine sont d'observation courante. Ainsi, les perturbations produites par de fortes émotions : la peur déclenche la diarrhée, la joie stimule l'appétit, le chagrin déprime, la colère congestionne ou rend livide. **La force de l'idée est encore plus évidente dans l'état hypnoïde.** Quand on dit à un sujet endormi : « *Vous transpirez abondamment* », il se met effectivement à transpirer. Nos méthodes d'accélération de la sudation par la suggestion enregistrée (9) accélèrent celle-ci, pendant ou après la sudation provoquée.

En réalité, nous faisons chaque jour de la suggestion en formulant des propositions que nous désirons voir accepter, qu'il s'agisse de notre vie affective, familiale ou professionnelle. La différence, en hypnose, est que le praticien utilise d'instinct (ou les ayant apprises) *les lois dont l'observance rend la suggestion irrésistible.* Ce sont ces lois que nous allons énoncer, afin de les extrapoler par la suite à l'autosuggestion.

6. Les 7 principes de l'action suggestionnante (10)

Pour être efficace, la suggestion doit réunir les conditions suivantes :

1°) **Etre formulée en termes clairs et concis.** Eviter la phraséologie et l'emphase. Chaque mot doit participer de l'image mentale nette et concise, élaguée de pensées parasites. Les phrases courtes et explicites, débarrassées du langage savant, doivent refléter exactement les effets qu'on cherche à produire.

2°) **Etre prononcée d'une voix nette, bien timbrée, parfaitement articulée, assurée et fermement impérative, mais aucunement désagréable ni brutale.** Il ne s'agit pas de se donner des airs de matamore qui mettraient le sujet sur la défensive, mais de montrer un calme et une assurance imperturbables. Il ne faut jamais bredouiller ni hésiter, ce qui implique d'avoir une grande habitude des formules qui doivent être adaptées à chaque expérience.

9. En Psycho-Center. Méthode de reconditionnement psychophagique.
10. Voir, de Paul-C. Jagot : *Théorie et pratique de l'hypnotisme* (Éditions Dangles).

3°) **Etre préalablement décrite dans ses effets.** Le sujet doit se trouver préalablement informé de ce qu'on attend de lui. Il faut décrire au sujet les premiers actes qu'il va être amené à accomplir, les effets qu'il va éprouver, en affirmant avec conviction qu'ils vont se produire, qu'ils ne peuvent pas ne pas se produire.

4°) **Etre rassurante pour le sujet.** Eviter que le sujet soit assailli par une crainte en le rassurant, mais tout en éveillant en lui un doute sur sa capacité de résistance aux influences qui vont s'exercer. En tranquillisant le sujet, on éveille en lui le sentiment « qu'il peut se passer quelque chose » et cela le rend perméable à la suggestion (attention expectante).

5°) **Etre progressive dans les injonctions.** Se fixer une progression dans l'obtention des effets, en commençant par les expériences les plus faciles, pour placer le sujet sous une influence progressive l'amenant au seuil du sommeil hypnotique. Ne pas enchaîner une autre expérience sans que les effets de la précédente soient bien nets. Autrement, insister pour accentuer les effets en renouvelant les suggestions, en les précipitant, mais sans énervement.

6°) **Etre réitérée sans arrêt pour mobiliser l'attention du sujet.** La déconnexion des facultés conscientes du sujet ne peut se faire que si les suggestions s'imposent à son subconscient en des images qui interdisent toute intervention des facultés objectives. Cela s'obtient par des affirmations successives et péremptoires des résultats qu'on veut obtenir. C'est au moment où le sujet donne les premiers signes d'obéissance aux suggestions qu'il faut précipiter le débit verbal, ne pas lui donner le temps de se reprendre.

7°) **Etre affirmative des effets obtenus.** Toujours affirmer au sujet, après lui avoir décrit les effets qu'il va ressentir, que les suggestions se réalisent effectivement. Cela, comme si elles se réalisaient dans l'instant même, « *en les voyant* » en même temps qu'on les énonce.

Nous avons décrit toute la technique de l'entraînement à l'action suggestionnante dans notre livre sur l'hypnotisme. Mais nous verrons, au chapitre IV, que *toutes ces lois ne sont pas moins valables pour l'auto-hypnotisation.* Nous les avons adaptées en des modalités différentes sans trahir l'esprit qui a présidé à leur élaboration et que nous devons aux précurseurs du siècle dernier, aux empiriques qui furent leurs brillants continuateurs et *dont on voit rarement les noms cités...* (11).

_____

11. Notamment Filiatre et P.-C. Jagot.

7. Les moyens hypnotiques

Les querelles d'écoles se sont étendues aux techniques utilisées pour provoquer le sommeil artificiel. La lutte fut acharnée entre Charcot (né en 1825, membre de l'Académie des sciences en 1883, qui fonda l'école de la Salpêtrière) et Bernheim (né en 1837, dont on sait qu'il était professeur à la faculté de Nancy). Notons que Charcot fut amené à l'hypnotisme par Donato, un empirique qui l'émerveilla par sa capacité à plonger immédiatement en hypnose les personnes qui y paraissaient les plus réfractaires. Charcot *qui laissait à ses élèves le soin d'endormir* expérimentait sur les hystériques plongées en hypnose par des procédés violents (coups de gong par exemple). Cette technique était alors qualifiée de « *grand hypnotisme* » et Bernheim, dont nous connaissons la pratique, lui opposait le « *petit hypnotisme* » qui rejetait les procédés traumatisants au profit de la suggestion dont le mérite était non plus de s'adresser à des névrosés, ce qu'il reprochait à Charcot, mais à n'importe quelle catégorie de malades, ainsi que le faisaient Mesmer et Liébault, son initiateur. Nous ne nous étendrons pas sur les tenants de l'une ou l'autre école, cela nous écarterait de notre propos qui se veut pratique ; citons seulement De Puységur, élève de Mesmer, Lafontaine qui fit sa réputation en endormant par magnétisme un lion à Manchester. C'est ainsi qu'il convainquit Braid (chirurgien dans cette ville, qui assista à ses séances publiques) de la réalité du sommeil provoqué.

Braid, qui s'est sans doute inspiré des procédés de l'abbé Faria qui, avant lui, hypnotisait par fixation, donne naissance à une autre école : *le braidisme qui consiste à endormir au moyen de passes et de fixation du regard.* Pour Barrucaud, déjà cité, ce serait en réalité Ricard, qui prétendait guérir les sourds et muets ! qui aurait inauguré le procédé de fixer le sujet entre les yeux pour l'hypnotiser ; mais la fascination a été utilisée par les êtres dominateurs depuis les temps les plus reculés. Raspoutine, le moine aux yeux verts, n'exerçait pas autrement son ascendant. On attribue à Braid la création du terme d'hypnotisme et celui-ci, sous l'impulsion d'Azam, va recouvrir ensuite avec Charcot les recherches de la Salpêtrière.

Nous voici donc en possession de trois moyens d'action qui sont : le **magnétisme**, la **suggestion**, le **braidisme ou fascination**. Chacun de ses protagonistes méprise peu ou prou les procédés adverses, quoique n'hésitant pas parfois à s'en inspirer, sans que cela empêche leur dénigrement.

Une autre querelle devait encore opposer ces précurseurs. Elle concernait la force volitive. Si, pour l'école de Liébault, la suggestion se montrait supérieure au magnétisme, si pour Lafontaine la volonté de guérir le malade était à la base de l'influence, ce sont surtout Deleuze (vers 1830) et Durand de Gros (dont Bernheim devait reprendre le concept de la crédivité) qui insistèrent *sur la nécessité d'accompagner l'action magnétique d'une puissante volition*, afin d'extérioriser le fluide magnétique pour en imprégner le sujet. Cela ressort des propos de Deleuze : « *Quoique le fluide magnétique s'échappe de tout le corps, et que la volonté suffise pour lui imprimer une direction, les organes par lesquels nous agissons hors de nous sont les instruments les plus propres pour le lancer dans le sens déterminé par la volonté. C'est pour cette raison que nous nous servons de nos mains et de nos yeux pour magnétiser. La parole qui manifeste notre volonté peut souvent exercer une action lorsque le rapport est bien établi. Les sons mêmes qui partent du magnétiseur étant produits par la force vitale, agissent sur les organes du magnétisé.* »

Déjà Deleuze et Durand s'orientaient vers la synthèse des moyens pour obtenir le maximum d'efficience. Hector Durville, qui soignait par le magnétisme au début du siècle et qui avait publié des photos de l'aura, **mettait l'accent sur la nécessité pour le praticien de développer son magnétisme personnel** : « *... chaque individu possède en lui une quantité de magnétisme plus ou moins grande* (ce qui, de nos jours, a été vérifié par les savants soviétiques et américains et notamment prouvé par les Kirlian)... *Il s'agit donc, pour l'adepte, de développer cette puissance par une vie saine, bien comprise, portant sur l'alimentation, la respiration, les exercices physiques, la concentration mentale, l'isolement, en exaltant en soi des pensées pures, animées d'altruisme et de charité.* »

Dans les années 1920, ce furent surtout deux non-médecins, P.-C. Jagot et Jean Filiatre, *qui élaborèrent la synthèse la plus efficace d'hypnotisation.* Nous reviendrons sur leurs travaux après avoir étudié les états du sommeil hypnotique, étude qui nous fournira de précieuses indications concernant les diverses phases de l'autohypnose.

*
* *

8. Les phases du sommeil hypnotique

Nous ne ferons qu'en résumer les caractéristiques, les ayant longuement exposées précédemment pour l'initiation à l'art d'hypnotiser (12).

a) L'état de veille

Cette dénomination désigne classiquement l'hypnose légère, superficielle. Le terme nous semble inapproprié et prête à confusion, la veille étant la vigilance, état habituel où la conscience est, par définition, pleine et entière, par opposition au sommeil naturel où elle s'efface, alors que dans ce qui est défini par l'état de veille, *elle ne se trouve qu'estompée.* Dans cette hypnose légère, le sujet reçoit la suggestion sans pouvoir s'y soustraire. C'est un état dans lequel, tout en ayant conscience de l'ascendant qu'il subit, il exécute les actes commandés ; *de même, les suggestions intéressant la sphère psychique tendent à la réalisation effective,* ce qui explique que dans cet état on puisse obtenir des modifications caractérielles, faire cesser des malaises, atténuer la douleur ou guérir des maladies. Mais d'autres états de l'hypnose, plus profonds, *permettent une action encore plus efficace,* moins éphémère, ainsi que l'obtention d'effets postérieurs à l'hypnotisation, le sujet étant revenu à l'état de veille : c'est la **postsuggestion,** dont nous reparlerons car elle occupe une place privilégiée dans nos méthodes.

A partir de l'état de veille, le sujet, que l'on place progressivement sous l'influence, peut présenter les caractéristiques de trois états différents, soit : *somnambulisme, catalepsie, léthargie,* ce qui ne veut pas dire que cette progression soit immuable. Un état, la léthargie par exemple, peut s'instaurer en premier. De même, il m'est arrivé d'obtenir immédiatement cet état sur un sujet sensible sur lequel je n'avais voulu qu'exercer une légère influence.

b) La catalepsie

Dans la catalepsie, l'œil est ouvert mais le regard présente la fixité caractéristique de cet état. Si on soulève un bras, on observe une

---

12. Cassette C 60 : « Initiation à l'art d'hypnotiser ».

souplesse articulaire étonnante et, surtout, le bras conserve quand on le lâche la position communiquée. Toutes les attitudes qu'on peut faire prendre au sujet sont conservées dans la plus parfaite immobilité, sans qu'il paraisse être fatigué par les positions les plus saugrenues ou les plus pénibles à tenir à l'état de veille. On observe dans la catalepsie une anesthésie cutanée totale mais, par contre et sauf exception, la vue et l'ouïe restent persistantes. L'insensibilité peut être approfondie par la suggestion si le sujet la reçoit. Dans cet état, la suggestion est toute-puissante, comme elle l'est dans le somnambulisme ; de même la post-suggestion. On peut observer une **catalepsie souple** faite de résolution musculaire, et une **catalepsie rigide,** la plus fréquente, à tendance contracturale. Dans le premier cas, c'est ce qu'on appelle l'*état de charme ;* dans le second, c'est la *rigidité.*

c) L'état de charme

Il est obtenu chez certains sujets, soit par fixation rapprochée, soit en plaçant l'extrémité de l'index à la racine du nez. Après quelques instants, on recule ou on retire l'index et le sujet vous suit partout.

d) La rigidité cataleptique

Elle est différente de la contracture générale que l'on observe dans les états superficiels de l'hypnose, en ce sens *qu'il n'est pas nécessaire d'utiliser la suggestion pour l'obtenir.* Il suffit de faire des deux mains un effleurage lent avec contact superficiel (mais légèrement appuyé) des masses musculaires du cou jusqu'aux pieds pour que le sujet, debout, se raidisse comme une barre de fer.

e) Le somnambulisme hypnotique

Toute personne endormie à partir de l'état de veille, ou directement, est susceptible d'entrer immédiatement en somnambulisme plutôt que de passer par l'état cataleptique, mais elle pourrait aussi bien tomber en léthargie. Des états hybrides peuvent être observés. La souplesse articulaire de la catalepsie se trouvant associée à la semi-fermeture des yeux accompagnée d'un frémissement des paupières (un signe caractéristique du somnambulisme), nous aurons un sujet cataleptisé à tendance somnambulique. Alors que dans la catalepsie un membre soulevé donne l'impression d'une grande légèreté et conserve la position qu'on lui a communiquée, il semble normalement pesant dans le somnambulisme. Il ne garde que quelques instants ou quelques minutes la même position. Le simple effleurage avec la main suffit à durcir un groupe musculaire et la force est considérablement accrue.

La sensibilité et les facultés intellectuelles sont remarquablement exacerbées, *moins cependant que dans le somnambulisme magnétique* dont nous donnerons bientôt les caractéristiques essentielles.

f) La léthargie

C'est à Charcot que nous emprunterons la description typique de cet état, sans oublier qu'il expérimentait sur des hystériques : « *Fréquemment,* dit-il, *au moment où il tombe dans l'état léthargique, le sujet fait entendre un bruit laryngé tout particulier, en même temps qu'un peu d'écume monte aux lèvres. Aussitôt, il s'affaisse dans la résolution comme plongé dans un sommeil profond. Il y a analgésie complète de la peau et des membranes muqueuses accessibles. Les appareils sensoriels conservent cependant un certain degré d'activité ; mais les diverses tentatives qu'on peut faire pour impressionner le sujet par voie d'intimidation ou de suggestion restent le plus souvent sans effet... Les membres sont mous, flasques, pendants et, soulevés, ils retombent lourdement lorsqu'on les abandonne à eux-mêmes. Les globes oculaires sont au contraire révulsés, les yeux clos ou demi-clos, et l'on observe habituellement un frémissement presque incessant des paupières.* »

Dans cet état, *la sensibilité est complètement abolie et la respiration est à peine perceptible.* Le sujet a l'apparence de la mort et on peut rapprocher ces caractéristiques de celles de la femme dont l'orgasme atteint une telle violence qu'elle perd connaissance ; n'appelle-t-on pas cela dans le langage populaire la « *petite mort* » (13) ? Cependant, **la léthargie provoquée ne présente aucun danger** ; elle est au contraire un sommeil profond, plus reposant que le sommeil habituel. Par ailleurs, le léthargique est facilement induit dans un autre état — moins profond et plus gratifiant pour l'expérimentateur et le sujet — par des procédés d'une grande simplicité.

---

13. *La Magie de l'amour* (épuisé).

9. Le somnambulisme magnétique

Le somnambulisme provoqué apporte une illustration magistrale du subconscient et de ses possibilités, de sa propriété à enregistrer les événements les plus subtils comme les plus lointains. Dans cet état, **la mémoire est prodigieuse** ; le sujet relate fidèlement des scènes de sa lointaine enfance dont, à l'état de veille, il n'a conservé aucun souvenir ; il peut réciter par cœur des passages de livres lus anciennement, restituer dans son intégralité un air de musique entendu une seule fois ou encore écrire sans le secours des yeux, percevoir des odeurs et des sons à des distances qui lui interdiraient de les discerner autrement. Le somnambule a une perception spatiale qui lui permet de se déplacer les yeux fermés, d'éviter tous les obstacles se trouvant sur sa route, de se jouer des difficultés qu'on peut lui opposer ; il reconnaît dans l'obscurité les personnes qu'il approche et discerne leurs propos, même s'ils sont tenus d'une voix à peine audible.

Le somnambulisme magnétique donne d'autres possibilités que celles qu'on obtient par l'hypnose. Voici les recommandations que je donne dans mon premier ouvrage consacré à la pratique de l'hypnotisme : « *Vous devez aborder le somnambulisme magnétique dans un esprit différent de celui de l'hypnose. Il vous faut prendre tout votre temps pour chaque séance de magnétisation et vous garder de la tentation d'obtenir l'hypnose d'emblée.* Vous devez conserver à l'esprit qu'il faut charger votre sujet de votre magnétisme et que cela demande un certain temps ; *celui-ci ne s'endort que lorsqu'il s'en trouve saturé.* »

Ce serait déborder le cadre de cet ouvrage que de montrer toutes les possibilités que donne le somnambulisme magnétique. Il arrive, comme cela nous est arrivé, de trouver par hasard un sujet extrêmement réceptif au magnétisme qui parvient d'emblée au somnambulisme, mais le plus souvent *il faut expérimenter avec un certain nombre de personnes* pour découvrir celle dont la sensibilité à l'action magnétique vous permet d'obtenir la lucidité, la double vue, la capacité à produire par intérim les phénomènes supra-normaux que revendique comme des découvertes la parapsychologie.

De montrer comment on développe ces pouvoirs n'est pas ici notre propos qui doit se limiter à la prospective concernant l'usage de l'hypnose *en tant que pratique permettant d'accéder plus aisément à l'auto-hypnose.*

10. L'hypnose, les changements d'état et l'éveil

Il est possible d'accroître la capacité à s'auto-hypnotiser en se faisant endormir par un praticien qualifié qui procède au développement de cette faculté. Curieusement, nombre de correspondant(e)s m'ont écrit pour me demander ce service, alors que je n'exerce plus depuis longtemps. *Peu de praticiens,* dont malheureusement les médecins ou sophrologues parmi lesquels beaucoup utilisent des moyens peu efficaces du fait d'une pratique insuffisante et de la méconnaissance des effets du magnétisme, *sont capables d'obtenir des états de l'hypnose suffisamment profonds pour exercer une action réellement efficace.*

C'est la raison qui nous fait décrire le processus d'endormissement apte à favoriser l'auto-hypnose. Encore faut-il que le praticien connaisse bien les états de l'hypnose, qu'il soit apte à faire passer un sujet d'un état à un autre ; enfin, à le réveiller et à le dégager ensuite de toute influence. Faute de quoi, l'expérimentateur peut se trouver embarrassé et même paniquer devant certains symptômes très naturels et aucunement dangereux, telles la révulsion des globes oculaires, la contracture cataleptique, etc. **Faisons tout de suite litière des soi-disant dangers de l'hypnose.** Voici ce qu'en pense un médecin du Premier Institut de médecine de Leningrad, P.-I. Boule : « Les recherches de Pavlov, de Platonov, de Bechterev et de leurs nombreux élèves ont montré que l'hypnose est un état physiologique, une forme de sommeil normal. L'innocuité de l'hypnose pratiquée par le médecin a été établie. Nous avons utilisé l'hypnose des centaines de fois chez des enfants malades, des femmes enceintes ou des malades qui présentaient des lésions cardiaques, c'est-à-dire des personnes dont la santé est l'objet d'une attention toute particulière. *Nous n'avons jamais constaté de complication en utilisant cette thérapeutique. Nous ne connaissons pas de contre-indications absolues* (14). »

Si l'hypnose brutale, à la Charcot, autoritaire ou contraignante, peut être contre-indiquée pour des malades (cardiaques par exemple ou psychotiques dont elle pourrait aggraver l'état), **on ne voit pas pourquoi l'hypnose non violente serait interdite pour des personnes en bonne santé qu'elle intéresse, puisque son innocuité a été reconnue,** même pour les malades ; mais dans ce cas, bien entendu, elle est du ressort médical.

---

14. P.-I. Boule : *L'Hypnotisme et la suggestion* (Editions Doin).

Voici maintenant exposé brièvement comment on fait passer un sujet d'un état à l'autre :

A partir de la catalepsie qui ne s'obtient qu'en soulevant les paupières du sujet endormi, dans une pièce éclairée, on le fait passer en léthargie en pratiquant l'occlusion des paupières et en pressant les globes oculaires.

A partir de la léthargie, on peut mettre le sujet en catalepsie en lui soulevant les paupières dans un lieu éclairé ou devant une source lumineuse. *On le plonge en somnambulisme par friction du vertex* (sommet de la tête).

Le sujet étant en catalepsie, on peut mettre un côté de son corps seulement en léthargie en laissant l'autre en catalepsie. Il suffit d'obturer avec la main l'un de ses yeux.

Soulignons qu'en dehors des expériences classiques qu'on voit dans les séances publiques, de peu d'intérêt sinon à titre démonstratif, et de la recherche en chirurgie ou en obstétrique de l'anesthésie, *seul l'état somnambulique qui permet le dialogue avec l'hypnotisé nous semble intéressant.*

L'un des derniers obstacles à l'endormissement, même en auto-hypnose, est la peur de ne pouvoir sortir du sommeil. **Cette crainte est absolument injustifiée.** Il n'est pas d'exemple qu'une personne hypnotisée n'ait pu se réveiller ; le sommeil naturel se substitue au sommeil artificiel et **le sujet se trouve merveilleusement reposé.** Il n'empêche que d'éveiller brusquement la personne endormie peut provoquer certains troubles, écœurement, mal de tête par exemple. Il est indispensable *d'éveiller doucement le sujet,* de prêter grande attention à ce qu'on nomme le « *dégagement* », surtout quand l'endormissement a été obtenu par magnétisme. On dégage le sujet en lui soufflant froid sur les yeux et en lui disant d'une voix douce et de plus en plus impérative, mais non brutale : « *Bientôt je vais vous éveiller... vous n'avez plus sommeil... je vais frapper doucement dans mes mains... trois fois et... la troisième fois... vous ouvrirez les yeux et vous vous éveillerez...* » En même temps que vous frappez dans vos mains, vous comptez à haute voix et à 3 la personne se réveille. Vous la faites respirer... s'étirer ; vous lui affirmez qu'elle est bien, reposée, etc.

Quand elle a été chargée en magnétisme, il faut faire des passes qu'on dit transversales et rapides, de haut en bas près du corps, en écartant les mains vers le bas, comme pour « dissiper le fluide », *ce qui se produit réellement.* Les suggestions répétées d'éveil sont toujours suivies d'effets.

11. Comment endormir

Le lecteur se reportera utilement à mon ouvrage : *Relaxation psychosomatique* pour l'entraînement à la concentration (15), ainsi qu'à *Techniques et pratique de l'hypnotisme,* s'il veut s'initier complètement à l'art d'hypnotiser.

Notre objectif est ici de montrer comment procéder pour obtenir l'hypnose chez une personne qui désire se faire endormir, *pour devenir apte ensuite à s'endormir par elle-même.* Il semble que cette possibilité n'a toujours été traitée que superficiellement ; elle est pourtant riche de perspectives...

Cela ne veut pas dire qu'il faille absolument se faire hypnotiser pour parvenir à l'auto-hypnose. La majorité de nos lecteurs et lectrices **y parviendront par eux-mêmes,** et ce ne sont que les personnes n'y parvenant pas pour une raison quelconque (extrêmement nerveuses par exemple), qui y auront recours. Non cependant sans avoir essayé de **maîtriser la relaxation** dont nous traiterons ultérieurement car **elle constitue le préambule nécessaire de l'auto-hypnose.** Il est extrêmement facile, *pour qui connaît la technique,* d'endormir une personne voulant être hypnotisée pour pouvoir ensuite pratiquer l'auto-hypnose. Elle se prête évidemment aux diverses manœuvres avec complaisance puisqu'elle-même a sollicité l'endormissement ; elle est en confiance.

La séance s'inspire de *ma méthode d'endormissement rapide,* mais je supprime les manœuvres préalables destinées justement à vaincre les résistances de la personne à hypnotiser.

Conformément à mes principes, **on utilise tous les moyens d'influence :** la *suggestion,* les *passes magnétiques,* la *fixation du regard,* la *puissance volitive* par l'intensification et la projection de la pensée qui charge les mains et les yeux de magnétisme et transmet son action directement aux centres céphaliques ainsi que le démontrent les expériences de P.E.S. (perception extra-sensorielle), de télékinésie et de télépathie.

Le sujet peut être assis, mais *nous préférons qu'il soit en position de relaxation* (voir figure p. 135). Lui demandant de vous regarder dans les yeux, on prend ce qu'on appelle « *le rapport magnétique* » qui consiste à saisir entre ses doigts les pouces du sujet, faces internes

---

15. Editions Dangles.

des pouces l'une contre l'autre. On s'est assis à la droite du sujet, de manière à prendre les pouces en position isonome, pouce droit contre pouce droit, afin d'observer les polarités sur lesquelles nous ne pouvons nous étendre ici. Fixant le sujet à la racine du nez doucement et de manière bienveillante, on lui demande de bien se détendre. Ensuite, on le « charge » intensément *par un effort interne qui consiste à sentir le fluide magnétique descendre le long de ses bras* pour en imprégner le sujet. **Le magnétiseur exercé sent très bien quand le rapport est établi** (cela peut se faire après 4 à 5 minutes) au picotement caractéristique de l'extrémité des doigts que connaissent bien les magnétiseurs. On s'adresse alors au sujet d'une voix douce, mais *que l'on charge de magnétisme,* lui disant : « *Bientôt, vous allez sentir vos bras s'engourdir...* (attention expectante) *votre corps devenir plus lourd... la somnolence vous gagner... je vais reposer vos mains* (on lui place les bras doucement le long du corps) *et cela alourdit encore votre corps... qui devient plus lourd... Mais maintenant vous sentez un picotement dans les yeux... vos paupières s'alourdissent* (vous fixez intensément le sujet)... *vous avez envie de fermer les yeux... vous fermez les yeux... fermez les yeux... vous sentez une torpeur vous envahir... vous avez sommeil* (vous pouvez descendre votre main droite du front sur les yeux du sujet, toujours en faisant se succéder vos suggestions)... *sommeil... sommeil... vous vous endormez... sommeil... sommeil... etc.* »

Vous faites l'imposition de **votre main droite à plat sur la partie droite du front du sujet,** en le chargeant magnétiquement *pendant une ou deux minutes en répétant les suggestions de sommeil,* puis vous commencez les passes longitudinales de la tête à l'épigastre. Elles consistent, **toujours en projetant le magnétisme,** à descendre lentement les doigts, dirigés vers le sujet à 3 ou 5 cm de son corps, de la tête au creux épigastrique (niveau de l'estomac). Vous élevez sans raideur vos mains à demi fermées à hauteur de la tête du sujet, et vous les ouvrez doucement, les doigts restant souples, légèrement fléchis et écartés normalement. Vous descendez alors lentement *(une passe doit durer environ 10 secondes)* vos doigts de la tête au plexus solaire. Arrivé à ce niveau, vous refermez vos mains sans les crisper ; vous les remontez en les éloignant, ne les rouvrant que pour faire une autre passe.

On ne reste pas silencieux. Tout en se concentrant sur l'émission, on continue d'une voix douce, monocorde mais convaincue, les suggestions d'endormissement. A ce moment, vous pouvez contrôler si le sujet est bien en hypnose. Lui dire par exemple : « *Votre corps est* *devenu lourd... lourd comme du plomb... si vous essayez de le bouger, vous ne le pourrez pas... voyez, vous ne le pouvez pas... »,* ou encore lui affirmer : « *Vous allez sentir bientôt votre bras droit devenir léger... puis il s'élèvera doucement sans que vous puissiez vous en empêcher... déjà, vos doigts bougent... votre main se redresse... elle s'élève... vous ne pouvez pas empêcher votre bras de monter... il s'élève...* » Le sujet n'a pas bougé ou son bras s'est élevé, mais vous auriez pu tout aussi bien lui faire ouvrir la bouche. **La post-suggestion peut commencer.**

Le sujet dort, il a les yeux fermés après qu'il a reposé son bras. Les suggestions commencent, intercalées avec des injonctions d'approfondissement du sommeil : « *Continuez à dormir... dormez profondément... à chaque séance que nous ferons, vous vous endormirez de plus en plus vite... de plus en plus profondément... et tout ce que je vous dirai se réalisera... se réalisera rapidement... dormez... dormez... maintenant vous dormirez facilement... de plus en plus vite... Quand vous voudrez vous mettre en hypnose, vous vous allongerez et, presque aussitôt, vous sentirez la torpeur vous envahir... et bientôt vous serez au bord du sommeil... et vous y sombrerez quand vous le voudrez... Il vous suffira de penser à du noir et de dessiner en blanc dans votre esprit : " Je m'endors, je m'endors, je m'endors... " pour vous endormir rapidement.* »

A l'état de veille, on apprend au sujet à visionner lentement en les écrivant les mots : « *je m'endors* ». Lui demander de les écrire avec une craie sur une ardoise pour les visionner ensuite yeux fermés est un excellent exercice préparatoire ; il peut le faire chez lui. On comprend qu'il s'agit de créer un **réflexe conditionné.** Tout autre procédé peut être utilisé, mais celui-ci m'a donné d'excellents résultats, *hors de l'hypnose,* dans l'insomnie.

C'est ainsi que la post-suggestion permet aux personnes qui ne parviennent pas par elles-mêmes à approfondir suffisamment leur état hypnotique, de s'auto-hypnotiser avec facilité.

12. Nouvelles techniques d'hypnotisation

Hypnotiser ou se plonger par soi-même en auto-hypnose *requiert un certain entraînement* et, en ce qui concerne la faculté d'hypnotiser, une pratique régulière. Cet entraînement, je l'ai exposé par le détail dans *Techniques et pratique de l'hypnotisme ;* je ne puis ici que le résumer.

Je conseille de s'exercer aux diverses modalités des passes magnétiques sur une silhouette figurant la forme humaine pour bien acquérir la pratique des passes et impositions des mains. Mes méthodes de relaxation étant à base de respiration complète avec concentration du prâna dans les plexus, **l'élève concentre en lui nécessairement une importante réserve d'énergie,** ou fluide vital, dont on verra au sujet de la maladie qu'il peut être utilisé pour vaincre la douleur et soulager de nombreuses affections ; cette réserve octroie la capacité à magnétiser puissamment les sujets qu'on veut endormir.

Le magnétisme ne fait pas que se dégager des mains. Le célèbre Lafontaine endormit un fauve, étant près de la cage aux lions, en l'émettant par son pied dirigé vers l'animal. J'ai décrit dans *La Magie de l'amour* comment procéder pour éveiller le désir chez la femme indifférente par imposition de la main sur la région pubienne, comment déclencher son orgasme par la fusion des regards accompagnée par l'homme d'une forte émission magnétique... C'est que les yeux sont des organes privilégiés auxquels l'exercice donne un pouvoir surprenant. *Leur entraînement est indispensable à qui désire devenir un hypnotiseur capable.*

L'entraînement à la suggestion n'est pas moins important, car le verbe aussi peut être chargé de magnétisme ; les suggestions sont plus ou moins efficaces selon qu'elles sont plus ou moins l'émanation d'une forte concentration et d'une grande intention volitive. Nous avons observé le phénomène, ayant tenté de faire enregistrer nos méthodes par des professionnels de la radio. Ils n'étaient pas rompus à la suggestion, les résultats furent décevants et nous dûmes, comme nous le fîmes dès le début, réenregistrer nous-même les séquences « *chargeant* » la voix comme s'il se fût agi d'une action directe. La force des suggestions tient encore à un autre facteur : la conviction de l'opérateur.

Le moindre doute quant à l'obtention des effets qu'on veut obtenir anéantit toute l'influence qu'on désire exercer. Or, ce n'est qu'une pratique fréquente et ininterrompue qui peut ancrer chez le praticien la certitude de son pouvoir. En outre, celui-ci développe par cette pratique une grande habileté de formulation, une précision et une concision de vocabulaire *qui rendent les suggestions irrésistibles ;* et cela d'autant plus que des automatismes de langage se constituent qui libèrent l'esprit pour une meilleure concentration sur les effets à produire et une plus intense action magnétique.

Sans la faculté de concentration qui permet de « *densifier* » la pensée, de l'exalter pour la projeter avec le support de l'influx magnétique, l'influence qu'un praticien peut exercer est insignifiante. C'est que l'hypnotiseur, surtout dans les expériences de lucidité ou de télépathie, doit se trouver dans une sorte d'état second. **Ce qui implique d'être très entraîné à l'imagerie mentale** dont nous décrirons la technique à propos de l'auto-hypnose. L'expérimentateur doit voir littéralement — ou ressentir — les effets qu'il veut produire pour les projeter vers la sphère cérébrale de son sujet.

Il est bien évident *qu'aucun praticien ne peut prétendre à endormir aisément, s'il ne se soumet pas à cet entraînement.* Voulant s'y soustraire, nombreux sont ceux qui n'obtiennent que des effets dérisoires et partant, de médiocres résultats.

Les hypnotiseurs de la seconde moitié du XIXe siècle ont tout codifié ; peut-être les querelles qui les ont opposés ont-elles contribué à la recherche de laquelle devait sortir la synthèse élaborée par les empiriques qui, entre 1900 et 1930, s'illustrèrent tant par leurs œuvres que par les démonstrations publiques qu'ils multiplièrent. L'hypnose, du moins en France, tomba en désuétude, en dépit de certains efforts de non-médecins qui s'attachaient à poursuivre l'action de leurs prédécesseurs. Il fallut attendre 1960 pour qu'un médecin attire de nouveau l'attention sur l'hypnose et l'auto-hypnose. Ce médecin, Chertok, souligne « *que c'est après avoir assisté à des démonstrations publiques d'hypnotisme que des médecins célèbres se sont pris d'intérêt pour les phénomènes hypnotiques* », et constate encore « *... qu'en cent vingt ans les progrès accomplis dans le domaine de l'hypnose ont été remarquablement lents, comparés, par exemple, à ceux de la physique, pour ne rien dire de l'aéronautique...* (16) ».

Mais depuis 1960 on assiste à une floraison de livres sur l'hypnose à travers la sophrologie. Les médecins qui s'étaient d'abord intéressés à la méthode de relaxation d'un médecin allemand, Schultz, éprouvant de grandes difficultés dans l'application, tournèrent leur attention vers les méthodes d'un médecin espagnol, Caycedo, qui avait créé un nouveau terme : la sophrologie (amalgame de relaxation, d'hypnose, de doctrines orientalistes). Une quantité d'ouvrages médicaux furent publiés, *la plupart seulement théoriques,* qui présentèrent la sophrologie comme une nouvelle discipline, originale, **alors qu'elle n'était faite que d'un mixage d'éléments disparates,** dont la relaxation de Schultz, la suggestion, l'hypnose, et de divers emprunts...

---

16. L. Chertok : *L'Hypnose* (Masson).

Précédemment — avant 1960 — nous avions élaboré notre *Méthode de Relaxation psychosomatique* la consignant dans un ouvrage du même nom dont la première édition devait paraître en 1963. J'y exposais tout un éventail d'applications, avec de nouveaux moyens, **l'Oxygénation dirigée** que le docteur Appercé expérimentait à Vichy, et *l'Amaigrissement psychosomatique,* dont les sophrologues devaient plus tard s'inspirer, reprenant tout le programme que nous avions conçu... dont l'amaigrissement psychosomatique.

Nous avions observé que la voix enregistrée est au moins aussi efficace que le langage direct. D'autre part, la présence inconditionnelle du praticien **s'avérait inopportune et souvent gênante.** C'est ainsi que le docteur Hélène Quet déclarait : « *Il faut admettre que la méthode de Schultz (dont se réclamaient les sophrologues) présente des obstacles le plus souvent insurmontables quand il s'agit de passer du stade de la théorie à celui de l'application pratique : impossibilité d'engager les nombreuses monitrices en relaxation nécessaires pour une application attentive de la méthode qui exige la présence du praticien.* »

Je fus cependant vivement critiqué pour avoir, avant cette époque, réalisé des enregistrements de mes méthodes, d'abord sur disques, puis ensuite sur cassettes, dont les résultats étaient cependant probants ; ils l'étaient d'autant plus que la suggestion était enregistrée sur des fonds de musique conditionnante qui en renforçaient les effets. Les sophrologues devaient par la suite m'imiter, *utilisant à leur tour les enregistrements en cassettes,* sans toutefois pouvoir rattraper l'avance technique et méthodologique que j'avais prise.

Cette expérience, j'allais la mettre au service de l'hypnose, avec une méthode enregistrée facilitant cette pratique aux spécialistes, médecins ou autres peu familiarisés avec la suggestion et l'hypnotisation, et qui n'obtenaient pas des résultats concluants. J'intitulais cette nouvelle méthode : l'**hypnophorèse** *(qui porte la suggestion au subconscient par le truchement de l'enregistrement)* (17).

13. De l'hypnophorèse à l'hypnose

L'hypnophorèse utilise également l'enregistrement, *mais elle apporte de nouvelles possibilités par rapport à la relaxation* qu'elle

17. Méthode déposée par l'auteur.

permet d'approfondir ; cela, grâce à un fond sonore spécifique. Cette méthode est utilisée dans les Psycho-Center pour les sujets qui éprouvent des difficultés particulières à se détendre ou à parvenir au vide mental. Le fond sonore délivre de ce que nous appelons des « *suggestions obscures* ».

On connaît les expériences qui ont été faites d'images publicitaires fugitives intercalées dans les films, dont le spectateur n'a pas conscience, mais qui impressionnent son subconscient. Ces suggestions obscures, *pratiquement inaudibles,* favorisent l'évanescence des facultés conscientes, donc, l'hypnose. Ce n'est qu'à partir de la 18e minute que le praticien délivre ses suggestions en additif de l'enregistrement. Il peut ainsi, par suggestion, *approfondir le sommeil, faire des post-suggestions* pour exercer des actions spécifiques, ou encore pour obtenir une détente plus rapide et plus complète de la personne au cours des séances ultérieures.

Le sujet ayant été amené au seuil du sommeil, ou endormi par l'hypnophorèse, cette première phase qui nécessitait du praticien qu'il obtînt absolument l'hypnose qu'il était quelquefois impuissant à provoquer, se trouve supprimée. **Il en résulte un gain de temps appréciable,** cinq à dix minutes d'action directe étant largement suffisantes dans la majorité des cas, par exemple quand l'insomnie a pour cause la tension nerveuse, qu'elle a été déterminée comme telle par le médecin traitant qui répugne souvent à administrer des calmants à longueur d'année.

L'hypnophorèse comporte diverses modalités qui permettent son adaptation aux cas particuliers ainsi qu'aux effets qu'on désire exercer. Un enregistrement est destiné à être intercalé entre les séances de la méthode de relaxation pour en intensifier les effets. Un autre enregistrement place la personne dans un état favorable à la réception par le subconscient de la suggestion directe. *Le praticien prend le relais de l'enregistrement pour exercer une action spécifique.* Pour cela, il s'approche silencieusement du sujet entre la 18e et 20e minute.

L'enregistrement qui délivre les suggestions obscures d'endormissement permet au relaxologue d'exercer une action verbale précise sans que le sujet s'éveille, répétant des formules comme une litanie, par exemple dans le cas d'alcoolisme ou de tabagisme.

Enfin, une autre séquence *permet d'associer la magnétisation à la suggestion.* Elle intervient à la 20e minute, le praticien s'approchant du sujet pour le magnétiser et approfondir le sommeil : « *Vous sentez maintenant que ma main s'est appuyée au creux de votre estomac.* »

Deux possibilités se présentent alors : ou continuer la magnétisation pour obtenir le somnambulisme (ou du moins l'état somnambuloïde), ou laisser l'enregistrement se dérouler, la post-suggestion qu'il comporte permettant d'obtenir un endormissement plus profond dans les séances suivantes.

L'hypnophorèse représentait déjà un progrès manifeste par rapport à des moyens dépassés ; par l'intervention des progrès de la technique, dont le mixage que permettait l'enregistrement de suggestion, de bruitages et musiques créateurs de réflexes conditionnés, et la possibilité d'associer ces techniques à l'action directe, soit magnétique, soit hypnotisante.

Il nous fallait singulariser ces méthodes par rapport à celles des hypnotiseurs de spectacle (souvent capables, mais dont les buts sont différents) et des théoriciens nombreux et inexpérimentés. Nous avons nommé ces nouveaux praticiens les *hypnoticiens*. Des médecins et des kinésithérapeutes se sont intéressés à ces méthodes qui leur sont réservées dans le domaine de la santé ; des psychologues y ont trouvé un appoint de leur pratique ; les relaxologues que nous formons (18) ont vu s'accroître leurs possibilités ainsi que les esthéticiennes dans les attributions qui sont les leurs : *celles de la beauté, reflet de l'équilibre psychosomatique.* Mais nous nous devions de pousser nos recherches dans le sens du progrès. Ce sont celles-ci que nous allons exposer ; elles ouvrent de larges horizons dans tous les domaines que nous venons de citer.

14. Une ouverture sur l'avenir : le psychodiovisuel

Déjà, en 1958, nous avions pensé à utiliser le visuel pour l'inclure à nos méthodes enregistrées de relaxation psychosomatique. Pour cela, nous avions réalisé un film en 16 mm qui devait être projeté dans une cabine de relaxation. Les essais étaient satisfaisants, mais nous nous heurtions à plusieurs difficultés qui nous firent abandonner ce projet... momentanément.

Le film a l'inconvénient du scintillement ; une fois monté on peut certes en tirer des copies, mais le coût des montages pouvant s'appliquer à une grande diversité de cas ou être personnalisé — ce

18. Cours de relaxologie.

que nous avions envisagé — était exorbitant et ne permettait pas la diffusion du procédé. Il nous fallut y renoncer. Mais depuis, de nombreuses autres possibilités nous étant apparues, nous avons conçu le **psychodiovisuel** dont nous pensons *qu'il constitue un réel progrès* par rapport aux méthodes et techniques actuelles *non pas archaïques, mais inadaptées,* si on les considère à travers, par exemple, l'évolution des techniques médico-chirurgicales dont les progrès ont été rendus possibles par l'essor prodigieux de l'électronique. Il s'agit d'une synthèse qui participe d'un procédé nouveau. Cette synthèse repose sur le fondu-enchaîné qui consiste, comme on le sait, en l'utilisation de diapositives dont la projection permet l'effacement plus ou moins progressif de l'image projetée et son remplacement par une autre image qu'on peut faire apparaître soit lentement, soit rapidement. A ce procédé sont adjoints la **chromopsychie,** l'**accompagnement sonore** composé de sons et musiques spécifiques, la **verbalisation** comportant conseils et **suggestion, l'effet phosphène** pour l'induction hypnogène et une action en profondeur et durée sur le subconscient.

a) Le fondu-enchaîné

Le fondu-enchaîné s'obtient au moyen de deux projecteurs à carrousel qui permettent le passage de vues successives. Ce couplage offre de nombreuses possibilités. Le fondu de l'image qui peut se fondre rapidement ou s'évanouir très lentement ; elle est remplacée par l'image suivante *qu'on peut aussi faire apparaître plus ou moins lentement.*

L'avantage sur le film est évident. Le cinéma et la télévision ont un scintillement et une animation qui s'opposent, comme nous l'avons constaté, à l'établissement de cet état torpide que nous recherchons pour l'effacement progressif de la conscience ; **l'image fixe est plus hypnotique.** Par ailleurs, le fondu-enchaîné, par suite de cet enchaînement doux et progressif des images (ou couleurs), n'a pas l'inconvénient de la brusque coupure que donne la projection de diapositives avec un seul projecteur ; procédé utile pour la conférence, pour des exposés au cours desquels on revient sur l'image, on s'y arrête pour un commentaire, et que nous utilisons pour les futurs relaxologues ou dans les séminaires. Ces coupures ne peuvent *que provoquer un sursaut inadéquat de la conscience qui s'assoupissait.*

Immense intérêt du fondu-enchaîné sur le film, la possibilité d'ordonner les diapositives dans un ordre de projection *répondant aux impératifs de l'application,* ce qui fait que des diapos (par rap-

Figure n° 3 : séance de groupe de reconditionnement psychophagique
(amaigrissement psychosomatique) par le psychodiovisuel.

port au thème précisément développé) peuvent être utilisées en des
domaines très différents, voire contradictoires par suite de la succession des images. C'est ainsi qu'une diapo, servant pour la stimulation
dans un programme destiné à donner du tonus moral, peut être choisie pour une séquence d'éveil à la fin d'une projection concernant la
relaxation. Enfin, la duplication des diapositives *constituant la banque d'images que nous possédons* ne posant aucun problème et moins
onéreuse que la copie d'un film *qui ne peut être à tout moment rema-
nié,* permet une diffusion de ces nouvelles méthodes que le cinéma ne
nous avait pas permis d'envisager. L'appareillage nécessaire à la projection est aussi moins onéreux et moins bruyant, le changement de
vues étant pratiquement imperceptible, car couvert par l'accompagnement sonore.

b) Le visuel

D'après les études qui ont été réalisées, le souvenir subconscient
que produit l'image visualisée **serait cinq à six fois plus important et
fidèle que le souvenir laissé par la seule audition.** Nous utilisons le

visuel de différentes manières, les moyens devant s'adapter aux buts poursuivis. Ainsi en relaxation, le paysage et la couleur dominent ; en amaigrissement *(reconditionnement psychophagique),* ce sont les formules visualisées apparaissant écrites sur l'écran, alternant avec paysages ou vues symboliques qui composent l'amalgame. C'est bien entendu la diapo couleur, sauf effets spéciaux dont nous avons parlé, qui est utilisée. Les vues sont très diversifiées ; elles le sont en fonction des programmes *dont la durée impartie au visuel se situe entre 8 et 12 minutes,* la séance par elle-même ayant une durée de 28 minutes. Sans entrer dans le détail, disons que les vues de nature comprennent des ciels, des étangs et rivières, des forêts et sous-bois, des champs, des vues de campagne avec et sans animaux, des arbres et des fleurs, etc. Les prises de vues ont été effectuées avec le souci majeur de les **adapter,** par des compositions et des angles particuliers, par le jeu de la luminosité, du flou, etc., **aux impératifs de l'action psychologique** que nous recherchions.

c) La chromopsychie

L'essor du filtre coloré nous a permis d'utiliser toutes les ressources concernant les effets psycho-physiques des couleurs.

De faire usage de la seule couleur, comme en chromothérapie, posait effectivement le problème de la réception personnelle des effets colorés. Ainsi, une ambiance verte par exemple, ou violette, pouvait créer un sentiment d'angoisse au lieu de la sédation et du recueillement qu'on peut en attendre. *Les filtres colorés utilisés en photo nous ont permis de contourner ce qui paraissait être un obstacle.* Entre un vert uniforme obtenu par écrans interposés devant la lumière du jour, ou par projecteurs aux verres colorés, ou par l'ambiance du décor, et le vert que nous obtenons en des tonalités diverses, *dont l'insolite est quelquefois voulu* (ciel émeraude primitivement bleu, forêt bleue en réalité verte, etc.), il y a une grosse différence ; ainsi le grand Condé, que la couleur verte rendait malheureux, n'éprouvait certainement aucun malaise au cours de ses chevauchées dans la campagne verdoyante ; nous avons constaté que les répulsions pour une couleur déterminée s'effacent **quand la teinte se trouve intimement mêlée à l'image évocatrice,** *ainsi qu'à la musique et aux paroles qui l'accompagnent.* Quant aux daltoniens qui sont peu nombreux, ils peuvent bénéficier de nos enregistrements qui s'adressent exclusivement à l'audition.

Le fondu-enchaîné nous permet de jouer sur une gamme extraordinairement étendue de couleurs grâce au mélange qu'il permet ; ainsi nous pouvons passer d'un bleu clair à un bleu de nuit, d'un pourpre à un orange par addition d'un jaune que nous ferons passer au vert par un additif bleu ; *cela plus ou moins lentement selon la teinte dominante* que nous désirons obtenir par rapport aux effets recherchés.

Nous utilisons également la couleur **en association avec la suggestion visio-auditive.** Donnons un exemple : nous avons enregistré la formule suivante : « *Vous sentez en vous un besoin d'exercice... un besoin intense de vous dépenser physiquement...* » La première phrase va apparaître en noir sur un fond jaune ; elle va mettre 10 secondes pour apparaître et va se fondre assez rapidement en 5 à 6 secondes, la deuxième formule apparaissant progressivement, cependant que le jaune primitif cède la place à un orange lumineux qui va occuper le champ visuel pendant 15 à 20 secondes. Cela pendant que la phrase **est répétée sans arrêt** par la voix suggestionnante dont l'impact sur le subconscient est renforcé par une **musique puissante, évocatrice d'un pouvoir dynamique.**

Les filtres permettent bien d'autres applications en fondu-enchaîné ; des contrastes saisissants, le mixage de la couleur et du paysage, l'apparition de formules verbalisées sur le fondu de vues bucoliques, **la luminence et l'assombrissement progressif,** ce dernier incitant au sommeil, font partie de la panoplie du psychodiovisuel. De même, le *scintillement* que connaissent bien les amateurs de ce système de projection, les effets étoilés dont la télévision abuse, etc., mille et une possibilités que nous avons découvertes dans le domaine particulier qui nous intéresse des applications psychosomatiques et sur lesquelles il nous est impossible de nous étendre davantage. Mais la méthode comporte encore d'autres moyens non moins intéressants.

15. Le phosphène : un impact sur le subconscient

Dès l'origine de mes recherches en audiovisuel, j'ai été frappé par un phénomène qui se produisait à la suite de la fixation sur l'écran devenu noir par occultation, d'un point vert strié, dans lequel par fondu-enchaîné je faisais apparaître un point blanc lumineux que je pouvais faire scintiller ; malgré sa disparition, le petit cercle vert subsistait et provoquait en s'agrandissant **une sorte de stupeur hypnotique,** ce qui semblait favoriser la pénétration des suggestions consécutives à cet état. Je n'avais cependant pas fait le rapprochement de cet effet avec le phosphène. *Le phosphène, on le sait, est une sensation lumineuse qui provient de l'excitation des récepteurs rétiniens.* C'est un article que j'avais publié, étant le rédacteur en chef d'une revue qui me le permit (19). Cet article, du docteur Lefébure, un chercheur inlassable, définit ainsi le phosphène : « *Un phosphène est la tache lumineuse qui persiste en obscurité après avoir fixé un vif éclairage pendant une trentaine de secondes. Cette tache persiste pendant trois minutes, en passant par différentes couleurs : tout d'abord verte ou jaune, entourée de rouge ; puis le rouge augmente par saccades, parfois l'évolution du phosphène est coupée d'éclipses totales, qui durent deux à trois secondes ; enfin il réapparaît. Après une minute et demie, il est entièrement rouge et un peu plus petit, sa teinte fonçant progressivement. Vers la fin de la troisième minute, il est noir, mais alors le plus souvent entouré d'un nuage blanc, blafard, plus stable que n'était le noyau bicolore central. Ce nuage envahit le centre noir, passe par son maximum, puis s'efface progressivement.* » Ainsi que le souligne le docteur Lefébure, faire des phosphènes seuls ne développe rien. Par contre, « *le mélange des pensées avec les phosphènes provoque une multitude d'effets favorables au fonctionnement du cerveau, dont le rendement est ainsi amélioré... Tout se passe comme si le mélange de la pensée avec le phosphène produisait une combinaison chimique, laquelle dégagerait une énergie subtile utilisable pour les fonctions supérieures du cerveau...* ». Pour Lefébure, le mixage stimulant certains trajets de neurones et les fortifiant, **on observerait** . **aussi des effets persistants entre les séances.** Ayant déjà constaté les effets de ce qu'il nomme le phosphénisme dans le traitement de l'insomnie sans pour autant parler d'hypnose, il nous apparaît que le phénomène est surtout *un moyen d'action sur le subconscient* puisqu'un « *professeur de langues étrangères a observé que lorsqu'on écoute un enregistrement d'une langue étrangère pendant la présence du phosphène, on assimile mieux l'accent sans effort supplémentaire ; nous verrons qu'il en est de même pour l'histoire, les mathématiques, etc.* » (voir chap. V).

La technique du phosphène incluse dans notre méthode psychodiovisuelle ne pouvait qu'en renforcer l'efficacité. Effectivement, le fondu-enchaîné *y apportait des perfectionnements majeurs :* la fixation, comme nous l'avions conçue, de cercles ou points colorés avec toutes les possibilités de superposition de sources lumineuses plus ou moins vives, l'occultation se faisant, non pas avec un bandeau, mais

---

19. *Vivre mieux* (revue ayant cessé de paraître).

par le noir obtenu sur l'écran par diapo neutre ; enfin, pendant le phosphène, la suggestion enregistrée sur fond musical conditionnant, libérant la pensée de l'effort de mémorisation. Il est possible par injonction, après la succession de deux ou trois phosphènes, **d'obtenir encore plus aisément l'hypnose,** la suggestion se poursuivant par l'enregistrement alors que la projection est stoppée. L'enregistrement, paroles et musique, se poursuit alors *pendant quatorze à quinze minutes en une séquence spécifique par rapport au problème à résoudre ;* la projection reprend ensuite pour éveiller les sujets.

16. La synthèse

Nous ne reviendrons pas sur les résultats obtenus par nos enregistrements qui associent suggestion parlée et musiques conditionnantes ; nous les avons exposés dans *Relaxation psychosomatique.* Le psychodiovisuel ne peut pas toujours s'y substituer par suite de l'équipement qu'il nécessite, mais cela **n'obère aucunement les applications de mes méthodes enregistrées,** car ce sont elles en effet qui sont la pierre angulaire de ces nouvelles techniques, les autres procédés ne venant les perfectionner *que pour permettre les applications de groupe* que je n'avais pas abordées jusqu'ici, y trouvant beaucoup d'inconvénients et les résultats qu'on pouvait en obtenir étant, de ce fait, très aléatoires.

Il n'en est pas de même avec le psychodiovisuel *qui a lieu en salle obscure* et ne présente pas les écueils qu'on connaît de l'enseignement de groupe qui résultent de la formation et de la personnalité des moniteurs, qui sont souvent disparates et divergentes par rapport à la rigueur méthodologique.

La relaxation s'appelait tout simplement « l'isolement » au temps de Paracelse : **le psychodiovisuel, c'est l'isolement réalisé au sein du groupe,** sans que rien ne vienne perturber la déconnexion. Les réflexes conditionnels se développent avec une rapidité et une ampleur jamais atteintes, *du fait de la synthèse des moyens utilisés.* On ne manquera d'objecter que s'adressant au subconscient la méthode risque de « robotiser » le sujet. Cela est absolument faux, puisqu'elle permet, par post-suggestion, de développer sa capacité à élargir ses horizons, à fortifier ses facultés volontaires, sa concentration — elle est la base de nos méthodes — sa persévérance dans l'effort, *toutes aptitudes qui participent de la conscience ;* alors que nous savons que par définition la personne qui a le plus besoin des techniques de relaxation, ne pouvant fixer son attention, est précisément celle *dont les facultés volontaires sont le plus effritées,* puisque justement son désir de recourir à ces moyens *montre qu'elle en ressent la faiblesse* ou du moins l'insuffisance. On ne peut être bon conducteur que lorsque les réflexes automobiles ont été développés par la répétition patiente des gestes à accomplir ; **pourquoi le psychologique échapperait-il à cette loi ?** C'est cependant cette transgression que font les méthodes qui s'adressent dès l'abord au conscient, d'où leurs difficultés.

Un autre reproche peut être fait à ces méthodes. Nous l'avons relevé, chacun peut réagir différemment à la chromopsychie. Nous avons eu le même problème avec le fond musical accompagnant nos méthodes, *et l'avons résolu.* Effectivement, les uns n'aimant pas Wagner pouvaient réagir défavorablement à l'audition de sa musique, même si l'on devait développer chez eux un certain sentiment de puissance ; Berlioz leur eût été plus bénéfique. Ce qui nous fit abandonner la musique classique au profit **de musiques plus sélectives aux motifs répétés.** Nous avons procédé de même pour les couleurs. On ne peut nier par exemple que **le bleu est sédatif,** que **le rouge produit l'excitation** et que **le noir évoque la désespérance,** etc. Cela pour chacun d'entre nous, car nous ne connaissons personne que le rouge puisse calmer ou que le noir remplisse d'allégresse, du moins cela est partie intégrante de la conscience collective occidentale. C'est dans cette perspective que nous pensons que *la chromopsychie peut être utilement appliquée au groupe,* et cela d'autant mieux, comme nous l'avons expliqué, que ses effets sont modulés par l'image assortie de textes correspondants *qui peuvent en réduire ou en intensifier les effets.*

Nous ne pensons pas avoir tout exploré dans ce domaine si riche de perspectives, tant sur le plan méthodologique que technique, mais nous avons la conviction d'ouvrir la voie à une conception moins surannée des moyens actuellement mis en œuvre dans le domaine si étendu et si riche d'espoirs de la psychosomatique.

Par ailleurs, cette prospective méthodologique rejaillissait sur l'élaboration de nouvelles techniques individuelles, dont l'auto-hypnose que nous pouvons maintenant aborder, étant en possession des préalables qui en éclairent la pratique.

Note de l'éditeur : par suite du décès de l'auteur, en 1982, la méthode de « psychodiovisuel » n'a pu être concrétisée.

CHAPITRE IV

L'auto-hypnose

1. De l'état de veille à l'hypnose

On entend par « *état de veille* » l'état habituel diurne en opposition avec le sommeil naturel. Nous avons vu que bien des états intermédiaires peuvent s'observer, depuis la somnolence au sommeil artificiel, c'est-à-dire à l'hypnose. Par définition, **l'auto-hypnose est la faculté qu'on aurait de se plonger par soi-même dans l'état hypnotique.** Mais dans quelle profondeur de sommeil hypnotique ? Celui qui correspond à cet état intermédiaire entre la veille et le sommeil, qui est une hypnose légère pendant laquelle le conscient conserve un certain contrôle, que nous avons défini dans notre ouvrage sur la relaxation (1) et baptisé insolitement d'*état sophronique* par des médecins ; celui plus profond qui frise l'hypnose authentique au seuil du basculement dans l'inconscience, mais qui permet, ainsi que nous le verrons, de s'autosuggestionner ; ou encore de s'auto-hypnotiser *assez profondément pour que la conscience soit abolie.* Tout cela n'est pas clair et il est certain qu'on a pu abuser du terme d'auto-hypnose, que nous avons conservé en sous-titre, car compréhensible pour la grande majorité des gens. En réalité, peu d'individus parviennent à s'auto-hypnotiser. Dans cette perspective qui peut être décourageante, beaucoup risquent de ne pas s'y essayer dans la crainte d'un échec.

Nous nous sommes donc penché loyalement sur les réalités de l'auto-hypnose, ne voulant pas leurrer nos lecteurs, **mais en leur montrant les prodigieuses ressources des états intermédiaires qui permet-**

_____

1. Dans la première édition de *Relaxation psychosomatique.*

tent, **dans la majorité des cas, d'obtenir les mêmes effets que dans l'hétéro-hypnose** en ce qui concerne le rétablissement de la santé, le développement des facultés, en un mot l'épanouissement personnel.

Nous avons donc défini *trois modalités d'auto-hypnotisation :*
— 1°) **Une phase préambulaire** qui facilite l'accès aux états plus profonds, qui est la *relaxation.*
— 2°) **Un état qui se situe aux confins de la conscience,** là où il suffit « *de se laisser aller* » pour basculer dans le sommeil, la conscience s'abolissant. Nous avons intitulé cet état, qui n'est pas encore l'un des trois grands états de l'hypnose, l'**infra-hypnose.** Cela veut dire qu'il est sous-jacent à l'hypnose profonde qui, nous l'avons vu, se caractérise par le *somnambulisme,* la *catalepsie* et la *léthargie.*
— 3°) **L'auto-hypnose,** sommeil authentique dans lequel la personne qui expérimente se met sans le secours d'un tiers.

Dans quelle mesure ce dernier état est-il souhaitable et que peut-on en attendre ? C'est ce qu'il importe d'abord d'élucider. Peu de personnes y sont parvenues et, lorsque cela a été constaté, **il s'agissait de médiumnité.** Le plus souvent, le sujet découvrait cette faculté de s'endormir tout à fait incidemment *sans l'avoir systématiquement recherchée par un entraînement personnel.* Voici la relation d'un cas célèbre dans les annales du paranormal, celui d'Edgard Cayce dont l'authenticité ne souffre aucune discussion, car les faits ont été sérieusement et longuement contrôlés. Ils sont consignés par l'Association for Research and Enlightenment, à la Fondation Edgard Cayce. Cette Fondation s'est donnée pour tâche de consigner les 14 246 « lectures » de cet homme hors du commun que fut Edgard Cayce qui mourut le 3 janvier 1945 sans que les médecins qui le traitaient aient daigné l'écouter, lui qui par ses dons avait sauvé des milliers de malades. Edgard Cayce naquit dans une ferme en 1877 dans le Kentucky. Enfant, il manifestait déjà d'étranges pouvoirs : s'endormant sur un livre de classe, il le savait le lendemain entièrement par cœur, y compris sa date de parution. Il expliquait à sa mère comment soigner une blessure, bien que n'ayant aucune connaissance particulière et n'étant par ailleurs qu'un élève médiocre. A l'âge de 24 ans, ayant pris froid, il perdit brusquement la voix ; après une année de traitements médicaux, il ne pouvait toujours que s'exprimer d'une voix rauque à peine audible. C'est à ce moment qu'un ami lui conseilla de demander les services d'un hypnotiseur professionnel donnant des séances publiques qui remportaient un vif succès. « *Mais il tint à s'endormir lui-même »,* relate Lytle W. Robinson à qui nous devons ces précisions (2), « *tandis que son ami ferait les suggestions une fois qu'il serait en " transes ".*... ». Cayce se plongea dans un sommeil profond et décrivit l'état de ses cordes vocales en conseillant, chose étrange, un traitement. Les conseils furent suivis par l'hypnotiseur — il s'agissait de provoquer l'accroissement de la circulation sanguine dans cette région de la gorge — et lorsque Cayce se réveilla, il parlait normalement. Après quelques autres séances, **on constata que la guérison était définitive.** « *Ces dons, Edgard Cayce devait les mettre dans un total désintéressement au service de la guérison de ses semblables. Ses " lectures " (ou diagnostics psychiques) se sont toujours révélées exactes. Ses indications, alors qu'il se mettait en hypnose, décrivaient la personne dont on lui donnait le nom et l'adresse, la nature de sa maladie, les causes qui en étaient l'origine ; il indiquait alors le traitement précis, souvent composé de simples, et les médecins, à leur stupéfaction, ne pouvaient que constater la guérison. Chaque cas faisait l'objet d'un dossier ; ceux-ci, bourrés de témoignages de médecins, de journalistes, d'anciens malades forment un ensemble impressionnant. En outre, Edgard Cayce avait des dons de double vue : un homme d'affaires sceptique le mit au défi de le suivre alors qu'il se rendait à son bureau. L'homme s'arrêta à son bureau de tabac et acheta deux cigares au lieu d'un seul comme à son habitude. Il monta à son bureau à pied au lieu d'attendre l'ascenseur. Une fois là, il ouvrit son courrier comme il en avait l'habitude. Cayce, endormi dans sa maison de Virginia Beach, en Virginie, donna sa lecture. Le consultant incrédule fut stupéfait quand il reçut le rapport. Cayce avait non seulement décrit ses moindres faits et gestes mais avait même lu ses lettres !* »

Les « *lectures* » d'Edgard Cayce ne se sont pas limitées au diagnostic et à la guérison des maladies. De nombreux ouvrages (3) relatent des faits troublants, tels la description minutieuse d'existences antérieures, *dont l'authenticité a été vérifiée,* la reconstitution d'événements ayant trait à la vieille civilisation Inca, aux mystères des Atlantes et de leurs migrations à la suite de l'engloutissement de leur continent.

Il déborderait du cadre de cet ouvrage de nous étendre davantage sur ce qui est sans doute le phénomène le plus extraordinaire des temps modernes dans les annales de ce qu'on appelle maintenant la

---

2. Lytle W. Robinson : *Edgard Cayce et le destin de l'Homme* (collection « J'ai Lu »).
3. Dont, Joseph Milland : *L'Homme du mystère* (collection « J'ai Lu »).

parapsychologie. Si nous en avons fait mention, c'est que **ces témoignages sont irréfutables,** les dossiers pouvant être consultés librement à la Fondation Edgard Cayce, en Virginie. L'A.R.E. possède en outre la plus importante bibliothèque du monde consacrée à la métaphysique et autres sujets similaires, et chacun peut en consulter les 10 000 volumes.

Comment Edgard Cayce se plongeait-il en hypnose profonde ? Et comment, étant en hypnose, pouvait-il utiliser de tels dons ? Cayce avait certainement une faculté particulière que le hasard lui avait fait découvrir, puisque parlant des essais qui furent faits par des tiers pour l'endormir, il déclarait : « *J'ai toujours dû m'endormir moi-même, même avec eux. Ils faisaient leurs passes magnétiques et il ne se passait rien ? Alors finalement j'en avais assez et je me disais de dormir.* » Toutefois Layne, un ami et assistant, pouvait approfondir son sommeil sans l'avoir provoqué initialement, ainsi que le relate Joseph Millard : « *... Edgard s'endormit rapidement et Layne lui dit tout bas : " Maintenant vous allez vous plonger dans le plus profond sommeil, le sommeil profond, vous mettre en transes. " Edgard poussa deux soupirs (signe de somnambulisme), frémit, et puis tout son corps se détendit...* »

L'auteur précédemment cité nous expose une « *lecture* » de Cayce selon laquelle il disposait de deux sources dans lesquelles il puisait ses informations : « *D'abord le subconscient du consultant lui-même, ensuite ce que l'on appelait la mémoire universelle de la nature, l'inconscient collectif de Jung...* »

D'après les dossiers, « *l'esprit de Cayce répondait à la suggestion comme tous les esprits subconscients ; mais de plus, il avait la faculté d'interpréter pour l'esprit objectif des autres ce qu'il pouvait soutirer aux esprits subconscients d'autres individus de même type. Le subconscient n'oublie jamais rien. L'esprit conscient reçoit les impressions de l'extérieur et transfère toute pensée au subconscient, où elle demeure même lorsque le conscient est détruit, comme dans la mort. Il n'est pas étonnant que l'esprit subconscient conserve le souvenir de son lointain passé, ni qu'il soit averti du mauvais fonctionnement de son corps physique en cas de maladie* ». **Ces possibilités sont loin d'être des vues de l'esprit. Elles sont obtenues en hétéro-hypnose par les sujets qu'on endort, quand on provoque le somnambulisme ; ce que nous avons expérimenté.**

L'auteur de l'un des ouvrages sur Cayce fait mention d'un homme, Andrew Jackson, né en 1826, qui, illettré, « *possédait toutes les connaissances de l'univers quand il était endormi. La seule différence entre Edgard et lui, c'est qu'il devait être hypnotisé par une tierce personne. Pendant les quatre-vingt-quatre années fécondes de sa vie, Andrew Jackson Davis fit des milliers de lectures et de diagnostics psychiques ou spirituels, et écrivit de nombreux ouvrages. Il obtint son doctorat de médecine à 60 ans... ».* Précisons cependant que nous ne connaissons pas un cas comme celui d'Edgard Cayce, où la personne se serait mise elle-même en somnambulisme pour la clairvoyance et la vision à distance. Quant aux réincarnations dont les « lectures » de Cayce font état, par la description des personnes ayant vécu antérieurement, des dates et lieux de leur naissance et autres particularités reconnues après vérification comme authentiques, *nous pensons que cela ne constitue pas une preuve de la survie,* attendu que nous savons que **tout est inscrit dans l'astral** et qu'il n'est que de le percevoir pour un sujet ayant les capacités de Cayce qui, même en état de veille, percevait les auras des personnes qu'il croisait. Il avait observé que les ombres et les couleurs s'en modifiaient selon les sentiments de la personne et son état de santé. Ce qui recoupe, par des témoignages très antérieurs non contrôlés scientifiquement, les expériences des Kirlian dont nous avons fait état.

2. De l'hypnose à l'autosuggestion

Notre but dans cet ouvrage n'est pas de parvenir soi-même au somnambulisme hypnotique. Cet état permet, par le truchement du sujet qu'on a endormi (4), de reproduire les phénomènes relatés dans les « lectures » de Cayce, ainsi que beaucoup d'autres de la paraspychologie. Cela n'entre pas dans notre cadre, puisque ce livre est consacré au développement de la personnalité, à son efficience qui permet de résoudre les problèmes personnels. Dans cette optique, *à quoi servirait de se mettre en hypnose, sinon à obtenir une relaxation plus profonde et à s'endormir.* Etant dans le sommeil, **on ne peut par soi-même explorer le subconscient individuel ou collectif,** ou imprégner le subconscient de formules adéquates aux résultats qu'on veut obtenir, comme de fortifier la volonté ou de cesser de fumer. Nous allons, par conséquent, rechercher l'établissement d'une logique nous permettant de franchir progressivement plusieurs étapes pour, si on le désire **mais sans que cela soit une condition impérative,** se mettre en auto-

---

4. Marcel Rouet : *Techniques et pratique de l'hypnotisme* (épuisé).

hypnose. Cela implique de reconsidérer notre méthode de *Relaxation psychosomatique* (5) à travers les objectifs que nous nous sommes assignés, puis d'obtenir les états intermédiaires entre la veille et le sommeil artificiel et, enfin, de trouver les moyens qui permettront soit d'exercer une action efficace sur le subconscient dans un état laissant subsister un fragment de conscience, soit d'exercer cette action après avoir plongé dans l'inconscience, *ce qui exigera le recours à une technologie plus avancée.* C'est donc ce processus que nous allons exposer par le détail.

3. La relaxation d'abord

Il ne s'agit pas de reprendre toutes les données de notre méthode de relaxation psychosomatique, mais d'en adapter les techniques à l'auto-hypnose.

Déjà Coué, dont nous reparlerons, recommandait à l'assistance de se détendre au cours de ses conférences sur l'autosuggestion. Cette recherche n'était pas systématique comme dans l'isolement que préconisaient les occultistes pour la conquête des hauts pouvoirs de l'esprit et que nous exposions dans un ouvrage publié en 1936, bien avant qu'en France les médecins ne découvrissent la relaxation (6).

La relaxation psychosomatique se caractérise par **une initiation respiratoire préalable,** avec adjonction ou non (selon les cas) d'inhalations d'oxygène, *la recherche prioritaire de la détente du visage et des mains, la décontraction topographique et successive des groupes musculaires* en un parcours de plus en plus accéléré, *la recherche du vide mental* développant un état de torpeur, *la détente neuro-musculaire globale* et *l'effacement du conscient.*

L'originalité de la méthode réside en ce qu'elle est enregistrée sur cassettes (7), les directives et suggestions venant en surimpression sur un fond sonore de musiques et bruitages spécifiques *(musicopsychie)* (8).

---

5. *La Relaxation psychosomatique,* ouvrage de l'auteur qui, à l'origine, créait le terme de « relaxologue » (praticiens appliquant la « relaxologie ») (réédité aux Éditions Dangles).

6. Marcel Rouet : *Santé et beauté plastique* (épuisé).

7. Méthodes à usage professionnel réalisées, dès 1960, sur disques, et ensuite sur cassettes (méthodes déposées).

8. Musicopsychie : nom déposé.

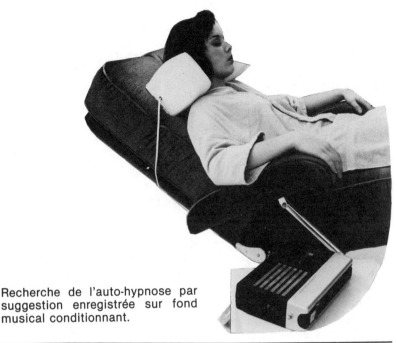

Recherche de l'auto-hypnose par suggestion enregistrée sur fond musical conditionnant.

Elle a en outre, dès l'origine, été adaptée à de nombreux domaines, dont l'amaigrissement psychosomatique, l'asthénie, la grossesse, les difficultés sexuelles et existentielles, etc. Mais dans cet ouvrage, nous ne conserverons de la méthode que ce qu'il est indispensable de connaître *pour créer les conditions favorables à l'auto-hypnose.*

Voici d'abord la définition que nous donnons de la relaxation aux élèves de notre Cours de Relaxologie (9) : « *La relaxation est un état particulier, voisin de l'inconscience, pendant lequel l'activité des grandes fonctions est ralentie et les muscles relâchés, alors que l'activité cérébrale est extrêmement réduite, sans cependant échapper au contrôle volontaire. Dans cet état, le champ de la conscience étant réduit au minimum, le corps inerte semble devenir étranger à soimême, l'esprit vide de pensée se trouve plongé dans une torpeur lénifiante.* »

Une autre innovation de la méthode fut de réaliser *un appuinuque encastrant la tête* et muni de bas-parleurs invisibles *(le relaxo-*

___

9. Cours professionnel pour la formation de relaxologues.

phone) (10). Soutenant la nuque et la tête qu'il redresse légèrement, il plaçait immédiatement le corps *dans une position idéale de détente,* effaçant le creux lombaire (voir fig. page 135). Puis je recherchai un siège qui, au contraire des fauteuils habituels de relaxation puisse donner aux bras un appui suffisant *pour ne pas glisser lors de l'endormissement,* ces accoudoirs étant suffisamment écartés pour permettre une bonne ouverture thoracique et faciliter ainsi la respiration (11).

La position du corps, sur laquelle j'attirai l'attention dans mes premiers écrits, a une grande importance. **Je vous conseille donc de l'examiner attentivement** (voir page 180) avant d'entreprendre la relaxation. Comme vous le voyez, les jambes sont légèrement fléchies et reposent côte à côte, les pointes de pieds sont en dehors et les genoux sont soutenus par le renflement du siège au niveau du creux poplité. La légère pliure des jambes place les genoux *sensiblement au niveau du cœur,* ce qui facilite la circulation et détend la paroi abdominale. Cette position aplatit le creux lombaire (creux des reins) *qui s'appuie idéalement sur le siège,* et cela d'autant mieux que la surélévation de la tête favorise son redressement. Les bras sont déportés légèrement à l'extérieur, mais suffisamment *pour ne pas bloquer la respiration.* Alors que sur les accoudoirs classiques la personne doit conserver une certaine contraction pour éviter que les bras glissent, *ils peuvent s'abandonner totalement sur ces supports fonctionnels.*

Déjà, le seul fait de se mettre dans la position que nous venons de décrire *favorise la relaxation de tous les muscles du corps* et procure un sentiment de quiétude.

Est-ce à dire que vous devez absolument disposer d'un fauteuil de relaxation pour vous détendre ? Certainement pas. Vous pouvez, malgré la possibilité de le replier, ne pas en trouver chez vous l'emplacement ou en remettre l'achat à plus tard, car c'est une bonne acquisition. Toutefois, je vais vous indiquer le moyen de placer votre corps dans une **position idéale,** en utilisant *les moyens du bord.* Par ailleurs, si vous avez un fauteuil de relaxation n'ayant pas d'accoudoirs aussi fonctionnels, je vous conseille de procéder selon les indications qui suivent, plutôt que de risquer de conserver par une position défectueuse *une contraction musculaire qui s'opposerait aux processus conduisant à l'auto-hypnose.* Dans ce cas, vous pouvez vous allonger à même le sol, sur un tapis épais, un divan ou un lit. Vous faites en sorte que votre tête soit soutenue par un oreiller dont, en le roulant,

---

10. Relaxophone : modèle exclusif.
11. Voir page 180.

vous mettez une plus grande épaisseur sous la nuque, *afin qu'elle soit bien soutenue* et que votre tête le soit également. Vous aviez auparavant pris la précaution de mettre un coussin large et épais sous vos jambes pour qu'elles se trouvent dans la position indiquée sur la photo de la page 141. Deux coussins plus petits, que vous aviez à portée de main, peuvent vous servir à placer vos avant-bras de chaque côté du corps dans une position confortable. Si vous disposez de cassettes de relaxation ou d'infra-hypnose, prenez la précaution, avant de vous installer, de mettre votre lecteur-magnétophone sous tension et de faire un essai de volume du son, les paroles devant rester audibles, ainsi que la musique, *mais au minimum de l'intensité,* car il s'agit d'enregistrements qui n'ont rien de commun avec les cassettes du commerce. Avec le *relaxophone,* vous branchez le magnétophone directement ; mais là aussi, *faites un essai préalable de son.*

Voici les conseils enregistrés sur l'une des séquences préambulaires ; **ce sont les directives que vous devez observer en ce qui concerne la position à prendre et à conserver,** *en restant parfaitement immobile, pendant toute la séance.* Supposant que vous n'avez pas recours à mes enregistrements, je mets les formules au présent de l'indicatif ; c'est-à-dire... « *je me détends* », à la place de « *vous vous détendez* ».

« *... Je m'installe confortablement... je peux encore remuer pour chercher la meilleure position... car après... je ne devrai plus bouger... ma tête est bien encastrée... mes bras... mon dos... pèsent lourdement... mais mains, paumes appuyées... semi-ouvertes, sont détendues... cependant que mes jambes, séparées, appuient de tout leur poids... mes yeux sont fermés, et je sens mon corps devenir lourd... lourd... déjà, je me détends...* »

4. La respiration préalable

Il ne s'agit pas d'une initiation respiratoire complète, celle exposée en d'autres ouvrages (12), mais d'une manière particulière de respirer **favorisant la déconnexion du mental.**

---

12. La Relaxation psychosomatique - Self-méthode en cassette C 60 : « L'initiation respiratoire ».

Vous êtes immobile et vous n'avez fait que prendre la position la plus confortable pour vous détendre ; vous êtes par conséquent encore conscient, bien que vos nerfs se soient déjà détendus et que votre corps commence à s'alourdir. Une respiration trop active et prolongée — nous la décrirons dans le chapitre VI — risquerait de freiner ce processus de détente. Toutefois, votre respir devra s'inspirer de la respiration complète, c'est-à-dire observer les temps indiscontinus qui mobilisent successivement les trois niveaux pulmonaires.

Vous « *intériorisez* » votre respiration en en prenant conscience, car jusqu'ici vous respiriez sans vous en rendre compte. Pendant tout le temps de la respiration, qui n'excédera pas 3 minutes, vous devrez veiller **à laisser votre corps parfaitement détendu.** Pendant ces trois minutes vous allez inspirer et expirer environ 15 fois, en prenant le rythme *de 6 secondes pour l'inspir et 6 secondes pour l'expir.* Vous pouvez vous accoutumer à ce rythme (loi du rythme) en dehors de la relaxation. Pour cela vous comptez intérieurement : 1 - 2 - 3 - 4 - 5 - 6 ...... 1 - 2 - 3 - 4 - 5 - 6. Le rythme obtenu, il résonne en vous. Vous l'associerez à l'une des images que j'extrais de mes programmes de psychodiovisuel (voir page 155). Dans le fondu-enchaîné, la sphère apparaît en bleu ciel, c'est l'*inspir ;* elle s'estompe progressivement pour ne laisser voir sur l'écran qu'un disque aplati qui s'est réduit et est passé du bleu au bistre (symbole du ciel et de la terre). Tout en comptant les 6 temps mentalement, vous *devez intérieurement imaginer ces figures,* les voir tour à tour s'agrandir et diminuer, pendant l'inspiration et pendant l'expiration.

La technique respiratoire est la suivante : inspirez doucement par le nez en soulevant le ventre légèrement, puis dilatez la partie moyenne de la poitrine, enfin, faites monter l'air aux sommets pulmonaires (voir page 141). Ne faites aucun effort pour la troisième phase qui, dans cette respiration préalable, ne doit être qu'esquissée. Autrement dit, ne respirez pas à fond, vous limitant où il vous faudrait faire un effort supplémentaire pour emplir vos poumons. Pendant que vous faites apparaître mentalement la sphère en bleu ciel et que vous inspirez, *vous vous intégrez à l'énergie universelle ;* quand vous la faites disparaître pendant l'expir, visionnez l'aplatissement de la sphère en un ovale bistre ou noir. Et, en même temps, « *sentez* » votre corps devenir lourd, se détendre. Pendant les 15 expirs, efforcez-vous d'accentuer cette sensation de pesanteur et d'abandon de toutes vos crispations ; **c'est l'amorce de la détente topographique.**

5. La détente topographique

Quand vous pourrez maîtriser cette respiration, *vous serez déjà plus apte à vous détendre.* Selon mes techniques, vous commencerez à détendre votre visage et vos mains. Ralentissez d'abord votre respiration, *puis n'y pensez plus,* ce qui est facile puisque vous allez reporter votre attention sur votre visage et les diverses parties de votre corps. Je ne vous donnerai qu'un exemple concernant une région du corps, ce livre n'étant pas consacré à la relaxation, *exemple que vous pourrez étendre à toutes les autres régions* dont vous trouverez plus loin le détail du parcours topographique. Nous commencerons par le visage et les mains. Nous avons expliqué la raison de ce choix dans *Relaxation psychosomatique :* « ... *Le visage est le reflet de toutes nos préoccupations, mais il est aussi le haut lieu de toutes nos tensions... Que fait un homme en colère ? Il serre les poings et crispe son visage dans un rictus menaçant. Pourrait-on concevoir qu'un homme fût en colère et restât souriant ? Certainement pas ! Le visage est bien le carrefour où viennent s'inscrire nos états d'âme et nos tensions ; c'est donc lui qu'il faut d'abord détendre.* » Nous ajoutions : « *Comme le visage, les mains sont des témoins privilégiés, notre tempérament, notre caractère sont inscrits dans nos mains* (13)... » Voici comment parvenir à la relaxation et les formules à utiliser.

Les yeux fermés et après la respiration préalable, vous commencez **à éprouver une sensation de détente et un sentiment de quiétude.** Répétez intérieurement les formules qui suivent, que vous pouvez étendre ou renouveler, car elles ne sont qu'un condensé : « ...*ma tête est appuyée lourdement... ainsi que ma nuque, qui est bien encastrée... tous les traits de mon visage sont détendus... un léger sourire flotte sur mes lèvres... cependant que mes yeux sont fermés sans crispations... ma bouche reste fermée sans effort... et les muscles de mon front sont détendus... je pense à un léger sourire... je souris intérieurement... et tout mon visage est empreint de sérénité... de sérénité... Cette détente se communique maintenant à tout mon corps... mes mains se détendent et je sens cette détente remonter le long de mes avant-bras... de mes bras... etc.* »

La détente topographique se poursuit dans l'ordre suivant : bras, épaules, cou, poitrine, ventre, flancs, reins, hanches. *Tout le*

---

13. Marcel Rouet : *Lire dans votre main* (épuisé).

haut du corps a été ainsi décontracté. Enchaînez la détente topographique avec celle des membres inférieurs. Dans l'ordre : pieds, jambes, genoux, cuisses, fessiers. Faites alors la jonction de la détente — vous avez décontracté toutes les régions du corps — en prenant conscience de la détente globale.

Il vous faut bien une dizaine de séances pour assimiler ce qui précède. La détente de chaque partie du corps *vous prendra de vingt à trente secondes environ.* **N'hésitez pas à répéter les mêmes formules.** De même qu'en hypnose « *la répétition fait la force de la suggestion* ». Vous vous apercevrez bientôt que vous vous détendez de plus en plus rapidement, que vous passez moins de temps pour chaque région à la libérer de ses contractions : *des réflexes conditionnés de détente se seront constitués.* Et vous parviendrez ensuite à la relaxation globale, c'est-à-dire à vous placer en état de relaxation intégrale quasi instantanément. Vous aborderez alors la deuxième phase qui vous conduira à l'orée de l'hypnose.

6. De la relaxation à l'infra-hypnose

Nous passerons sur l'hypnose superficielle — qui n'est autre que le fameux état sophronique ! — pour aller plus loin dans l'effacement du conscient, *ce qui permet d'obtenir des effets plus rapides et plus intenses.* Si nous utilisons ce préfixe latin (*infra,* de « en dessous »), c'est qu'il correspond bien à l'état qui est immédiatement en dessous de l'état hypnotique authentique. C'est un état hybride, dont nous verrons l'intérêt, *qui se situe à cheval entre la relaxation poussée à son point extrême et l'hypnose,* ce qui permet d'osciller entre la conscience et l'inconscience, telle une personne qui se serait évanouie, qui reprendrait conscience pour perdre de nouveau conscience. Avec cette différence **que l'auto-hypnotisation n'est pas pathologique et ne présente aucun danger.**

a) Le vide mental et la concentration

Il s'agit, à la suite de la relaxation préalable, d'obtenir le vide mental en développant un état de torpeur prononcé qui induit l'infra-hypnose. Faire le vide mental consiste « *à ne penser à rien »,* en apprenant à chasser les idées parasites qui viennent pénétrer dans le

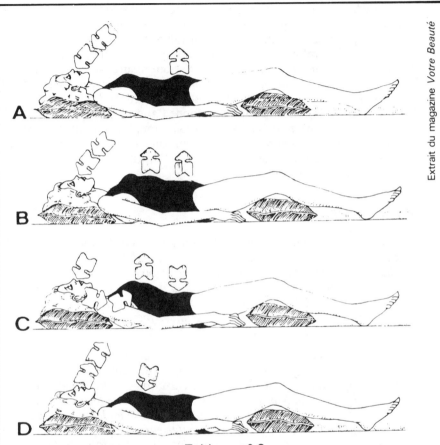

Tableau n° 8

Comment respirer pour maîtriser l'émotivité

A. 1er temps : Vous inspirez doucement par le nez en soulevant le ventre.

B. 2e temps : Sans marquer d'arrêt, vous continuez à inspirer doucement par le nez en soulevant la région moyenne de la poitrine sans rentrer le ventre.

C. 3e temps : Vous faites passer l'air au sommet des poumons en continuant à inspirer pour gonfler la poitrine au maximum et en rentrant le ventre.

D. 4e temps : Vous expirez doucement par le nez en faisant un effort à la fin de l'expiration pour chasser complètement l'air des poumons. Enchaînez aussitôt.

Extrait du magazine *Votre Beauté*

champ de la pensée. Au premier abord, il semble paradoxal que de ne penser à rien soit analogue à un autre exercice mental qui implique de ne penser qu'à une seule chose, à l'exclusion de toute autre idée. Mais on voit bien, à la réflexion, que le mécanisme est le même. Avec cette différence toutefois que la concentration, pour assurer son efficacité, doit être dynamisée, *alors que le vide mental est un état qui demande une attitude passive,* en ne conservant qu'un fragment de conscience. **De s'entraîner à la concentration développe l'aptitude au vide mental et aussi à la méditation,** ces deux opérations étant incompatibles avec l'éparpillement de la pensée. Nous ne saurions donc trop vous conseiller de vous entraîner à la concentration d'esprit dont nous donnerons d'abord la définition.

b) La concentration d'esprit

Selon Hector Durville (14) : « *Se concentrer, c'est ramener à leur centre les forces dispersées, rassembler son énergie, faire appel à toute son intelligence et à toute sa volonté pour vaincre plus sûrement les obstacles qui pourraient nous empêcher d'arriver au but que nous voulons atteindre. C'est se donner corps et âme à ce que l'on fait.* » Pour cet auteur « *le génie et même les grandes facultés de l'esprit sont constitués par la puissance de la concentration* ».

De nombreux exercices ont été proposés pour développer cette précieuse faculté. Nous-même en avons indiqué toute une liste. En voici un (le trente-troisième) extrait de *Relaxation psychosomatique :* « *Pensez à un tableau noir et voyez d'abord des additions de un ou deux chiffres, leur total qui doit s'inscrire sur le tableau comme si vous n'aviez pas fermé les yeux. Augmentez ensuite la difficulté avec trois chiffres, puis quatre. Faites ainsi des multiplications, des divisions sans laisser s'estomper l'image que vous avez devant les yeux.* » Ces exercices sont devenus classiques dans les ouvrages de culture mentale. Il ne faut pas en sous-estimer la difficulté... ni l'efficacité. Pour la préparation à l'auto-hypnose, afin de ne pas y consacrer trop de temps et pour faciliter la maîtrise de la concentration, j'ai recherché le moyen de n'avoir recours **qu'à un seul exercice qui serait supérieur à ceux décrits généralement.** Il devait consister à associer la fixation d'un objet ou d'une image qui serait accompagnée d'une opération mentale *qui empêcherait l'attention de dériver* et qui, si elle

14. (Editions Perthuis).

manifestait cette tendance, lui imposerait de revenir à son objet. J'ai donc composé un damier (voir page 145) *qui réunit toutes ces particularité.* Après avoir pris attentivement connaissance du mode d'emploi qui se trouve en face, vous commencerez par l'exercice le plus simple, *ne voir que la figure centrale et visionner alternativement le dessin en noir et blanc.* Vous accroîtrez ensuite la difficulté en augmentant *la durée et la rapidité* des exercices, puis en les variant comme indiqué. Vous pourrez considérer l'exercice comme maîtrisé lorsque vous parviendrez à ne pas laisser dériver votre attention *pendant quatre à cinq minutes.* A ce moment, votre pouvoir de concentration se sera considérablement développé, facilitant le vide mental et la méditation. Je ne puis toutefois, bien que ce ne soit pas notre propos, passer sous silence les possibilités que vous donne cette faculté par rapport à l'efficience dans la vie.

La concentration permet la projection de la pensée pour exercer des actions à distance, non seulement sur son entourage mais encore sur les personnes éloignées, quel que soit le lieu de leur résidence ; *elle peut modifier le cours des événements en notre faveur* en donnant naissance à des sortes d'égrégores bienfaisants quand les pensées sont orientées vers le bien et tendues vers l'accomplissement. Pour transformer la concentration en force-pensée dynamique, il faut observer les 7 principes de l'action suggestionnante, que nous avons précédemment énoncés (voir page 103).

c) Le vide mental

C'est la concentration qui vous octroie la maîtrise de votre mental. *Elle vous donne des pouvoirs que vous ne sauriez développer autrement.* Cette maîtrise vous permet d'obtenir le vide mental qui conditionne la rapidité avec laquelle on peut accéder à l'auto-hypnose.

Le vide mental assure l'hygiène de l'esprit : *sur le plan du karma* en évitant qu'une atmosphère nocive ne vienne corrompre et affaiblir l'aura ; *sur le plan du contrôle absolu des pensées,* donc personnel, en donnant la faculté d'élever des barrières défensives contre les affects traumatisants provenant de l'extérieur, *en permettant de chasser immédiatement les pensées délétères* pour leur substituer des pensées d'euphorie et de confiance en soi et en son destin. Celui, par exemple, qui se lève le matin en prenant en charge tous ses soucis *ne résout pas pour autant ses problèmes personnels* ; et même s'il ne veut pas y pen-

Figure n° 5

AUTO-HYPNOSE ET CONCENTRATION

Le damier ci-contre a un double objectif : **vous entraîner à la concentration** et vous préparer à l'auto-hypnose. Il s'agit de le fixer pour alterner la vision des triangles noirs et des triangles blancs. Vous constaterez que par une sorte de « décision interne », vous pouvez ne voir que seulement les triangles blancs, ou seulement les triangles noirs. Vous y étant exercé en fixant le centre de la figure, vous ferez les exercices suivants, classés par ordre de difficulté.

Exercice 1

En fixant seulement le centre, limitez-vous à une **vision alternée des blancs et des noirs** ; dans ce cas, le carré a les pointes en haut et en bas.

Exercice 2

Fixez le dessin pour que le carré apparaisse formé de quatre éléments. Ainsi, **le damier est plus grand que dans l'exercice précédent** ; ses limites se présentent horizontalement et perpendiculairement. Faites ainsi apparaître les blancs et les noirs en alternance.

Exercice 3

Reprenez l'exercice 1 et efforcez-vous de changer la couleur toutes les 8 ou 10 secondes, **à un rythme régulier**, ce qui vous oblige à une concentration ne pouvant laisser la place à aucune pensée parasite. Prolongez l'exercice pour parvenir à une durée d'au moins 3 minutes.

Exercice 4

L'exercice maîtrisé, **réduisez les temps d'alternance**, jusqu'à parvenir à 3 secondes seulement.

Exercice 5

Fixant le carré comme dans l'exercice 2, faites-le disparaître pour lui substituer le damier de l'exercice 1 qui s'inscrit à l'intérieur. Vous pouvez alors procéder comme pour l'exercice 3.

.../...

Exercice 6

Vous allez accroître encore la difficulté de l'exercice précédent en alternant non seulement les deux figures, mais en alternant aussi les couleurs : le motif de l'exercice 1 apparaissant par exemple en blanc alors que celui de l'exercice 2 apparaît en noir. Augmentez progressivement la durée de cet exercice.

Vous vous apercevrez que vous ne pouvez pas laisser dériver votre pensée. Je recommande cet exercice **pour remplacer tous les exercices de concentration habituellement décrits** ; il leur est très supérieur car il rend impossible l'éparpillement de la pensée.

ser, il les refoule ; ils remontent en surface durant toute la journée et le rendent nerveux, morose, voire agressif ce qui retentit sur sa condition physique en développant lassitude et fatigue : un certain malaise à vivre. **Mais si vous êtes entraîné au vide mental, il en sera tout autrement.** Vous considérerez vos soucis *avec lucidité et détermination,* en les sériant, en examinant quelles solutions vous pouvez apporter à vos problèmes journaliers et à ceux qui pourraient devenir menaçants. Cela vous prendra quelques minutes, peut-être un quart d'heure. Alors qu'autrement, vous n'eussiez pas fait face et une sorte d'anxiété latente ou même de peur indéfinissable eût assombri votre journée. Entraîné au vide mental, *vous rendez à volonté toute sa limpidité à votre esprit,* comme si d'un coup de chiffon vous aviez effacé d'un tableau noir tous les problèmes qui y figuraient l'instant auparavant et que vous auriez résolus. Vous pouvez alors semer dans votre esprit les idées bénéfiques, les pensées généreuses et réconfortantes, les désirs de satisfaction et d'activité *qui auront pour effet de vous faciliter l'action* sans que rien ne vienne l'entraver.

Le vide mental appliqué à l'infra-hypnose développe en vous une sorte de torpeur lénifiante qui est le prélude au sommeil artificiel. Vous avez appris à détendre vos muscles topographiquement. Vous allez maintenant enchaîner sur le vide mental.

d) Du vide mental à la torpeur lénifiante

La détente musculaire par le truchement somato-psychique (effets du physique sur la psyché) réduit déjà les tensions cérébrales et l'activité de l'esprit ; *les pensées se font plus rares.* Souvent les préoccupations s'estompent pour faire place à un sentiment de bien-être et de quiétude. Dans nos méthodes enregistrées, le bruit régulier d'un ruisseau conjugué avec d'autres bruitages (la musique spécifique de la détente) renforce encore la voix incitative d'abandon des tensions cérébro-musculaires. *C'est là qu'interviennent les suggestions* dont le but est d'accentuer cet état jusqu'à la torpeur, ou engourdissement de l'esprit et du corps. C'est en accentuant ce phénomène qu'il devient possible d'éprouver la sensation de dédoublement, *où le corps astral semble se détacher du charnel pour flotter au-dessus du corps physique,* ce qui procure, au lieu de la lourdeur, *une sensation très caractéristique de légèreté et de détachement du réel.* Cela dépasse le cadre que nous nous sommes assigné (15) et, si nous avons évoqué cette

---

15. Voir, de Thierry Loussouarn : *Transformez votre vie par la sophrologie* (Éditions Dangles).

possibilité, c'est que cet état pouvant s'instaurer spontanément pourrait inquiéter, *d'ailleurs à tort,* la personne qui l'éprouverait.

Transposant comme nous l'avons fait précédemment les formules relatives à la recherche de l'état torpide, en voici le résumé ; nous n'en avons gardé que l'essentiel, mais ces formules *peuvent être répétées sans arrêt pendant quatre à cinq minutes* au début, la torpeur, comme pour la détente musculaire, s'obtenant avec l'entraînement quasi instantanément (16).

« *...il me semble qu'il y a une éternité que je suis ainsi... je suis bien et je n'ai pas envie de bouger... il me semble que je suis évadé du monde habituel... de ses soucis... de ses tensions... et je sens comme une félicité intérieure qui efface mes préoccupations... comme la brume qui estompe la réalité des choses qui nous entourent... je sens maintenant la torpeur qui me gagne... torpeur... engourdissement... mes muscles sont décontractés... mon corps est lourd... torpeur... tout s'obscurcit... torpeur... tout est lointain... torpeur... engourdissement de mon cerveau... je ne pense plus à rien... à rien... etc.* »

e) De la torpeur lénifiante à l'infra-hypnose

Il s'agit ensuite de parvenir à l'infra-hypnose, au stade où il suffirait de « *se laisser aller* » pour plonger dans l'hypnose. Ce n'est pas ce que nous recherchons, car alors *nous serions incapables d'ensemencer notre subconscient de formules adéquates.* Nous verrons que seule la technique de l'enregistrement que nous avons inaugurée permet de bénéficier de l'autosuggestionnement dans le sommeil hypnotique.

Certaines personnes hésitent, étant parvenues au moment où elles sentent qu'elles vont s'endormir, à « *franchir le pas* ». Il leur semble qu'elles vont s'évanouir et cela est un obstacle qu'il faut d'abord écarter. Si tel est votre cas quand vous expérimenterez, dites-vous d'abord — nous le répétons — que l'auto-hypnose (comme l'hypnose provoquée par un expérimentateur) est absolument sans danger. *Vous vous réveillerez normalement.* Et même — mais le cas est rarissime — si vous dormiez longuement, plusieurs heures, vous sortiriez de votre sommeil naturellement et parfaitement reposé.

L'autosuggestion concernant cette crainte permet de l'abolir. Vous pouvez faire précéder les formules qui vous permettront de maîtriser le basculement dans le sommeil, de formules préalables à la

---

16. Extraits de *Techniques et pratique de l'hypnotisme* (épuisé).

recherche de l'infra-hypnose, car il se peut qu'étant arrivé à ce stade, vous vous endormiez spontanément, sans vous en rendre compte, *ce qui vous empêcherait d'exercer l'action que vous désirez sur votre subconscient.* En prenant cette précaution, vous aurez une autre possibilité : vous éveiller à l'heure précise que vous aurez préalablement décidée. Cela est facile, car beaucoup de personnes songeant la veille au soir à se lever à une heure déterminée le lendemain y parviennent. C'est mon cas ; me levant toujours à 5 ou 6 heures, je me réveille, et me lève aussitôt, à moins cinq de l'une ou l'autre heure sans avoir besoin de réveil.

Voici les formules à utiliser, après que s'est instauré l'état de torpeur : « *...je sens l'engourdissement me gagner de plus en plus... mais quand je sentirai que je vais basculer dans le sommeil... je m'endors... je conserverai un reste de conscience... je m'endors... tout devient lointain... noir... et je ne m'endormirai pas complètement... mais je sens que le sommeil me gagne de plus en plus... de plus en plus...* »

f) Le basculement

Poursuivant ces formules entrecoupées d'auto-injonctions de sommeil, *vous allez parvenir au seuil de l'hypnose.* Si vous aviez la crainte de ne pas pouvoir vous éveiller, vous n'auriez qu'à intercaler la formule suivante, après avoir déterminé la durée approximative de votre séance. Cela ne peut d'ailleurs que faciliter l'endormissement (attention expectante).

« *...Je sens que le sommeil me gagne de plus en plus... mais quand je vais m'être endormi... mon subconscient va me permettre de m'éveiller quand je le voudrai... je m'éveillerai à telle heure... et je serai merveilleusement reposé... en pleine possession de mes moyens, etc.* »

Bien entendu **pour l'infra-hypnose,** vous dites : « *Je sais que je peux m'endormir... mais je ne veux pas m'endormir complètement... si je m'endors je me réveillerai facilement... à telle heure... etc.* »

Répétant les formules d'engourdissement et de sommeil, vous parvenez à l'infra-hypnose. Il n'est pas besoin de contrôler les ondes cérébrales pour se rendre compte de cet état. Il se signale par le sentiment *qu'on va sombrer dans un monde immatériel* ; la sensation est différente de celle du sommeil naturel, car lorsqu'on s'endort, il est quasiment impossible de le discerner, même si on y prête attention, *alors que dans le processus que nous décrivons, on en a conscience.* Quand cela se produit, à moins de rechercher l'auto-hypnose, il faut faire un léger effort mental pour revenir en arrière, *pour ne pas succomber à la tentation de basculer dans le sommeil.*

Vous vous livrerez alors **à une gymnastique de l'esprit** qui renforcera considérablement vos capacités de contrôle mental. Elle consistera à vous approcher le plus possible du sommeil pour, aussitôt, *vous remettre en infra-hypnose,* puis à recommencer en procédant de cette manière plusieurs fois consécutivement ; vous arriverez à renouveler cette « *gymnastique mentale de bascule* » de plus en plus vite. Elle constitue un excellent préalable pour se plonger en hypnose car, après cette succession de basculements, **il n'y a qu'à décider de ne pas revenir en arrière pour s'hypnotiser.**

L'infra-hypnose est un état de choix pour s'autosuggestionner et beaucoup de personnes ne désireront pas dépasser ce stade qui permet de s'autosuggestionner très efficacement sans s'endormir complètement. D'autres préféreront s'auto-hypnotiser. La technique sera différente. Mais comme les conseils concernant l'autosuggestion sont les mêmes, nous nous engagerons auparavant dans le domaine de l'auto-hypnose.

7. De l'infra-hypnose à l'auto-hypnose

Pour nous, c'est jouer abusivement de ce terme d'auto-hypnose que de prétendre que cet état permet de s'autosuggestionner consciemment ou, par exemple, de tester la réalité d'une hypnose soi-disant réelle par la lévitation volontaire d'un bras, l'empêchement d'ouverture des yeux, etc. Il ne s'agit en fait que d'hypnose superficielle ne parvenant même pas au stade décrit précédemment d'infra-hynose. Pour supprimer toute équivoque, disons que l'auto-hypnose — celle qui est authentique — est l'état qui ne permet pas au sujet de s'autosuggestionner consciemment. Etat de sommeil artificiel d'où la conscience est effacée, *mais dont l'intérêt peut résider dans la recherche d'une relaxation plus profonde,* donc meilleure régénératrice des énergies.

Cela ne veut pas dire que l'auto-hypnose ne soit pas un état à rechercher. Loin de là, puisque nous affirmons par ailleurs que les états hybrides — mi-veille, mi-sommeil superficiel — sont beaucoup *moins favorables à l'efficacité de la suggestion que l'état somnambulique* de l'hypnose profonde.

Diverses techniques peuvent être utilisées pour l'auto-induction en hypnose, dont une préparation s'inspirant de l'entraînement des hypnotiseurs (17).

L'exercice de concentration que j'ai décrit est excellent pour la préparation. Nous savons que le monoïdéisme — *une seule pensée* — est l'un des facteurs principaux qui doivent être réunis par l'hypnotiseur. L'exercice préconisé y entraîne remarquablement. **La fixation du regard est un autre facteur important d'hypnotisation.** Vous l'utiliserez en auto-hypnose en répétant cet exercice (voir page 144) avec la conjugaison de la fixation du regard, *en en prolongeant la durée au fur et à mesure de vos progrès.*

Ayant maîtrisé cet exercice pendant deux ou trois minutes *sans ciller,* vous allez vous entraîner à vous hypnotiser par l'auto-fascination. Un certain rituel doit présider à l'entraînement ; il n'est pas superflu de le préciser. La pièce où vous exercerez sera autant que possible silencieuse. L'idéal serait qu'elle soit tendue de noir ou de bleu foncé, *mais vous pouvez l'éclairer faiblement avec une ampoule bleue.* Vous pouvez soit découper la gravure de la page 151, que vous collerez sur un carton, soit la reproduire. Vous la placez devant vous verticalement sur une table et vous l'éclairez avec un petit projecteur entouré d'un cornet opaque pour que la pièce reste dans la pénombre. Vous vous asseyez alors confortablement dans un fauteuil pour que la gravure soit *entre 30 à 40 cm de vos yeux.* Etant bien détendu, jambes allongées, mains sur les cuisses, vous laissez tomber doucement votre regard sur le cône noir *et fixez le point lumineux* (blanc) qui se trouve au fond (voir ci-contre).

Voici les conseils que je donnais dans *Techniques et pratique de l'hypnotisme* pour parvenir à une fixation sans défaillance du regard. **Ils sont également valables pour l'auto-hypnose** ; nous verrons bientôt pourquoi.

« *...N'hésitez pas à insister quand la fixation devient difficile, que les yeux s'emplissent de larmes. Vous ne pourrez résister très longtemps et serez contraint d'interrompre l'exercice ; mais vous parviendrez à prolonger l'exercice encore pendant quelques instants en agrandissant légèrement les yeux, ce qui vous permettra de vaincre momentanément le réflexe palpébral. Procédez à plusieurs fixations successives ; si vous n'en faisiez qu'une chaque jour, vous mettriez beaucoup de temps pour progresser. Après une fixation ayant duré par exemple deux minutes, reposez-vous et recommencez ensuite.* »

---

17. Self-méthode en cassette C 60 : « L'art d'hypnotiser ».

Figure n° 6

**Pour développer la puissance magnétique
de votre regard et vous auto-hypnotiser
(exercez-vous à fixer ce point blanc sans sourciller).**

Etant parvenu à prolonger l'exercice au-delà de cinq minutes, nous conseillons un autre exercice qui donne à celui qui le pratique beaucoup d'assurance, ainsi qu'une grande facilité pour hypnotiser. Il consiste à se fixer dans un miroir entre les yeux, *à la racine du nez très exactement.* « ...Placez un miroir au niveau de votre visage ; il peut reposer surélevé sur une table. Une lampe qui ne doit pas se voir dans la glace éclairera votre visage, mais pas violemment. La distance étant doublée par le miroir, vos yeux sont distants de la glace de 25 cm environ. Fixez alors intensément, sans ciller, la racine de votre nez et ne quittez plus ce point du regard. Ne cessez la répétition quotidienne de cet exercice que lorsque vous dépasserez une durée de quinze minutes. Faites-le ensuite chaque semaine pour maintenir les résultats acquis. »

Le but de cet exercice est, en l'occurrence, de donner au regard un grand pouvoir de fascination. Notre objectif est ici différent, puisqu'il s'agit *de parvenir à s'endormir soi-même.* Il n'est par conséquent pas nécessaire de prolonger autant la durée de l'exercice. Chez le néophyte, les premiers essais ne mènent guère au-delà de deux à trois minutes de fixation, ce qui entraîne une fatigue visuelle. Cette fatigue, les yeux s'emplissant de larmes ce qui incite à les fermer, *est un élément favorisant de l'auto-hypnotisation.* Cependant, il y a un grand intérêt à prolonger davantage l'exercice pour les raisons suivantes :

— **En associant la concentration sur une pensée à cet exercice, vous développerez cette précieuse faculté.**

— En vous efforçant de vous magnétiser vous-même par une projection volontaire fluidique, *vous vous entraînez à magnétiser par le regard,* et cela vous octroie beaucoup d'influence dans vos rapports sociaux (18).

— **En auto-hypnose, la concentration aura évidemment trait à l'endormissement.** Vous vous regardez intensément dans le miroir et vous pensez : « ...*Je sens une grande lassitude qui se développe en moi... mon corps s'engourdit... j'ai sommeil... sommeil... je m'endors... je m'endors... j'ai de plus en plus sommeil... sommeil... je m'endors... etc.* »

— **A ces autosuggestions vous associez la projection magnétique** dont j'extrais le passage la concernant : « ...*sans contracter les muscles et surtout sans crisper votre visage, vous effectuez un effort*

---

18. P.-C. Jagot : *Le Pouvoir de la volonté* (Editions Dangles).

interne qui concentre tout votre magnétisme dans le plexus cervical (voir chap. VI) *et, cependant que vos yeux éprouvent une sorte de tension caractéristique du passage du fluide vital, faites en sorte de projeter ce magnétisme en une émission puissante et continue.* » Ainsi vous associez la fascination, la suggestion et la magnétisation.

— **Vous pourriez vous exercer à vous auto-hypnotiser** de cette manière dans la position assise, mais cette position ne favorise pas l'endormissement, *au contraire de la position couchée qui induit le sommeil.* Les exercices précédents ne constituent donc qu'un entraînement préalable. Cependant, certaines personnes parviendront ainsi au sommeil. Nous conseillons plutôt de prévoir de prendre la position couchée sans tarder, *après qu'est intervenue la fatigue visuelle,* de fermer les yeux qui ont déjà cette tendance et de poursuivre les autosuggestions d'endormissement : « *Maintenant le sommeil me gagne... je m'endors... j'ai sommeil... sommeil... sommeil...sommeil... etc.* » Quand vous sentez le sommeil vous gagner, vous pouvez utiliser un procédé que connaissent tous les hypnotiseurs. Compter à rebours, par exemple de sept à un, *en intercalant les formules d'endormissement entre chaque chiffre,* ayant déterminé qu'au chiffre 1, que vous prononcez mentalement d'une « voix » affirmative : « *Un ! je m'endors... je sombre dans le sommeil... »,* vous vous endormirez.

— Si vous disposez d'un fauteuil de relaxation, la technique peut être différente. Vous pouvez, en position intermédiaire, **fixer le miroir, ou un point brillant,** une lampe derrière un écran noir percé (voir page 151), lampe dont vous pourrez commander l'extinction à distance au moment de vous endormir, *et rester sur le fauteuil dont vous n'aurez pas bougé.*

Certains sièges qui se mettent d'abord en position assise, permettent, par télécommande, quand on sent que la fatigue visuelle incite au sommeil, de se laisser aller doucement en arrière jusqu'à la position de relaxation, en même temps qu'on ferme les yeux (fauteuils Condor).

La fatigue visuelle favorisant l'endormissement peut être obtenue de diverses manières, mais à notre avis rien n'égale la fixation dans le miroir. Citons pour mémoire : la fixation d'un objet brillant, quel qu'il soit, d'un bouchon de carafe à facettes, d'une boule de cristal qu'on place sur un velours noir *(préparation à la voyance),* d'une ampoule à travers une carafe remplie d'eau, d'un métronome, d'un pendule de radiesthésiste, etc. Si j'évoque ces moyens, *c'est que l'un d'eux peut mieux vous convenir,* chacun réagissant différemment selon ses prédispositions. Toutefois, s'il est possible de se mettre en hypnose par les procédés que j'ai indiqués, *il en est d'autres qui,* con-

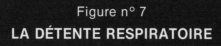

Figure n° 7

LA DÉTENTE RESPIRATOIRE

juguant les moyens précités et les ressources de la technique, *réunis-sent le maximum de possibilités,* tant pour l'endormissement que pour ce que nous appelons « *l'ensemencement du subconscient* ».

8. L'auto-hypnose par l'enregistrement

J'ai composé trois enregistrements en cassettes concernant l'hypnose : *l'art d'hypnotiser* qui entraîne aux moyens d'influence, *l'infra-hypnose* qui permet quand on s'y entraîne régulièrement, l'accès au sommeil artificiel, mais qui, réalisant dans tous les cas un effacement quasi total du conscient, *rend l'autosuggestion pleine-ment efficace et l'auto-hypnose,* inspirée de mes techniques d'hypno-phorèse (voir chap. III) qui mène au sommeil, celui-ci étant induit par le sujet lui-même.

Cela demande quelques explications. La cassette est enregistrée entièrement sur une face (la face 2) ; elle est composée de suggestions et de post-suggestions destinées à développer l'aptitude à l'infra-hypnose. Son écoute peut être abandonnée quand on y est parvenu. La face 1 n'est enregistrée que pendant 18 minutes avec des formules d'endormissement qui mènent au sommeil artificiel. Pendant deux minutes ensuite, un bruitage spécial approfondit le sommeil. *Il reste neuf minutes de bande vierge.* Or, cette cassette originale a été com-posée de cette manière **pour que vous puissiez enregistrer vous-même sur votre lecteur magnétophone des formules personnelles** de renfor-cement de l'état d'hypnose, ainsi que celles qui doivent concerner la résolution de vos problèmes personnels. Le bruitage est également destiné à vous avertir de l'endroit à partir duquel vous pouvez dispo-ser de la bande pour votre propre enregistrement ; *une notice d'utili-sation donne toutes les indications utiles pour le réaliser.*

Il n'est pas indispensable de disposer d'un fauteuil équipé du « relaxophone », bien que ce complexe réunisse les conditions idéales pour la relaxation et l'auto-hypnose, afin de bénéficier de l'enregis-trement. Vous vous mettez en position de relaxation comme nous l'avons indiqué, et faites en sorte de ne plus bouger *après avoir mis votre magnétophone en marche.* Certains magnétophones-lecteurs sont à minuterie incorporée, *ce qui vous permet de faire s'arrêter l'appareil au minutage désiré* ; par exemple 25 minutes si après les 20 minutes déjà enregistrées, votre enregistrement personnel ne com-porte que 5 minutes d'audition. Si vous ne désirez utiliser l'enregistrement que pour la relaxation ou en cas d'insomnie, vous fixez le minutage à 20 minutes et *l'appareil s'arrêtant ne vous gêne pas pour l'endormissement.* On peut aussi utiliser une minuterie indépendante.

Il est possible d'associer l'enregistrement à l'effet phosphénique, ce qui facilite l'endormissement. Nous savons que la fatigue visuelle favorise l'endormissement. Le **phosphène** consistant à fixer un point lumineux, comme toute fixation du regard, produit cette fatigue qui, par la fermeture des yeux, **induit l'endormissement.**

Certaines personnes arrivent plus difficilement que d'autres à s'hypnotiser. Cependant les résultats les plus minimes doivent les encourager à persévérer. Ce n'est que par la répétition — *essais qui deviendront de plus en plus concluants* — qu'elles y parviendront. Si tel était votre cas, **la post-suggestion vous facilitera grandement l'accession à l'auto-hypnose** ; elle peut aussi être utilisée, pour ceux qui y parviennent, afin d'approfondir la transe. La post-suggestion a deux modalités : vous l'utilisez vous-même ou vous demandez à un hypnotiseur bien entraîné de l'exercer ; vous devez obtenir un résultat en quelques séances et non en des semaines ou des mois ; il en est comme de l'acupuncture, les meilleurs spécialistes ont souvent un résultat dès la première séance. **Celui qui vous dit de revenir trop fréquemment ou longtemps est un incapable.**

Les formules que vous vous répétez mentalement après le processus qui doit vous être devenu familier de l'auto-hypnotisation sont les suivantes : « *Je peux me mettre moi-même en hypnose... je suis certain de parvenir à l'hypnose... à chaque fois, je sens que mon corps devient de plus en plus lourd... que le sommeil me gagne de plus en plus rapidement... etc.* » Vous passez ensuite au futur : « *La prochaine fois, aussitôt allongé je sentirai le sommeil me gagner... aussitôt mes paupières deviendront lourdes, et si je voulais ouvrir les yeux, je n'y arriverais pas... la prochaine fois je m'endormirai rapidement... je n'aurai aucune difficulté à m'endormir... je m'endormirai d'un sommeil profond... et à chaque fois je dormirai de plus en plus vite... de plus en plus profondément... et, bientôt je pourrai m'endormir à volonté... facilement... de plus en plus vite... de plus en plus profondément... »*

L'hypnotiseur utilise des formules similaires après vous avoir plongé dans le sommeil ; ensuite, vous vous mettrez en hypnose avec la plus grande facilité. *C'est pourquoi il est inconcevable que cette technique ne soit pas préférentiellement utilisée dans les cas d'insomnie.*

L'hypnophorèse permet au praticien, peu rompu à la pratique de l'hypnose, de préparer la personne à l'auto-hypnotisation, par post-suggestion, *afin qu'elle en recueille ensuite par ses propres moyens le maximum d'avantages.* Il n'intervient qu'après une quinzaine de minutes pour, *prenant le relais de l'enregistrement,* délivrer les post-suggestions *qui verront leur accomplissement.* Vous pouvez procéder d'une manière analogue avec l'enregistrement « infra-hypnose » qui vous donne la possibilité d'enregistrer vous-même les post-sugges-tions nécessaires. Quand elles ont donné les résultats escomptés, vous les effacez pour enregistrer d'autres formules consacrées à l'autosuggestion.

Les données que vous trouverez dans la suite de l'ouvrage, notamment celles concernant l'éducation sensorielle et l'imagerie mentale, perfectionneront encore vos capacités à l'auto-hypnotisation. *Ces techniques participent de l'autosuggestion sans laquelle l'auto-hypnose n'aurait qu'un intérêt limité.*

9. L'autosuggestion

Beaucoup d'auteurs font une regrettable confusion entre l'auto-suggestion et l'auto-hypnose ; plus nombreux encore, sont ceux qui, à l'exemple de la *sophrologie* (dont le vocable dissimule les emprunts faits à la relaxation et à l'hypnotisme), ont présenté l'autosuggestion de Coué sous la terminologie de l'auto-hypnose. Or, *il s'agit en réalité de deux choses différentes,* ainsi que nous le montrons dans ce livre. **L'auto-hypnose ne sert qu'à effacer le conscient, c'est-à-dire, à s'endormir,** alors que *l'autosuggestion est également utilisable à l'état de veille,* bien que moins efficace que dans l'hypnose. Si des êtres d'exception (tel Edgard Cayce) ont pu obtenir certains phénomènes à partir de l'auto-hypnose, il n'en reste pas moins que ces capacités sont hors du commun, car n'oublions pas **que la médiumnité se révèle dans la majorité des cas spontanément** et que, si elle peut être culti-vée, elle ne conduira pas aux mêmes résultats que lorsqu'elle est innée. D'ailleurs, beaucoup de médiums ont une ascendance de voyants. *L'autosuggestion est bien une discipline spécifique dont on ne saurait, sans mauvaise foi, controverser l'originalité.* Qu'on lui donne telle ou telle appellation *ne change rien aux moyens utilisés* dont on reconnaît la similitude.

C'est Emile Coué, né à Troyes, mort à l'âge de 69 ans en 1926, qui consacra une grande partie de son existence à l'autosuggestion, publiant un ouvrage qui rencontra un vif succès : *La Maîtrise de soi-même par l'autosuggestion consciente.* D'abord pharmacien à Nancy, il ouvrit une clinique dans cette ville pour l'application de ses méthodes et fit de nombreuses conférences à travers le monde. Il enseignait ses principes à l'assistance, les participants reproduisant chez eux les techniques qu'ils avaient apprises. Coué, bien que connaissant l'hypnose, n'essayait pas d'endormir ; il ne recherchait pas davantage systématiquement la décontraction. D'ailleurs, il commençait la séance par cette formule : « *Asseyez-vous et fermez les yeux. Je ne veux pas essayer de vous endormir, c'est inutile.* » Coué obtenait cependant des résultats étonnants, tant dans le domaine de la psychothérapie que dans celui de nombreuses affections dont on ne faisait que soupçonner, à ce moment, qu'elles procédaient de l'effet psychosomatique. **Ce succès participait, à notre sens, d'une plus grande crédibilité,** les gens ayant l'esprit moins critique que de nos jours, et de l'ascendant de Coué qui, aux dires de ceux qui l'ont connu, *possédait une très forte personnalité.*

Il n'est effectivement pas besoin d'en être averti pour subir les effets de la suggestion ; la publicité en est un témoignage. Que nous le voulions ou non, nous la subissons et sa répétition en fait l'impact. La publicité d'un produit de grande consommation est orchestrée de telle manière qu'elle apparaît simultanément, sous la même forme (matraquage) à la télévision, à la radio, dans la presse, sur les murs, et sous forme d'interviews de vedettes en des publicités déguisées.

A chaque moment nous nous suggestionnons nous-même. C'est ainsi, nous y reviendrons, au sujet de la maladie. Si, en nous levant, nous pensons : « *Ce matin je suis mal fichu »,* souvent sans raison parce qu'un problème nous préoccupe, il y a beaucoup de chances pour que nous soyons en mauvaise forme le reste de la journée. **L'idée a aussi la propriété, quand elle est soutenue par l'émotion, de déclencher des mécanismes physiologiques surprenants.** Nous n'en donnerons qu'un exemple mais typique. Le cas est rapporté par Charles Baudoin qui le tient de Gillet. Il s'agit, nous dit l'auteur, d'un asthmatique qu'un accès d'étouffement réveille en sursaut, dans une chambre d'hôtel, au cours d'un voyage de vacances : « *Il se lève angoissé, cherche éperdument des allumettes introuvables. Il voudrait aspirer largement l'air sauveur. Où est la fenêtre, mon Dieu ! Oh ! ces hôtels de troisième ordre, où l'on s'installe le soir sans reconnaître exactement les lieux ! L'asthme l'étreint ; de l'air, de l'air ! A tâtons, il trouve enfin une surface vitrée. Pas de crémone. Tant pis ! Il* *enfonce la glace, les débris s'écroulent : il aspire à longs traits la vie ; sa poitrine se gonfle, ses artères battent moins vite aux tempes ; il se couche. Sauvé !... Le lendemain, l'hôte mentionne sur la note : Pour la boîte à horloge démolie, 4,35 F* (19). »

Notons que dans cet exemple *toutes les conditions requises pour une autosuggestion efficace sont réunies :* l'**émotion** (il faut trouver une issue à tout prix, la vie en dépend), le **soulagement** qu'apporte habituellement l'air frais, **l'idée seule de cet air libérateur** l'a fait sentir avec sa fraîcheur, comme si une fenêtre avait été réellement ouverte, **le bruit de la glace brisée renforçant la suggestion.** Nous aurions pu obtenir les mêmes effets en hétéro-hypnose, avec un bon sujet en lui suggérant l'aisance respiratoire au sein d'une atmosphère alpestre, mais l'échec eût été possible avec une personne non accoutumée à l'hypnotisation ; **la post-suggestion qui se fait hors des crises est de loin préférable.**

10. Le mécanisme de l'autosuggestion

Charles Baudoin que nous venons de citer a eu le mérite de reconnaître les travaux de Coué, alors que ce dernier fut souvent — à tort — tourné en dérision avec sa célèbre formule « *Tous les jours, à tous points de vue, je vais de mieux en mieux* », et son non moins célèbre terme pour vaincre la douleur : « *Ça passe.* » C'est oublier, ainsi que nous l'avons déjà indiqué, que **le subconscient trouve lui-même les voies de l'adaptation aux états les plus spécifiques** pour lesquels il doit intervenir, alors que le conscient en est encore ignorant. Cet auteur a encore eu le mérite d'énoncer certaines lois *qui éclairent les processus de l'action autosuggestionnante.* Ce sont : **la loi de l'attention concentrée** et **la loi de l'effort converti.**

Pierre Janet avait déjà affirmé que l'attention qui préside à la suggestion n'est pas le produit de l'effort volontaire. Et pour Baudoin « *la suggestion procède avant tout d'un acte d'attention exclusive ou concentrée* ». Il semble qu'il y ait là un paradoxe car, pour celui qui n'a jamais expérimenté la suggestion sur lui-même, l'attention, et *a fortiori* la concentration, demandent un effort de la volonté. Ce n'est pas précisément cela et nous comprenons ce que veut dire Baudoin,

19. C.-H. Baudoin : *Suggestion et autosuggestion* (Editions Nestlié).

quand on se réfère à la technique du vide mental. *Il s'agit, en fait, de déconnecter la volonté qui participe de la conscience tout en conservant le contrôle du mental* pour ne laisser subsister dans le champ de la pensée qu'une seule image, c'est-à-dire **réaliser le monoïdéisme.** Cela devient possible par l'entraînement qui consiste à faire intervenir fréquemment le subconscient, *sans pour autant faire un effort volontaire qui serait contrariant.* Mais un exemple fera mieux comprendre ce mécanisme qui, en dehors de l'expérimentation, peut paraître obscur. Prenons pour démonstration un cas typiquement psychosomatique : *la constipation spasmodique.* La personne qui se croit constipée, se présente à la garde-robe chaque matin ; elle y séjourne longuement, souvent sans résultat, et cependant fait des efforts considérables pour l'exonération de son intestin. *Ce sont justement ces efforts volontaires qu'il ne faudrait pas qu'elle fît.* Que se passe-t-il ? Elle veut y arriver et d'autant plus vite qu'elle n'a pas de temps à perdre. Plus elle tend sa volonté, plus elle sent que malgré le sentiment de plénitude sigmoïde (côlon) qu'elle éprouve, *son sphincter anal se contracte,* se durcit, lui donnant l'impression « *d'être bouchée* ». Or, si un sphincter anal décontracté peut connaître une forte distension sans douleur, il possède par contre dans la contraction une force puissante qu'on a comparée à celle d'un poing crispé. Cette personne se rendant compte de l'inanité de ses efforts, va-t-elle les interrompre en pensant à autre chose ? *Le résultat sera tout aussi négatif.* Pour que la défécation se fasse normalement, il lui faudra *ne faire aucun effort volontaire,* mais s'abstenir aussi de lire le journal. **Pour libérer son diencéphale qui préside aux fonctions organiques,** elle devra se détendre — particulièrement la partie terminale du tube digestif — et *imaginer le parcours des matières dans le gros intestin* (voir page 326). Alors le péristaltisme de l'intestin s'intensifiera accentuant la migration du bol fécal, cependant que les sphincters se détendront pour lui faciliter le passage. Il s'agit donc effectivement du maintien sans effort volontaire, mais aussi sans défaillance, *d'une pensée qu'on associe à l'instauration intime et précise d'un état de détente* soit musculo-organique, soit mental. Cela devient aisé et coutumier pour qui s'entraîne systématiquement à l'autosuggestion visant à exercer une action sur les grandes fonctions. Le processus par exemple *est similaire* dans *l'inhibition sexuelle, l'accouchement* qui se trouve grandement facilité lorsque la parturiente a pris conscience de ce mécanisme (20).

---

20. Self-méthode en cassette C 60 : « Grossesse et accouchement ».

11. La loi de l'effort converti

Charles Baudoin en donne la définition suivante : « *Lorsqu'une idée a déclenché une suggestion, et tant que cette idée domine l'esprit, tous les efforts que le sujet peut faire contre la suggestion déclenchée ne servent qu'à activer celle-ci.* »

Cette formule est riche d'enseignements et, très justement, son auteur remarque : « *Toujours les victimes d'une passion ou d'une habitude, depuis les amoureux qui ne voudraient pas l'être, jusqu'aux ivrognes qui ne voudraient plus boire, ont raillé la vanité de l'effort. Lorsqu'on leur prêche sur tous les tons, que vouloir, c'est pouvoir, ils ont l'impression de n'être pas compris et se détournent avec un haussement d'épaules. Ils n'ont pas tout à fait tort...* »

Ces paroles sont remarquablement illustrées chez le psychasthénique. Ses proches qui lui répètent sur tous les tons : « *Tu devrais faire un effort sur toi-même... tu n'as qu'à avoir de la volonté... tu devrais montrer plus d'énergie... etc.* », ne font qu'aggraver son état, car ce n'est pas au conscient qu'il faut s'adresser — *du moins dans un premier temps* — mais au subconscient duquel il faut extirper les racines de la névrose avant d'implanter un nouveau conditionnement (voir chap. V). **L'échec de l'autosuggestion** peut provenir de la confusion qui pourrait se produire dans l'esprit du pratiquant entre l'action subconsciente et l'action volontaire, *cette dernière ne devant intervenir qu'ensuite, lorsque l'effort converti en opposition a été annihilé* et que des réflexes conditionnés de détente se sont substitués aux état tensionnels résultant des problèmes existentiels, facteurs d'angoisse. C'est la raison qui nous a fait, dès l'origine de la relaxation psychosomatique, choisir la voie subconsciente plutôt que celle d'une prise de conscience prématurée *conduisant à l'échec, du fait même de cette loi de l'effort converti* sur laquelle Baudoin a mis l'accent.

12. De l'émotion et de la motivation

Rien de grand ne se fait sans passion, et d'ailleurs, *sans passion, la vie ne vaudrait pas la peine d'être vécue.* C'est que la passion participe de l'émotion et qu'en tant que telle, **elle dynamise le pouvoir de**

la pensée, développe et soutient la motivation. Mais il en est des passions comme de la langue d'Esope... Par nos pulsions, nous sommes souvent davantage attirés par ce qui fait le piment de la vie que par ses contraintes. Cependant, *nous pouvons sublimer nos passions* ; même dans la passion amoureuse, la plus puissante de toutes car elle obnubile la raison, *en en faisant le moteur de l'efficience dans la vie* (21). **La passion est bouleversante,** c'est elle qui exalte nos forces vives. Participant de l'émotion, elle intensifie et focalise la pensée. S'abreuvant aux sources de l'amour comme à celles de la haine, *elle développe des ondes psychiques qui permettent d'exercer des influences déterminantes sur notre environnement et notre destin.*

Dans un ouvrage précédent cité, je relatais une observation mettant en évidence le pouvoir de la pensée, fût-elle maléfique : « *Le docteur Récamier entra chez le paysan malade et lui adressa des questions sur l'origine de son mal. Le charron répondit que sa maladie provenait du manque de sommeil : il ne pouvait dormir parce qu'un chaudronnier qui demeurait à l'autre bout du village, à qui il avait refusé de donner sa fille en mariage, l'en empêchait en frappant toute la nuit sur ses chaudrons. Le docteur alla trouver le chaudronnier, et sans préambule, il lui dit : " Pourquoi frappes-tu toute la nuit sur ton chaudron ? — Pardienne, répondit-il, c'est pour empêcher Nicolas de dormir. — Comment Nicolas peut-il t'entendre puisqu'il demeure à une demi-lieue d'ici ? — Oh ! Oh ! reprit le paysan en souriant d'un air malin, je savons ben qu'il entend. " M. Récamier enjoignit au chaudronnier de cesser son tapage en le menaçant de le faire poursuivre si le malade venait à mourir. La nuit suivante le charron dormit paisiblement. Quelques jours après, il reprit ses occupations.* »

« *On conçoit qu'entre une pensée fugitive, évanescente, formulée dans l'ignorance de sa puissance balistique et une pensée concentrée, ardente et soutenue, émise avec vigueur dans un but bien déterminé et dans la connaissance de son pouvoir dynamique,* écrivions-nous dans *Techniques et pratique de l'hypnotisme, il puisse se produire des résultats très dissemblables. Dans le premier cas on peut comparer la pensée à un jet d'eau qui serait mollement alimenté par une pression insuffisante, qui retomberait en s'éparpillant aussitôt sorti de la lance d'arrosage ; dans le second cas, celui de la pensée dynamique, à un jet continu et puissant. Comme la pensée se trouve alors projetée avec force vers sa destination, qu'elle soit dirigée en dedans de soi (autosuggestion) ou à l'extérieur vers un objectif préalablement défini, elle acquiert une puissance irrésistible.* »

---

21. Voir, de Céline Gérent : *Le Guide du savoir-vivre sexuel* (Éditions Dangles).

Effectivement, **la pensée peut être utilisée consciemment lorsqu'on est devenu maître de son mental,** ce qu'implique la qualité d'hypnoticien. Dans ce cas elle ne peut que renforcer l'ensemencement du subconscient.

Qu'il s'agisse d'autosuggestion volontaire ou de celle effectuée en infra ou en auto-hypnose, **une puissante motivation conditionne son efficacité.** Or, c'est la charge affective et émotionnelle qui la développe. C'est elle qui renforce la conviction, qui donne à l'évocation mentale quelle que soit la forme qu'elle emprunte, son impact sur le subconscient. *Sans ce stimulus initial, les formules utilisées ne pourront qu'être évanescentes et sans vigueur.* C'est pourquoi il faut d'abord, avant d'entreprendre l'autosuggestion, se mettre en condition. Il faut, en un mot, **être puissamment motivé.** Pour soutenir cette motivation la discipline préalable à toute autosuggestion spécifique consiste à acquérir ou renforcer les qualités positives qui permettront ensuite, dans la prise de conscience des problèmes personnels, *de s'exalter dans la poursuite des buts que l'on se sera assigné.* Ces qualités que nous rechercherons en priorité sont la **volonté,** la **persévérance,** l'**enthousiasme** sans lesquels toute entreprise est vouée à l'échec. Voyons maintenant les moyens à employer pour les développer par l'autosuggestion.

13. Les modalités de l'autosuggestion

Nombreux sont les procédés qui ont été proposés pour s'autosuggestionner. Nous les indiquerons sommairement, nous attardant ensuite sur ceux qui nous sont personnels et que nous considérons comme les plus efficaces, *grâce au recours à l'enregistrement que nous associons à l'imagerie mentale.* Cependant le lecteur peut renforcer cette méthode en s'essayant à la maîtrise de ces procédés diversifiés, dont beaucoup s'adressant au conscient, superposent leur efficacité à ceux qui utilisent préférentiellement les possibilités du subconscient.

Nous ferons donc une discrimination entre les trois modalités de l'autosuggestion, à savoir : l'*autosuggestion consciente* qui ne doit cependant pas faire intervenir la volonté, mais pendant laquelle le conscient garde sa vigilance, l'*autosuggestion subconsciente* où l'on recherche les états qui s'échelonnent de l'hypnose superficielle à l'infra-hypnose et l'*autosuggestion sous hypnose* pendant laquelle les effets s'exercent au cours du sommeil artificiel autoprovoqué, principalement par l'enregistrement.

a) L'autosuggestion consciente

Il vous faut éviter toute crispation ; vous vous mettez donc en état de détente neuro-musculaire (vous devez y parvenir d'emblée si vous vous y êtes bien entraîné). **Ne fournissez aucun effort de volonté,** car alors vous feriez jouer le réflexe d'effort converti. Dites toujours « ... *Je suis, j'ai, je possède, etc.* » D'ailleurs les formules que je donne (voir chap. V) vous accoutumeront à ce langage. *C'est dans un état de passivité que vous vous exercerez à l'autosuggestion consciente.* Les exercices de vide mental, ceux de l'imagerie intérieure que j'exposerai bientôt, vous prépareront à l'obtention de cet état. Bien entendu cette considération implique, lorsque vous ferez une séance d'autosuggestion, de disposer d'un temps suffisant *pour écarter toute hâte de la terminer,* ce qui développerait un état tensionnel. Dans l'autosuggestion consciente, certains moyens sont spécifiques, d'autres exigent l'association de certaines modalités. Vous pouvez par exemple n'utiliser que l'écriture ou y adjoindre la parole, ainsi que nous allons le voir.

b) L'autosuggestion scripturale

La graphologie est une science exacte. Le spécialiste expérimenté sait définir le caractère et le tempérament d'un individu par l'examen de son écriture. *Aussi, de modifier son écriture volontairement en s'efforçant d'y inclure les indices manifestes des qualités qu'on désire obtenir développe les facultés correspondantes.* Voici un exemple sommaire (22) : de substituer à une écriture aux lignes allant en descendant *(indice de pessimisme et de découragement)* une écriture aux lignes ascendantes *(indice de flux vital, donc d'optimisme et d'enthousiasme)* est susceptible d'améliorer le climat moral. D'écrire des formules autosuggestionnantes adaptées aux modifications comportementales qu'on recherche **constitue une autosuggestion** qui, pour être consciente, n'en est pas moins efficace en ce qui concerne l'épanouissement de la personnalité. Surtout si on y associe, nous ne

---

22. La Psycho-Morpho-Synthèse (méthode de l'auteur).

l'avons jamais vu conseiller, certaines modifications de son écriture après s'être initié à certaines lois graphologiques fondamentales.

Les phrases que vous élaborerez doivent être concises. Reprenons l'exemple ci-dessus. Vous pouvez adopter la formule suivante : « *Je suis plein d'énergie... rempli d'enthousiasme... heureux de vivre pleinement...* » Efforcez-vous, **en écrivant ces mots sans arrêt,** de les écrire avec des lignes ascendantes aussi rigides que possible, d'une écriture ferme aux T bien barrés et au graphisme assez appuyé. A n'en pas douter, cela contribuera *à fortifier votre volonté et à vous doter d'une énergie enthousiaste.* Notons que la vue des mots que vous tracez représente une **autosuggestion visuelle** qui ajoute aux formules que vous couchez sur le papier. Dans le même ordre d'idées, vous pouvez composer au crayon feutre des **tableaux bien visibles,** les mettre au mur ou les regarder avant de dormir. En écrivant en *rouge,* vous chargerez le procédé d'un plus grand pouvoir dynamique ; mais dans le cas où les formules devraient exercer une action calmante, vous devriez les écrire en *bleu (psychodiovisuel).*

c) L'autosuggestion verbale

Admettons que vous vouliez encore renforcer l'autosuggestion scripturale ; vous pouvez, aux moyens précités, ajouter l'impact de la suggestion parlée. *En même temps que vous écrivez,* prononcez les mots à mi-voix ou à haute voix. Vous pourriez d'ailleurs enregistrer les formules et les faire passer sur votre magnétophone pendant que vous écrivez. Dans ce cas, enregistrez comme le maître qui énonce une dictée : « *Je suis... je suis... je suis... plein... plein... d'énergie... d'énergie... »,* que vous puissiez écrire à votre cadence. Si vous ajoutez une sorte de passion interne à ce que vous écrivez et prononcez, *vous rendez l'autosuggestion encore plus efficace.*

L'autosuggestion verbale se fait également à l'exclusion de tout autre moyen. Son intérêt est qu'elle peut avoir lieu à tout moment. Ayant composé votre formule *(qui est courte et apprise par cœur),* répétez-la dans la position relaxe assise ou couchée. « *Faites d'abord le vide* » puis prononcez les formules. Faut-il parler à voix haute ou seulement à mi-voix ? **De les prononcer à mi-voix assez lentement présente l'intérêt de mieux visualiser intérieurement les formules ou les situations.** Dans la répétition à voix haute — *ce qui ne veut pas dire qu'il faille crier* — le débit doit être plus rapide. Il n'est pas nécessaire dans ce choix d'associer l'imagerie mentale dont nous traitons plus loin. **La rapidité du débit crée le monoïdéisme,** empêche les idées parasitaires de s'interposer et d'égarer l'esprit. Nous avons d'ailleurs souligné le phénomène à propos de l'auto-hypnotisation et l'avons utilisé pour certains de nos enregistrements à l'usage des professionnels.

Ayez fréquemment recours à l'autosuggestion verbale. Même dans le cours de votre activité, quand vous avez un moment de répit, si vous êtes seul, *détendez-vous et prononcez vos formules habituelles ;* faites-vous de la marche en forêt ? Personne ne vous voit, profitez-en pour vous autosuggestionner. Ainsi vous consoliderez l'autosuggestion faite en infra-hypnose.

La répétition des formules à mi-voix au moment de s'endormir est une excellente habitude. Si vous avez du mal à dormir, une tendance à l'insomnie (23), *commencez par répéter les formules rapidement à mi-voix,* puis ralentissez le débit de plus en plus. Bientôt, votre langue se paralysera, vous ne ferez plus que bredouiller, et vous vous endormirez irrésistiblement. Cela vaut mieux que « *de compter les moutons ».* C'est aussi plus efficace, car pendant votre sommeil, *votre subconscient travaillera pour vous* et réalisera effectivement ce dont vous l'avez ensemencé. De même, vous bénéficierez de votre éveil, au moment où vous n'avez pas encore repris pleinement conscience, *pour reprendre les formules de la veille.* Faites l'opération inverse en murmurant d'abord et en parlant ensuite de plus en plus distinctement. Il va s'en dire que tous ces conseils seront adaptés à vos conditions de vie, à vos goûts et habitudes. *La diversité des techniques que je vous donne offre un choix suffisant pour ne pas subir de contraintes.*

d) L'autosuggestion subconsciente

Dans cette perspective, le conscient est plus ou moins présent. C'est déjà le cas d'un effacement presque total de la conscience quand vous vous endormez ; le moment précis où l'on s'endort est pratiquement impossible à percevoir. De même, dans le basculement, quand « *on se laisse aller »,* on ne se rend pas compte qu'on bascule dans l'hypnose. Aussi est-ce juste avant qu'il vous faut « *faire machine arrière »* pour pouvoir vous autosuggestionner en infra-hypnose, *état idéal pour avoir accès au subconscient sans abandonner*

---

23. Marcel Rouet : *Dormir enfin sans problèmes* (épuisé), et cassette C-60 : « Enfin dormir ».

tout contrôle. Cet état particulier, extrêmement reposant, vous permet, quand vous y accédez, de « *meubler* » votre espace mental d'images que vous aurez préalablement arrêtées en fonction de vos objectifs. Mais pour que cette « *imagerie mentale* » porte pleinement ses fruits, il faut vous livrer à ce que j'ai appelé « *l'éducation sensualisante* », et à la gymnastique mentale en découlant.

14. L'éducation sensualisante

J'ai montré dans l'un de mes ouvrages de sexologie (24) comment il est possible d'exalter la perception de chacun des sens participant de l'éducation érotique, du développement de la sensibilité des zones érogènes. Voici un passage de cet ouvrage qui met l'accent sur la subtilité de l'odorat : « *... la perception sensorielle est le plus souvent inconsciente ; nous percevons les odeurs sans qu'elles nous émeuvent spécialement et surtout nous ne retirons pas la quintessence des effluves agréables. C'est un peu comme un quidam dont le goût n'a pas été formé, par rapport à l'amateur de grands crus qui hume des vins avec délice pour en discerner les plus subtiles senteurs.* »

Je donnais de nombreux moyens d'aiguiser les sens par le jeu érotique. Ce n'est pas ici notre propos, mais le conseil « *de respirer des substances diverses de moins en moins odorantes pour les identifier de mieux en mieux* » est néanmoins valable.

L'aptitude du praticien à hypnotiser réside pour beaucoup dans sa capacité à « **visualiser intérieurement** » les effets qu'il veut produire. C'est pourquoi j'ai donné dans *Techniques et pratique de l'hypnotisme* (25) toute une liste d'exercices permettant de développer cette capacité. Je ne donnerai qu'un exemple concernant chacun de nos sens, le lecteur pouvant l'extrapoler à des recherches personnelles.

Sensation gustative. Efforcez-vous de vous remémorer la saveur d'un mets que vous aimez tout particulièrement ou d'un aliment, des fraises par exemple. En prolongeant l'exercice, vous devez « *sentir* »

---

24. Marcel Rouet : *Les Stimulants de l'amour* (épuisé), et cassette C-60 : « L'épanouissement sensuel de la femme ».
25. Consulter également, de P.-C. Jagot : *Méthode pratique de Magnétisme, Hypnotisme, Suggestion* (Éditions Dangles).

réellement la saveur du mets que vous évoquez. L'exercice maîtrisé provoque une abondante salivation.

Sensation olfactive. Remémorez-vous le parfum de votre fleur préférée. En supposant qu'il s'agisse d'une rose, vous devez en recréer le parfum comme si vous respiriez réellement cette fleur délicate. Efforcez-vous de prolonger cette senteur, de la conserver, de l'intensifier.

Sensation auditive. Pensez à une voix que vous connaissez bien et que vous entendez fréquemment. Prêtez à la personne des paroles que vous aimeriez entendre, que sa voix devienne hallucinante de vérité.

Sensation visuelle. Imaginez des drapeaux, et aussi des cartés à jouer, avec leurs couleurs, en commençant par les plus simples, par exemple le drapeau tricolore, l'as de cœur, et acharnez-vous à les restituer sur l'écran de votre pensée et à les y maintenir.

Sensation tactile. Regardez l'extrémité des doigts de l'une de vos mains et pensez que vous éprouvez des fourmillements à la pulpe des doigts. Accentuez le plus possible la sensation que vous éprouvez, et transférez ensuite cette sensation aux doigts de l'autre main.

L'élargissement du champ de conscience procède — pour nous — de cette éducation sensorielle et non seulement de la méditation.

Aiguiser chacun de vos sens va en outre vous permettre *de jouir pleinement de l'existence,* qu'il s'agisse d'éprouver les sensations les plus intenses dans l'étreinte de l'être aimé, de goûter la saveur de mets raffinés ou de communier par tous les organes sensoriels avec la nature. Arrêtons-nous à ce dernier exemple. Combien de promeneurs du dimanche, en forêt, ne savent pas profiter des bienfaits de l'environnement. *Ouvrez pleinement vos organes sensoriels* (c'est en même temps les éduquer) pour humer l'air pur, le sentir pénétrer dans les poumons, éprouver la caresse ou le fouet du vent, discerner toutes les effluves des plantes et des arbres, caresser la peau rugueuse de ces derniers, se repaître enfin des mille couleurs de la nature qui vous libèrent de la grisaille de la ville. *Ce peut être aussi l'occasion pour le couple de rompre la monotonie des rapports conjugaux* en communiant ensemble charnellement, mais aussi psychiquement *par l'intégration aux forces vives universelles* qu'on ne saurait percevoir sans cette éducation sensorielle que nous préconisons (26).

---

26. Marcel Rouet : *Les Stimulants de l'amour* (épuisé).

15. L'imagerie mentale

De la subtilité sensorielle dépend la netteté et le relief de l'image mentale ainsi que, pour plus tard, la fidélité de nos souvenirs. Le maintien dans le champ de la pensée, nous l'avons vu, est conditionné par la concentration.

Il vous reste à devenir expert dans le maniement de l'image mentale ; c'est à *une authentique gymnastique de l'esprit* que je vous convie, car les exercices de concentration n'avaient qu'un but : *vous permettre de former sur votre écran mental une vision hallucinante et l'y maintenir longuement,* de manière que, comme dans la concentration, cette possibilité de la faire durer au-delà de cinq minutes favorise *sa netteté, son relief, sa fidélité au vécu et au réel.* Dans la formation de l'image, la volonté est loin de jouer le rôle primordial ; il s'agit plutôt du maintien passif, *mais sans faiblesse* de l'image mentale. Ce qui, dans les débuts, exige une certaine attention, crée bientôt l'automatisme de ce maintien. A ce moment l'image reste présente, ne tend plus à l'évanescence comme aux premiers temps de l'entraînement.

Un excellent moyen pour exercer l'esprit à la permanence de l'image est que vous imaginiez — *les yeux fermés* — un écran noir au fond de votre pensée, cela dans une pièce obscure, et que dès qu'une idée veut s'y inscrire, *vous la chassiez impitoyablement* comme on met dehors une intruse. Au début, il se peut que vous ne puissiez laisser votre écran vierge que quelques instants. Dans ce cas, reposez-vous et recommencez. Si cela vous semble trop ardu, que vous ne puissiez excéder une durée de deux minutes par exemple, *c'est que vos facultés d'attention ont besoin d'être développées.* Vous n'y parviendrez pas par la volonté. Cultivez d'abord cette faculté par l'autosuggestion consciente et par l'auto-hypnose associée à l'enregistrement, particulièrement par l'autopost-suggestion (voir les formules au chap. V). Car n'oubliez pas que si, dans la passivité du corps et de l'esprit, vous maintenez des images vous représentant muni de certains pouvoirs, **vous renforcez votre conviction en ces capacités ou vous les développez** si elles ne sont qu'à l'état potentiel.

Dans l'état de passivité, **sans effort volontaire,** vous faites apparaître l'image mentale. Plusieurs modalités s'offrent à votre choix : le défilement de phrases s'inscrivant comme les annonces lumineuses qu'on lit en haut de certains immeubles, soit en blanc sur écran noir, soit en noir sur écran blanc. Vous pouvez aussi laisser ces phrases immobiles, sans défilement ; c'est un procédé visuel. Un autre moyen consiste à « *entendre* » les paroles comme si quelqu'un les prononçait réellement ; c'est un procédé auditif. Il va sans dire que vous pouvez associer les deux procédés : *visionner les formules en entendant les paroles résonner dans votre tête.*

a) La fantasmagorie des couleurs

Elle participe de la *chromopsychie*. Nous avons évoqué les effets psycho-physiologiques de la couleur en traitant succinctement de nos méthodes de *psychodiovisuel*. Vous pouvez les étendre à l'autosuggestion infra-hypnotique. Mais pour cela, il vous faut apprendre *à jongler mentalement avec la gamme chromatique.* Sans entrer dans le détail du psychodiovisuel (27), nous donnerons quelques indications, le lecteur pouvant approfondir le sujet par la consultation d'ouvrages spécialisés (28), les précisions qui suivent étant extraites de l'un d'eux. Le docteur Albert Leprince relate l'expérience d'un médecin anglais qui apporte la preuve de l'influence des couleurs sur notre organisme : « ... *si on présente successivement à une personne les sept couleurs du spectre, on note que le pouls réagit différemment pour chacune d'elles. Il s'accélérerait dès que vous voyez la couleur qui ne vous convient pas* ». Toutefois, nous pensons que cette observation, si intéressante qu'elle soit, demande à être interprétée. Si nous prenons l'exemple de l'impuissance masculine, si celle-ci est physiologique, qu'elle provienne de la fatigue, d'un manque de tonus, la gamme des rouges relèvera ce tonus ; mais s'il s'agit, *comme c'est le plus souvent le cas* (29), d'une inhibition provenant d'une émotivité morbide, le bleu et le vert seront plus indiqués.

Plus pertinente est une autre observation recueillie par cet auteur : « ... *le professeur Lüscher qui, interrogeant des sujets sur leur couleur préférée, sympathique, indifférente ou nettement antipathique, en a tiré des conclusions concernant le tempérament ou le psychisme des individus examinés. C'est ainsi que le violet indiquerait un caractère indécis ; le bleu un caractère sentimental ; le vert un caractère ferme et précis ; le jaune un caractère naturellement gai ;*

---

27. Méthode de l'auteur pour professionnels (déposée).
28. Gérard Edde : *Les Couleurs pour votre santé* (Éditions Dangles) et docteur C. Agrapart : *Guide thérapeutique des couleurs* (Éditions Dangles).
29. Marcel Rouet : *Virilité et puissance sexuelle* (épuisé).

tandis que le rouge correspondrait à une volonté et à un désir d'arriver ».

Ainsi en ce qui concerne l'image mentale, il n'est pas indifférent d'y associer la couleur ; il en est de même pour les textes à « *visionner* » qui peuvent s'inscrire dans la couleur adéquate aux résultats qu'on veut obtenir.

J'ai largement développé dans un récent ouvrage consacré à la cellulite (30) l'influence psychophysique des couleurs. J'en extrais quelques indications qui vont nous permettre d'énoncer les couleurs du spectre : le *violet* serait favorable à la détente et à la méditation, l'*indigo,* qu'on peut assimiler au bleu nuit, favorise la relaxation, le *bleu* est sédatif et il induit l'endormissement, le *vert* apaise les tensions, équilibre le système nerveux, le *jaune* aiguillonne l'activité intellectuelle, l'*orange* a des propriétés tonifiantes, le *rouge* favorise l'action dynamique, mais son abus peut provoquer une dangereuse excitation.

Nous verrons, dans le chap. VII consacré à la maladie, l'influence qu'exercent les couleurs sur les organes au niveau des chakras pour rétablir l'équilibre énergétique, et par cela contribuer à la guérison.

Vous allez donc **vous exercer à la visualisation intérieure des couleurs.** Procédez par étapes. Faites apparaître (sur l'écran de votre pensée) les couleurs fondamentales après vous être exercé au noir et au blanc. Ce sont, comme vous ne l'ignorez pas, le *bleu,* le *vert* et le *rouge.* Voici comment vous pouvez opérer dans le cas où vous auriez quelque difficulté à « les voir ». Procédez par association. Au *bleu,* associez le bleu de France du drapeau ; au *vert,* une pelouse en gazon anglais ; au *rouge,* le cœur du jeu de cartes. Maintenez les couleurs, mais procédez aussi *par des substitutions* de plus en plus rapides, remplaçant par exemple brusquement le bleu par le rouge. *Procédez ensuite par nuances,* comme nous le faisons en fondu-enchaîné. Passez lentement *du rouge au rose soutenu,* puis de plus en plus pâle, jusqu'au blanc ; *du bleu clair,* qui peut être le ciel azuréen, *progressivement jusqu'au violet,* puis au noir. Faites ensuite l'opération inverse. De vous procurer des papiers ou cartons dans la gamme des teintes *peut vous faciliter l'exercice à vos débuts,* en les regardant préalablement.

Bien entendu vous choisirez les couleurs que vous visualiserez en fonction de leurs effets. **Comme dans ce que j'ai innové en psycho-**

---

30. *Psychosomatique de la cellulite* (Amphora).

diovisuel, vous pouvez voir un paysage, un champ et la lisière d'une forêt par exemple en bleu pour renforcer son effet relaxant ; une source imaginaire en orangé pour symboliser une énergie à laquelle vous vous abreuveriez.

Les images mentales que vous forgerez pourront s'adapter à la résolution de vos problèmes personnels, qu'il s'agisse de conflits intimes ou même d'un désir de transformation plastique, ainsi que je l'ai indiqué dans *Psychosomatique de la cellulite* (voir « Les directives du spécialiste ») : « *Il vous faut intérieurement évoluer telle que vous voulez être. Imaginez-vous plus mince, plus active, plus dynamique, portant des robes ou des pantalons moulant un corps devenu svelte. Voyez-vous en maillot à la plage, nue admirant votre nouveau corps dans la glace.* **Acharnez-vous à rendre ce défilé d'images en couleur criant de vérité.** *Vous pourrez ensuite transposer cette faculté à tout votre comportement, vous voyant à table mangeant moins* (31), *prenant des jus de fruits au lieu d'un apéritif, refusant une cigarette, ou encore vous livrant aux joies de la vie dans l'enthousiasme de vous être réconciliée avec votre corps et d'être pleinement heureuse.* »

Vous avez donc deux possibilités : *maintenir une image,* ou *les voir défiler comme au cinéma* en vous mettant en situation. En certaines névroses, une libération du subconscient pourra s'obtenir par l'évocation d'affects culpabilisants refoulés, *d'abord intensifiés pour y substituer des situations ou comportements inverses gratifiants.* Ainsi, pour un comédien, le trac poussé à son paroxysme, remplacé par l'évocation de la détente et le triomphe.

b) Les modalités d'application

Elles sont très diversifiées. C'est intentionnellement que nous avons donné cette gamme. Comme en hétéro-hypnose, *certaines personnes répondront mieux à un autre procédé* que celui que nous pouvons avoir indiqué comme nous semblant le plus efficace, ayant tenu compte de notre expérience. *C'est l'exception qui confirme la règle.*

Il est recommandé de s'entraîner à l'infra-hypnose en suivant la filière que nous avons décrite, depuis la position prise en relaxation jusqu'au vide mental, en passant par la relaxation psychosomatique. Etant parvenu au stade de l'infra-hypnose qui se signale, rappelons-le, *par le sentiment qu'il s'en faudrait d'un rien pour qu'on*

---

31. Marcel Rouet : *Maigrir par la détente nerveuse* (Editions Dangles).

basculât dans l'hypnose, de reproduire cet état en diverses positions ne peut que renforcer l'aptitude à s'endormir du sommeil artificiel.

Prenez la position mi-couchée, celle que vous pouvez obtenir dans un fauteuil de relaxation prenant toutes les positions intermédiaires. Si vous possédez ce fauteuil articulé pour se mettre en toutes positions, au moment où vous sentez, étant dans la position intermédiaire de relaxation, que vous êtes arrivé à la lisière de l'infra-hypnose, vous vous laissez basculer dans l'hypnose, en même temps que vous fermez les yeux et que vous vous laissez aller en position de relaxation (fauteuil Condor assorti de la télécommande).

La position assise est également intéressante. Vous prenez la position dite en « cocher de fiacre » décrite par Schultz (32). Etant assis genoux légèrement écartés, la partie externe des avant-bras prenant appui sur les cuisses, les muscles détendus, la tête penchée en avant, menton sur la poitrine, les yeux fermés entraînez-vous à la relaxation comme vous l'avez fait dans la position classique étant couché. Vous pouvez ainsi parvenir à l'infra-hypnose.

Il n'est pas indispensable de prendre la position de relaxation pour parvenir, soit en position semi-couchée (en disposant des coussins qui relèvent le buste), soit en position assise sur une chaise ou un petit fauteuil, à l'infra-hypnose et à l'auto-hypnose. **L'objectif qui, pour certains, peut être rapidement atteint, est d'arriver à ces états en toutes circonstances et dans le minimum de temps.** Si, dans vos débuts, vous devrez consacrer au moins une demi-heure à cette discipline, cela pendant trois semaines ou plus, à raison d'une séance par jour, vous parviendrez à réduire non seulement la durée des séances *jusqu'à vous mettre instantanément en infra-hypnose,* mais encore, leur fréquence, n'entretenant les réflexes conditionnés que lors de la recherche d'effets précis par l'autosuggestion. De vous accoutumer à l'infra-hypnose en toutes situations vous sera extrêmement bénéfique. Que ce soit dans un moyen de transport, un salon d'attente, au cours de vos occupations, etc., cette faculté vous permettra de récupérer vos énergies en moins de cinq minutes... Toute femme, tout homme d'affaires disposant d'un bureau éviterait à coup sûr le stress *en consacrant chaque jour quelques instants à la récupération de ses énergies ;* éventuellement dans un siège fonctionnel pouvant se placer aisément en position de relaxation, mais n'ayant rien d'insolite transformé en un fauteuil assorti aux autres sièges.

---

32. *Le Training autogène* (P.U.F.).

Nous verrons comment, au cours du travail, il est possible (même au sein d'un environnement défavorable) de se placer en infra-hypnose pour dissiper la fatigue accumulée par des heures de travail (voir chap. VII).

A n'en pas douter, ces disciplines permettent de freiner le vieillis-sement et de prolonger son existence de très nombreuses années (33).

L'autosuggestion peut se faire en chacune de ces modalités posi-tionnelles. Faites-la selon les techniques précédemment décrites à par-tir de la position assise ou dans la position couchée, les yeux étant fer-més. Mais vous pouvez également, et dans ce cas elle sera encore plus efficace, la faire précéder de techniques qui participent de l'auto-hypnotisation, sans aller toutefois jusqu'à la perte de conscience. Le processus est le même, **mais conservez une parcelle de vigilance** pour pouvoir ensemencer votre subconscient de formules et images corres-pondant à la réalisation de votre programme d'épanouissement per-sonnel ou de résolution de vos problèmes particuliers.

16. L'autosuggestion sous hypnose

Vous pouvez parvenir à l'hypnose en persévérant dans sa recher-che à partir de l'infra-hypnose. De même que la formation d'images mentales dans les instants précédant le sommeil naturel exerce ses effets sur le subconscient, cette opération précédant immédiatement l'auto-endormissement hypnotique **permet l'autosuggestion dans l'effacement de la conscience.** L'impact des images et formules préa-lablement arrêtées, maintenues dans le champ mental, sera encore plus fort que dans le sommeil naturel. Cela d'autant plus que vous disposerez de techniques qui, bien que n'étant pas indispensables pour s'hypnotiser, contribuent très efficacement *à vous mettre dans un état qu'on peut assimiler au somnambulisme en hétéro-hypnose.* Nous aurons donc recours au magnétophone lecteur de cassettes et nous nous inspirerons, pour l'application individuelle, de nos techni-ques psychodiovisuelles. Rappelons la technique à employer.

La cassette d'auto-hypnotisation est d'une durée de 29 minutes, dont 18 sont destinées à vous mettre en condition. Vous pouvez, après les deux minutes qui leur succèdent indiquées par un bruitage monotone, endormant, enregistrer vous-même huit à neuf minutes de

33. Marcel Rouet : *La Vie recommence à 40 ans* (Presses-Pocket).

formules sur la bande vierge — *ou qui efface votre enregistrement précédent* — selon que vous rechercherez à approfondir la relaxation en parvenant à l'hypnose, ou que vous voudrez ensemencer votre subconscient.

Pour accentuer le sommeil, enregistrez sans arrêt d'une voix monocorde, basse comme une litanie, analogue à celle de la première partie de la cassette les paroles suivantes (vous devrez commencer d'une voix pour ainsi dire imperceptible à laquelle vous donnerez progressivement davantage de volume, sans exagération, mais pour qu'elle reste toujours présente) : « ... *Mes paupières sont lourdes... lourdes... je sens ma tête qui s'engourdit... la torpeur me gagne... mes paupières sont de plus en plus lourdes... lourdes... maintenant j'ai sommeil... sommeil... mes paupières sont lourdes... de plus en plus lourdes... j'ai sommeil... je m'endors... j'ai sommeil... sommeil... je m'endors... mes paupières sont encore plus lourdes... j'ai sommeil... de plus en plus... je m'endors... etc.* »
Si vous vous êtes livré aux exercices de développement sensoriel, vous n'aurez aucune peine à vous faire éprouver les sensations que vous ressentez quand, à la suite de fatigues ou d'une longue veillée, vous « *tombez de sommeil* ». Cela facilitera beaucoup l'endormissement.

Pour l'autosuggestion, vous userez d'une autre technique. Au lieu d'écouter la bande les yeux fermés, conservez les yeux ouverts et associez la fixation dans le miroir ou le phosphène à l'audition. Soit en position demi-couchée, soit en position dite du « *cocher de fiacre* », mais la tête relevée, répétez mentalement les paroles que j'ai enregistrées pendant les dix-huit premières minutes de défilement. La fixation ou le phosphène (voir chap. III) vous feront sombrer dans le sommeil. Mais comme vous aurez préalablement enregistré vos cinq à huit ou neuf minutes d'autosuggestions, la bande continuant à se dérouler *imprégnera votre subconscient de vos propres formulations.*

Le sommeil hypnotique n'est jamais dangereux. Vous pouvez donc, le magnétophone s'étant arrêté, continuer à dormir. Si vous avez pris la précaution de penser, par exemple : « *Je m'éveillerai cinq minutes après la séance* », vous vous éveillerez certainement. Sinon, vous sortirez tout naturellement de votre sommeil. Vous avez encore la possibilité de faire suivre vos formules spécifiques autosuggestionnantes des paroles suivantes qui pourront être enregistrées pendant trente à quarante secondes avant que le défilement de la bande ne s'arrête : « ... *Je dors... mais bientôt je vais m'éveiller et... aussitôt* *que je serai réveillé... je me sentirai lucide... rempli d'énergie... complètement reposé... en pleine forme... je respirerai profondément... je m'étirerai... et... ouvrant les yeux... je reprendrai complètement mes esprits... Allons ! à 3, je vais m'éveiller complètement... 1) je respire profondément... je me réveille... je me réveille... 2) maintenant je m'étire... en levant les bras... 3) je me réveille complètement... j'ouvre les yeux... je suis pleinement réveillé...* » N'ayez pas peur de répéter les formules, d'employer les mêmes termes *(la répétition fait la force de la suggestion).*

Nous n'insisterons pas sur la forme à donner aux autosuggestions, ayant préféré apporter les précisions nécessaires en considération de la résolution des problèmes personnels qui, nous le verrons, se situent dans des catégories bien définies que vous reconnaîtrez en ce qui vous concerne ou intéresse votre entourage, afin d'adapter les formules autosuggestionnantes que vous composerez, à vos préoccupations et à vos objectifs. **Leur diversité vous permettra de les adapter à la résolution de vos problèmes en les personnalisant,** en prenant çà et là les phrases qui correspondent à votre cas spécifique (voir chap. V, VI et VII).

La résolution de vos problèmes personnels

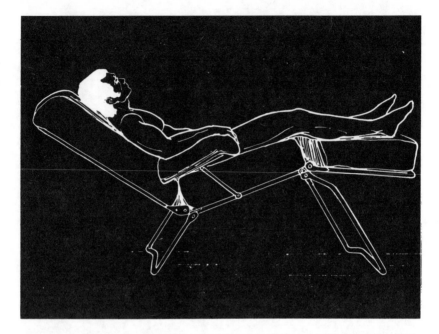

Fig. 8 : **LA RELAXATION PSYCHOSOMATIQUE ET LE RECONDITIONNE-MENT PSYCHOPHAGIQUE.** Le lecteur de cassettes à portée de main permet au particulier éloigné des Psycho-center de bénéficier des méthodes enregistrées (voir p. 135). En Psycho-center, l'adjonction du relaxophone et des soins satellites conforte l'action psychique par diverses applications médicales ou esthétiques.

CHAPITRE V

La résolution de vos problèmes psychologiques

1. Tracez-vous un plan de vie

Nous avons précédemment souligné la nécessité de se fixer un but pour développer et renforcer ses motivations. C'est la charge et la constance de ces dernières qui conditionne effectivement le maintien et le renouvellement des énergies tendues vers l'objectif à atteindre. *Encore faut-il mesurer ses forces pour ne pas se fixer des sommets inaccessibles.* N'ayant aucun goût pour la campagne, de décréter que vous serez un jour un gros propriétaire terrien serait dérisoire. D'un tempérament carbonique, raide comme un bâton, vous ne pouvez prétendre devenir champion du monde de natation. Ces exemples font comprendre qu'il est indispensable, avant d'établir un plan de vie, *de faire le bilan de ses qualités foncières,* de déterminer celles en puissance qui peuvent être révélées, et les obstacles que constituent les inhibitions, défauts, mauvaises habitudes, etc.

Dans l'optique de cet ouvrage, il est certes possible de se fixer un objectif paraissant difficile à atteindre, sans pour autant courir à un échec. **Votre subconscient peut tout si vous l'ensemencez correctement,** autrement dit si vous le *programmez.* Soyez certain que des facultés conscientes se feront jour ou se fortifieront en se modelant sur cette programmation pour que vous puissiez réaliser vos désirs, *souvent même au-delà de vos espérances.* Mais, là encore, *vous devez vous montrer réaliste :* ne pas vous fixer un objectif à atteindre trop rapidement si la distance entre votre position actuelle et celle à conquérir est très grande.

Plusieurs considérations entreront en ligne de compte pour préciser les objectifs.

a) Le tempérament

La femme ou l'homme, selon leur tempérament, doivent supputer leurs chances de réussite et concevoir leurs activités socio-professionnelles en fonction de leurs goûts et de leurs possibilités, déjà exprimées ou non. Chaque individu a en lui des éléments où le masculin et le féminin se mêlent en un cocktail aux composants diversifiés. C'est la bipolarité sexuelle, selon Jung l'*anima* qui représente la féminité intérieure chez l'homme, l'*animus* qui est spécifique de la virilité intérieure de la femme. Sans pour autant être homosexuel, un homme tout en ayant un comportement masculin dans sa relation avec les femmes, peut avoir en lui beaucoup de féminin ; c'est le cas de nombreux artistes dont la réussite provient de leur raffinement, de leur sensibilité, ainsi que des qualités intuitives qui sont l'apanage de la femme. Mais ces dernières qualités ne seront pas aussi marquées chez la femme dont l'animus tend davantage à s'exprimer ; elle sera moins féminine, mais aussi plus énergique, elle aura plus d'agressivité et sera mieux armée pour la lutte. *Chaque individu doit par conséquent choisir sa voie en fonction de ces considérations.* L'homme à fort anima ne pourra prétendre à une grande réussite dans une carrière où il lui faudrait montrer des capacités de commandement. Par contre, la femme à fort animus fera un excellent chef d'entreprise.

L'homme comme la femme doit se montrer sincère dans son auto-analyse. Les tabous qui subsistent peuvent leur faire rejeter dans l'inconscient des goûts homosexuels dans le cas où, chez eux, malgré la normalité de leurs relations hétérosexuelles, une très forte tendance leur donne une attirance qu'ils refoulent pour le même sexe que le leur. Nous verrons au chapitre consacré à la vie sexuelle comment résoudre les problèmes que posent ces inclinations *qui ne sont anormales que pour autant que les jugeant comme telles on se culpabilise.* Les reconnaître libère de ce sentiment de culpabilité.

b) L'âge

L'existence se déroule inexorablement jusqu'à la mort. Dans l'adolescence cette échéance paraît extrêmement lointaine, on a la vie devant soi... Nous avons basé nos propos sur **la loi du Karma** ; non pas pour inciter nos lecteurs à embrasser la conception hindoue de la réincarnation, *mais parce qu'elle implique le sens de la responsabilité.* Or, un philosophe a dit très justement : « *La jeunesse est la fièvre de la raison.* » Les forces instinctuelles sont puissantes, les pulsions irrésistibles quand elles sont mal contrôlées. Et, de surcroît, l'idéalisme excessif et irrationnel obnubile le sens critique et celui de la mesure. Cependant l'enthousiasme, la générosité, l'esprit de sacrifice sont des qualités qui appartiennent à la jeunesse. Aussi, l'adolescent, garçon ou fille, *se trouve-t-il déchiré entre des tendances contradictoires,* et cela, d'autant plus que des contraintes souvent abusives s'opposent à l'expression de sa jeune vitalité, dressent les obstacles du conformisme devant ses initiatives généreuses ; **il lui faut donc pactiser avec les forces hostiles qui risquent de le briser** s'il manque de discernement. La structuration de son moi ne doit donc pas s'écarter de l'équilibre à rechercher entre les pulsions du Ça et les interdits du Surmoi. S'appuyant sur ces considérations, le jeune homme et la jeune fille établiront leur plan de vie *en appréhendant avec lucidité leurs mécanismes psychologiques intimes,* les confrontant au diktat de la raison, toujours sous l'égide de la loi karmique qui veut que *les actions d'aujourd'hui forment la trame du devenir.* Les comportements de l'adolescence sont donc gros de conséquences, puisque le bonheur ou l'adversité dans l'âge adulte en dépendent. Or, dans l'adolescence, tout est possible et **il n'est pas d'obstacle qu'on ne puisse renverser ou contourner pour arriver au but qu'on s'est fixé.** Car la vie est à la fois longue et courte ; longue pour celui qui a su l'enrichir en travaillant à son épanouissement personnel, courte pour celui qui, regardant derrière lui, se désespère au déclin de l'existence de n'y trouver que le vide.

Est-ce à dire que celui qui a gâché ses jeunes années en atermoiements stériles, sans fil conducteur, sans plan de vie bien défini est irrémédiablement condamné dans l'âge adulte ou même dans l'âge mûr à la médiocrité ? Certainement pas, mais il devra mesurer le chemin qu'il lui reste encore à parcourir et se fixer des objectifs réalistes par rapports aux fautes commises dans le passé. Alors que dans la fleur de l'âge, un but, si haut placé qu'il soit, peut être atteint *en incluant dans le plan de vie des étapes plus ou moins longues* selon l'intensité et la durée des efforts à fournir.

Nous recevons des lettres qui nous montrent **que l'enthousiasme n'a pas d'âge** quand on sait le cultiver comme une fleur précieuse. C'est un abbé qui nous écrit : « *Je suis vos ouvrages depuis plus de quarante ans... j'ai 72 ans, j'ai conservé une certaine souplesse par des exercices de culture physique quotidienne... je voudrais perfec-*

tionner ma relaxation... j'ai appris que vous avez des enregistrements en cassettes... » Un autre correspondant nous dit : « *Je continue toujours à lutter pour mon idéal culturiste, même à 53 ans mes progrès sur le plan de la santé et de l'équilibre sont constants et progressent de jours en jours ; au point de vue physique mes exercices payent aussi...* » A tout âge il est possible de rompre avec les errements du passé, de se fixer un but soit matériel soit d'évolution personnelle, et de l'atteindre. Combien d'hommes, de femmes se sont remis, malgré leur âge, des revers de fortune et ont reconstruit leur bonheur ? Mais cela ne peut pas se faire sans *un plan de vie mûrement réfléchi.* S'il faut tout remettre en question, il serait insensé d'improviser et de partir à l'aveuglette sans avoir tracé les grandes lignes de l'avenir proche et lointain, *avec la détermination de dominer enfin le destin.*

c) Le milieu

Si en dernier lieu nous plaçons l'influence du milieu, c'est que ce n'est pas comme le sexe et l'âge un élément qu'on ne puisse modifier. Dans un ouvrage trop en avance sur son temps (1), nous écrivions : « *L'égalité ne peut exister que dans la mise à la disposition de tous, sans égards pour la classe sociale, des moyens de se cultiver et de s'instruire. Ainsi chacun peut gravir par ses propres efforts les échelons de l'échelle sociale... Mais cela n'affirme pas,* poursuivions-nous, *la supériorité de l'universitaire sur l'autodidacte, ou même sur l'individu possédant les qualités nécessaires au succès. Il existe une multitude de bacheliers sans emploi, d'avocats sans cause, de médecins sans clientèle. Par contre, de brillants hommes d'affaires, des chefs de valeur, des pionniers de la science ne sont que des primaires. Il suffit de citer les Pasteur, d'Arsonval, Lamarck, Lumière, Gustave Le Bon, Ader, pour se convaincre qu'il n'est pas indispensable de faire de hautes études pour parvenir au succès et à la notoriété. Il faut,* observions-nous, *se garder d'enserrer l'esprit d'initiative, d'invention, parfois le génie, qui se manifestent dès l'adolescence, dans les mailles étroites de l'enseignement classique.* » Cela est encore plus vrai depuis que la prolongation des études jusqu'à la majorité paralyse chez les jeunes l'esprit d'entreprise et le goût du risque ; on en fait des assistés, et certains n'auront souvent que la ressource de se diriger vers le fonctionnariat.

---

1. *L'Evolution de la personne humaine* (épuisé). Publié en 1950.

C'est la valeur intrinsèque de l'individu qui conditionne sa réussite, et non sa naissance, la facilité conduisant trop souvent à l'inconséquence. C'est une loi de nature, la lutte aguerrit, développe les qualités foncières que sont la ténacité et le courage.

Quel que soit le milieu où l'on naît, celui où l'on évolue, serait-on orphelin, l'ardeur à vivre et l'ambition mesurée *permettent à coup sûr d'accéder au podium de la réussite.* A condition de concevoir clairement quelles sont les facultés mentales que l'on doit posséder, fortifier ou développer, qui n'ont rien à voir avec la formation intellectuelle, *mais qui la valorisent.* Dans cette intention, nous avons, pour plus de clarté, *divisé en dix groupes les facultés mentales de l'être humain,* ce qui lui donne son équilibre et lui assure le maximum d'efficience. C'est à partir de cette énumération que nous élaborerons les formules autosuggestionnantes qui, dans l'infra ou l'autohypnose, permettront de modifier dans un sens bénéfique le composé caractériel et, par voie de conséquence, le comportement. Cette sélection des caractéristiques positives sera notre Fil d'Ariane dans l'exposé que nous ferons des solutions à apporter aux problèmes personnels.

d) Les dix groupes assurant la réussite dans la vie (2)

1. L'efficience : Volonté - Décision - Fermeté - Autorité - Initiative - Energie - Réalisme.

2. La valeur : Courage - Audace - Assurance - Confiance en soi.

3. L'acquisivité : Economie - Agressivité - Ambition.

4. L'impulsion : Enthousiasme - Ardeur - Franchise - Retenue dans le langage.

5. La constance : Ordre - Persévérance - Ténacité.

6. La réaction : Calme - Patience - Sang-froid - Sérénité.

7. L'humeur : Gaieté - Joie - Optimisme.

8. La cérébralité : Attention - Concentration - Mémoire - Imagination - Intuition - Esprit d'observation - Jugement - Raisonnement - Logique.

9. La sensibilité : Aménité - Générosité - Honnêteté.

10. La sensualité : Sobriété - Contrôle des pulsions - Maîtrise sexuelle.

Quelles sont les qualités que vous possédez, quelles sont celles qui vous manquent ou qui ne sont pas assez affirmées ? N'allez-vous

---

2. Extrait du Cours de relaxologie.

pas, dans votre autobilan caractériel, vous montrer trop indulgent envers vous-même ? Là est la pierre d'achoppement de l'auto-analyse. Vous pouvez certes vous faire établir une *analyse graphologique,* un *thème astral.* Ils vous apporteront de précieuses indications, mais cela n'exclut pas l'analyse personnelle qui permet de descendre au plus profond de soi-même et qui constitue *un premier effort dans la voie conduisant à l'épanouissement complet de la personnalité.*

Cette analyse va reposer sur deux modalités qui permettront un recoupement éliminant les omissions, les erreurs qui tiennent à la nature humaine, à la vanité et au besoin de se rassurer qui en sont partie intégrante. Ces deux modalités sont : *l'auto-analyse consciente* et *l'interrogatoire du subconscient.*

2. L'auto-analyse consciente

Le développement de la concentration vous a préparé à la ségré-gation des pensées, à maintenir dans l'intellect une seule idée sans qu'elle puisse s'estomper ou être remplacée par une rêverie parasite. Aux exercices antérieurement exposés vous pourrez bientôt adjoindre l'autosuggestion qui viendra encore renforcer l'aptitude acquise. Elle vous sera d'un grand secours dans *l'auto-analyse qui consiste en une méditation sur soi-même accomplie en toute lucidité.* Ce qui ne veut pas dire que vous ne devrez pas préalablement vous mettre dans l'état de relaxation, les crispations neuro-musculaires s'opposant à la quié-tude de l'esprit, à son bon fonctionnement. Le rappel de certains affects négatifs ou culpabilisants du passé *peut d'ailleurs être généra-teur de tensions,* et une certaine vigilance sera toujours observée afin de ne pas se laisser entraîner sur cette pente psychosomatique.

Les yeux fermés par conséquent, dans la position de relaxation, autant que possible dans la pénombre, évitant d'avoir froid et bien détendu, vous allez consacrer, avant de vous tracer un plan de vie, *au moins dix minutes par jour à cette auto-analyse.* Cela, jusqu'à ce que vous ayez une vue lucide de vos comportements et réactions passées, de votre situation actuelle en résultant, et des buts que vous allez ensuite vous fixer. Cela peut vous demander une semaine, dix jours, mais ce n'est pas du temps perdu quand on considère, faisant un retour en arrière, tous les déboires qu'on eût évités avec davantage de réflexion et de supputation des conséquences qu'entraînent les déci-sions hâtives.

L'interrogatoire du subconscient vous permettra la résurgence des circonstances profondément enfouies dans ces abysses. Mais, lucidement, vous pouvez remonter plus ou moins loin dans votre passé. *Revoyez votre enfance, cherchez à ranimer vos souvenirs* qui, à la faveur de votre comportement présent, de vos goûts, de vos idéations, vous éclaireront sur le pourquoi de leur mécanisme, parfois répétitif et qui, par cela même peut se révéler néfaste. La confrontation des souvenirs réanimés avec les lois que nous avons exposées seront *des thèmes de méditation aussi édifiants qu'enrichissants.* C'est pourquoi nous les avons condensées dans un tableau, après en avoir fait un exposé que nous pensons accessible aux non-spécialistes (voir page 190).

Après cette opération déjà éclairante, vous devrez :

1°) **Coucher sur le papier les circonstances,** les incidents qui ont émaillé votre existence passée et qui ont pu vous inférioriser et vous culpabiliser. Notez les plus minimes et voyez si ne resurgissent pas parfois dans votre préconscient *des affects dont l'évocation vous est pénible* et que vous vous efforcez de rejeter aussitôt. Ce peut être par exemple le souvenir de vous être trouvé dans une situation délicate : on vous a demandé autrefois de prononcer quelques mots à la fin d'un banquet et, pris de court, vous avez perdu contenance et avez bafouillé lamentablement. Ce souvenir malheureux vous harcèle. Alors, rappelez-vous : « **Toujours faire face** ». Revivez au contraire cette circonstance en recréant son ambiance. Essayez, par l'imagerie mentale, de vous remettre dans l'état où vous vous êtes trouvé à ce moment ; au contraire de ce que vous faites ordinairement d'en chasser le souvenir de votre esprit. Alors se produira ce qu'on appelle en psychanalyse la catharsis (du grec : *catharsis* ou purgation) qui provoque la décharge des affects (en psychanalyse : *l'abréaction*). Certes, cela ne sera pas suffisant ; il vous faudra opérer la substitution aux affects négatifs de facteurs positifs qui achèveront de vous libérer de ce qui, autrement, fait naître l'anxiété, voire l'angoisse et de toutes manières assombrit le climat moral.

2°) **Faire l'inventaire de vos problèmes actuels** sur tous les plans de votre existence. Dites-vous que *les hommes comme les femmes sont animés par les mêmes aspirations,* désirs et passions ; que certains mobiles sont plus forts que les autres, mais que dans ce cocktail il n'existe aucune inconnue. Méditez sur les données que nous avons condensées dans les deux tableaux concernant les besoins et objectifs primordiaux (voir en pages 84 et 85). Recherchez d'abord quels sont chez vous les besoins dominants. S'ils sont excessifs, il obèrent votre activité et votre réussite. *Décidez de les modérer en développant des mobiles compensateurs.* Admettons que ce soit le besoin de merveilleux. Il vous donne une tendance à la crédulité, vous écarte exagérément des réalités de l'existence. Développez alors le besoin de possession dans des limites raisonnables, mais afin que cette compensation atténue votre propension au rêve et vous fasse mieux prendre conscience de vos responsabilités. **De consulter la table des objectifs primordiaux vous facilitera la composition de cet inventaire** que vous transcrirez également afin de sérier les problèmes. Alors vous ferez la liste complète et détaillée de vos problèmes actuels en les mettant dans un ordre décroissant d'urgence. Est-ce votre vie professionnelle qui est en cause, votre vie affective, avez-vous un problème de financement, êtes-vous menacé, êtes-vous sexuellement insatisfait (ou insatisfaite), est-ce un problème de santé, ou d'esthétique, ou mental, êtesvous timide ou en proie à une phobie ? Nous ne pouvons énoncer tous les problèmes qui peuvent se présenter, mais vous verrez que, lorsque vous aurez lu cet ouvrage, que vous l'aurez médité, *bien des solutions* que vous n'aviez pas envisagées, *se présenteront spontanément à votre esprit.* Quel que soit le problème qui est une urgence, « **faites face** », immédiatement ; *la fuite n'arrange rien.* Acharnezvous au contraire à trouver des issues et tendez votre esprit vers l'heureuse solution de vos problèmes, vers la réussite *afin d'infléchir le destin en votre faveur.*

   3°) **Méditez sur l'enchaînement des faits antérieurs.** C'est votre état d'esprit qui a entraîné les circonstances adverses qui, dans le passé, ont tissé la toile de vos problèmes actuels. Ne faites pas un retour sur le passé pour en évoquer ces circonstances malheureuses car, en les entretenant dans votre mental, comme Pénélope, *vous reconstituez les mêmes processus qui produiront les mêmes effets adverses* ; de surcroît, vous ensemencez votre subconscient de miasmes délétères. Tout n'est pas négatif dans votre comportement passé. Ne conservez ordinairement dans votre esprit *que les succès et les heureux moments de votre existence,* non pour les regretter, car on ne ressuscite pas le passé, mais pour vous conforter dans l'idée de vos possibilités de réussite et de bonheur. Malgré tout, *voyez si un autre comportement ne vous eût pas octroyé encore plus de réussite.* Ce sont surtout les circonstances malheureuses de votre vie qu'il va vous falloir regarder fixement en méditant sur les causes qui les ont engendrées, sur les comportements différents que vous auriez pu avoir pour éviter les malheurs qui vous ont frappé, *toujours de la cause à l'effet.* Puis, selon la technique de l'imagerie mentale, revivez les moindres circonstances que vous avez vécues. Enfin, *méditez sur le comportement que vous auriez pu ou dû avoir* pour éviter les déboires que vous avez connus, en en précisant les moindres modalités, mais cependant en évitant de partir dans la rêverie, en vous montrant réaliste. Le « **film intérieur** » que vous déroulerez sur votre écran mental doit être saisissant de vérité. Cette opération, en mettant vos erreurs passées en évidence, vous évitera le phénomène de « *compulsion de répétition* », bien connu en psychanalyse. Cette prise de conscience de votre responsabilité sera le meilleur antidote contre la répétition des erreurs et des actes qui vous ont été préjudiciables. La confrontation de ce que vous avez fait et de ce que vous auriez pu faire vous permettra de préciser peu à peu dans votre esprit *quelle doit être l'attitude à prendre en telles et telles circonstances* pour éviter les embûches de la vie, notamment en ce qui concerne les problèmes actuels que vous avez à résoudre.

4°) **Dans la résolution des problèmes, se montrer réaliste** constitue la toile de fond sur laquelle apparaîtront les décisions à prendre, non pas en les remettant à plus tard mais dans l'immédiat. Il ne s'agit pas de tout bouleverser. Nous avons l'exemple d'un couple idéaliste qui, voulant rompre avec la vie urbaine, laquelle reconnaissons-le, devient infernale dans les grosses agglomérations, prit du jour au lendemain l'initiative d'élever des brebis dans le centre de la France. Ce fut l'échec de l'entreprise et du couple, la femme ne s'accoutumant pas aux durs travaux de l'élevage et à la sujétion de la production fromagère. Ils durent tout laisser pour se retrouver à Paris dans une situation pire que celle d'auparavant, avec en sus la mésentente conjugale. *Certains problèmes peuvent être résolus dans l'instant ; d'autres le seront par étapes dont on fixera la réalisation dans le temps.* Quant aux problèmes intimes concernant l'équilibre de la personnalité, ils feront également l'objet d'un plan bien défini pour leur résolution. *De les aborder tous à la fois est une erreur à ne pas commettre.*

3. Le bilan caractériel

En ce qui concerne la destinée, les choses ne vont jamais aussi mal ni aussi bien qu'on les imagine. Si nous appliquons la loi d'analogie, nous dirons que l'être humain *n'est jamais entièrement bon ou*

Tableau n° 9 : **LA LOI**
DE L'ÉQUILIBRE et des CONTRAIRES

DÉSÉQUILIBRE PAR INSUFFISANCE Aspect négatif –	ÉQUILIBRE Répertoire de A à Z A consulter en premier	DÉSÉQUILIBRE PAR EXCÈS Aspect positif +
Paresse	Activité	Excitation
Obséquiosité	Amabilité	Grossièreté
Résignation	Ambition	Arrivisme
Dispersion	Analyse	Minutie
Inappétence	Appétit	Boulimie
Froideur	Ardeur	Passion
Pusillanimité	Autorité	Autoritarisme
Faiblesse	Bonté	Cruauté
Apathie	Calme	Nervosité
Renfermé	Causant	Bavard
Crainte	Combativité	Agressivité
Complaisance	Compréhension	Jalousie
Inattention	Concentration	Obsession
Impavidité	Contrôle	Colère
Lâcheté	Courage	Témérité
Convoitise	Désintéressement	Envie
Inquiétude	Détente	Irresponsabilité
Bassesse	Dignité	Orgueil
Efféminité	Douceur	Rudesse
Avarice	Economie	Prodigalité
Imperturbabilité	Emotivité	Impressionnabilité
Asthénie	Energie	Agitation
Réserve	Enthousiasme	Exubérance
Impuissance	Erotisme	Luxure
Mollesse	Fermeté	Dureté
Inconstance	Fidélité	Longanimité
Lourdeur	Finesse	Subtilité
Emotivité	Flegme	Impassibilité
Faiblesse	Force	Brutalité
Hypocrisie	Franchise	Brusquerie
Gourmandise	Gastronomie	Goinfrerie
Egoïsme	Générosité	Prodigalité
Sensiblerie	Humanité	Cruauté
Réalisme	Imagination	Affabulation
Indifférence	Indulgence	Susceptibilité
Indécision	Initiative	Impulsivité
Bêtise	Intelligence	Névrose

APPLIQUÉE A LA CARACTÉROLOGIE

DÉSÉQUILIBRE PAR INSUFFISANCE Aspect négatif −	ÉQUILIBRE Répertoire de A à Z A consulter en premier	DÉSÉQUILIBRE PAR EXCÈS Aspect positif +
Déraison	Jugement	Logique
Lymphatisme	Maîtrise	Impulsivité
Oubli	Mémoire	Mémoire consciente
Amoralité	Moralité	Puritanisme
Indécision	Décision	Impulsivité
Rêverie	Objectivité	Réalisme
Pessimisme	Optimisme	Extravagance
Désordre	Ordre	Manie
Impatience	Patience	Inlassabilité
Versatilité	Persévérance	Entêtement
Négativisme	Positivisme	Sectarisme
Velléitaire	Réalisateur	Esprit d'entreprise
Renfermé	Réfléchi	Expansif
Modestie	Réservé	Effronterie
Insensibilité	Sensibilité	Hypersensibilité
Frigidité	Sensualité	Nymphomanie
Inquiétude	Sérénité	Inconséquence
Insociabilité	Sociabilité	Expansivité
Instabilité	Stabilité	Immuabilité
Limitation	Synthèse	Universalité
Laisser-aller	Tolérance	Intransigeance
Impuissance	Virilité	Hypersexualité
Dévitalité	Vitalité	Surmenage
Aboulie	Volonté	Despotisme

mauvais ; il est un amalgame de qualités et de défauts. Ce qui peut être considéré comme un défaut par la morale conventionnelle, contribue quelquefois à la réussite, ainsi la prodigalité qui, chez un individu pourvu d'aptitudes réalisatrices, le poussera à gagner plus d'argent en améliorant sa position sociale. Il nous faut par conséquent raisonner davantage *en aspects positifs ou négatifs* par rapport aux qualités reconnues comme telles. C'est ce que nous avons fait en établissant la liste de ces qualités, montrant, comme le fléau d'une balance, les oscillations entre le négatif ou l'insuffisance, le positif et l'excès (voir tableau p. 190). *La consultation de ces listes vous permettra de mieux appréhender vos caractéristiques caractérielles et comportementales,* sans avoir à procéder à une analyse fouillée comme le ferait la *Psycho-Morpho-Synthèse.*

Prenons un exemple : la fermeté du caractère. Vous vous rendez parfaitement compte, en lisant en regard l'insuffisance : la mollesse, si tel est votre cas ; et si vous consultez la colonne de droite où vous trouverez la dureté, si la fermeté (que vous possédez peut-être) confine à l'intransigeance. **N'hésitez pas à consacrer un long moment à cet examen** qui, déjà, vous permettra de faire le point. Il se peut que dans l'estimation de vos caractéristiques vous montriez beaucoup de complaisance à votre égard. Ainsi un sentiment d'infériorité qui donne lieu à un mécanisme de compensation et de survalorisation, peut donner au sujet une fausse idée de lui-même masquant en réalité la fragilité du Moi par un comportement en apparence énergique et décidé, alors qu'il est intérieurement en proie à ce sentiment d'infériorité. *Cette indulgence envers soi-même liée au besoin de valorisation est banale.* Il n'empêche que, souvent inconsciente, elle peut obérer un auto-examen lucide. C'est pourquoi il n'est pas superflu d'avoir recours au subconscient lui-même pour recouper les observations qu'on aurait faites consciemment, ou pour déterminer ce qu'il y a en réalité « derrière la façade ». Ce sera le rôle de deux procédés : *l'écriture automatique* et *le pendule du radiesthésiste.*

a) Interrogez votre subconscient

Interroger le subconscient, c'est l'explorer pour découvrir ce qu'il recèle ; c'est l'objet de la psychanalyse. Mais, sauf cas exceptionnel, vous pouvez vous dispenser d'analyses demandant des mois, voire des années de traitement dont les résultats ne sont pas toujours concluants, malgré la perte de temps et des dépenses qui deviennent extravagantes. Heureusement, beaucoup de spécialistes se tournent maintenant vers des analyses de moindre durée s'inspirant des données de la psychologie, hélas, en privilégiant le psychisme **au détriment du physique dont ils semblent ignorer le retentissement !** La synthèse des moyens que reflète notre ouvrage peut, pensons-nous, attirer leur attention sur ce que nous considérons comme une grave lacune et qui explique le nombre d'échecs.

b) L'écriture automatique

L'écriture automatique est l'une des manifestations les plus étonnantes du subconscient. Des expériences télépathiques ont montré qu'elle pouvait en outre être utilisée pour communiquer à distance. Jean Filiatre relate un cas caractéristique de ce phénomène, extrait de *Psychisme expérimental,* d'Alfred Erny (3) : « M. Stead, directeur de la *Revue des Revues,* de Londres, a obtenu à diverses reprises des messages de ce genre. Il a constaté que des amis, habitant à de certaines distances, lui avaient écrit d'une façon automatique, au moyen de sa main, disant ce qu'ils pensaient ou désiraient de lui. Un d'entre eux, qu'il avait rencontré et qui n'osait pas lui avouer des embarras d'argent, les lui dit *automatiquement.* Quand M. Stead montra le papier à son ami, *avec un message écrit de sa propre écriture,* l'ami resta abasourdi... »

Nous montrerons dans un ouvrage différent de notre sujet actuel comment on peut entraîner un sujet induit en hypnose à cette écriture automatique pour des expériences de communication à distance. Le profane en la matière admettra mieux le phénomène s'il prend en considération que, fréquemment, il suffit de penser qu'une personne va vous écrire pour que le lendemain vous receviez une lettre d'elle. Personnellement, nous observons le phénomène si nous pensons fortement à une personne pour qu'elle nous écrive ; mais inversement, si nous avons le désir inverse et que nous redoutons qu'elle nous écrive, nous faisons le vide de la pensée si cette éventualité se présente à notre esprit. *Dans ce cas aucune missive ne nous parvient.*

Les personnes qui ont l'habitude de crayonner inconsciemment, par exemple quand elles sont au téléphone et font des gribouillis paraissant sans signification, bien qu'ils puissent être interprétés, ont des dispositions pour l'écriture automatique. Cette aptitude peut être développée dans l'auto-hypnose (ou dans l'infra-hypnose). Voici la formule que vous utiliserez après vous être mis dans un état de relaxation intégrale : « *Mon subconscient peut commander à ma main... je suis capable d'enregistrer ses messages... au moyen de ma main... qui est son instrument docile... quand ma main est détendue... elle reçoit facilement les messages de mon subconscient... quand j'interroge mon subconscient, il me répond... et ma main écrit docilement sous sa dictée... ma main obéit à mon subconscient... de mieux en mieux... chaque fois, de mieux en mieux...* »

Vous pouvez avoir des dispositions naturelles pour l'écriture automatique et réussir au premier essai ; dans ce cas, vous pouvez faire un excellent médium, ou un très bon sujet en hypnose. C'est le cas d'une personne qui m'est proche, douée pour l'écriture automati-

---

3. J. Filiatre : *Hypnotisme et magnétisme* (Editions Perthuis).

que et que j'endors facilement ; mais il est rare qu'il ne faille pas s'exercer pour y parvenir. Curieusement, avec l'entraînement, ce ne sont pas les personnes qui paraissent les plus douées au départ qui parviennent toujours aux meilleurs résultats. Vous pouvez au début ne rien obtenir, et ensuite, à votre étonnement, *la main se montrera docile pour transcrire les messages de votre subconscient.*

c) Comment vous entraîner à l'écriture automatique

Certains auteurs préconisent de s'asseoir confortablement face à une table, mais en cette occurrence la table ne doit pas être trop haute, plus basse de 10 cm environ qu'une table ordinaire, afin d'éviter la contracture du bras et de l'épaule. Mettez la feuille de papier devant vous ; l'éclairage sera à la limite de possibilité de lecture : *trop fort, il ne favorise pas l'activité du subconscient.* Tenez alors, étant bien décontracté, un crayon à mine tendre (certains préféreront un crayon à bille) verticalement, une partie de l'avant-bras étant appuyée bien décontractée ainsi que la main. Pour favoriser cette détente le crayon est tenu entre le pouce et l'index, verticalement, la pointe reposant sur le papier, bien entendu à gauche de la feuille et en haut.

D'autres auteurs et moi-même préconisons la planchette. Cette planchette est placée sur les genoux. Vous êtes, en somme, dans la position de relaxation dite « *en cocher de fiacre »,* mais le buste un peu plus redressé car il est bon d'avoir les reins appuyés au dossier de la chaise. Dans un petit fauteuil, les avant-bras seront soutenus, autrement, ils reposeront sur les cuisses. La feuille de papier tient toute la planchette et vous tenez le crayon comme indiqué précédemment.

d) Un exercice préparatoire

Certains exercices préparent efficacement à l'écriture automatique. En voici un que nous tenons de l'auteur déjà cité : « *Tenir la main droite ouverte, les doigts rapprochés et penser que les doigts s'écartent. Le bras doit être mis dans un état passif, il ne faut faire aucun mouvement volontaire pour écarter les doigts ni opposer une résistance s'ils s'écartent. Au bout de quelques instants, la main est généralement le siège de petites commotions, on a l'illusion de très légères décharges électriques, et les doigts s'écartent par saccades. Lorsque ce premier résultat est obtenu et que les doigts se sont écartés autant qu'il est possible, il faut alors penser qu'ils se rapprochent. En répétant souvent cet exercice, on développera une sorte d'automatisme qui nous amènera peu à peu à obtenir l'écriture... On pensera ensuite que la main se ferme, puis qu'elle s'ouvre pour se fermer encore...* » D'autres mouvements des doigts peuvent être obtenus, par exemple de penser, la main restant à plat que l'index ou le majeur vont se soulever. Dans le même ordre d'idée, car il s'agit d'un état pré-hypnotique, on peut, étant étendu en relaxation ou assis corps penché en arrière, penser que le bras va s'élever puis retomber doucement. Bien entendu *il ne faut faire aucun effort volontaire.*

Quand l'entraînement a été suffisamment poussé, vous passez à l'écriture automatique. Ne pensez pas que le crayon va se mettre à courir aussitôt sur le papier, ce serait exceptionnel. Il faut souvent deux ou trois minutes pour qu'il se mette en mouvement. Vous pouvez regarder fixement votre main mais, par la suite, vous pourrez même fermer les yeux. Au début pensez à une lettre, à un chiffre, à une figure géométrique simple, un triangle par exemple. En général la main reproduira immédiatement le graphisme sans qu'il ait été nécessaire d'avoir recours à des mouvements volontaires et raisonnés. Une sensation curieuse, *mais nullement inquiétante,* peut se faire jour, le bras, la main s'engourdissant pendant que vous ressentirez des fourmillements. Il vous semble que le bras ne vous appartient plus. L'inconscient est à la fois lucide et fantasque ; votre main pourra se déplacer très lentement comme à regret, ou voler sur le papier sans arrêt ; les mots seront liés entre eux ou très espacés, l'écriture grande ou petite et vous pourriez même constater que vous avez écrit de droite à gauche, en zigzagant, en remontant ou descendant, etc. Cela peut avoir une signification pour le graphologue. *Il arrive que le subconscient délivre des messages sans qu'on ait pensé à quoi que ce soit, c'est-à-dire en ayant fait le vide mental.* Ce n'est pas le but que nous recherchons, puisqu'il s'agit pour nous d'interroger le subconscient et d'en obtenir des réponses. Mais avant de montrer de quelle manière, il nous faut décrire un autre procédé : celui consistant à utiliser le pendule du radiesthésiste.

e) Les ressources de la radiesthésie

L'utilisation conjointe de l'écriture automatique et du pendule permet une meilleure exploration du subconscient ainsi qu'une définition plus précise du composé caractériel. D'autres moyens seront éventuellement utilisés lorsque l'aptitude à « faire parler » le sub-

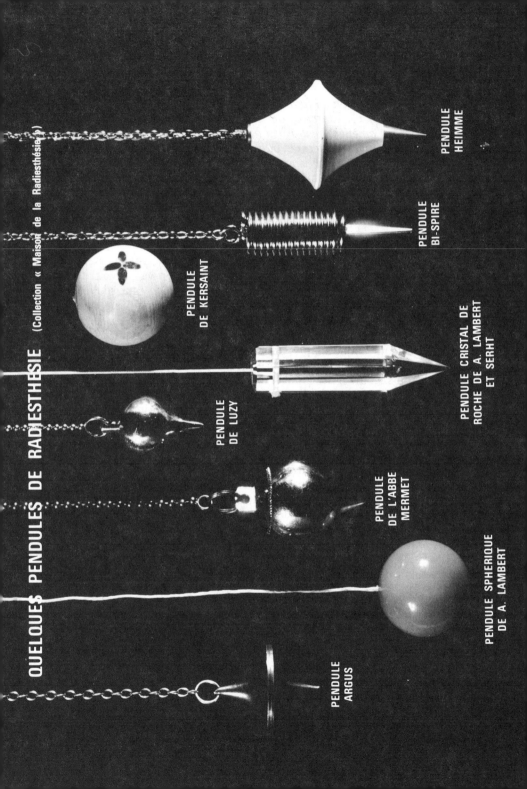

QUELQUES PENDULES DE RADIESTHÉSIE (Collection « Maison de la Radiesthésie »)

PENDULE HEIMME

PENDULE BI-SPIRE

PENDULE DE KERSAINT

PENDULE CRISTAL DE ROCHE DE A. LAMBERT ET SERHT

PENDULE DE LUZY

PENDULE DE L'ABBE MERMET

PENDULE SPHERIQUE DE A. LAMBERT

PENDULE ARGUS

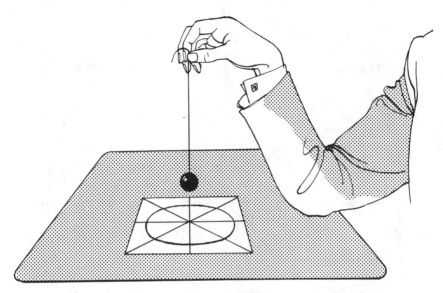

Figure n° 10 :

EXPLOREZ
ET INTERROGEZ VOTRE SUBCONSCIENT
par la radiesthésie

Comment se servir du pendule :

Asseyez-vous confortablement, tous muscles détendus, le coude reposant sur la table comme sur la figure ci-dessus. La main et le poignet doivent rester souples, bien détendus également. Tenez le fil entre le pouce et l'index, sans crisper les doigts. Vous pouvez aussi enrouler le fil autour d'un doigt tout en le tenant, afin d'éviter la fatigue. La meilleure manière est celle où vous vous sentez le plus à l'aise.

Dans les débuts, exercez-vous à imprimer volontairement les divers mouvements décrits au pendule, afin de bien assimiler la technique. Quand l'automatisme sera obtenu — faites plusieurs courtes séances par jour pendant une semaine — votre pendule se mettra en mouvement sans que vous ayez à lui donner d'impulsion volontaire et vous constaterez que votre main reste immobile. Et plus vous interrogerez votre pendule, mieux il vous répondra avec précision et spontanéité. Votre subconscient se sera substitué à l'action volontaire.

Il est indiqué de vous exercer en lumière atténuée et, si possible, dans le silence.

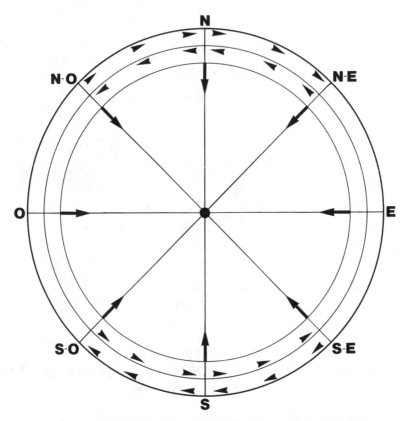

Fig. 11 . **LES DIVERS MOUVEMENTS DU PENDULE**

conscient aura été développée. Ainsi **vous pourrez, visionnant en noir l'écran mental, lui poser des questions auxquelles il répondra en inscrivant la réponse en blanc sur noir.** Cette méthode est particulièrement intéressante si vous l'appliquez à la suite de l'effet phosphène.

Nous écarterons la physique radiesthésique (celle qui permet la découverte des sources et gisements par les radiations) et la radiesthésie divinatoire (vieille comme le monde) qui, pour si intéressantes qu'elles soient débordent du cadre de cet ouvrage. Il n'en sera pas de même en ce qui concerne le diagnostic de la maladie (voir chap. VI), *le pendule servant à déterminer les troubles physiologiques par soi-même,* **sans que cela puisse développer une angoisse morbide ou remplacer le diagnostic médical.** Nous limiterons donc l'usage du pendule à l'exploration du subconscient et au recoupement par la réponse du subconscient des indications caractérielles et comportementales qui nous auront été fournies par l'auto-analyse consciente.

f) Techniques et révélations du pendule

On trouve des pendules de radiesthésie dans le commerce (4), mais à défaut on peut en confectionner un, en attachant à un fil de 15 à 20 cm un objet métallique : un fil à plomb de dessinateurs, une petite clé, une alliance, etc. Le pendule est tenu par l'extrémité du fil (ou d'une chaîne assez fine) entre le pouce et l'index, les autres doigts étant écartés, la paume de la main bien ouverte.

Le coude étant appuyé, **la main doit rester détendue et parfaitement immobile.** Il ne faut pas imprimer au pendule un mouvement volontaire. Si cela est, votre main bougera manifestement. Autrement elle paraît immobile, bien qu'elle soit animée de mouvements involontaires imperceptibles. Cependant, il est recommandé, avant de passer aux exercices, *de se familiariser avec les mouvements pendulaires.* Pour cela il est nécessaire d'adopter préalablement un code que le subconscient peut déterminer lui-même, ou que vous pouvez fixer arbitrairement. Le dessin que j'ai fait composer comporte six possibilités pendulaires : deux sens giratoires, une oscillation verticale, une oscillation transversale et deux diagonales. La loi d'analogie nous permet d'attacher une signification à chacune d'elles.

1) **La giration à droite,** donc positive, veut dire **oui.**

2) **La giration à gauche,** donc négative, veut dire **non.**

3) **L'oscillation perpendiculaire à soi** — *nord-sud* — peut indiquer l'**intensité** ou la **puissance.**

4) **L'oscillation transversale** — *ouest-est* — peut signifier l'**insuffisance,** la **nécessité de renforcement.**

5) **L'oscillation diagonale** — *sud-ouest - nord-est* — peut vouloir dire que **le subconscient ignore la réponse.**

6) **L'oscillation diagonale** — *nord-ouest - sud-est* — peut signifier que **le subconscient refuse de répondre.**

Familiarisez-vous d'abord avec ces directions, imprimant volontairement les divers mouvements au pendule ; le fixant en suivant son mouvement des yeux, sans ciller, est une bonne préparation à l'autohypnose. Le premier mouvement giratoire, dans le sens des aiguilles d'une montre est préférentiellement choisi pour cela.

---

4. Maison de la Radiesthésie, 16, rue Saint-Roch, Paris Ier.

Vous pouvez élaborer tout autre code vous convenant, ou encore demander à votre subconscient de vous indiquer les significations à attribuer aux divers mouvements. Il vous est possible de ne retenir que quatre mouvements au lieu de six, si cela vous paraît plus simple. *Fixant l'objet attaché au fil, laissez-le immobile sans vouloir lui imprimer de mouvement.* Pensez par exemple qu'il vous indique oui ; il se peut qu'il reste immobile pendant quelques instants, mais aussi qu'il vous donne une réponse immédiate. A-t-il accompli une giration à droite, vous prendrez comme code de réponse pour oui la giration de droite. Vous interrogez alors le pendule en pensant successivement aux autres orientations que nous avons précédemment formulées. Ensuite, vous vous exercez aux changements de direction du pendule. Charles Baudoin, qui a repris les expériences de Chevreul, nous explique comment procéder : « *...On prie le sujet de penser au cercle, et le pendule se met à tourner en rond. Ce changement s'obtient soit en passant par l'immobilité, soit en passant par l'ellipse... le mouvement en rond, qui n'est pas obligé, comme l'oscillation, de passer par deux points d'immobilité, peut acquérir, chez certains sujets « nerveux » une grande vitesse et parfois une amplitude telle que le fil devient presque horizontal. Lorsque l'expérience en est là, c'est que l'élève est très sensible et très enclin à s'isoler dans une pensée... sans arrêter le pendule, on prie le sujet de penser : " Je ne peux plus l'arrêter " et de faire en même temps des efforts pour obtenir cet arrêt...* » Revenant à la loi de l'effort converti, Baudoin relate : « *On constate alors que les efforts ne servent qu'à activer le mouvement. La vitesse peut devenir telle que le bouton (l'objet) n'est plus visible. Au contraire, que l'élève cesse de faire des efforts et pense à l'immobilité, le mouvement aussitôt se ralentit et diminue d'amplitude.* » Cet auteur ne manque pas de souligner la dissociation qui doit s'opérer entre la volonté et la pensée élaguée de tout effort volontaire, car là est la condition impérative du succès : « *La personne qui a bien réussi l'expérience a conscience de s'être " isolée " dans l'idée du mouvement à obtenir ; mais d'autre part, la personne qui croit devoir faire des efforts d'attention réussit mal ; celle chez qui l'attention ressemble à une légère fascination et ne suppose pas d'effort réussit bien.* »

Vous pouvez, comme pour l'écriture automatique, **cultiver votre sensibilité pour l'interrogation du subconscient** par le pendule en vous autosuggestionnant en infra-hypnose. Vous utiliserez les formules suivantes : « *Ma sensibilité au pendule se développe... je deviens de plus en plus sensible... mon subconscient ne demande qu'à répondre aux questions que je lui pose... il répond de mieux en mieux... je suis* *de plus en plus sensible... le pendule perçoit de mieux en mieux les messages de mon subconscient... etc. »*

Utilisez ou reproduisez en plus grand, même malhabilement, la figure p. 198 sur une feuille blanche de 30 cm environ, afin de prendre comme guide les 6 mouvements du pendule. Vous étant préalablement exercé, vous commencerez l'interrogatoire de votre subconscient **en lui posant des questions,** comme vous l'avez fait pour l'écriture automatique. Vous avez intérêt à ne pas vouloir faire trop d'interrogations à chaque séance, mais à vous limiter à deux ou trois questions. Par la suite, *vous vous apercevrez que vous faites des progrès qui vous paraîtront fantastiques,* tellement le pendule répondra rapidement et sans hésitation quand vous l'interrogerez, passant d'un mouvement à l'autre sans interruption. La netteté des réponses, leur spontanéité, dépendra de la clarté et de la concision de vos questions, donc de vos pensées. Pour cela, il est préférable que vous mettiez d'abord par écrit en une phrase courte, chacune des questions que vous voudrez poser. Elle constituera un support pour votre pensée, si vous la lisez d'abord, même à haute voix et que vous reportiez aussitôt votre pensée sur l'objet pendulaire que vous ne quitterez pas des yeux.

A titre d'exemple voici comment pourrait procéder une personne voulant se délivrer d'une mauvaise habitude : **celle par exemple de ne pouvoir se lever que difficilement le matin.**

Questions :

A. Est-ce parce que je dors mal ?
B. Est-ce parce que je n'ai pas assez de sommeil ?
C. Est-ce parce que je suis fatigué nerveusement ?
D. Est-ce parce que je suis paresseux ?
E. Est-ce parce que la vie me fait peur ?
F. Est-ce par manque de volonté ?
G. Est-ce parce que je ne suis pas suffisamment réveillé ?

Dans l'ordre la personne a obtenu les réponses suivantes : 2-4-3-1-2-1-1, soit : (se reporter aux significations des mouvements du pendule page 199).

Question A. — Est-ce que je dors mal ?
Réponse : 2. — Giration à gauche :   Non.
Question B. — Est-ce parce que je n'ai pas assez de sommeil ?
Réponse : 4. — Oscillation transversale ouest-est : Insuffisance.
Question C. — Est-ce parce que je suis fatigué nerveusement ?
Réponse : 3. — Oscillation nord-sud :   Très.

Question D. — Est-ce parce que je suis paresseux ?
Réponse : 1. — Giration à droite :   Oui.
Question E. — Est-ce parce que la vie me fait peur ?
Réponse : 2. — Giration à gauche :   Non.
Question F. — Est-ce par manque de volonté ?
Réponse : 1 — Giration à droite :   Oui.
Question G. — Est-ce parce que je ne suis pas suffisamment
réveillé ?
Réponse 1. — Giration à droite :   Oui.

Il résulte de ce qui précède que cette personne éprouve une grande fatigue physique, mais les réponses eussent été différentes s'il se fût agi de préoccupations d'ordre psychique. Ici, il semble *que la personne se couche tard, elle manque de sommeil, d'où sa fatigue. La vie ne lui fait pas peur et de ne pas sortir tôt de son lit n'indique pas une fuite devant ses responsabilités. Toutefois sa volonté n'est pas très acérée et, de surcroît, elle a une propension à la paresse. Elle reste le matin dans un demi-sommeil, ne se sent sans doute complètement réveillée qu'une heure ou deux après qu'elle s'est levée.* Le relaxologue retirerait d'intéressantes indications qui lui permettraient d'instituer un plan de déconditionnement et de reconditionnement qui porterait sur une meilleure discipline de vie, la récupération des énergies, notamment par la sur-respiration et la relaxation, un exercice tonifiant. Et par suggestion et post-suggestion en hypnophorèse sur la lutte contre l'indolence et le renforcement de la volonté. On voit, par cet exemple, que l'auto-interrogatoire pendulaire permet d'étendre le contenu des questions immédiates à d'autres questions qui, *autrement, ne fussent pas venues immédiatement à l'esprit.* C'est ainsi que pour reprendre cet exemple, il serait bon, dans ce cas, de définir le pourquoi de cette défaillance de la volonté, si elle n'est pas justement liée à l'état de fatigue *ou si elle provient d'autres causes* qui pourraient être l'absence de motivation, la dispersion de la pensée, etc. On arrive ainsi, par rebondissements, à cerner la personnalité, ses problèmes et les moyens à utiliser pour les résoudre. Car le subconscient peut aussi, quand on l'interroge, *apporter ses clartés dans le choix des disciplines à adopter* par rapport aux objectifs d'améliorations qu'on aura déterminés.

Selon vos dispositions, vous utiliserez plus volontiers le pendule que l'écriture automatique, ou inversement. Mais vous avez pu observer qu'avec le pendule on procède par interrogations, alors que l'écriture automatique vous donne la réponse circonstanciée. Il est donc préférable de faire appel aux deux techniques, ce qui permet *des* *recoupements intéressants pouvant éliminer les erreurs possibles d'interprétation.* Enfin, les données recueillies seront passées *au crible de la raison* par l'exploration consciente du préconscient et l'introspection lucide. Chaque problème sera ainsi défini avec précision. Mais cela ne nous a pas semblé suffisant pour établir le plan de vie avec la certitude de ne pas commettre d'erreurs d'appréciation. Ayant sélectionné les problèmes essentiels qui se posent à l'être humain, nous examinerons pour chacun d'eux les causes qui en sont à l'origine, les développements néfastes qui s'ensuivent, avant de montrer comment on peut les résoudre par les moyens que nous avons développés au cours des chapitres précédents. *Cette synthèse investigatrice ne manquera d'éclairer encore plus puissamment les abysses du subconscient.*

4. Modifiez votre destin

a) La maîtrise des pensées

Nous avons déjà évoqué l'influence des pensées sur les conjonctures existentielles. Il reste à démontrer *comment on peut pratiquement les infléchir dans un sens bénéfique pour se réserver un avenir moins incertain, plus radieux.* Il semble qu'il y ait des individus à qui tout réussit alors que d'autres semblent écrasés par la fatalité. Certes, selon la loi karmique, nous subissons tous des épreuves, **épreuves sans lesquelles notre Moi ne saurait se structurer.** Mais si nous faisons la part de ce qu'on nomme la fatalité, nous nous apercevons que celle-ci n'est trop souvent que la conséquence de nos actes. Ici, nous irons plus loin en affirmant *qu'elle est pour la plus grande part la conséquence de notre habituel état d'esprit* et qu'il suffit de le modifier pour que change la destinée apparaissant comme la plus adverse. Nous verrons combien les sentiments négatifs qui empoisonnent le climat moral peuvent être annihilés systématiquement. Mais il est une autre forme, plus passive, de lutte contre les circonstances malheureuses qui se succèdent ; *c'est de se forger contre elles un bouclier protecteur.* Contre l'envoûtement, les occultistes préconisent de se constituer une coque magnétique contre laquelle viennent se briser les vagues destructrices de l'envoûteur. C'est un peu de cela dont il s'agit, *car n'oublions pas que les pensées de même nature s'attirent.* Si vous vous entourez d'une aura de réussite et de bonheur, vous attirez vers vous les forces qui y correspondent et qui tisseront les circonstances de cette réussite et de ce bonheur sans que vous ayez beaucoup d'efforts à fournir pour cela. Au contraire, et c'est là le premier enseignement des lois du mental, si vous manquez de confiance en vous, si vous pensez que vous êtes déshérité, que le destin s'acharne sur vous, qu'il ne peut vous être favorable, *vous créez autour de vous une atmosphère chargée de maléfice qui attire inéluctablement les forces délétères occultes* préparant les déboires ou les drames selon la continuité et l'intensité de vos pensées dépressives.

Bien sûr il est difficile, pour qui n'a pas la maîtrise du mental, de ne pas s'appesantir sur les déceptions, les échecs plus ou moins cuisants. Et encore plus difficile de ne pas en rendre les autres responsables, de ne pas montrer de ressentiment à leur égard, d'oublier les offenses et les trahisons, particulièrement lorsqu'on estime être dans son bon droit. *C'est cependant ce qu'il convient de faire pour combattre l'adversité.*

La rumination mentale qui consiste à entretenir à longueur de journée, et même la nuit, des pensées récriminatrices, des idées de vengeance, **est extrêmement nocive.** D'abord sur le plan du mental par les tensions et les désordres qu'elle entraîne et, comme nous l'avons vu en exposant les lois de la psychosomatique, par les dommages esthétiques qu'elle peut produire, comme la chute des cheveux par exemple, et des affections redoutables dont le cancer n'est pas exclu. Cependant cette attitude ne doit pas conduire à la longanimité, *la tolérance ne devant pas être confondue avec la faiblesse.* Avez-vous subi un dommage ? Procédez comme vous le faites pour la résolution de n'importe quel problème. **Regardez-le en face et n'essayez pas d'en minimiser les conséquences.** Prenez dans l'immédiat les décisions qui s'imposent en vous méfiant des incitations trompeuses de l'amour-propre qui vous feraient engager des actions satisfaisant certes votre désir de vengeance, *mais vous portant peut-être plus de préjudice encore que celui qui vous a été causé.* Ces décisions prises, mûrement réfléchies — *ce qui ne demande que quelques minutes pour qui est maître de sa pensée* — passez aussitôt aux actes. Puis, **libérez votre esprit de tout ressentiment, ne ressassez plus vos griefs.** S'ils refaisaient surface, substituez-leur aussitôt, pour éviter le refoulement, des pensées à l'opposé des sentiments destructeurs qui menaçaient de vous nuire. Au besoin, en répétant intérieurement ou à mi-voix les formules adaptées à cette opération mentale dont l'habitude *écartera beaucoup de maléfices qui eussent assombri votre devenir.*

b) L'hygiène de votre esprit

Les mass media nous abreuvent chaque jour de nouvelles alarmantes. La morbidité d'une humanité qui semble avoir perdu la joie de vivre se reflète dans les comptes rendus de la presse, les émissions de radio et de télévision, **car si les auditeurs ne leur prêtaient une oreille complaisante, les mass media réviseraient leur optique.** Même les histoires relatées sur les ondes ont un relent dramatique. Quant à la télévision, sous prétexte d'information actualisée, elle montre complaisamment les horreurs de la guerre, celles, combien réalistes, des attentats meurtriers ; il faut « *du sang à la une* ». Les films de violence exaltent intentionnellement le soi-disant héroïsme et le patriotisme guerrier, alors qu'à l'échelle du monde d'aujourd'hui, dont les problèmes ont une dimension universelle, *ces notions sont aussi dérisoires que dépassées.* La majorité des individus se laissent entraîner sur la pente dangereuse de l'ensemencement de leur subconscient par les miasmes de la violence et de la dramatisation. **Il n'est pas exagéré de dire qu'il s'agit d'une nouvelle forme de drogue** — *psychique celle-là* — qui crée, comme les drogues dures, l'assuétude, et dont il est difficile de se libérer. Bien que cela ne soit jamais dénoncé — *et pour cause, trop en vivent !* — c'est certainement la raison majeure du désarroi de la société actuelle. Comme les gouvernants, quels qu'ils soient, ne feront rien pour remédier à cet état de chose qui abêtit l'individu, *c'est à ce dernier, en être responsable et lucide, qu'il appartient de préserver sa santé mentale, et partant physique, contre cet empoisonnement insidieux qui le menace.* Combien de personnes se précipitent chaque jour sur les faits divers de leur quotidien, écoutent plusieurs fois les bulletins d'information de la radio, toujours déprimants et dramatiques car ne relatant qu'exceptionnellement des événements réconfortants ou des actions généreuses. La compétition sportive élevée à la hauteur d'un dogme n'échappe pas à la règle ; les Grands Prix automobiles rappellent les jeux du cirque, le football professionnel, dont on a dit qu'il était un sport de manchots qui, en dépit de la valeur morale et souvent athlétique des grands joueurs, *masque l'indigence des qualités physiques qui font l'athlète complet ;* le public se désintéresse des exploits des décathloniens ; cela se voit à la navrante solitude des gradins dans les manifestations d'athlétisme ; la gymnastique, l'haltérophilie, l'escrime sont les parents pauvres du sport...

La dramatisation, qu'elle provienne du meurtre individuel, ou collectif (la guerre), de la situation politique, des outrances du sport, développe chez celui qui se laisse manœuvrer par les media **un climat**

intérieur de noir pessimisme, d'anxiété latente, de peur incoercible.
C'est ainsi que la télévision ayant fait état d'un livre récemment paru
sur les prédictions de Nostradamus, monseigneur Etchegaray reçut un
abondant courrier de correspondants affolés devant certaines prédictions concernant un avenir proche ; leur peur étant étayée par la
crainte d'un conflit atomique pouvant transformer ces prédictions
apocalyptiques en une monstrueuse réalité.

Quand on connaît l'influence qu'exerce le moral sur le physique,
on conçoit *que cette angoisse permanente puisse provoquer des désordres mentaux* et, par effet psychosomatique, déclencher chez beaucoup de contemporains de cette époque conflictuelle *de redoutables
maladies,* favoriser l'apparition de grandes diathèses, préparer la
litière du cancer en minant les forces immunitaires.

c) Comment se préserver de ces dangers

Simplement en faisant le ménage dans son esprit comme on fait
sa toilette quotidienne. Il ne s'agit pas d'un phénomène de fuite
devant les dures réalités, *mais d'un acte d'autopréservation.* Pour
cela, éviter de s'appesantir sur les faits divers, ne lire que des choses
intéressantes, des articles de fond donnant des ouvertures sur des
domaines qu'on a mal ou jamais explorés. On remarquera ainsi que,
sauf exception, le journal peut être rapidement replié. Si bien qu'on
pourra éventuellement se contenter de la lecture d'une revue sérieuse
d'informations qu'on lira posément chaque semaine. En ce qui concerne la radio, le bulletin d'information matinal est suffisant ; sa
seule écoute, à l'exclusion des autres bulletins, *permettra d'éviter le
lavage de cerveau lancinant et corrosif que représentent des informations écoutées successivement* et émaillées de publicités trop souvent
débiles. Quant à la télévision, le magnétoscope est le plus précieux des
instruments car *évitant de se laisser prendre par la drogue de l'image
pour l'image et non pour son contenu ;* ce que font beaucoup de personnes rivées à l'écran le midi, le soir, même à longueur de journée,
avalant tout sans discernement, s'usant les yeux et la santé par le
rayonnement nocif du petit écran. Quant aux enfants, les parents qui
les laissent regarder « la télé » à un mètre de distance sans réagir ont
une attitude aussi criminelle qu'irresponsable. Avec le magnétoscope,
il est aisé de choisir ses programmes en début de semaine, de composer son menu audiovisuel comme on le fait pour un repas gastronomique. Et, quoi qu'il arrive, de se limiter aux émissions qu'on a décidé
en famille et de propos délibéré de regarder, *à l'exclusion de tous les*

navets sans cesse programmés. Cette attitude peut également être adoptée par ceux qui ne possèdent pas de magnétoscope, celui-ci permettant toutefois de substituer un programme intéressant (il y en a rarement) à un programme insipide. Dans ce cas, on peut se limiter à quelques films, reportages ou « tables rondes » sur des sujets intéressants. *Il faut, pour beaucoup, une grande force d'âme pour réaliser cette hygiène du mental.* Ils y parviendront, au bénéfice de leur équilibre psycho-physique, par l'auto-hypnose. Il n'est pas inutile de souligner que cette discipline libère de nombreuses heures de loisirs *qui peuvent être employées beaucoup plus utilement pour l'épanouissement personnel et la communication au sein de la famille.*

d) Evitez la petitesse

De même que nous construisons notre avenir avec nos comportements d'aujourd'hui, *nous édifions notre bonheur ou déterminons nos échecs par notre habitude de pensée.* « *On ne récolte que ce que l'on sème* » *;* c'est aussi vrai pour le champ qu'on veut cultiver que pour l'ensemencement de notre subconscient. Ce dernier est l'empreinte des pensées que nous entretenons consciemment. Ce ne sont plus des influences que nous recevons de l'extérieur, mais des nuances de la pensée intérieure qui tournent au sombre, c'est-à-dire à la morosité habituelle. Si tel est votre cas, il va vous falloir passer du noir au rose, comme nous le faisons en psychodiovisuel.

Le leitmotiv d'une chanson pleine d'humour et d'observation judicieuse « *Qui c'est celui-là ?* », montre bien les sources de l'un des travers les plus dommageables de l'être humain : **l'intolérance.** Cet esprit d'intolérance ne fait que nuire à celui envers qui il s'exerce ; il fomente également les sentiments autodestructeurs que sont l'animosité, la haine, la colère aveugle voire meurtrière. **L'intolérance atteint son paroxysme** quand la religion, la politique, le nationalisme sont en jeu : c'est elle qui est cause des déchaînements aveugles, du meurtre organisé des guerres civiles et militaires. Ce manque de tolérance affecte aussi l'individu. Les discussions courtoises tournent fréquemment à l'aigre entre amis quand les opinions politiques s'affrontent. Telle personne qui se targue de tolérance perd toute mesure si on contredit ses idées en ce domaine ; telle autre arguant d'une grande largeur d'esprit, déclarera qu'elle ne « *peut sentir les Arabes, ou les nègres !* », ajoutant contre toute évidence « pourtant je ne suis pas raciste... ». Cette xénophobie se rencontre à tous les niveaux de l'organisation sociale, certaines catégories n'échappant pas à cette ségrégation qui fait que des êtres semblables à soi-même sont considérés comme des pestiférés. C'est le cas des jeunes envers les vieux et inversement, des pauvres envers les riches, ces derniers le leur rendant parfois par leur suffisance ou leur mépris. Jusqu'aux gens de couleur qui montrent de la suspicion envers les Blancs souvent animés des meilleures intentions.

Cet état d'esprit est corrosif, car il se transpose vite à de nombreux secteurs de la pensée. Le manque de tolérance peut affecter la relation entre époux et dégénérer en animosité ; les rapports entre un employé et son chef de service ; le voisinage, certains drames ayant pour cause ce manque de tolérance qui fait que de petits incidents sans importance prennent des dimensions de démesure. *La tolérance est l'une des qualités maîtresses de l'être humain qui ne saurait trop se montrer vigilant pour ne pas se laisser aller aux excès de ce qui la contrarie :* à **l'intransigeance.** Aussi, si vous sentez que vous manquez de tolérance envers les autres, ingéniez-vous à cultiver les sentiments contraires que sont l'indulgence, la compréhension et surtout, l'amour. Cela vous sera facilité, comme nous le verrons, par l'auto-hypnose, mais aussi par une certaine prise de conscience : en se disant **qu'on ne possède jamais la vérité,** que les opinions contraires aux siennes ne sont pas nécessairement mauvaises, qu'elles contiennent certainement, elles aussi, une part de vérité, que l'on pourrait tout aussi bien avoir le sexe opposé (nous n'aimons pas ce terme) (5), être homosexuel ou être né avec la peau jaune ou noire, souffrir comme des milliards d'êtres déshérités dans le monde de la misère et de la faim.

Dans cet état d'esprit, on se libère des animosités qui empoisonnent le climat moral, on évite surtout les accès de colère, cette force destructrice qui obnubile la raison, exerce ses ravages sur l'organisme par les décharges d'adrénaline qu'elle provoque.

Un état d'esprit pernicieux peut aussi se développer à la faveur de la médiocrité des idéaux. C'est souvent le cas des petites gens, cette expression n'ayant à mon sens rien de péjoratif, mais désignant les personnes qui se complaisent dans les critiques, les commérages, un esprit de dénigrement systématique. Combien souvent on entend des propos insidieux ou désobligeants sur des vedettes du spectacle, des arts, etc., *qui ne reposent sur aucun fondement :* il paraît qu'il n'est pas intelligent... il est impuissant... etc. Tel homme au gros ventre monstrueux se permet de critiquer une jolie fille qui a un peu de cellu-

---

5. *Le Comportement sexuel de la femme* (épuisé).

lite aux cuisses, mais n'en est pas moins désirable. Nous n'insisterons pas sur cet aspect de l'esprit humain *extrêmement malsain pour celui qui en est la proie*, car il participe du sentiment d'infériorité compensé par des complexes de supériorité sur lesquels nous reviendrons.

L'intolérance a tôt fait de se transformer en méchanceté. Or, l'antidote de la méchanceté, c'est la bonté, de même que celui de l'égoïsme est la générosité. **Ce sont des sentiments positifs qui forment les conjonctures favorables de la réussite et de la sérénité.** Il est certes des réussites matérielles qui procèdent de l'acquisivité, de l'égocentrisme ; qui foulent aux pieds toutes les valeurs humanitaires, les considérant comme dépassées ou marquées de sensiblerie. **Mais ces réussites ne sont qu'éphémères ;** on assiste aux sanctions inéluctables du désastre financier ou politique. Et quand ce n'est pas le cas, la sanction se manifeste dans la sphère personnelle. C'est l'apparition de la maladie, l'échec de la vie affective, familiale ou sexuelle. *Donner pour recevoir, telle est l'attitude à adopter* si on veut attirer la fortune et la conserver. Par fortune nous entendons non pas la richesse, mais **la réussite sur tous les plans,** depuis l'honnête aisance qui libère des soucis d'argent et la satisfaction d'avoir réussi sa vie et celle d'avoir fait le bonheur des siens.

e) Un esprit riche et fécond

Du sentiment d'infériorité découle généralement le complexe de dénuement. La personne entretient au fond d'elle-même des pensées défaitistes de non-réussite et de pauvreté. Elle est persuadée « *qu'elle ne pourra jamais s'en sortir* ». Pensant cela, elle dresse sans le savoir de nombreux obstacles sur les chemins qui permettent l'accession aux belles situations et à l'aisance matérielle. **C'est que les pensées de pauvreté renforcent le sentiment d'infériorité,** ligotent l'action audacieuse qui permettrait de sortir de l'ornière où l'on est embourbé. **Aucun homme n'est supérieur à un autre** et le plus parfait imbécile possède, au moins sur un point, une supériorité sur celui reconnu comme une grande intelligence. Tel mathématicien célèbre ne connaîtra rien de l'œuvre de Musset ou sera incapable de se rétablir sur un toit si quelque accident stupide le laissait suspendu à une gouttière... Tout ce qui fait la différence entre la réussite matérielle et la pauvreté, ce n'est pas la chance, c'est encore moins l'intelligence ou la valeur morale ; **c'est en définitive la pensée constructive.** Celui qui réussit, *c'est celui qui désire ardemment réussir,* qui tend sa volonté vers ce but, car sa pensée crée les facteurs favorables de la réussite. Les rencontres bénéfiques, les relations qui se nouent, les concours qui s'offrent, les occasions qui se présentent ne sont pas l'effet du hasard et de la chance ; **c'est la résultante de cette pensée positive qui influe sur les modalités du destin,** alors que la pensée dépressive ne fait que dresser des obstacles sur la route de celui qui s'y complaît.

Dans cet état d'esprit, ne manquez pas, en marge de l'auto-hypnose qui va vous permettre de modifier votre mental dans un sens bénéfique, de faire preuve de mansuétude et de générosité. *Soyez amical, conciliant en toutes choses.* Etes-vous en conflit avec quelqu'un, vous pourriez faire un procès que vous avez des chances de gagner ? N'en faites rien avant d'avoir épuisé toutes les chances de dialogue. Même en votre faveur, ce procès créerait des remous néga-tifs qui empoisonneraient votre climat moral, développeraient *des préoccupations qui retarderaient votre marche en avant.* Ayant quel-que aisance, prêtez-vous de l'argent à des amis dans l'ennui ? N'attendez pas de remboursement, **car ce n'est plus un service que vous leur rendriez** et les soucis qu'ils auraient pour vous le rendre s'ils étaient encore dans la gêne ne manqueraient pas, sans que vous en ayez la perception, de troubler votre sérénité.

Il est de toute nécessité de débarrasser l'esprit des habitudes de pensées néfastes qui l'encombrent, avant de l'ensemencer de pensées rayonnantes et positives. Ne doutez pas que votre subconscient, impressionné par des formules non pas spécifiques mais générales concernant l'hygiène de l'esprit, *saura trouver les voies qui lui per-mettront de mettre votre climat moral au beau fixe.* Alors tout deviendra facile. Votre chance **vous la devrez à vous-même** sans attendre un gain problématique du Loto ou de la Loterie nationale, institutions immorales en ce sens que, faisant vivre d'espoir, elles tuent l'initiative personnelle.

LES FORMULATIONS

Pour se libérer de la drogue des medias

« *Je prends conscience que l'information est une drogue... une dro-gue aussi dangereuse que les stupéfiants... sa répétition à longueur de journée est nuisible à mon équilibre... elle m'empêche de penser par moi-même... aussi... je n'écoute chaque jour qu'un seul bulletin d'informations... je n'ai plus envie d'ouvrir mon poste à tout moment... car cela peut me perturber... éparpiller ma pensée... m'empêcher de me concentrer sur ce qui m'est utile... je n'écoute plus qu'un seul bulletin d'informations... je n'ai plus jamais hâte d'apprendre les crimes... les attentats... les conflits qui ont lieu dans le monde... car cela assombrit mon moral... je me tiens seulement au courant de l'actualité... et je n'écoute que les émissions enrichissantes... après avoir délibérément choisi mon programme... De même... je ne lis dans le journal que les articles de fond... écartant ceux qui dramatisent à plaisir... pour augmenter le tirage... je me libère de toute mainmise sur mon libre-arbitre... je ne tolère plus cette emprise de la radio... de la télévision sur l'individu... je suis responsable et lucide... personne n'a le droit de penser pour moi... je suis capable de distinguer le vrai du faux... de raisonner... aussi, je récuse les idées toutes faites... je ne me laisse influencer ni par les hommes politiques... qui souvent se fourvoient... qui ne sont pas infaillibles... ni par les scientifiques... ni par les modes absurdes... je m'acharne à distinguer la vérité... par la logique... le raisonnement... Maître de moi, je ne me laisse pas prendre au lavage de cerveau des medias... »*

Pour métamorphoser votre climat moral

« Je déteste la médisance... je ne me livre plus à la critique acerbe... si on dénigre quelqu'un devant moi... je mets en relief ses qualités... je le défends... je vois les êtres qui m'entourent sous un jour favorable... et si je leur trouve des défauts, je sais que moi non plus n'ai pas que des qualités... Aussi je suis tolérant pour les autres... même davantage que pour moi-même... Je reconnais qu'on peut avoir des idées différentes des miennes... et cela ne peut nuire à l'amitié que je puis avoir pour quelqu'un... je me dis que le monde serait insipide si chacun se ressemblait physiquement, avait les mêmes idées, les mêmes réactions... Ce qui me déplaît peut plaire à quelqu'un d'autre... Aussi... je cultive la tolérance comme une qualité fondamentale... je ne juge personne a priori avant de bien le connaître... de m'être forgé une opinion... Chaque fois que je suis tenté de critiquer ou même de dénigrer, je me tais, ou remplace les paroles acerbes que j'allais prononcer par des propos amènes... Ainsi, je libère mon mental des miasmes délétères de la malveillance et j'attire à moi les influences bénéfiques par l'effet de la pensée altruiste... »

Pour attirer à soi réussite et argent

« Je sais qu'il suffit de ne plus penser à l'échec pour réussir... je ne pense plus jamais que je peux échouer quand j'entreprends quelque

Tableau n° 17

LES FORMULATIONS, COMMENT LES UTILISER

Vous avez déjà expérimenté des formulations pour renforcer votre aptitude à vous mettre en infra et auto-hypnose. N'abordez pas les formulations qui émaillent les divers textes qui suivent jusqu'à la fin du livre — ce qui en fait l'originalité — sans être parvenu, par ce moyen et l'entraînement adéquat, au moins à l'infra-hypnose. Alors ces formules auront une pleine efficacité.

C'est à vous qu'il appartient de faire un choix parmi les formules, dont chacune répond à un problème déterminé. Il serait bien étonnant qu'aucune ne vous convienne. Certaines ont des effets généraux : par exemple, si vous désirez attirer les forces qui assureront votre réussite matérielle, optez pour la formule : « *Comment attirer à soi réussite et argent.* » S'il s'agit d'une qualité particulière à acquérir ou d'une mauvaise habitude dont vous voulez vous délivrer, adoptez la formule spécifique à ce problème. La liste des formulations que vous trouverez à la table des matières vous aidera à affecter un choix judicieux par rapport à votre épanouissement personnel et aux étapes que vous aurez précisées dans votre plan de vie.

Ne commettez pas l'erreur de vouloir utiliser de nombreuses formules au cours d'une séance. Parez au plus pressé en choisissant par exemple une formule générale et une formule particulière. Le résultat obtenu, utilisez une autre formule et, au besoin, comme consolidation, renouvelez la première une fois par semaine. Votre subconscient en étant déjà imprégné, les effets en seront décuplés.

Les formules sont courtes. Vous constaterez de nombreuses répétitions. Elles sont intentionnelles (la répétition fait la force de la suggestion). Par ailleurs, elles ont été composées pour être enchaînées sans arrêt. Reprenant l'exemple précédent de la réussite, il faut 1'30 pour la lire ou la réciter. Votre séance durera au minimum 5'. Renouvelez donc la formule quatre ou cinq fois sans discontinuer.

Les formules peuvent être répétées mentalement ou à mi-voix. Je vous conseille de les répéter d'abord à mi-voix, à mi-chemin entre la veille et l'hypnose. Quand vous les connaissez bien — vous pouvez aussi les condenser ou les adapter — approfondissez l'état de torpeur et répétez-les mentalement. Dans ce cas, il vous sera plus facile de les accompagner d'images mentales correspondant aux paroles, soit par des textes visionnés mentalement comme nous l'avons exposé, soit par le cinéma intérieur objectivant l'action et le comportement.

.../...

Si vous possédez un magnétophone, la cassette d'infra-hypnose (possédant une réserve vierge de 9 minutes) vous permet d'enregistrer vous-même l'une des formules du livre. Vous pouvez ainsi enregistrer trois ou quatre formules d'autosuggestion. Dans le cas où vous voudriez bénéficier des effets musicaux-psychiques, les « Self-méthodes » adaptées à de nombreux cas et résolution des problèmes les plus courants vous permettraient de faire des séances prolongées dans lesquelles relaxation et sur-respiration sont intégrées en préambule.

Enregistrez vos formules d'une voix plutôt confidentielle, mais au maximum de puissance de votre enregistreur, sans toutefois exagérer pour ne pas arriver à saturation, ce qui déforme la voix. Ainsi, lorsque vous réduirez le volume à l'écoute, vous éliminerez le bruit de fond. Le volume réduit ne doit pas l'être trop, car alors vous seriez obligé de faire un effort d'attention pour entendre les paroles. Or, vous savez qu'il ne s'agit pas d'attention ; le subconscient enregistre les formules dans l'impavidité de la pensée. Ne croyez pas que si vous vous endormez l'autosuggestion sera inopérante. Elle conserve son efficacité même au cours du sommeil naturel.

chose... je sais que je dois réussir... Quand je veux réaliser un projet, j'ai la conviction que des conjonctures favorables vont permettre sa réalisation... je pense que je vais réussir... que mes désirs seront comblés... Je suis libéré du complexe de dénuement qui m'empêchait de gagner de l'argent... je sais que je peux gagner beaucoup d'argent si je le veux vraiment... et surtout, si j'entretiens en moi cette certitude... sans pour cela vouloir de l'argent pour l'argent... mais pour rendre mon entourage plus heureux... pour réaliser mes projets... satisfaire mes désirs légitimes... Je m'entoure d'une aura de réussite et de générosité... qui attire irrésistiblement les conjonctures favorables... je suis sûr de réussir... de réussir... et si malgré tout je rencontrais des obstacles... ils ne seraient que momentanés et... finalement je réussirai... je réussirai... »

5. Eliminez les affects négatifs

a) La peur

Vous ne pouvez pas réussir votre vie et être pleinement heureux si vous ne rejetez pas de votre champ mental les affects négatifs. Nous avons évoqué le phénomène de la peur tel qu'il se produisait aux premiers âges de l'humanité ; réflexe de défense par la fuite ou mobilisation des ressources musculaires pour l'attaque. En nos sociétés policées, la peur, l'anxiété et l'angoisse qui en découlent sont soumises chez l'être équilibré au contrôle du conscient qui détermine le risque, élabore les moyens d'y parer ou de le limiter. *Mais le danger, pour n'être pas aussi immédiat que pour le primitif contraint d'affronter une bête sauvage pour défendre sa vie, n'en est pas moins réel.* De multiples menaces pèsent sur l'homme d'aujourd'hui dont la permanence et le nombre développent des craintes souvent justifiées. L'ouvrier qui est menacé dans son emploi, le cadre licencié qui ne retrouve pas une situation équivalente à celle qu'il avait précédemment alors que les engagements pris en période normale doivent être tenus, font naître des préoccupations constantes. C'est ainsi que des statistiques ont montré que les ulcères gastro-duodénaux étaient beaucoup plus nombreux chez les chômeurs que dans les catégories de personnes ayant la sécurité de l'emploi. En marge de la rumination mentale dont nous avons dénoncé les effets, *nombreuses sont les menaces susceptibles de développer intérieurement un climat d'anxiété.* A la peur endémique de la mort se superpose la crainte de l'avenir dans un monde en désarroi à la recherche de son équilibre, vivant dans la hantise du marasme économique, de la famine et de la guerre. La qualité foncière de la race, la robustesse, se sont amenuisées ; la vitalité, la longévité ne sont que factices, l'apparente santé n'étant entretenue que par la chirurgie et la chimiothérapie, cette dernière abolissant les résistances individuelles permettant de vivre certes plus longtemps, *mais dans la menace de la maladie ;* on constate l'amoindrissement de la vigueur musculaire et de la qualité organique. Malades mentaux, handicapés physiques, diabétiques, cardio-rénaux, etc., sont si nombreux qu'on ne peut croiser cinquante personnes dans la rue *sans avoir la certitude de croiser dix malades.* La médecine symptomatique, l'orchestration médicale qui multiplie radios et examens de laboratoires, la diffusion pharmaceutique, les émissions audiovisuelles mettant l'accent sur les découvertes technologiques de la médecine, font **que peu de gens échappent à la hantise de la maladie.** Chacun a « son médecin » et se garantit à outrance contre la maladie ou l'accident par de multiples assurances dont le paiement entraîne pour les plus démunis des préoccupations qui s'ajoutent à celles de leur santé. La Sécurité sociale est devenue un gouffre que les gouvernants ne savent plus comment combler. Se reposant sur l'assistance sociale, rassuré par les antibiotiques, l'individu ne se rend plus compte **que c'est à lui d'assurer sa santé par de saines disciplines de vie** qui sont une prévention contre la maladie. Ce n'est que dans cette optique *qu'il peut se délivrer de l'anxiété* qui l'étreint dans la crainte d'une affection grave, de la dépression nerveuse, ou d'un infarctus qui interromprait son activité et pourrait ruiner son avenir.

b) De l'appréhension à l'angoisse

De même que sans la douleur nous ne pourrions réagir contre les agressions envers notre intégrité corporelle, sans une certaine appréhension, nous ne saurions prendre les décisions nécessaires pour résoudre nos difficultés. De même, *l'anxiété nous incite à nous montrer vigilants par rapport aux événements néfastes qui pourraient nous accabler.* Il y a donc une normalité des affects négatifs qu'on ne peut nier. Mais dans la loi de l'équilibre des forces contraires, se situe la frontière qui sépare d'un côté la pensée lucide qui, effleurée par l'inquiétude, recherche des solutions logiques pour parer au danger qui s'annonce, et *l'angoisse qui se développe sous l'effet de la peur.* Cela n'est en fait qu'une question de nuances et d'intensité. La peur a un caractère soudain, souvent brutal. **Elle provoque une forte décharge d'adrénaline,** met l'organisme sous tension. Elle peut précipiter la mort en faisant paniquer devant le danger ; elle peut aggraver une atteinte soudaine, imprévue, dans le cas par exemple d'une douleur physique intense, *alors que la détente associée à l'image mentale de l'organe en cause pourrait la faire cesser.*

La peur est une manifestation différente de celle de l'anxiété et de l'angoisse. La peur engendre des réactions qui ne sont que le prolongement sous des formes diversifiées de la peur ancestrale. L'homme primitif avait peur des ténèbres, de la foudre, des éléments déchaînés dont il ne percevait pas les causes. De notre temps, cette peur prend d'autres aspects du fait de nos conditions de vie et du développement du cortex. Dans les premiers âges de l'humanité, comme nous l'avons souligné, le diencéphale réagissait soit pour clouer sur place la victime de la peur, soit pour lui donner les moyens de la fuite ou de l'attaque en mettant ses muscles sous tension. *Ce processus peut se reproduire en certaines situations dramatiques,* même de nos jours. Menacé dans sa vie, l'être le plus civilisé n'a pas d'autres moyens à sa disposition. Traitant de l'anxiété, le docteur Winter a montré par une anecdote que la réalité d'une menace, d'un danger, est complexe et comporte bien des aspects (6) : « *Imaginez, dit-il, qu'un individu vous menace d'un revolver. Le danger est-il réel ? Le revolver n'est pas forcément chargé, ou bien cet homme ne veut que vous faire peur, ou il ne s'agit que d'une mauvaise farce. Mais il se peut aussi que le revolver soit chargé et que l'individu menaçant soit animé d'intentions meurtrières. Comment réagir ? On a vu des gens tomber morts de peur parce qu'un pistolet-jouet avait été*

---

6. *La Maladie naît de l'anxiété* (Editions M.C.L.).

braqué sur eux, on connaît aussi des cas où d'aucuns ont perdu la vie pour avoir sous-estimé le danger qu'ils couraient. La menace, ajoute l'auteur, *est donc à la fois réelle et virtuelle.* »

La peur peut cependant être maîtrisée. **Pourquoi certains individus sont-ils peureux et d'autres non,** semblant échapper à ce sentiment. On peut trouver deux explications. L'une tenant au complexe tempéramental ; un sanguin fera face au danger, un nerveux pourra choisir la fuite. Dans cette optique, l'éducation modifiant les tendances et modelant le comportement, l'enfant qui a été élevé dans la crainte continuera à réagir par la peur des sanctions. Devenu adulte, *il hésitera à attaquer de front les difficultés de la vie ;* il choisira l'immobilisme, mais ne se libérera pas pour autant de la peur. **C'est que la peur ne peut être anéantie que par l'action.** Sans cette action, la peur se transmue en angoisse et il est manifeste que ce sont les individus peureux qui sont le plus angoissés. Ce qu'explique l'auteur précédemment cité : « *L'angoisse serait une répétition stéréotypée de la réaction d'un être menacé, terrifié, qui n'a d'autre moyen pour se défendre que de trembler et de se tenir coi.* »

Une confusion s'établit facilement entre la peur, qui est d'un impact brutal donnant lieu aux réactions que nous avons décrites, **et l'angoisse qui revêt un caractère permanent.** Cette confusion provient du langage courant. On a peur de la maladie ; on a peur de mourir ; on a peur que son enfant ait un accident ; on a même peur de l'avenir... Il s'agit là en réalité *d'une anxiété latente qui peut dégénérer en angoisse.* Mais alors que la peur est identifiable, ces sentiments négatifs et destructeurs car plus ou moins permanents, ne sont pas toujours présents à la conscience. Ils ne sont reconnus comme réels qu'en certaines situations. La personne victime d'un chantage devant lequel elle n'a pas la force de réagir en mettant son maître-chanteur hors d'état de nuire est angoissée et la cause de son angoisse ne lui échappe pas, mais telle autre éprouvera *le sentiment indéfinissable d'un malheur imminent sans que rien ne justifie son appréhension.* Ce peut être la réminiscence d'expériences douloureuses du passé qui en est responsable, ou encore la psychasthénie qui amoindrit les réactions de défense. Pour Freud, *l'angoisse résulterait d'une tension libidinale accumulée et non déchargée.* Cela se transposant à tout afflux d'excitations — *autrement dit de désirs* — d'origine externe ou interne qu'on serait incapable de maîtriser.

Peut-on discerner les prémices de l'angoisse ? Sans aucun doute. Nous disposons de l'interrogatoire du subconscient qui permet de découvrir les faits traumatisants du passé « flottant » dans le préconscient, puis de lui demander de cerner le problème et de définir les moyens de le résoudre. Une sorte de désaffection pour la vie journalière, de morosité, le découragement, le « *à quoi bon* » revenant comme un leitmotiv, le repli sur soi-même, l'insomnie peuplée de sombres perspectives ou d'exagération des menaces auxquelles chacun est confronté, **sont autant de signes précurseurs de l'anxiété** qui, si on n'y prend garde, tournera à l'angoisse, elle-même préparant la litière des dépressions nerveuses, névroses et psychoses qui trouvent un terrain favorable à leur développement.

c) La lutte contre l'angoisse

Certains accidents de la route sont incompréhensibles. La route était droite, l'examen de ce qui reste de la voiture ne montre aucune rupture mécanique, les pneus sont en bon état... et cependant le conducteur a, semble-t-il, perdu le contrôle de son véhicule. Crise cardiaque ? Ses proches, le médecin affirment qu'il n'avait jamais eu de troubles précurseurs. Alors ? Reste l'hypothèse de la drogue. Celle des hallucinogènes, de la marijuana ou des drogues dures. Pas nécessairement, quoique l'usage en soit de plus en plus répandu, *et nous croisons certainement des dizaines de milliers d'intoxiqués sur les routes, auxquels s'ajoutent les alcooliques,* les seuls qu'on s'efforce de dépister... Mais, bien plus nombreux, sont les femmes et les hommes **qui se droguent à longueur d'année, qui s'abêtissent et se détruisent à coups de calmants et d'excitants.** Sans traiter pour l'instant des produits utilisés en psychiatrie, nous mettrons l'accent sur les remèdes considérés comme inoffensifs destinés soit à calmer la tension nerveuse ou à retrouver le sommeil, soit à stimuler l'activité cérébrale, à développer l'euphorie. La vente de ces produits qu'on a appelé les « *pilules du bonheur* » mesure la terrifiante dimension qu'ont prises l'asthénie et l'angoisse dans le monde contemporain. **Plus de 50 000 tonnes de neuroleptiques et de stimulants chimiques sont vendus annuellement aux Etats-Unis !** Des sédatifs de l'anxiété, des spécialités destinées à faire dormir, dépresseurs médullaires, somnifères, sont mis au point par les laboratoires qui les proposent sous des noms différents. A ces calmants, il faut ajouter la longue liste des euphorisants, si bien que nombre de personnes se soumettent *à une véritable douche écossaise psychique.* C'est l'homme d'affaires qui, harassé et préoccupé, ne peut s'endormir le soir sans son somnifère et qui, en ressentant encore les effets dans la matinée, prend un stimulant dont la nocivité sera accrue par l'alcool absorbé au cours du repas d'affaires ; c'est la femme « *qui n'en peut plus* » et a dans son sac sa petite boîte de pilules euphorisantes ; c'est l'étudiant qui *se dope pendant la préparation de ses examens* et qui, le jour venu, *prend un calmant pour échapper au trac.* La douleur qu'on supporte mal, qu'on ne sait comment abolir ajoute à cette intoxication massive par la prise régulière de médicaments, non moins dangereux quand ils ne sont pas absorbés qu'exceptionnellement ; pour dix spécialités pharmaceutiques vendues en France, il est délivré cent tubes d'aspirine ou de ses dérivés. Dans la cohorte des stimulants viennent en bonne place ceux destinés à favoriser l'*excitation sexuelle* ; leur usage fréquent, loin d'accroître la capacité virile, ne peut que l'amoindrir, alors que des stimulations naturelles permettent de prolonger à volonté l'acte sexuel.

Cet usage massif de substances chimiques a des effets extrêmement nocifs, voire dangereux. Il soumet le système nerveux à de brutales agressions qui perturbent l'équilibre sympathique et provoquent des troubles mineurs dont la répétition *finit par déclencher de graves affections ;* les ulcères gastro-duodénaux dans le cas des sédatifs de la douleur, l'excitabilité maladive quand il y a abus de stimulants. On prétend que ces substances ne créent pas d'accoutumance. **C'est absolument faux car cette accoutumance est une loi intangible.** L'alcoolique absorbe des doses d'alcool sans manifester de signes évidents d'ivresse, alors que l'homme sain absorbant la même dose tomberait ivre mort ; les somnifères doivent être accrus ou remplacés par des drogues plus fortes pour continuer à exercer leurs effets. **Amoindrissant les forces vitales de celui qui en use,** les stimulants deviennent de moins en moins opérants ; l'utilisateur est tenté d'en forcer la dose pour retrouver les mêmes effets euphoriques. Leur suppression brutale *qui produit les mêmes phénomènes de manque que chez le drogué* privé de son stupéfiant habituel (profonde mélancolie, tremblements, anxiété, désarroi moral) montre bien la nocivité de ces produits de synthèse. Mais pour nous, le plus dangereux de cet usage ne réside pas dans ces troubles souvent dénoncés par les médecins eux-mêmes. **C'est qu'il porte atteinte à la dignité de l'homme** en le déchargeant de ses responsabilités. L'assuétude témoigne d'une dépendance qui amoindrit la volonté, développe un besoin tyrannique qui, s'il n'est pas satisfait, *dégénère en névrose obsessionnelle.* L'absorption sans mesure de médicaments pour telle ou telle raison, sans que souvent le médecin soit consulté sur leur opportunité, *c'est le cas pour beaucoup de produits amaigrissants* (7), conduit à la corruption du sang et, par

---

7. Marcel Rouet : *Maigrir par la détente nerveuse* (Editions Dangles).

ce biais, à la dégradation des immunités naturelles ; **c'est la porte ouverte à la maladie.**

Le recours aux drogues ne peut que dissiper momentanément l'anxiété ou l'angoisse ; il ne fait que masquer les soucis, préoccupations ou chagrins immédiats. Le masque tombé, aucun problème n'est résolu, et ils se posent à l'esprit avec encore plus d'acuité. De combattre l'angoisse, comme l'entourage le conseille généralement, par un effort de volonté, est aussi illusoire que de prendre les pilules du bonheur. D'abord parce que l'anxiété latente, l'angoisse sont souvent indéfinissables ; *la personne ne sait pas pourquoi elle est angoissée.* Elle peut certes interroger son subconscient, mais la réponse ne lui apporte pas les forces qui lui seraient nécessaires pour pouvoir réagir comme le lui conseille son entourage. Cette sollicitude lui est au contraire néfaste, car elle lui donne un sentiment accru d'impuissance.

De déterminer les causes de l'angoisse peut libérer de certains affects négatifs, mais cette opération doit s'assortir de certaines pratiques orientées vers de nouveaux conditionnements ne faisant pas, au moins dans un premier temps, appel à la volonté. Elles seront de deux ordres : **physique** (portant particulièrement sur la sur-respiration et l'exercice progressif, tant est important cet aspect du problème qui semble ignoré par la plupart des médecins) et **psychique** (en n'ayant recours, au moins dans la première phase du reconditionnement, qu'au subconscient). L'auto-hypnose portera donc **sur des autosuggestions spécifiques de l'angoisse,** que nous exposons ci-dessous, mais aussi par le même moyen **sur la motivation par rapport à l'exercice et au renforcement des qualités volitives ;** ces dernières figurent dans la liste des formulations que le lecteur peut consulter en fin d'ouvrage.

LES FORMULATIONS

Pour éliminer les causes d'anxiété :

« Je n'ai aucune raison d'être anxieux... si je sens l'anxiété me gagner... je me détends et, aussitôt... je me délivre de l'anxiété... D'ailleurs, je respire profondément... plusieurs fois... et chaque fois que je laisse s'échapper l'air... lentement... par le nez... je sens mon anxiété... s'atténuer... à chaque fois que j'expire lentement... puis, elle disparaît complètement... je sais maintenant chasser l'anxiété... je ne suis plus jamais anxieux... car je domine mes activités... je n'ai plus jamais

l'impression d'être bousculé... je réagis toujours consciemment... je n'ai plus la hantise de ne pouvoir faire face... je sais réagir devant toutes les situations... et même les difficultés... car ce sont elles qui me stimulent... Personne... absolument personne ne peut me forcer à faire ce dont je n'ai pas envie... je suis seul à décider de mon emploi du temps... et je m'arrange pour qu'il ne soit pas trop chargé... ce qui me libère de toute tension nerveuse... je n'ai maintenant aucune raison d'être anxieux... je me sens libéré de toute anxiété... je suis libéré de toute anxiété... »

Pour se libérer de l'angoisse et de la peur :

« ... C'est la peur de l'inconnu qui développe l'angoisse... sans raison... car j'ai déjà traversé des épreuves... et je les ai surmontées... aussi... je crois en la providence... en mon étoile... La peur est un sentiment naturel... je ne me réfugie pas dans la fuite... au contraire, je la regarde en face et je réagis vigoureusement... je sais que le seul moyen de vaincre la peur, c'est l'action... et l'action chasse l'angoisse... comme le jour chasse la nuit... J'aime affronter la vie... et même les échecs m'incitent à une nouvelle action... étant certain de réparer cet échec par la réussite... car c'est la lutte qui fortifie... et enrichit... Aussi, je n'ai pas peur du lendemain... ayant la certitude d'être capable de surmonter toutes les difficultés... quelles qu'elles soient... D'ailleurs je n'ai peur de rien... la solitude même ne me fait pas peur... ni davantage la maladie... ni la douleur, que je peux surmonter... Je ne crains pas l'avenir... car je vis pleinement... intensément... dans le présent... Quand je pense à l'avenir... j'imagine toujours que je suis aidé par la providence... que les circonstances me seront bénéfiques... sans rêver toutefois... en me montrant réaliste... sans jamais différer l'action à plus tard... ni même au lendemain... et ce qui fait que je ne suis jamais angoissé... que rien ne me fait peur... aussi... je ne crains personne... absolument personne... D'ailleurs j'aime prendre des risques... sans risques, la vie ne vaudrait pas la peine d'être vécue... Aussi, je prends résolument des risques, dans tous les domaines... que ce soit dans ma vie affective, ou dans mes entreprises... Mais j'agis toujours avec lucidité et énergie... Je n'ai jamais peur d'être critiqué... et je me moque de ce qu'on pense de moi... aussi je ne demande aucune approbation... prenant moi-même les décisions, la responsabilité pleine et entière de mes actes... Je n'ai pas davantage peur de manquer à la morale établie, si elle est en contradiction avec mes principes, du moment que j'agis courtoisement... sans nuire à personne... allons ! la vie appartient à ceux qui la violentent... je vis dans le présent... intensément... sans avoir peur du lendemain... ayant pleinement foi en la providence... en croyant à ma chance... sans craindre l'angoisse qui paralyse l'action. »

Pour se délivrer de l'emprise des neuroleptiques :

« *Je peux détendre mes nerfs par moi-même... je sais réduire mes tensions... sans avoir besoin de calmants... ce n'est pas digne de moi d'avoir recours à des drogues pour me détendre... je peux y parvenir par moi-même... en refusant de m'intoxiquer... les médicaments ruinent à la longue la santé... je ne les accepte qu'en cas d'urgence... autrement je n'en prends jamais... car même la douleur ne me fait pas peur... je sais que je peux la vaincre... sans drogue... De même, je maîtrise mon sommeil... je peux dormir sans rien prendre... je maîtrise mon sommeil... je dors quand je le veux... Je n'ai pas besoin de stimulants... car j'ai de plus en plus de forces vitales... j'aime les dépenser en toutes occasions... mais je sais aussi les reconstituer par la relaxation... Quant aux euphorisants... je n'en ai pas besoin... ils me déprimeraient ensuite... je n'en use jamais... Malmenant mon système nerveux, ils me conduiraient à l'impuissance physique et psychique... et je veux garder mes forces intactes pour pouvoir toujours jouir pleinement de la vie... Les stimulants... les excitants... je les trouve dans les produits naturels... des produits reconstituants... sans danger... En aucun cas je ne veux nuire à ma santé... Toujours lucide... je repousse maintenant jusqu'à l'idée de me droguer... d'empoisonner mon corps et mon esprit avec les produits chimiques que sont la plupart des médicaments, dont les calmants et les euphorisants.* »

6. Développez vos motivations en cultivant l'enthousiasme

a) Vous devez croire en la providence

Il n'est pas de motivation dynamique sans enthousiasme. Mais il n'est pas non plus d'enthousiasme sans désir intense de réaliser ses projets, *en ayant la conviction qu'ils vont aboutir.* Pour cela il faut non seulement croire en soi, mais croire à la providence. **C'est un tour d'esprit qu'il vous faut développer pour trouver le chemin du bonheur.** C'est ce que nous allons exposer et proposer à votre méditation.

Ayez une foi absolue dans la providence. Faites d'abord un retour sur vous-même, sur les soucis que vous avez eus dans le passé, sur vos tourments et, sans doute, sur vos désespérances. Il vous est quelquefois apparu — *comme à tout le monde* — que la vie ne valait plus la peine d'être vécue. Et cependant, le temps qui estompe toutes les choses, qui répand son baume sur les peines les plus profondes, vous a apporté *sinon l'oubli, l'anesthésie de vos douleurs morales.* Que la loi d'analogie reste présente sans cesse à votre esprit pour vous démontrer, par l'exemple de la nature, que vos sentiments obéissent, comme les cellules de votre corps, **à un rythme incessant.** L'automne, avec son atmosphère apaisante, ses teintes sédatives (nous les utilisons en psychodiovisuel), précède la rigueur de l'hiver ; puis vient le printemps qui apporte une nouvelle sève, un renouveau triomphal de la nature. Cela est l'image de nos états d'âme ; la convalescence procure une euphorie qu'on ne peut connaître si on n'a jamais été malade. L'aisance matérielle donne à celui qui a toujours été gêné, des satisfactions qui ne peuvent être aussi précieuses pour celui qui est né coiffé. *Les joies de la vie sont bien plus exaltantes quand le bonheur lui sourit pour celui qui a beaucoup souffert.* Aussi lorsqu'un événement grave survient, ne vous appesantissez pas sur votre désarroi. Acceptez cette épreuve avec stoïcisme. Vous savez qu'elle prépare des lendemains radieux. **C'est en ayant foi dans la providence** (qui n'est autre que le phénomène d'alternance), **que vous obtiendrez cette sérénité de l'âme qui permet de conserver sa sérénité.**

Si on n'a pas foi en la providence, la vie est une chose menaçante, et ce manque de confiance creuse le lit de l'anxiété. Lorsque l'être humain songe à ce qui peut lui arriver dans l'heure qui va s'écouler, *il reste confondu d'admiration devant l'ordonnance des choses.* Une maladie aiguë, une crise d'appendicite peuvent se déclarer brusquement, une embolie peut mettre fin à votre vie, on peut vous apprendre la mort d'un être qui vous est cher, la personne que vous aimez le plus peut être victime d'un accident, vous pouvez vous briser une jambe en dégringolant dans un escalier ; et avez-vous pensé si vous êtes dans l'âge mûr, qu'ayant vos yeux intacts, cependant si fragiles et exposés, *que vous avez une chance inouïe,* alors qu'il y a des quantités de gens qui ont perdu la vue. Et pourtant, alors qu'à travers le monde des dizaines de milliers de gens périssent à l'instant même, alors que des milliers d'êtres sont plongés dans le désespoir pour une foule de raisons diverses, **vous continuez à vivre,** à poursuivre les buts que vous vous étiez fixés, comme si rien de grave ne vous menaçait ; vous faites des projets d'avenir comme si c'était vous qui décidiez de l'enchaînement des événements. *N'est-ce pas un don du ciel que l'homme ait la faculté d'ignorer les dangers qui bordent la route qu'il suit de la naissance à la mort ?*

b) Ayez confiance en vous

Il apparaît que plus l'être humain a confiance en lui et en sa destinée, *moins il est menacé par les circonstances adverses*. Plus son moral est au beau fixe, moins il se soucie de ce qui peut advenir, plus il se trouve capable de lutter victorieusement contre les assauts d'un destin qui lui serait contraire. Ce qui revient à dire *que plus vous serez équilibré, moins vous serez tourmenté par le devenir*. Le sentiment d'invulnérabilité que donnent la santé et la connaissance des lois qui nous régissent, permet de se défendre contre l'invasion de l'esprit par le doute, la crainte, l'anxiété. **L'homme initié ne craint pas la maladie,** parce qu'il sait que sa vitalité lui permettra d'y résister ou de supporter les traitements nécessaires à la guérison ; **il ne connaît pas l'échec de ses projets,** car il se sent capable de produire de nombreux efforts jusqu'à leur aboutissement final ; **il ne craint pas la mort** parce qu'elle est le lot commun, inéluctable, et qu'il sait pouvoir la regarder fixement.

Mais cette confiance en soi, qui n'est autre que la foi en ses destinées, ne doit pas inciter à l'abandon et au laisser-aller, pas davantage aux décisions irréfléchies ou téméraires. *Nous savons que nous forgeons en partie notre destin par nos pensées*. Ce sont donc les pensées d'équilibre, de santé, de bonté, de réussite qui préparent les conditions de notre succès. Aussi, pour vous libérer de la crainte, de l'anxiété, vous ne devez pas seulement élaguer de votre esprit les affects négatifs ; *il vous faut substituer à ces sentiments dépressifs, des sentiments euphoriques*. Vous ne pouvez réussir que si vous êtes persuadé de la réussite. Alors vous libérerez votre esprit de ces entraves paralysantes que sont la crainte et l'anxiété, vous n'hésiterez pas à prendre des décisions capables de vous apporter plus de réussite et de bonheur. **Même si elles doivent bouleverser votre vie,** vous ne serez plus comme un esquif balloté au milieu d'une mer démontée, vous serez l'habile pilote qui sait où il va, qui tient la barre d'une main sûre pour atteindre le cap où il doit aborder. **Dites-vous que votre destin dépend des pensées que vous entretenez en vous :** vous êtes l'artisan de votre bonheur ou de votre malheur.

c) Cultivez l'enthousiasme

L'enthousiasme est le moteur de l'action. Sans lui rien de grand ne peut se créer, aucun projet ne peut prendre corps. **C'est l'enthousiasme qui mobilise les énergies** en un faisceau qui peut venir à bout de tous les obstacles. L'enthousiasme naît de la motivation issue elle-même de l'objectif à atteindre, mais aussi, il s'en nourrit. Sans la constance des désirs tendus vers le but fixé, l'enthousiasme risque de se refroidir. Or, si on a dit *que la foi soulève les montagnes,* on peut aussi affirmer que l'enthousiasme renverse tous les obstacles. On confond souvent exubérance et enthousiasme. Elles peuvent cohabiter, mais l'enthousiasme n'est pas forcément expansif. Le chercheur concentré sur sa tâche en l'espoir d'une découverte a quelquefois un enthousiasme intériorisé par l'attente, mais qui est souvent autrement intense que celui manifesté pour une entreprise matérielle qui s'avère pleine de promesses.

On ne peut s'enthousiasmer que pour des choses qui en valent la peine, qui vous plaisent. Il est bien évident que de se fixer un but qui ne correspondrait pas à ses idéations, à ses goûts ne peut soulever l'enthousiasme. Cela est particulier à la profession. Etre comptable est insipide si l'on n'aime pas les chiffres ; se trouver à longueur de journée derrière un guichet devient intenable quand on n'a pas l'esprit fonctionnaire ; se sentir subalterne si on a l'âme d'un chef est profondément déprimant. Qu'il s'agisse de la profession, des responsabilités sociales ou autres, de la vie conjugale même, **rien ne peut être gratifiant dans la contrainte.** Nous verrons, à propos de la maladie, que des affections graves peuvent résulter d'emplois dont l'inadéquation provoque, au cours des ans, refoulement et agressivité intériorisés. Un asthmatique se trouva guéri du jour au lendemain après avoir enterré sa femme qui venait de mourir et qu'il ne pouvait plus supporter. Se libérer des contraintes n'est pas toujours chose facile, **mais cela est indispensable quand on veut préserver sa santé physique et mentale.**

Il est toujours possible *quand on le veut vraiment* de remettre tout en question, y compris les idées qu'on a professé jusqu'ici, lorsque l'introspection vous montre qu'on s'est fourvoyé. C'est à propos de l'ambition que nous montrerons ultérieurement les voies à emprunter dans ce cas.

d) La liberté d'esprit

Ne pas se laisser engluer par l'habitude ni par le souci de se conformer aux normes conventionnelles, ne pas craindre d'adultérer l'image vertueuse qu'on donne de soi par hypocrisie ou faiblesse, doit être la règle de conduite à adopter quand on veut s'évader d'une existence contraignante. *Il faut élaborer, par l'introspection et la médita-tion, une éthique personnelle conforme à ses tendances profondes et à ses aspirations,* sans oublier toutefois que cette éthique doit être for-gée en se gardant des mirages du prisme de la passion et être confron-tée aux possibilités réalisatrices, lorsque cette libération implique de rompre délibérément avec tel ou tel mode de vie. Mais combien d'hommes et de femmes, faisant un retour sur eux-mêmes après plu-sieurs décennies, *s'aperçoivent qu'ils sont passés à côté de la vie* pour n'avoir pas osé rompre une attache conjugale, ou avoir, par faiblesse ou sécurité, accompli, des années durant, un travail qui ne les intéres-sait aucunement, qui souvent était une corvée se renouvelant quoti-diennement. D'aucuns se libèrent trop tard, ont les yeux déssillés, mais sont rongés de regrets pour ne pas avoir pris beaucoup plus tôt une ferme résolution.

Dans cette conjoncture d'une existence s'écoulant dans la con-trainte et l'ennui, aucune motivation réellement puissante ne peut se faire jour, d'où le manque d'enthousiasme pour les choses immédia-tes et futures. Cette carence se manifeste par la rêverie, mécanisme de substitution qui « *aide à vivre* », mais contrecarre l'action libératrice des états tensionnels, donc de l'anxiété. **Or, la rêverie, au contraire de l'imagerie volontaire, est sœur jumelle de la tristesse.** Cette dernière, issue de l'anxiété et de la peur, est antagoniste de l'enthousiasme dont nous avons vu qu'il est le moteur de l'action. **Nourrir l'enthousiasme par l'action subconsciente est le moyen de lutter contre la tristesse et d'éviter le repliement sur soi-même.** A cet ensemencement du sub-conscient viendra s'adjoindre *une attitude délibérément optimiste et joyeuse qui achèvera de chasser les miasmes de la mélancolie.* La gaieté, le rire ne sont-ils pas les antidotes de la tristesse.

e) Rire pour détendre les nerfs

Qui, dans l'adolescence, n'a pas été pris d'une crise de fou rire qu'il ne pouvait arrêter et n'en a pas éprouvé l'euphorie, même lors-que cette crise était inopportune car au détriment d'une tierce per-sonne ? C'est que, comme tous les actes physiologiques résultant d'une émission organique, **le rire incontrôlable est une décharge ;** décharge d'une tension, comme le sont les larmes ou l'éjaculation par exemple. Après une crise de rire ou de larmes on se sent apaisé comme après l'amour. Or, le drame d'une époque remplie d'inquiétudes est que les femmes et les hommes *ont oublié le fou rire et se retiennent de pleurer.* Le cortex leur interdit ces manifestations qui appartiennent au diencéphale. Elles sont jugées peu dignes des êtres civilisés que nous sommes devenus. On veut contrôler toutes les pulsions instinctuelles ; on jugule son enthousiasme, on évite de sourire (et de dire merci), on ne chante plus, se contentant d'écouteurs dans les oreilles pour se droguer de bruit. La sono déferlant sur des couples égocentristes aux visages impavides, sans joie, s'est substituée à la franche gaieté du folklore méridionnal et des chœurs bavarois.

D'autre part, l'inquiétude que développent les idéologies fumeuses que nous avons dénoncées, les doutes et les peurs métaphysiques qu'elles entretiennent s'opposent à la spontanéité, à la saine et robuste gaieté qui accompagne les réjouissances qui sont le sel de la vie. D'être constamment tendu vers un but à atteindre, toujours préoccupé des moyens à utiliser pour y parvenir est aussi préjudiciable, ce but serait-il l'épanouissement personnel préconisé dans cet ouvrage. **La maîtrise du mental n'est pas incompatible avec la détente que procurent le rire et les distractions,** voire les plaisirs de l'amour physique et de la table. S'il ne faut pas davantage se comporter en sybarite qu'en ascète, il n'en est pas moins indiqué d'alterner les occupations sérieuses avec les plaisirs ; *c'est l'équilibre de la personnalité qui en dépend.*

f) Mordez donc dans la vie à pleines dents

Cultivez le rire et l'optimisme, éloignez de vous les « pisse-froid » et préférez-leur les joyeux lurons. Lisez aussi les livres humoristiques, allez voir des spectacles désopilants, constituez-vous une discothèque de disques ou de cassettes des meilleures histoires drôles, des chansons à boire, etc., qui voisineront, pourquoi pas ? avec les poèmes d'Apollinaire et d'Aragon, des chansons de Mouloudji et de Johnny Halliday... **Cultivez vous-même l'humour,** ne manquez aucune occasion de rire des travers de ceux que vous côtoyez... des vôtres aussi... et ne manquez pas d'observer les situations cocasses. Cependant, ayez de la mesure en tout. Il me souvient d'avoir été un jour invité à un dîner où il y avait des gens distingués, mais l'un des convives ne cessa du début à la fin de débiter des histoires de commis-voyageur et personne ne put placer un mot... point trop n'en faut...

De même que l'hypocondrie, la tristesse attire de funestes conjonctures ; la joie, l'optimisme envers et contre tout donnent naissance, par un effet similaire, à des circonstances qui vous sont favorables. Ne négligez donc pas cet aspect de l'épanouissement personnel que sont le rire et l'enthousiasme. Ils vous permettent de vivre dans l'euphorie, au milieu des pires tempêtes de la vie.

LES FORMULATIONS

Pour avoir foi en la providence :

« Je crois en mon étoile... Tout n'est qu'alternance dans l'univers... les difficultés d'hier ont toujours été remplacées par des circonstances plus heureuses... comme le jour succède à la nuit... et c'est " quand le ciel s'est obscurci, que le soleil se met soudain à briller "... Chaque fois que j'ai une difficulté, qu'un obstacle paraît s'opposer à mes projets... je pense à la providence... et j'ai la certitude que c'est un détour pour une meilleure réalisation... que mon subconscient connaît... et qui m'apportera d'heureuses solutions... je crois en la providence, et je ne me soucie pas des empêchements et des contretemps qui ne sont toujours que passagers... mes pensées vont vers la providence qui ne peut que m'être favorable, qui ordonne en ma faveur les choses et les gens... je suis sûr que des conjonctures bénéfiques vont bientôt me donner la possibilité de réaliser mes projets... que la providence va m'aider à réaliser mes désirs... et que si n'importe quelle circonstance malheureuse ou même dramatique survenait, elle ne serait que le signe avant-coureur de lendemains meilleurs que me prépare la providence... au moyen des facultés réalisatrices de mon subconscient. »

Pour s'attirer la protection de Dieu quand on est croyant :

« Je sais que la prière peut exaucer tous mes vœux quand ils sont raisonnables et légitimes... Je crois en l'infinie bonté de Dieu à mon égard... J'ai foi en Dieu qui m'entend... qui me donne la force de vaincre toutes les difficultés... Dieu qui m'écoute... attire à moi toutes les influences bienfaisantes... que je me réalise pleinement... pour être digne de Toi.. pour pouvoir aider mes semblables... accomplir œuvre utile dans mon existence... Dieu tout-puissant, chasse de moi les pensées laides et méchantes... donne-moi en partage la bonté et la force de pardonner les offenses... Si tu me destines des épreuves... la foi en Ta justice me donnera les moyens de les surmonter... de trouver l'apaisement et la quiétude dans le combat de l'existence quotidienne... ce combat destiné à me rendre plus fort... Je remets entre tes mains la vie que Tu m'as donnée... pour que tu la fasses aussi enrichissante que possible... Protège, ô mon Dieu ! les êtres qui me sont chers et accorde-nous ta bienveillance... en écartant de mon chemin les déconvenues et les échecs... mais apporte-moi les moyens de surmonter les difficultés... Avec Ton assistance et par la prière... je me sens protégé... et je crois en Ta providence. »

Pour susciter en vous l'enthousiasme :

« *J'ai un moral sans défaillances... j'envisage toujours l'avenir avec sérénité... avec une certitude tranquille... avec confiance... Je n'éprouve jamais aucune lassitude... ni physique ni morale... J'entreprends tout avec allant... avec énergie... dans l'enthousiasme... me passionnant pour tout ce que je fais... et rien ne peut me décourager... car je suis résolument optimiste... j'ai un moral de fer... rien ne peut me décourager... au contraire... les difficultés ne font que me donner encore plus d'énergie... pour les surmonter... rien ne peut entamer mon enthousiasme... absolument rien... Dès que j'ai décidé quelque chose... je l'entreprends après avoir considéré tous les avantages de mon action... je l'entreprends sans tarder... dans l'enthousiasme... et j'écarte résolument de mon esprit le doute, les hésitations qui pourraient retarder mon action... Je cultive en moi l'enthousiasme... la passion pour tout ce que je fais... et je ne me laisse jamais décourager... je suis foncièrement optimiste... je me moque des critiques... des avis défavorables... qui ne peuvent entamer ma sérénité... ni abolir mes certitudes... car je me conduis en responsable de mes décisions et de mes actes... en acceptant les effets mêmes défavorables sans rancœur... sans amertume... car je suis capable d'aborder s'il le faut une autre entreprise... même dans un domaine différent... avec le même enthousiasme... Mon enthousiasme s'étend à toutes mes activités... aussi bien à mes idéations qu'à mon travail. Je me passionne pour tout ce que je fais... qu'il s'agisse de disciplines d'épanouissement personnel, de ma formation intellectuelle, d'activités de loisirs ou de sports... Quoi que je fasse... mon enthousiasme ne faiblit jamais... Tout ce que j'entreprends, je le fais à fond... dans l'enthousiasme... sans jamais perdre de vue le but à atteindre... renforçant mes motivations par la perspective des avantages et des joies que me donnera la réussite. »*

Pour prendre la vie du bon côté :

« *Je ne vois que l'aspect positif des choses, jamais l'aspect négatif... aussi je ne me replie jamais sur moi-même... sauf épisodiquement... pour penser, et méditer... mais toujours... dans une perspective euphorique... Autrement... dans la vie courante... je m'efforce d'être ouvert aux choses et aux gens... recherchant les contacts... les joyeuses réunions entre amis... J'aime la vie... elle est merveilleuse... pleine d'imprévus et de rebondissements... aussi, je ne connais pas la morosité... je ne m'ennuie jamais... car je ne vois que le bon côté des choses... Je suis toujours détendu, jamais crispé... et par conséquent toujours aimable et souriant... donc euphorique... Je fuis la compagnie des gens pessimistes... de ceux qui critiquent sans cesse... qui sont toujours mécontents de tout... je recherche au contraire celle des gens d'esprit, de ceux qui rayonnent de santé, d'une vie intérieure calme et sereine... Rien ne me rend si heureux que de rire à l'occasion de sorties entre bons amis... des amis que je choisis pour leur entrain... leur dynamisme. J'aime la vie avec ses joies simples... celles de la table et de l'amour... et je fuis les gens rigoristes et puritains, tristes et complexés, les esprits sectaires qui répandent la tristesse autour d'eux... J'aime rire et chanter, moi... Allons ! la vie est merveilleuse... merveilleuse... »*

7. Une source d'énergie : la maîtrise de soi

a) Enthousiasme et manque de contrôle de soi

L'expansivité, la faculté de se détendre par le rire et les distractions ne sont pas incompatibles avec la maîtrise de soi. *Un contrôle trop permanent de ses désirs et de ses pulsions conduit aux mêmes désordres psychosomatiques que l'éparpillement des pensées,* que des comportements irréfléchis menant à l'anarchie cérébrale, donc au dysfonctionnement nervo-endocrinien. C'est un peu comme si aucune récréation n'était accordée à une classe d'élèves, ce qui provoquerait une fatigue excessive, ou que des jeux excluant l'étude produisent le surmenage et s'opposent à la discipline intellectuelle. On retrouve la nécessité d'observer la loi de l'alternance, de parvenir à une parfaite maîtrise de soi, sans pour autant négliger les exigences de l'instinct qui se traduisent par des pulsions qu'il faut laisser s'exprimer ; faute de quoi, la contrainte qu'on s'imposerait se traduirait par des états tensionnels dont on connaît le danger. **Or, ce sont les pulsions spasmodiques auxquelles on cède sans même en discerner la cause ou le danger qui sont néfastes à l'équilibre de la personnalité,** par exemple le garçon qui, devant effectuer un travail urgent, l'abandonne pour céder aux incitations de sa libido, cela dans l'instant même, alors qu'il eût pu différer son désir et lui donner libre cours à un moment plus opportun. Cette conception de l'alternance est fondamentale, car s'il est nécessaire d'ouvrir périodiquement les soupapes du Ça pour se libérer d'une pression excessive qui conduirait au refoulement, il n'est pas moins précieux, pour les raisons que nous allons exposer, de se discipliner afin de parvenir à la maîtrise de soi.

b) La rétention d'énergie par la maîtrise de soi

Il ne suffit pas d'avoir appris à se placer en relaxation pour récupérer ses énergies. La relaxation ne doit pas seulement intervenir pour compenser les dépenses vitales inconsidérées, *mais pour accumuler encore plus de force au sein des plexus, ou chakras*. Ce n'est pas seulement au cours de séances ponctuelles que doivent se constituer les réserves de force vitales, *c'est dans les mille petites circonstances de la vie qui permettent de s'adonner à la maîtrise de soi*. De cette discipline naîtra ce qu'on a appelé le magnétisme personnel. Mais comment se manifeste ce magnétisme personnel, éminemment attractif et qui fait que l'on se sent irrésistiblement attiré par certains êtres sans qu'ils fassent rien de spécial pour cela ? C'est ce qu'a magistralement décrit Hector Durville (8) : « *Quand vous vous trouvez en compagnie de l'homme consciemment magnétique, le premier effet qu'il vous fait est celui d'être au repos ; il n'est point nerveux, il ne s'agite pas. Vous éprouvez, ensuite, le sentiment qu'il a, en lui, une force en réserve quelque part, une force dont vous ne pouvez pas fixer l'endroit. Elle ne se trouve pas précisément dans son regard, ni dans ses manières, ni dans son parler, ni dans ses actions ; mais elle est là, elle existe et semble faire partie de lui. Voilà exactement le fait : C'EST UNE PARTIE DE LUI, et quelques minutes auparavant, tout singulier que cela vous paraisse, c'était dans une petite mesure UNE PARTIE DE VOUS ! Un peu de cette force d'attraction qu'il montre et dont vous êtes conscient est allé de vous à lui sans que vous le sachiez... Quelle impression cet homme vous a-t-il faite ? — Celle-ci : vous désirez le connaître mieux parce que vous sentez qu'il vous est sympathique, d'une façon mystérieuse et que vous ne pouvez définir. Il vous tient, selon l'expression courante, et vous ne pouvez vous soustraire à son influence, même après que vous ayez pris congé de lui...* »

c) Fermez les vannes de votre vitalité

Il ne se produit pas entre les humains seulement un échange de pensées ; ces pensées sont chargées de magnétisme. Ce magnétisme, vous vous en imprégnez tel un accumulateur. En réalité, tout se passe comme s'il y avait un combat continuel pour la vie, entre les êtres qui se côtoient. Les faibles ressentent étrangement l'influence des êtres forts dont le magnétisme est puissant. Ce sont les hommes — et les

---

8. *Le Magnétisme personnel* (Editions Perthuis).

femmes — dont le calme est souverain qui exercent l'action la plus sédative sur les hypernerveux d'une sensibilité morbide. Ces derniers « *se sentent bien* » en compagnie de ceux dont le comportement est calme. Mais il faut établir une discrimination entre le rayonnement fluidique et l'émission inconsciente du fluide vital. **Lorsque l'organisme est saturé de force nerveuse, il irradie de magnétisme.** Quand un bassin est rempli d'eau, si on continue à l'alimenter, l'eau se déverse de tous côtés, c'est le trop-plein qui déborde ; mais s'il y a une fuite importante à ce bassin, on pourra toujours l'alimenter, il finira par se vider si le volume d'eau qui s'en échappe est plus important que celui de l'alimentation. C'est exactement ce qui se produit pour votre organisme. L'alimentation en force nerveuse de vos plexus, c'est la pratique de la relaxation, c'est la maîtrise consciente de vos impulsions. Les fuites de votre force nerveuse, ce sont vos impatiences, votre énervement, vos soucis, vos hésitations, vos peurs et votre anxiété. *Pour fermer les vannes de votre vitalité, il vous suffit de devenir le maître de vos pensées et de vos actes.*

La rétention magnétique qui permet aux plexus de se charger de forces vitales et au corps de l'irradier par les voies nerveuses, s'obtient par la parfaite maîtrise de soi-même, la sur-respiration rétentionnelle, la relaxation. Mais encore faut-il définir les attitudes en face de la vie et le comportement de l'être dont le self-contrôle est sans faille. Il semble que Kipling l'ait magistralement exposé. Je ne saurais résister au désir de reproduire ce magnifique poème, vous incitant à le relire dans les périodes où vous douteriez que la maîtrise de soi confère une force que rien ne peut briser (9) :

> *Si tu peux voir détruit l'ouvrage de ta vie*
> *Et sans un seul mot te mettre à rebâtir,*
> *Ou perdre en un seul coup le gain de cent parties*
> *Sans un geste et sans un soupir ;*
> *Si tu peux être amant sans être fou d'amour,*
> *Si tu peux être fort sans cesser d'être tendre,*
> *Et te sentir haï sans haïr à ton tour,*
> *Pourtant lutter et te défendre ;*
> *Si tu peux supporter d'entendre tes paroles*
> *Travesties par des gueux pour exciter des sots*
> *Et d'entendre mentir sur toi leurs bouches folles*
> *Sans mentir toi-même d'un seul mot ;*
> *Si tu peux rester digne en étant populaire,*

---

9. Rudyard Kipling : *Le Livre de la jungle.*

Si tu peux rester peuple en consolant les rois,
Et si tu peux aimer tous tes amis en frère
Sans qu'aucun deux soit tout pour toi ;
Si tu sais méditer, observer et connaître
Sans jamais devenir sceptique ou destructeur ;
Rêver, mais sans laisser ton rêve être ton maître ;
Penser sans n'être qu'un penseur ;
Si tu peux être dur sans jamais être en rage,
Si tu peux être brave et jamais imprudent,
Si tu sais être bon, si tu sais être sage
Sans être moral ni pédant ;
Si tu peux rencontrer triomphe après défaite
Et recevoir ces deux menteurs d'un même front,
Si tu peux conserver ton courage et ta tête
Quand tous les autres les perdront ;
Alors les Rois, les Dieux, la Chance et la Victoire
Seront à tout jamais tes esclaves soumis,
Et ce qui vaut bien mieux que les Rois et la Gloire,
Tu seras un homme, mon fils.

Forgez-vous cet idéal d'un être absolument maître de soi et essayez sans cesse de vous y conformer. C'est ainsi que toute votre personnalité irradiera de ce fluide vital irrésistible que les occultistes ont appelé *magnétisme personnel.* Mais si le rayonnement fluidique qui tient à l'abondance du magnétisme est une chose, l'émission incessante du fluide vital dépensé inconsidérément, est une autre chose qu'il faut combattre par la maîtrise de soi.

d) Dominez vos impulsions

Chaque fois qu'à un acte impulsif vous substituez une action volontaire, vous opérez une **rétention de fluide vital.** Allez-vous machinalement prendre une cigarette, alors que le moment de fumer est inopportun ?... résistez à la tentation ; *vous ferez acte de maîtrise et augmenterez ainsi vos forces vitales.* Ne cédez pas aux sollicitations dont vous êtes l'objet. Si vous avez décidé de travailler par exemple, n'acceptez pas qu'on vous détourne par des divertissements fugitifs de la tâche que vous vous êtes fixée. *Votre volonté nourrie par les formules subconscientes doit être éduquée de telle façon qu'elle puisse contrôler tous vos actes,* même lorsqu'ils sont réflexes. Une porte claque-t-elle derrière vous ? Une explosion retentit-elle ? Vous devez avoir un sang-froid suffisant pour ne pas sursauter. Le bruit, les mauvaises odeurs, la vue de spectacles horrifiants doivent vous laisser en apparence parfaitement impassible. Cela ne veut pas dire que vous serez insensible, mais le calme dont vous ne vous départirez pas laissera votre cerveau lucide, apte à faire face rapidement à tous les dangers. Vous éviterez ainsi de sombrer dans une sensiblerie déprimante.

Ce calme souverain, vous devez le conserver dans vos rapports avec vos semblables. Avez-vous de mauvaises nouvelles à votre courrier ? Que cela ne vous affecte pas ; *vous avez déjà eu des difficultés plus grandes que vous avez surmontées,* pourquoi celles-ci ne le seraient-elles pas ? Vous annonce-t-on une mauvaise nouvelle ? *Ne laissez paraître aucun émoi ;* au contraire, recouvrez vos traits d'un masque d'indifférence. Le calme intérieur qu'établira votre comportement flegmatique concentrera toutes vos énergies et cela vous permettra de faire face aux situations les plus critiques (10).

Les **antagonismes** dans les relations professionnelles et dans la vie familiale sont une source continuelle de dépenses vitales qu'il faut absolument éviter. Ne vous laissez jamais gagner par l'énervement ; **sachez éviter l'escalade de l'acrimonie.** Si les réflexions et les critiques qu'on vous fait sont injustes, opposez-leur un calme absolu. Répondez aux paroles acerbes d'un ton ferme et mesuré en démontrant l'injustice et l'illogisme des propos qui vous sont tenus. Vous verrez alors qu'au lieu de s'élever, *le ton baissera sous l'influence apaisante de votre calme.*

e) Hâtez-vous toujours lentement

La fébrilité ou une activité désordonnée sont contraires à la maîtrise de soi. Vous avez certainement vu évoluer dans votre entourage des gens qui paraissaient sans cesse affairés, qui étaient toujours pressés, se disaient débordés de travail. Or, ce sont les plus grands businessmen, ceux qui sont le plus chargés de responsabilités, qui montrent le plus grand calme ; *il semble que leur vie soit une horloge bien réglée dont rien ne peut fausser le mécanisme.* Ainsi, il ne faut pas confondre une activité désordonnée qui ne mène à rien et use les nerfs avec une activité sagement mesurée dont les manifestations ont un but précis.

---

10. P.-C. Jagot : *Méthode rationnelle pour développer la maîtrise de soi* (Editions Dangles).

f) Cultivez les réflexes de la maîtrise de soi

Toute une éducation requérant l'attention permet de faire entrer la maîtrise de soi dans le fait quotidien sans qu'on n'ait bientôt plus à s'en occuper. *Cela se réalise par le truchement des petits gestes coutumiers, de ses réactions habituelles.* Lorsque vous vous déshabillez, prenez l'habitude de le faire avec des gestes sobres et précis. Ne posez pas une veste — ou une robe — sur une chaise n'importe comment, pour les suspendre ensuite au cintre ; du même geste retirez votre veste, décrochez le cintre, placez-le dans les emmanchures et suspendez aussitôt votre vêtement. Cela n'était qu'un exemple ; procédez de même lorsque vous vous habillez. *Pensez à ce que vous faites et ne faites aucun geste inutile ou superflu.* Quand vous procédez à votre toilette, agissez de même. En quelques instants, vous pouvez par l'économie du geste et la concentration, prendre votre douche, vous passer au gant de crin, vous raser, vous coiffer, vous brosser les dents et vous habiller. Faites-vous un point d'honneur de grignoter chaque jour quelques secondes sur le temps de la veille ; *vous serez stupéfait de voir le temps considérable que vous perdiez auparavant en dispersant votre attention.*

Que vous fassiez n'importe quoi, procédez de même, ayez toujours des gestes sobres, précis, utiles en un mot. Cette éducation n'aura pas seulement l'avantage de vous faire gagner un temps précieux que vous pourrez consacrer à des choses plus intéressantes, la relaxation, la culture physique par exemple, elle procédera à l'éducation de vos réflexes. Dans une circonstance périlleuse, elle pourra vous sauver la vie. D'autre part, vous connaissez les interférences du physique et du moral. **La sobriété des gestes entraîne celle des pensées ;** il est hors de doute qu'elle les discipline, qu'elle les ordonne. *Eduquer vos gestes, c'est aussi mettre de l'ordre dans vos idées.*

Partez de ce principe que vous devez avoir un maintien sobre. Evitez de gesticuler lorsque vous parlez, marchez dans la rue sans nervosité, d'un pas large et assuré. Tout votre comportement doit donner l'impression d'une force tranquille, d'un parfait équilibre. C'est ainsi que la maîtrise de vous-même, en vous rendant imperméable aux sollicitations extérieures susceptibles d'épuiser vos forces vitales, apportera *une importante contribution à la constitution et à l'épargne de vos énergies.*

Ce self-control ne doit pas être une contrainte car, s'il en était ainsi, cela irait à l'encontre de la détente que nous recherchons. Poursuivi suffisamment, il deviendra une précieuse habitude qui n'exigera plus une vigilance attentive. **Et, périodiquement, vous l'abandonnerez pour ouvrir les soupapes de vos réserves de forces instinctuelles.**

LES FORMULATIONS

Pour développer votre magnétisme personnel :

« J'ai du magnétisme car je suis maître (ou maîtresse) de mon esprit et de mon corps... cela me donne une grande force intérieure... cette force... chaque jour... je la sens se développer en moi... J'ai conscience de ma valeur... mais sans vanité... Je contrôle et dirige ma pensée à volonté... et cette cohésion de ma personnalité influence favorablement ceux qui m'entourent... Cette maîtrise... que je cultive... accumule en moi un puissant magnétisme... C'est ce magnétisme qui irradie de toute ma personne... mais surtout de mes yeux que je peux charger de force magnétique... cette force que je peux aussi projeter par ma volonté ; de ma parole pour convaincre... ou dissuader... Cette puissance magnétique que j'intensifie par mes disciplines... je n'en fais jamais mauvais usage... je m'en sers pour répandre le bien autour de moi... Pour cela je n'ai que des pensées d'amour et de bienveillance... Ces pensées attirent à elles des forces similaires... d'amour et de bienveillance... qui renforcent mon potentiel magnétique... D'ailleurs... fréquemment... je pense à charger mes plexus par la respiration complète... En retenant l'air... je fais appel aux forces qui m'entourent... et je les concentre en moi... pour accroître mon magnétisme... mes forces vitales... Je sens que j'irradie d'un puissant magnétisme personnel... que cela favorise ma réussite dans la vie... en me rendant attractif... auprès des hommes... comme auprès des femmes... auxquels je m'adresse toujours avec chaleur... dans l'intention de leur être bénéfique... par mon rayonnement magnétique... »

Pour dominer votre impulsivité :

« Je suis toujours calme... et domine toutes mes impulsions... que je maîtrise... et passe au crible de la raison... Je ne cède jamais aux sollicitations venues de l'extérieur... personne ne pouvant faire pression sur moi... Aussi, je refuse les propositions qui me détournent de la voie que je me suis tracée... Je n'agis jamais sans en avoir intérieurement délibéré... mais la décision prise... je réalise ce que j'ai décidé... et personne... absolument personne... ne peut me détourner de cette action... Je cultive le flegme... et garde mon sang-froid en toutes circonstances... En cas de danger... je ne m'affole pas... je réunis toutes mes énergies...

pour faire face... résolument... et porter secours si nécessaire... Mais je sais aussi mesurer les risques... et ne pas être inutilement téméraire... Rien ne peut m'incommoder... je supporte facilement le bruit... et sais m'adapter à toutes les ambiances... sans manifester de nervosité... je reste calme quand un bruit soudain se fait entendre... car je domine mes nerfs... d'ailleurs, j'ai des nerfs d'acier et rien ne peut me surprendre... J'agis toujours calmement... ne fais pas de gestes inutiles... et ne jure jamais dans un moment d'impatience... Je marche d'un pas souple et mesuré... toujours sans précipitation... en ayant à l'avance prévu mes déplacements et démarches... pour avoir toujours du temps devant moi... Quand je dois attendre... je le fais sans impatience... en profitant pour me détendre... Je ne prononce jamais de paroles qui ne soient délibérées... et que je pourrais ensuite regretter... et aussi, je m'exprime posément... évitant les bavardages inutiles... les propos insidieux... qui épuisent les énergies... Absolument maître de moi, j'ai pleinement conscience... réellement de me gouverner et non pas... de subir les gens et les événements... »

Pour condenser et épargner vos énergies :

« Je ne ressasse pas inutilement le passé... et surtout pas les circonstances malheureuses... Je vis résolument dans le présent... Aussi, je prête une grande attention aux moindres choses que je fais... à chaque geste... pour utiliser le minimum d'énergie... mais calmement... pour en accroître la précision et l'efficacité... Ainsi, je développe... à chaque instant... mes facultés de concentration... Je ne fais jamais rien en pensant à autre chose... je suis concentré sur mon travail... aussi bien que dans la pratique du sport... et quand je fais l'amour je m'y donne entièrement... J'ai la notion de la durée... et conscience que chaque seconde me rapproche de la mort... que j'envisage sans crainte... Ce qui fait que je vis intensément chaque minute qui passe... dans mon travail comme dans les distractions... Je ne regrette jamais rien... mais je sais aussi réparer une erreur, ou reconnaître mes torts... mais je ne m'appesantis jamais sur les fautes que j'ai commises... ne vivant que dans le présent... avec intensité... Afin d'épargner mes énergies... je sais aussi me détendre... physiquement, en quelques minutes... Je n'hésite pas à interrompre instantanément mon activité... si je suis fatigué... pour détendre mes muscles... respirer complètement afin de récupérer mes énergies... ou encore détendre les ressorts de mon esprit en faisant le vide mental... Aussi... je ne fournis jamais un effort au-dessus de mes forces... un effort qui épuiserait mon potentiel énergétique... donc, mes forces vitales... ce qui nuirait à mon magnétisme personnel... et entraverait mes moyens d'action dans la vie... »

8. Délivrez-vous des complexes paralysants

a) Les complexes et la psychanalyse

Si nous nous conformions strictement aux données de la psychanalyse, nous nous découvririons une infinité de complexes qui ne manqueraient pas de nous désorienter : *complexe d'Œdipe, de castration, d'Electre, de Diane, d'infériorité,* etc. C'est que chacun de nous, à une période ou l'autre de sa vie infantile, est plus ou moins confronté au travers de son évolution sexuelle à des situations et conflits intimes qui rejaillissent sur son comportement adulte. *Mais nous avons déjà souligné que nous ne retiendrions ici que l'enseignement que nous apportent les mécanismes de défense,* à l'exclusion de l'étude des complexes pouvant résulter des traumatismes de l'enfance. Cela, pour deux raisons : nous avons observé que dans l'abondant courrier que nous recevons, beaucoup de lettres montraient que loin de résoudre les problèmes de nos correspondants, la psychanalyse n'avait fait — *sauf cas exceptionnels* — que les compliquer. Cela est encore pire quand l'intérêt pour la psychanalyse incite le profane à ingurgiter toute une littérature spécialisée en ce domaine, qui montre que la personne est névrosée. *Au lieu d'appréhender sainement ses problèmes, d'y faire résolument face, elle recherche dans les données de la psychanalyse les causes de sa névrose en une sorte de cogitation mentale permanente qui aggrave son état et lui fait fuir la réalité.* L'autre raison est qu'à notre sens, au moment où les problèmes se posent, « *les jeux sont faits* » ; de remonter aux sources des complexes doit être le fait de celui qui en a subi l'influence, *afin qu'il prenne conscience par lui-même des affects négatifs qui l'empêchent de s'exprimer pleinement* et ne se contente pas d'une assistance qui le rende passif, ou de théories — *d'ailleurs souvent objets de controverses* — qui, sur le plan pratique, ne lui apportent aucune amélioration de son état, ne faisant parfois que transposer une névrose — mais qui n'est pas peu ou prou névrosé ? — en psychose authentique, nécessitant alors l'intervention du psychiatre.

C'est à l'adolescence que se situent les problèmes existentiels avec le plus d'acuité. S'ils ne sont pas résolus au sortir de cette période cruciale de la vie de l'individu, cela ne veut pas dire qu'ils ne puissent l'être ensuite. Nous donnerons un exemple personnel. Elevé dans un milieu simple, mais « *à cheval sur les principes* », je n'avais pas le droit de parler à table ; c'était l'éducation d'alors... J'étais, au moment de la puberté, d'une timidité maladive, longeant les murs et rougissant à tout propos. Cette timidité se prolongea pendant toute la période de mon adolescence, cela d'autant plus qu'étant fils unique les contacts avec d'autres jeunes, les filles en particulier, étaient très réduits. Je ne me libérai de cette timidité que progressivement, lorsque la pratique de l'hypnose me donna l'assurance qui me faisait défaut. Je vainquis aussi cette timidité en prenant sur moi de faire des tournées de conférences et en présentant un numéro de music-hall devant des publics diversifiés. J'ai de nombreux exemples de correspondants qui se sont ainsi — par mes méthodes — libérés de leur timidité, délivrés de leurs complexes (11). J'attribue cette réussite au déconditionnement obtenu grâce aux pouvoirs du subconscient, mais aussi à une autre raison qui échappe, hélas ! à l'immense majorité des spécialistes d'anomalies caractérielles ou mentales ; je veux parler de l'aspect somato-psychique, autrement dit **de l'influence déterminante du physique sur la sphère mentale.** Il m'a été donné de visiter un établissement pour malades mentaux, situé en province dans un parc de plusieurs hectares. Les pensionnaires — *sous tranquillisants* — regardaient la télévision à longueur de journée, dans une atmosphère épaissie par la fumée de cigarette. Ni salle de sport et de musculation, ni relaxation, ni stade, ni piscine, et pas davantage de marche et de jeux de plein air. Or, si nous obtenons les résultats que nous avons, c'est que nos correspondants s'intéressent aussi à nos méthodes de relaxation, de sur-respiration, de musculation et d'esthétique corporelle, ainsi qu'à celles qui les détournent de l'alcoolisme et du tabagisme (12). **C'est ce contexte synergique que nous vous proposons, quel que soit le problème que vous ayez à résoudre.**

b) Les épineux problèmes de l'adolescence

Pour la fille comme pour le garçon, les remous hormonaux relatifs à l'éveil de la sexualité qui se produit après la période de latence, donnent lieu à des bouleversements comportementaux qui sont, en fait, responsables du fossé creusé entre les générations... les adultes se souvenant rarement de ce que leurs attitudes et revendications avaient d'excessives et d'incontrôlées à cet âge. Il semble que personne mieux qu'Anna Freud n'ait décrit le caractère déroutant de l'adoles-

---

11. En « Psycho-Center » et en self-méthode.
12. Self-méthodes en cassettes : « Antitabagisme » et « Antialcoolisme ».

cence (13). Il résulterait de processus pulsionnels déclenchés par la poussée de la libido sous l'action de la maturation sexuelle. « *La quantité de libido disponible,* écrit l'auteur, *étant plus grande investit indifféremment toutes les pulsions du Ça qu'elle rencontre. De ce fait, les pulsions agressives s'amplifient jusqu'à la brutalité sans frein,* *l'appétit se transforme en voracité, la méchanceté de la période de latence en délinquance de la jeunesse... Les habitudes de propreté cèdent la place au plaisir d'être sale et désordonné... A la pudeur, à la pitié, succèdent les tendances exhibitionnistes, la brutalité...* »

Anna Freud fait reposer son analyse sur le conflit qui oppose les pulsions du Ça à la censure du Surmoi : « *Le Moi infantile, lorsqu'il s'insurgeait soudain contre le monde extérieur, pouvait s'allier au Ça pour rechercher quelque satisfaction instinctuelle. Le Moi de l'adolescent, lui, n'est en mesure d'adopter cette attitude qu'au prix de conflits intérieurs avec le Surmoi. Aussi une lutte s'engage entre les deux instances pour assurer la stabilité du Moi. Ce dernier, dans cette lutte, refoule, déplace, nie, inverse, retourne les pulsions contre le sujet lui-même, crée des phobies, des symptômes hystériques, enfin mate l'angoisse par des pensées et des actes compulsionnels... Des incitations souvent irrésistibles du Ça et de la censure morale découle un affrontement qui marque l'adolescence de son sceau outrancier : la recrudescence de l'activité fantasmatique, les poussées vers des satisfactions prégénitales, c'est-à-dire perverses, l'agressivité, la délinquance, voilà autant de victoires partielles du Ça. L'apparition d'angoisses, les manifestations de l'ascétisme, l'accentuation des symptômes névrotiques et des inhibitions dénotent, elles, un renforcement de la défense, c'est-à-dire de la victoire partielle du Moi.* » Ces conflits, gros de conséquences quand ils ne sont pas apaisés à l'approche de l'âge adulte, sont générateurs de concepts et de comportements qui occultent la raison et donnent lieu à des erreurs d'appréciation dans la conduite de la vie ; erreurs qui, lorsqu'elles ne sont pas corrigées, portent en germe les déconvenues et défaites de l'avenir. Le narcissisme, particulier à la période de maturation sexuelle, la vanité, l'amour-propre mal placé, la susceptibilité sont les failles caractérielles qu'on observe chez tous les adolescents à des degrés divers ; *leurs prolongements dans l'âge adulte obère sérieusement la personnalité.*

c) Le narcissisme, un stimulant, mais aussi un écueil

Némésis fit se pencher Narcisse sur une source afin de s'y désaltérer. Découvrant son visage, il le trouva si beau qu'il en devint éper-

---

13. Anna Freud : *Le Moi et les mécanismes de défense* (P.U.F.).

dument amoureux et se laissa mourir. Freud s'est emparé de cette légende « *pour désigner un état précoce où l'enfant investit toute sa libido sur lui-même* ». C'est le narcissisme primaire. Toujours selon Freud « *le narcissisme secondaire désigne un retournement sur le Moi de la libido, retirée de ses investissements objectifs* » (14). C'est en quelque sorte la fixation affective à soi-même qui détourne l'individu des objets extérieurs, **mais le narcissisme est partie intégrante de la personnalité de chacun.** Pour le docteur Hesnart « *c'est un élément constant et normal de la sexualité humaine, il existe d'une façon latente et dissimulée chez tout individu...* ». Ce n'est que lorsqu'il s'agit d'une fixation ou d'une régression à un stade du développement infantile que le narcissisme constitue une névrose, car l'enfant est plus ou moins narcissique de nature ; il aime être adulé et admiré. Il se prend pour le centre du monde, car il est trop souvent le point de mire dans l'univers familial. **Le danger réside dans la non-liquidation de cette tendance,** dans l'adolescence particulièrement, et dans l'âge adulte. Ce sont souvent les parents qui, *sans s'en rendre compte,* renforcent le narcissisme chez leur enfant au lieu d'en atténuer la virulence. La mère qui « *fait de l'extase* » devant son fils et le lui laisse voir, *lui rend le plus mauvais des services.*

Si le narcissisme qu'on peut qualifier de légitime — qui ne s'admire pas plus ou moins ? — peut-être l'aiguillon de l'action en donnant confiance en soi, en dérivant une partie des forces libidinales vers la réussite au détriment d'un engagement excessif par rapport à l'objet, **il n'en constitue pas moins un sérieux handicap pour celui qui en reste la proie et continue à se prendre pour le centre du monde.** Le repliement sur soi-même, qui est la marque du narcissisme, engendre l'égoïsme et le refus de communiquer avec les autres (berceaux de sentiments négatifs, tels la susceptibilité et la vanité).

Ces défauts se retrouvent fréquemment pendant l'adolescence, comme des vestiges des travers infantiles. Leur prise de conscience peut permettre la liquidation d'un narcissisme morbide se signalant à l'attention par un amour de soi démesuré, le souci excessif de son aspect physique, le goût outré pour les toilettes qui attirent l'attention et, sur le plan moral, par le caractère ombrageux, la jalousie, le refus de reconnaître les aptitudes et la valeur des autres, en se croyant supérieur en tous domaines. L'individu narcissique se montre particulièrement odieux lorsque la réussite matérielle — *qu'il recherche ardem-*

14. *Vocabulaire de la psychanalyse* (P.U.F.).

ment au mépris des joies authentiques — lui sourit. Il écrase alors tout le monde de sa suffisance. Mais souvent *de cuisants échecs résultent de l'obnubilation des facultés objectives,* cette carence résultant d'une vanité qui obscurcit son jugement.

d) La vanité altère le sens des réalités

La vanité est un prisme déformant qu'on observe particulièrement chez l'adolescent dont la fantasmagorie est nourrie par les poussées de la libido. Entre ce que le jeune homme ou la jeune fille imaginent être ou pouvoir devenir, et la réalité, se trouve un abîme que seule l'expérience de la vie, avec ses échecs, parviendra à combler, *pour qu'aux exagérations de la jeunesse vienne se substituer la pondération de l'âge adulte,* cela dans la meilleure conjoncture. Paul Dial a magistralement décrit ce qu'est la vanité (15) : « *...la cause essentielle de la déformation psychique deviendrait peut-être décelable,* dit-il, *si l'on s'avisait que la vanité, loin d'être un trait de caractère, est à la vérité un état d'âme, déterminant l'ensemble du fonctionnement psychique sous sa forme perverse.* » Il fait ensuite un parallèle entre la vanité et l'insuffisance : « *Le mot latin " vanitas " revêt une signification conservée dans l'adjectif " vain ", synonyme d' " insuffisant ". La vanité est l'insuffisance inavouée. Elle est l'insuffisance à portée vitale — précisément en raison de son importance — qui se cache sous la pose de suffisance. Si l'on cherchait une définition de la vanité, on serait amené à dire qu'elle est une opinion surfaite de soi, dépassant les qualités et leur degré de développement.* » Mais cette opinion surfaite de soi **ne provient-elle pas justement d'une réaction contre le sentiment d'infériorité** que donne la conviction intime de n'être pas à la hauteur du personnage dont on veut donner l'image flatteuse ? Ce sentiment n'est pas toujours conscient. *La vanité prend bien des déguisements pour n'être pas reconnue comme telle.* Beaucoup croient en leur personnage factice jusqu'au jour où leurs yeux, dessillés par l'échec ou par la franchise d'un tiers, aperçoivent enfin l'étendue de leur néantise ; *c'est alors la porte ouverte à la psychose...* Si la vanité est le frère jumeau du narcissisme, on peut dire que le sentiment de supériorité qu'on peut assimiler à la vanité est la doublure du complexe d'infériorité.

---

15. Paul Diel : *Psychologie curative et médecine* (Delachaux et Niestlé).

e) Le complexe d'infériorité ligote les initiatives

Le complexe d'infériorité tel que l'a défini Adler n'est pas toujours un handicap. Ainsi, dans le cas d'une déficience physique, **le mécanisme de compensation entrant en jeu peut mobiliser des énergies qui, autrement, seraient restées inutilisées.** Bonaparte n'eût pas réalisé d'aussi grands desseins si sa taille, et dit-on ses piètres capacités en amour, ne l'avaient incité à se surpasser. **Toute infériorité exalte le besoin de valorisation,** même chez le moins démuni. *Car il est toujours un point sur lequel l'être le plus intelligent ou le plus fort musculairement se sent inférieur à quelqu'un d'autre.* Tel savant de grande valeur sera complexé par un physique ingrat ; telle vedette adulée du public ressentira comme une infériorité sa pauvreté intellectuelle. Le sentiment d'infériorité peut se faire jour dans le milieu professionnel quand les capacités sont insuffisantes ou lorsque à la promotion sociale ne correspond pas la force d'âme nécessaire pour assumer de nouvelles responsabilités. Dans le domaine affectif, de ne pas être aimé ou de perdre brutalement l'admiration béate qu'on a suscitée par un attachement passionnel développe souvent un complexe d'infériorité.

Le complexe d'infériorité est donc une arme à double tranchant : *stimulant* quand il déclenche certains mécanismes de défense (la compensation et la sublimation), *paralysant* lorsqu'il instille le doute, sape la confiance en soi sans laquelle la vie paraît terne et hostile.

Pour le psychanalyste, **le « sentiment d'infériorité traduirait la tension entre le Moi et le Surmoi qui le condamne, d'où sa parenté avec le complexe de culpabilité ».** Mais le sentiment diffus de la culpabilité peut émaner du subconscient et provoquer un malaise moral qui amoindrit la personnalité, *quand il émerge dans le préconscient.* D'essence différente est le sentiment de culpabilité résultant d'actions répréhensives, ou qu'on juge comme telles par rapport à la morale conventionnelle. Dans ce cas, le sujet est en proie aux réminiscences du passé et fait de « *l'auto-accusation* ». Celle-ci dégénère parfois en *autopunition,* ce mécanisme donnant lieu aux « *conduites d'échec* ». La gravité de ces dernières est encore mieux appréhendée par l'occultiste que par le psychanalyste, **ce dernier ignorant généralement la loi du karma** qui fait que le syndrome complexe de culpabilité-autopunition-compulsion de répétition par le climat moral qu'il entretient *attire infailliblement des conjonctures dont la dramatisation sera, par accumulation, exponentielle.* C'est pourquoi il est si difficile, tant qu'on n'a pas pris conscience de ces lois, de sortir de ce cercle infernal.

Ces données de la psychanalyse, dont nous n'avons fait que condenser certains principes, jettent cependant un éclairage suffisant pour mettre en évidence les connexions qui existent entre ces affects négatifs. **De vouloir les annihiler en en recherchant l'origine sans leur substituer d'autres optiques et d'autres conduites ne sert à rien.** C'est pourtant ce que font psychanalystes, psychiatres et psychologues dans la plupart des cas. Comme en médecine, il ne doit pas suffire d'établir un diagnostic pour guérir ; et à tout prendre, nous préférons nous attaquer aux symptômes, plutôt que de nous limiter à des analyses complexes ne débouchant que sur des abstractions. Parmi ces symptômes se signalent particulièrement à l'attention : le *comportement velléitaire,* la *pusillanimité* et la *timidité* qui, à l'état fruste, est commune à la plupart des femmes et des hommes, mais qui, lorsqu'elle a un caractère névrotique, *constitue une véritable infirmité morale rendant l'existence intolérable à ceux qui la subissent.* Délivrer le timide de ses complexes revient en fait à libérer la majorité des névrosés, et même des psychotiques, de leurs tourments.

f) Comment guérir de la timidité

J'ai cité un cas personnel édifiant, mais tout timide peut se délivrer de ce que beaucoup considèrent comme un calvaire. **Faisons d'abord table rase d'une idée reçue qui prétend que la timidité est exhaustive, qu'elle serait une vertu.** Certains timides s'abritent, par un mécanisme de fuite, derrière des arguments fallacieux ; le timide montrerait plus de délicatesse, de modestie ; la timidité éviterait la prétention et l'agressivité, elle permettrait de se rendre sympathique en vous entourant d'un halo de mystère, etc. *C'est confondre la retenue et l'impertinence, l'assurance et la pusillanimité, la conscience de sa valeur et le doute qui inthis infériorise.* Au fond de lui-même, le timide aimerait pouvoir se comporter normalement. Et si on brosse un tableau même succinct des problèmes psychiques et physiologiques qui lui gâchent la vie, on se rend bien compte que ce n'est pas de gaieté de cœur qu'il supporte son état.

Sur le plan psychique, le timide est pourvu d'une grande sensibilité ; il se trouve heurté par le comportement dépourvu de délicatesse des personnes qu'il côtoie (16). Au lieu de ne faire que le déplorer, *il*

---

16. P.-C. Jagot : *La Timidité vaincue* (Editions Dangles).

en éprouve une blessure. Très intimidé par les gens investis d'une autorité supérieure, il peut, selon sa nature, l'être par ses parents, par des étrangers, des inconnus... et par certaines situations qui l'intimident particulièrement : par exemple, de s'inclure dans un petit groupe, de traverser une salle de restaurant ou simplement de devoir appeler le serveur pour régler l'addition. Le timide peut rester de longues minutes devant un magasin avant de se décider à y entrer, et balbutier quand il s'agit de demander l'article qu'il veut se procurer. Sa timidité *confine à la panique* quand il doit s'exprimer au milieu d'un cercle d'amis, bien que son intelligence soit souvent supérieure à la moyenne. **Mais c'est surtout sur le plan des relations sexuelles que le timide se sent inférorisé.** Une femme lui plaît-elle ? Il n'osera le lui dire ; se trouve-t-il dans un lieu où l'on danse, il n'osera inviter la femme qui l'attire, remettant cette invite à plus tard... et attendant que cette personne soit « en mains », ce qui lui donnera un bon prétexte pour rester assis.

Le repli sur soi est la caractéristique du timide ; de cette intériorisation découlent l'incapacité à nouer des relations amicales ou sexuelles, de participer à des réunions, séminaires ou autres manifestations. Cette solitude *se traduit par la propension à la rêverie et à la fantasmagorie.* Le timide rêve qu'il est un héros, qu'il réalise de grandes choses dans les affaires, la compétition sportive, etc. Il se voit séduisant les femmes par son charme, son intelligence... *ou la virilité qu'il n'ose exprimer.* Ce faisant, il se coupe du monde et de la vie active... il n'existe pas dans le présent, mais *dans un avenir irréel* et, se retranchant de la société — *quelquefois rejeté à cause de son manque de chaleur et de son impuissance à s'exprimer* — qu'il accuse de ne pas correspondre à ses idéaux, **il la trouve indigne de lui.** Il pense en narcisse que ses qualités, son physique, ses capacités sont comme des trésors que le monde est trop bête pour apprécier, **d'où les complexes de supériorité qu'il développe.** Cette situation de paria de la société engendre *une agressivité que le timide n'ose exprimer* ou, s'il la manifeste, qui peut se traduire par des explosions de colère et même par le meurtre. Beaucoup de criminels sont des timides, des « incompris » dont l'amour-propre, la valeur qu'ils s'attribuent est à l'origine du drame. « *Comment une femme pourrait-elle préférer un autre homme, avec tous les attraits que je possède ? »,* pense-t-il. Bien entendu, ces processus jouent (mais exceptionnellement) pour la femme, **celle-ci étant aussi narcissique si ce n'est davantage que l'homme,** mais n'ayant pas autant d'agressivité, ce qui explique que les femmes ne commettent pas autant de crimes passionnels que les hommes.

La situation du timide sur le plan des manifestations physiologiques de cet état n'est pas moins pénible. Elles peuvent aller de la simple inhibition à des réactions qui, se renouvelant sans cesse, *rendent la vie impossible* et lui font envisager le suicide. Les plus fréquentes sont l'afflux du sang au visage, l'accélération cardiaque avec le sentiment d'avoir un « nœud à l'estomac », des sensations de picotements, des tremblements, la bouche sèche, etc. Le timide, en certaines circonstances, *a l'impression d'un gouffre qui s'ouvre devant lui,* qu'il va s'évanouir, qu'il « *n'a plus de jambes* ». **Ces effets très pénibles sont les caractéristiques du phénomène qu'on appelle le trac.** Il est fréquent chez ceux qui doivent prendre la parole en public — moi-même l'ai autrefois ressenti — ainsi les artistes. D'aucuns le conservent toute leur vie en dépit d'un talent reconnu. Certains en trouvent spontanément le remède, par exemple de prononcer une formule avant d'entrer en scène ou de toucher une amulette conjuratrice. Moi-même, j'ai constaté qu'ayant la bouche sèche au début d'un exposé, je pouvais y remédier en suçant un bonbon juste avant de prendre la parole.

La timidité se manifeste à des degrés variables. Selon des statistiques provenant des Etats-Unis, une enquête a fait apparaître que sur huit cents étudiants, *plus de 40 % étaient atteints de cet handicap.* S'adressant aux adultes sans distinction, les enquêtes révèlent *qu'un tiers au moins des personnes interrogées ont été ou sont encore timides* dans de nombreuses situations ou sont intimidées en présence de certaines personnes. Un certain nombre, qui déclarent ne pas être timides, avouent éprouver certaines affres de la timidité *selon la situation dans laquelle ils se trouvent* ; par exemple de devoir prendre la parole à l'impromptu à l'issue d'une réunion de quelque importance. Si on considère la fréquence de la timidité, **on ne peut que conclure qu'elle est une composante de la personnalité** ; cette constatation *doit rassurer le timide,* l'inciter à se délivrer de l'angoisse que lui donne l'appréhension des phénomènes que nous avons sommairement décrits.

Les statistiques démontrant qu'au fur et à mesure qu'on remonte dans les tranches d'âge, on trouve un plus grand pourcentage de timides guéris sont encourageantes ; **elles administrent la preuve que la timidité n'est pas un défaut redhibitoire.**

Encore faut-il utiliser la bonne méthode pour s'en délivrer. Pour nous, elle doit reposer sur trois disciplines : **l'autosuggestion qui libère et ensemence le subconscient,** selon les principes exposés dans ce livre ; **l'exercice méthodique progressif** qui consiste en un entraînement journalier pour développer son assurance, qui a fait l'objet d'une cassette que nous avons incluse dans nos Self-méthodes (17) ; enfin, **la culture oratoire, l'art de parler en public** (18).

Le conseil que nous pourrions donner à un adolescent timide serait double : de s'inscrire dans un cours de danse moderne et de rechercher un cours où l'on enseigne l'art de parler en public. Ajoutons que, dans le même esprit, les cours d'art dramatique sont aussi un excellent moyen pour se délivrer de la timidité. Il semble qu'il y ait là un paradoxe, puisque des artistes chevronnés ont le trac ; c'est que le trac ne se situe pas au même niveau. La timidité provient d'une conscience exagérée de soi, d'une introversion ; **le trac a une composante plus émotionnelle,** ses manifestations sont plus physiologiques. Telle cantatrice avait la hantise de ne pouvoir « se retenir » en scène, même quand elle avait évité de boire et avait pris auparavant ses précautions... **Il semble que l'antidote du trac réside dans l'auto-hypnose ou l'hypnotisation** par un praticien qualifié capable de plonger les sujets en somnambulisme. Cependant, **le trac peut être combattu ;** il ne manque pas d'artistes dont les débuts, à cause du trac, furent un supplice permanent et qui ne l'éprouvent absolument plus.

g) Combattre la timidité par l'auto-hypnose

Etes-vous timide ? Soyez persuadé que la pratique de l'hypnose (19), conjuguée avec l'ensemencement de votre subconscient en auto-hypnose, vous en délivrera. Les exercices, particulièrement l'exercice du regard que je préconise pour devenir un bon hypnotiseur, *donnent une assurance extraordinaire ;* les expériences renouvelées sur de nombreuses personnes, à l'état de veille, renforcent cette assurance. **S'il est un domaine où l'imagerie mentale démontre son efficacité, c'est bien celui de la timidité.** Rien de comparable avec la rêverie habituelle du timide qui est faite de passivité et se déroule sans fil conducteur au hasard de l'irruption des pensées. *Il s'agit de prévoir des situations bien précises et délimitées correspondant aux difficultés personnelles* qui se présentent couramment. Tel timide qui se sent rougir devant les filles, ne composera pas son « *théâtre intérieur* » avec les mêmes images que celui dont la timidité consisterait à perdre toute contenance étant invité chez des amis. **L'entraînement à la concentration** que je préconise pour devenir

---

17. Self-méthode : « La timidité ».
18. P.-C. Jagot : *L'éducation de la parole* (Editions Dangles).
19. Self-méthode : « L'art d'hypnotiser ».

hypnotiseur est précieux, car il favorise la création des images mentales. Dans le premier cas, en même temps qu'ayant composé les formulations adéquates : « *Aucune fille ne peux m'intimider... je suis plein d'assurance envers les filles... elles ne me font pas peur... etc.* », formules que vous pouvez répéter, **renouveler sans arrêt**, vous vous voyez « *intérieurement* » en présence d'une fille vous mettant habituellement mal à l'aise, l'imaginant présente avec toutes ses caractéristiques et lui parlant avec naturel, sans rougir, la regardant dans les yeux sans vous troubler, la voyant au contraire, elle, *perdre contenance devant vous*. Dans le deuxième cas, vous vous voyez arrivant chez ces amis, sûr de vous, vous comportant avec aisance, prenant la parole à table avec le plus grand naturel, félicitant la maîtresse de maison en en prenant congé, sans embarras. **Bien entendu, vous accompagnez cette imagerie mentale d'autosuggestions « prononcées mentalement ».**

La respiration complète qui permet de déconnecter l'orthosympathique vous aidera beaucoup, si vous la faites juste avant de vous trouver réellement en situation. Utilisez-la également comme nous vous l'indiquerons ultérieurement, si vous sentiez qu'un quelconque trouble, **le rougissement par exemple,** allait se manifester ; selon la technique : *rétention d'air glotte ouverte, vide mental avec appui diaphragmatique*. Cela ne prend que deux ou trois secondes (voir en première partie : Comment vaincre l'inhibition sexuelle) et vous libère de l'angoisse.

h) Exercices divers pour vaincre la timidité

L'exercice méthodique contre la timidité consiste à s'imposer chaque jour des actes de plus en plus difficiles à exécuter pour un timide. Ainsi, pour ce dernier, de simplement demander l'heure à un passant nécessite un effort devant lequel il rechignera à cause de sa timidité. S'asseoir sur un banc où seulement une femme — ou un homme — est assise sera pour lui un acte devant lequel il répugnera. *Ce sera pire s'il s'agit d'aborder une jeune fille* qu'il voit chaque jour au restaurant où il déjeune, *ou d'entrer dans une brasserie* ; s'il ose enfin le faire, il se montrera maladroit ou, dans le second exemple, choisira la table à côté de la porte d'entrée au lieu de traverser la salle ; s'il s'y résolvait, il le ferait en courbant l'échine sans regarder personne. **Une progression sera nécessaire.** Ce n'est pas la même chose que d'oser — pour un timide — entrer dans un bureau de tabac pour acheter un paquet de cigarettes, que d'entrer dans une boutique de dessous féminins pour demander à y acheter des dessous aguichants ; et de les acheter dans ce cas est plus facile que de ressortir de la boutique sans avoir rien acquis. D'entrer dans un sex-shop peut être un supplice pour le timide, mais cela l'aguerrit, surtout s'il le fait dans sa ville, en province, et **sans raser les murs...**

Etant timide, **multipliez les exercices de ce genre.** Que vous importe ce que pensent les gens ; pour vous *ce ne sont que des exercices.* Si vous craignez de vous faire remarquer, dans le métro offrez votre place à une personne âgée. Mais faites votre offre *d'une voix ferme et claire,* avec le sourire, en vous détendant. Etes-vous dans le train en face d'une personne sympathique, le voyage sera long, *engagez résolument la conservation.* Utilisez des astuces. Prenez la précaution de vous munir d'illustrés. « *Vous permettez que je vous offre ce magazine... je viens d'y lire un article très intéressant sur...* » Et vous enchaînez. Si vous avez parlé d'une voix assurée, avec le sourire, mais sans insolence, soyez tranquille, *vous n'essuierez pas de rebuffade.* Le manque de naturel du timide envers l'autre sexe provient de **l'appréhension du jugement que l'on peut porter sur lui**, et aussi d'une fausse optique des relations entre hommes et femmes. Les uns et les autres *ont au fond les mêmes désirs* et le commerce entre eux est souvent agréable... puis, l'aventure est au coin de la rue !

Contre la timidité, apprendre à parler en public est certainement le moyen le plus efficace qui soit, également pour se délivrer des complexes quels qu'ils soient. L'un des caractères les plus courants du timide est *sa difficulté d'expression verbale.* Cultiver l'art de la parole et se trouver à l'aise devant un auditoire indique qu'on a vaincu sa timidité. Voici une anecdote que nous empruntons à Dale Carnegie qui montre bien la panique à laquelle on peut céder quand on est pris par la peur. Or, un non-timide n'est jamais en proie à ces tourments. « *La façon dont un de nos éminents conférenciers et psychologues, Albert Edward Wiggam, surmonta sa peur,* écrit Carnegie, *m'a beaucoup appris. Au lycée il était terrifié à la pensée d'avoir à se lever pour parler pendant cinq minutes.* » Albert Wiggam, devenu un brillant conférencier relate ainsi les appréhensions et déboires de ses débuts : « *A mesure que le jour se rapprochait, je devenais réellement malade. Dès que cette terrifiante pensée me traversait l'esprit, le sang me montait à la tête et les joues me brûlaient à me faire mal. Je me réfugiais dans la cour et posais mon front brûlant sur les briques froides du mur pour me rafraîchir... Ce fut pareil à l'université. A l'occasion d'une fête, j'appris par cœur un morceau très court commençant par ces mots : " Adams et Fefferson ne sont plus... " Lorsque je me trouvai face à l'auditoire, la tête me tourna, je ne savais plus où j'étais. Je parvins à balbutier la première phrase, disant : " Adams et*

Fefferson sont morts. '' Je ne pus ajouter un mot. Alors je saluai... et sortis solennellement au milieu des applaudissements. Le président se leva et dit : '' Eh bien, nous sommes navrés d'apprendre cette triste nouvelle, mais nous allons faire de notre mieux pour ne pas nous laisser abattre en ces tristes circonstances ! '' Je crus mourir de honte devant l'éclat de rire général qui suivit. J'en fus malade pendant plusieurs jours. Il est certain que devenir conférencier était la dernière chose à laquelle j'aurais pensé (20). »

Pour vaincre votre timidité, si tel est votre cas, **entraînez-vous à parler de n'importe quoi.** L'essentiel, au début, est de durer. Je me souviens que pendant mon service militaire, avec un groupe de camarades s'intéressant à leur épanouissement personnel, nous faisions des concours à qui parlerait le plus longtemps sur un sujet improvisé. Je parlais pendant plus d'une heure sur des sujets comme la côte d'Azur, un film que j'avais vu, etc. *Vous pouvez vous acharner à parler seul sur un sujet choisi.* Qu'importe que votre exposé soit ou non cohérent. Bientôt, vos idées s'organiseront, votre parole s'affermira, et *vous parlerez de plus en plus longtemps,* avec de moins en moins de difficulté. Imaginez certaine situation et prenez la parole, seul devant votre miroir. Si vous possédez un magnétophone, enregistrez votre exposé ; descriptif, allocution, toast, argumentation commerciale, déclaration de vos sentiments à une personne de votre entourage, etc. Puis écoutez-vous à chaque fois, pour corriger vos défauts. Avez-vous un vice de prononciation ? **Faites des exercices de diction en articulant bien.** P.-C. Jagot recommande, pour donner de la sonorité à la voix, de chanter la bouche fermée ; aussi, pour apprendre à parler dans le masque (21). Je n'ai pas une voix de stentor, mais je peux me faire entendre sans élever le ton dans une salle de quinze cents places, simplement en faisant porter la voix vers les derniers rangs.

Quand vous aurez une conversation, utilisez les capacités que vous aurez certainement acquises en vous exprimant d'une voix nette et assurée, *regardant vos interlocuteurs dans les yeux,* à la racine du nez, quand vous leur parlez, *les détournant quand ils vous répondent* pour ne pas subir leur influence. Quand vous serez accoutumé à la parole dans la solitude, n'hésitez pas à la prendre, d'abord en comité restreint, puis devant des assistances de plus en plus nombreuses et *en toutes occasions.* Assistez à des conférences, participez à des séminaires ; apportez au besoin la contradiction à des orateurs avec lesquels

---

20. Dale Carnegie : *Comment parler en public* (Hachette).
21. P.-C. Jagot : *L'Education de la parole* (Editions Dangles).

vous ne seriez pas d'accord. *Qu'importe que vous vous fassiez « ramasser »*, n'en ayez aucun complexe, que cela ne vous empêche pas de renouveler vos interventions en d'autres circonstances. On trouve toujours plus fort que soi, *ne péchez pas par vanité.* Cette synthèse de moyens vous délivrera à coup sûr de votre timidité ; surtout si vous faites régulièrement de l'autosuggestion en infra-hypnose. *Vos progrès en assurance de vous-même seront foudroyants et votre entourage sera stupéfait de votre métamorphose.*

LES FORMULATIONS

Pour vous libérer du complexe d'infériorité :

« Je n'ai pas à avoir de sentiments d'infériorité... envers personne... car chacun a un sentiment d'infériorité... par rapport à quelqu'un d'autre... On ne peut posséder toutes les qualités... tous les dons... aussi... j'ai conscience que... sur certains points... je suis supérieur à beaucoup de gens de ma connaissance... Eux aussi ont sans doute un complexe d'infériorité... que peut-être ils dissimulent... J'ai confiance en moi... de plus en plus confiance... et je suis à l'aise devant n'importe qui... Les fonctions de gens bien placés... les titres... les décorations ne m'impressionnent pas du tout... Chaque individu, homme ou femme, cache plus ou moins sa vraie nature... ses défauts... ce ne sont que des êtres humains, comme moi... partagés entre leurs instincts et les interdits... qui ne sont ni meilleurs ni plus mauvais que moi... Certains sous leur honorabilité sont peut-être méprisables... Ce qui fait que personne ne m'impressionne... ne peut m'intimider... me donner un sentiment d'infériorité... L'étalage de la fortune... les hochets de la vanité que sont les demeures et voitures somptueuses, les brillantes réceptions ne m'impressionnent pas davantage... Il n'y a pas de quoi se pavaner, car le plus riche trouve toujours plus riche que lui... qui peut, dans cette optique, l'inférioriser... Et la valeur authentique est celle du cœur... et non l'importance du compte en banque... Bien médiocre est celui qui s'enorgueillit de sa fortune... et ne possède que cela... ce sont seulement les sots qui peuvent l'envier et l'admirer... Le bonheur est en soi, et non dans la possession des choses matérielles... Cependant... je ne méprise pas l'argent... il donne la sécurité... et je sais que je peux en gagner si je le désire... Je ne suis donc pas envieux de ce que possèdent les autres... et par conséquent je ne minimise jamais le mérite de ceux qui ont réussi... en quelque domaine que ce soit... évitant de les rabaisser en les critiquant... pour me réhausser... ce qui est la marque du complexe de supériorité... Ainsi, je me sens partout à l'aise... dans n'importe quelle

situation... dans n'importe quel milieu... sûr de moi... n'ayant aucun complexe, ni d'infériorité ni de supériorité... étant conscient que rien ni personne ne peut me gêner ou me troubler... »

Pour vaincre votre timidité :

« Je suis sûr de moi... je marche toujours d'un pas ferme et décidé... la tête haute... la poitrine bien ouverte... je n'hésite pas à entrer dans des endroits publics... au café, à choisir posément la table la mieux placée... et à appeler le garçon d'une voix qui porte... Au restaurant... je réclame quand quelque chose ne va pas... je n'hésite pas à protester ou même à quitter l'établissement si on me fait attendre trop longtemps... Je ne perds jamais aucune occasion pour lutter contre la timidité... je m'exerce fréquemment... engageant la conversation avec des inconnus... leur demandant l'heure... s'ils ont du feu... leur offrant une cigarette... Je me mêle volontiers à des groupes... dans la rue... je n'hésite pas à engager la conversation... sous un prétexte quelconque... J'entre dans des magasins... même si je n'ai besoin de rien... chaque jour je m'ingénie à trouver des exercices... de plus en plus difficiles... Je sais que, bientôt, je ferai tout cela facilement... que je ne serai plus timide... Je multiplie les contacts... m'adressant particulièrement aux femmes... (si vous êtes un homme) à des vendeuses par exemple... M'exerçant à leur parler sans rougir... mais si je rougis, que m'importe... ce sont des exercices que je suis sûr de maîtriser... Bientôt, · il ne m'arrivera plus de rougir... j'aurai un comportement d'homme sûr de lui, audacieux même... Dans la conversation... je regarderai les gens droit dans les yeux... avec naturel... sans laisser fuir mon regard... sans timidité... absolument sans timidité... »

Pour avoir une assurance à toute épreuve :

« Je me tourne maintenant résolument vers l'extérieur... je ne m'abandonne plus à la rêverie... Quand je me sens partir dans le rêve... je ramène mon esprit à la réalité... sans le laisser s'égarer dans le passé ou supputer un avenir aléatoire... aussi, je vis l'heure présente... chaque minute qui passe même... Quand je pense au passé... je ne m'y attarde pas... c'est uniquement pour en retirer les leçons... Si des souvenirs d'échecs ou de situations embarrassantes me reviennent... je les regarde en face... sans anxiété... et même pour en rire... sans en exagérer l'importance... car tout le monde, sans exception, a connu des circonstances pénibles sur l'instant, même parfois ridicules... Je ne suis pas l'exception... D'ailleurs... je ne pense plus qu'on a les yeux braqués sur

moi... je n'attache plus une grande importance à ce qu'on peut penser de moi... et cela me libère de ma timidité... Désormais... je vis dans la réalité de tout ce qui m'entoure... et je perds l'habitude de m'isoler... de me réfugier dans mon monde intérieur... comme je le faisais... J'entre carrément dans la vie... sans complexe... pour en retirer la quintessence des joies et des plaisirs authentiques... non de ceux de mon imagination qui ne me laissaient qu'un goût d'amertume et suscitaient des regrets... des regrets d'avoir laissé passer des choses dont j'aurais pu profiter... J'ai le souci de rester toujours en contact avec la réalité... de coller au présent... Pour cela, je substitue l'action à la rêverie... à l'indolence... J'agis sans précipitation, mais avec résolution... sans tergiverser... Ainsi je ne m'abandonne plus jamais à la stérilité du rêve... et cette nouvelle manière de me comporter me donne une grande assurance... Je n'hésite pas à formuler une demande... Je n'hésite jamais à entreprendre une démarche... à téléphoner aussitôt quand je pense que je dois le faire... à écrire dans l'instant même... Car je ne remets plus au lendemain ce que je peux faire immédiatement... Quand j'hésite à le faire... je me traite de lâche, et cela fouettant ma dignité... je n'hésite plus... Cette rapidité de décision... que ce soit pour mon travail ou mon plaisir, libère mon esprit de ses préoccupations... et la réussite qui résulte de mon nouveau comportement me donne de plus en plus d'assurance... une assurance inébranlable... »

Pour lutter contre le trac :

« *Je sais que tout le monde peut avoir le trac... les plus grands artistes, comme les hommes politiques... les grands champions aussi... Mais beaucoup s'en sont débarrassés... je peux ne plus l'avoir également... Cependant le trac se dissipe rapidement... il suffit de le vaincre dès les premiers instants où il apparaît... d'ailleurs, c'est normal d'avoir un peu le trac... c'est lui qui permet de mobiliser les énergies par la tension qu'il exerce, avant telle ou telle prestation... Mais aussitôt qu'on entre en action, il s'élimine... Pour cela, avant de me manifester (ce peut être devant un auditoire, un examinateur, avant un combat de boxe, etc.), si j'éprouve une certaine anxiété... je ne cède pas à la panique... je me décontracte instantanément... je fais mon corps mou comme une chiffe... en abaissant mes épaules... en faisant mes bras mous... et en prenant l'attitude mentale de la sérénité... de la sérénité... Je fais aussitôt le vide dans mon esprit... puis, je respire profondément... glotte ouverte... je conserve l'air un instant... et j'expire par la bouche également... et cela me rend immédiatement tous mes moyens... Je parle ou j'agis alors aussitôt... avec énergie... et je sens que le trac a disparu... j'ai repris toute ma lucidité... mes forces se sont décuplées... il me sem-*

ble que c'est un autre personnage que moi-même qui fait face au public... plein d'une tranquille assurance... C'est comme une sorte de dédoublement qui se produit... et je sens que toutes mes facultés se trouvent dynamisées... qu'elles s'expriment pleinement... sans entraves... comme si elles émanaient de mon subconscient... Aussi, en toutes occasions où je peux avoir le trac, je sais maintenant comment le dominer... je sais que ce n'est plus un obstacle pour moi... maintenant que je peux l'éliminer par le vide mental et la respiration décontractante... Jamais plus le trac ne pourra me paniquer... obscurcir mon esprit... D'ailleurs... je n'y penserai plus... je ne penserai plus jamais que je peux avoir le trac... je n'y penserai plus... je ne penserai plus au trac... plus jamais... »

Pour prendre aisément la parole en public :

« Je n'ai pas peur de prendre la parole... que ce soit dans une réunion amicale... ou en public... Avant de parler... je ne pense jamais à moi... à ce que va être mon comportement... mais à l'assistance... Je sais que mes auditeurs sont prêts à m'applaudir... autrement, ils ne seraient pas là... Aussi... je ne les crains pas... je les considère comme des amis bienveillants... Je parle comme si je m'adressais à l'un d'eux... faisant abstraction de la salle... et sur le sujet que je traite... le connaissant... l'ayant préparé... j'ai une supériorité sur chaque personne venue m'entendre... je ne risque pas d'être à court d'idées... Dès que je prends · la parole... je me sens transporté... je parle avec conviction... avec chaleur... cette chaleur, je la communique au public.. Je sens " que le courant passe " et il m'est très agréable de parler... je pourrais parler des heures... car les idées me viennent à flots... mais je sais les ordonner... les discipliner... pendant que je parle... D'ailleurs... entraîné à improviser sur n'importe quel sujet pendant au moins deux minutes... si j'ai à m'exprimer pendant quarante minutes... en divisant mon exposé en autant de fois deux minutes... j'ai la certitude de ne pas rester sans voix, ne fût-ce qu'un court instant... Et cela me donne une confiance absolue qui élimine le trac... Dans une réunion... un séminaire... je suis de plus en plus disposé à prendre la parole pour exposer mes idées... sans crainte... sans avoir peur de dire des bêtises ou d'être ridicule... car je considère cela comme un exercice destiné à m'aguerrir dans le domaine de l'éloquence... et non comme devant me montrer nécessairement brillant... me moquant qu'on me congratule... ou qu'on me critique... Oui ! je n'ai pas peur d'affronter le public... d'exposer mes idées... de les défendre... je suis sûr de moi... je peux devenir un excellent orateur... un conférencier estimé... Je suis certain de réussir à m'imposer par ma facilité de parole, mon élocution que je cultive systématique-

ment, ce qui contribue beaucoup à mon épanouissement personnel... me libère des complexes qui pourraient l'entraver... en me donnant encore plus de confiance en moi... en mes possibilités réalisatrices... »

9. Développez les qualités positives

a) L'ambition, moteur de l'action

Le philosophe Alain a dit : « *L'ambitieux court toujours après quelque chose.* » Cela est exact, mais l'inverse de l'ambition n'est-il pas le renoncement. Nous avons vu, à propos de la motivation, l'intérêt qu'il y a à se fixer un but. Or, **sans l'ambition, le but n'est même pas concevable.** Bien entendu, nous prenons le terme d'ambition dans son acception la plus noble. Car s'il est un vocable dont l'interprétation et les caractéristiques sont ambivalentes, c'est bien celui-ci. Ne dit-on pas de quelqu'un de falot : il n'a pas d'ambition... et d'un homme ayant réussi : c'est un ambitieux... **L'ambition peut mobiliser les forces vives d'un individu,** mais démesurée par rapport à ses facultés réalisatrices, *elle peut aussi le frapper d'un infarctus,* ou, le décevant, *le conduire à la dépression nerveuse.* C'est pourquoi **l'ambition doit être en conformité avec les objectifs qu'on se propose d'atteindre et avec les moyens dont on dispose pour y parvenir.** Faute de cet ajustement, il se développe des conflits intimes résultant des ambitions non satisfaites, ainsi, les complexes d'infériorité. Le phénomène est courant dans les conduites d'échec où les buts poursuivis sont grandioses sans correspondre aux possibilités réalisatrices et où **le mécanisme de compulsion de répétition** conduit à utiliser *toujours la même voie en impasse,* et au fond de laquelle est tapie la déconfiture.

L'ambition lucide, sciemment entretenue est, au contraire, un excellent stimulant de l'action. Sans ambition, l'homme le mieux doué restera toujours un subalterne, alors qu'avec de l'ambition, quelqu'un de moins nanti se hissera quelquefois au plus haut de l'échelle sociale.

Un autre aspect de l'ambition est qu'elle implique non nécessairement l'amour de l'argent, mais qu'elle écarte le mépris qu'on pourrait professer à son endroit. Cette attitude de l'esprit qui consiste à mépriser l'argent et ceux qui ont de la fortune *est un sentiment négatif* qui, longuement entretenu, attire par les pouvoirs subconscients que nous connaissons, le maintien dans la pauvreté ou au moins dans la gêne pécuniaire. *Ce mépris participe d'un mécanisme névrotique* composé de sentiments mitigés d'infériorité, de fuite devant la réalité que nous retrouvons chez le timide intériorisé. L'argent est décrié comme l'est la femme très belle, **car inconsciemment jugés inaccessibles,** justement à cause de cette infériorité. Autrement dit : « *Les raisins sont trop verts, ils en auront les dents agacées.* » Rien de tel chez la personne raisonnablement ambitieuse qui, nécessairement, pour réaliser ses objectifs sait que « *l'argent est le nerf de la guerre* ». Elle n'aime pas l'argent pour l'argent, mais parce qu'il lui donne les moyens matériels de soutenir ses efforts et lui procure la tranquillité d'esprit qu'octroie l'aisance financière. *Il la libère de ces soucis terre à terre qui assombrissent le moral.* Cependant, l'avidité a des effets aussi délétères que le mépris pour l'argent ; elle est produite par l'ambition poussée à son paroxysme ; la sécheresse de cœur, l'égoïsme forcené qui en sont les corollaires ne peuvent, sur le plan de l'astral, **qu'attirer les pires malheurs.** Quant à **l'avarice qui consiste à amasser des biens qu'on conserve jalousement,** elle ne comporte pas seulement la sanction que nous venons de souligner ; elle trouve son châtiment dans les affres de l'inquiétude, *de la peur de perdre ce qu'on a acquis,* quelquefois au prix de certains renoncements. **Cette peur amoncelle,** elle aussi, **de redoutables conjonctures sur la tête de celui qui en est la proie.**

Sans ambition, sans une estime raisonnable pour l'argent, la vie n'est qu'un renoncement, et est hérissée de difficultés. Aussi, vous devez prendre *l'habitude de penser positivement* et si vous professiez jusqu'ici le mépris de l'argent, il vous faut adopter l'attitude mentale inverse. Ne plus penser que l'argent est méprisable et inutile, que vous n'en avez pas besoin, qu'il vous déprécierait si vous en aviez ; *cette forme de pensée ne peut que vous maintenir dans la médiocrité matérielle.* Au contraire, programmez votre subconscient avec des éléments de réussite financière. Voyez-vous riche, pouvant vous offrir le bel appartement qu'au fond vous convoitez, la belle voiture ou de fabuleux livres reliés, et votre existence en sera transformée. **Soyez certain que des circonstances favorables se présenteront qui vous permettront de réaliser vos désirs,** cela grâce aux pouvoirs occultes de votre subconscient.

Gardez-vous toutefois d'être insatiable, ne vous laissez pas entraîner dans l'engrenage d'une ambition frénétique. D'avoir beaucoup d'argent et de pouvoir, *crée des contraintes* dont les moindres ne sont pas les soucis de gérer sa fortune, les obligations socioprofessionnelles et domestiques. Le poids des responsabilités devient tel que nombre de magnats se trouvent acculés au suicide ou se retrouvent en clinique psychiatrique. **La loi de l'alternance est là pour nous rappeler qu'au faîte de la fortune et du pouvoir se trouve la dégringolade dans l'abîme de la ruine et de l'anonymat.** Mais il est un moyen d'éviter les revers de fortune ; c'est la **générosité.** Elle est le rachat de la richesse et retombe comme une pluie bienfaisante sur celui qui l'élève à la hauteur d'une institution. *Il n'y a plus de démesure à l'ambition quand elle se trouve absoute par l'altruisme.*

b) Apprenez à vouloir... et à obtenir

L'ambition est le moteur de l'action, mais encore faut-il qu'elle soit soutenue par la volonté, *car on peut ambitionner de grandes choses et ne pas avoir les qualités requises pour les réaliser.* Or, parmi celles-ci, la volonté se situe au premier plan. On pourrait comparer la volonté au rôle de l'hypophyse dans le concert des glandes endocrines. De même que l'hypophyse commande à toutes les autres glandes, les stimule, **la volonté exalte les autres facultés mentales, permettant d'en retirer le maximum d'efficience.**

C'est la force plus ou moins grande de la volonté qui conditionne l'attention, la persévérance, qui règle l'intensité et la continuité de l'effort physique et mental. L'**aboulie** (c'est ainsi qu'on désigne la maladie de la volonté) est la porte ouverte à toutes les dégénérescences de la pensée. *Sans volonté il ne peut y avoir de constance dans les idées et les actes.* L'absence de volonté favorise la dispersion de l'esprit, s'oppose à la cohésion et à la concentration de la pensée.

Il faut avoir compris toutes les ressources qu'on pouvait attendre d'une forte volonté, s'être entraîné à fortifier cette précieuse faculté, *pour être en mesure d'opposer une forte résistance à toutes les sollicitations dont on est l'objet.* Il faut lutter non seulement contre l'entourage, mais encore *contre soi-même.*

C'est dans l'observation journalière des moindres incidents de votre vie, dans une attention vigilante que vous cultiverez cette force de résistance à toutes sortes d'incitations néfastes à votre équilibre et qui a pour expression la volonté. **Car la volonté n'est pas autre chose que la capacité de ne pas céder aux tentations qui vous sont offertes,** dont la nature contrarie la ligne qu'on s'est tracée. Nous ne donnerons qu'un exemple de défaillance de la volonté. Vous pourrez penser qu'il ne s'agit que d'une défaillance de peu d'importance, mais nous l'avons choisi à dessein, *car c'est justement la faillite de la volonté dans les petites choses qui prépare son abdication dans les décisions importantes de la vie.* Au contraire, une volonté entretenue par un entraînement constant, deviendra tellement acérée et inflexible qu'**elle passera à travers les plus grosses difficultés.** Vous avez décidé, la veille au soir, de vous lever tôt, par exemple à 6 heures du matin, parce que vous devez établir un rapport commercial qui exige de votre esprit la plus entière lucidité. Afin d'être bien dispos, vous avez pris la sage détermination de vous coucher tôt. Or voici qu'un ami vient vous chercher à la sortie de votre bureau et vous invite à prendre l'apéritif. Vous acceptez, et vous avez raison, cela vous délassera. Mais voici que d'autres amis surviennent, et tout le monde décide de dîner au restaurant. Comme rien ne vous contraint à rentrer chez vous, vous acceptez de vous joindre à eux mais, en même temps vous affirmez : « *Je vous quitterai tôt, car je veux me coucher de bonne heure.* » Mais après le dîner tout le monde insiste pour que vous restiez et les arguments ne manquent pas : « *Minuit, ce n'est pas tard... Le film est excellent... Cela ne vous empêchera pas de vous lever...* » On joue la corde de l'amour-propre devant les femmes présentes : « *Quelle idée de se coucher si tôt...* » Et finalement vous cédez ! Cette concession paraît n'avoir aucune importance ; en réalité, elle en a beaucoup. Non parce que le lendemain vous vous lèverez un peu plus tard, non parce que vous éprouverez plus de difficultés à travailler, **mais parce que votre volonté aura été défaillante.** Il fallait rentrer chez vous aussitôt le dîner terminé, puisque vous en aviez auparavant manifesté l'intention. Il fallait dire d'une voix ferme et sans réplique : « *Je dois me lever tôt demain, je regrette de prendre congé de vous, mais je vous en avais averti !* » C'est justement en procédant ainsi que vous forcerez l'estime de votre entourage.

c) La vulnérabilité de la volonté

Ne laissez personne distiller le venin de la paresse et du laisser-aller dans votre esprit. Fuyez comme la peste les gens irrésolus, qui ne savent jamais ce qu'ils veulent, qui se plaignent et se lamentent sans cesse sans jamais chercher de solutions à leurs difficultés, car leur veulerie les empêche de passer à l'action, seule capable d'en venir à bout.

Faites intervenir la volonté dans tous les actes journaliers. Si vous avez décidé de faire l'acquisition d'une cravate de telle couleur, ne vous laissez pas imposer une cravate d'une autre teinte. Dans vos affaires, si l'on vous propose une publicité qui, à votre avis, ne serait pas rentable, *sachez refuser poliment mais catégoriquement.*

Il est un autre aspect de la vulnérabilité de la volonté. C'est celui qui a trait à nos passions, à nos intérêts, à notre tempérament fondamental. *La lutte s'engage souvent au plus profond de nous-même en des combats inavouables.* Il existe en nous une dualité qui fait que le bien et le mal se côtoient sans que souvent les barrières qui les séparent nous apparaissent nettement, estompées par la brume de nos désirs et de notre sensualité. *C'est là que doit intervenir cet arbitre qu'est la volonté* et sans lequel notre intellect devient la proie de l'anarchie. Là encore, c'est dans les menus faits que la volonté s'aiguisera le mieux. N'est-ce pas un acte de volonté que celui du fumeur qui décide soudain de ne plus fumer parce que cette funeste habitude altérait sa santé (22) ? *C'est aussi faire acte de volonté* que de bien mastiquer ses aliments, de soigner chaque jour ses cheveux malades, de faire quotidiennement dix minutes de culture physique (23), de supprimer l'apéritif quotidien, etc. Je n'en finirais pas de citer toutes les disciplines journalières dont l'observance exige un effort renouvelé et longuement soutenu de la volonté. **Ces disciplines doivent être systématiques** ; elles sont partie intégrante de la vie et aiguisent la volonté pour la réalisation de plus grands desseins.

d) Ne pas confondre volonté et autoritarisme

Certains individus donnent l'impression d'avoir une forte volonté alors qu'en réalité ce sont des faibles. L'autorité qu'ils manifestent fait illusion et n'est qu'une façade ; **elle provient de la compensation de leur sentiment d'infériorité.** Alors que l'autorité lorsqu'elle est authentique correspond à de réelles qualités, à une âme bien trempée faite de fermeté, de bienveillance et du sentiment aigu de la justice, cette forme d'autorité **qu'on appelle l'autoritarisme** recouvre le besoin d'une sécurité intérieure issue de la peur de ne pas être reconnu comme un être fort et énergique, de faillir à « l'image de marque » constituée à grand renfort de dissimulation et d'hypocrite comportement. Pour ne pas être démasqué, *l'autoritariste qui craint de se trouver infériorisé, fait preuve d'une agressivité s'exprimant par des éclats de voix* (comme le chien qui a peur et aboie), des accès de

---

22. Voir en septième partie.
23. *Chassez la fatigue en retrouvant la forme* (Editions Dangles).

mauvaise humeur et de colère. Ces manifestations n'ont lieu *qu'à l'encontre des personnes qui sont sous sa domination :* l'employé subalterne, l'enfant qui ne peut se défendre, l'épouse enlisée dans une union qu'elle ne peut rompre pour raison familiale, la maîtresse inféodée à l'argent qu'elle reçoit, etc.

L'autoritariste se trouve-t-il confronté à une personne dont la volonté est réelle, à un supérieur hiérarchique ? **Il se « dégonfle comme une baudruche »,** devient humble et servile. L'image éculée mais révélatrice du contremaître régnant en potentat sur le personnel qu'il a sous sa coupe et qui, rentrant le soir chez lui, se fait tout petit sous la férule d'une femme vindicative, montre bien la dualité de ce comportement *qui participe de la faiblesse mentale.*

Il est aisé de reconnaître l'autoritariste à un trait révélateur de son caractère. A l'inverse de la personne ayant une réelle autorité, qui reconnaît ses erreurs et s'en excuse volontiers, l'individu qui fait de l'autoritarisme se remarque *par sa mauvaise foi et son entêtement.* Il affirme des convictions péremptoires, a toujours raison envers et contre tout, et si on tente de lui démontrer ses torts, qui sont souvent évidents, au lieu de se justifier et de le reconnaître, *il refuse la discussion et se met en colère.* **L'entêtement,** *qui est d'ailleurs souvent la marque de la bêtise,* est à l'opposé de la ténacité qui participe, elle, de la fermeté du caractère et d'une précieuse qualité, celle qui fait les grandes réussites : **la persévérance.**

e) Ne vous découragez jamais... persévérez

Combien de vies sont irrémédiablement gâchées par manque de volonté et de persévérance ? C'est que cette dernière est comme la continuité de la volonté ; elle la conforte. *On peut être volontaire sans pour autant faire de l'autoritarisme,* mais si cette volonté n'est que spasmodique, tendue vers le but à atteindre mais dérive ensuite vers un autre objectif, *elle perd son efficacité dans la dispersion des efforts.* De vouloir obtenir tout tout de suite est justement le fait de l'individu ayant **un complexe d'infériorité,** dont les ambitions dépassent les possibilités réalisatrices. L'être authentiquement volontaire n'attermoie jamais, fait certes preuve de décision *mais sait que rien ne peut s'accomplir sans la durée.* Sa persévérance est inlassable. Echoue-t-il dans une entreprise, loin de se décourager, *cela stimule ses énergies.* Qu'importe ! après mûre réflexion, il repartira pour un autre combat. Cet état d'esprit est particulier aux Américains. Combien de *self made men,* avant d'accéder à de brillantes situations, ont échoué plusieurs fois dans leurs entreprises, remettant tout en question à chaque échec, *sans s'obstiner dans une voie dont ils avaient découvert qu'elle ne les mènerait à rien.*

La persévérance est une qualité fondamentale pour la poursuite des efforts à fournir en ce qui concerne la réussite matérielle, **mais elle a une autre vertu :** elle permet de mener à son terme l'assimilation des disciplines qu'on a décidé de s'imposer. Décidez-vous d'apprendre le piano ? Ce seront des années d'études. *Inutile de commencer même à apprendre le solfège si vous manquez de persévérance.* En culture physique, innombrables sont les gens qui s'inscrivent dans une salle et abandonnent sa fréquentation après quelques semaines, quand ce n'est pas quelques jours, *perdant ainsi le bénéfice de leurs efforts.*

En cultivant votre volonté, vous renforcerez votre aptitude à persévérer. Mais attention, persévérer ne veut pas dire s'obstiner. Admettons que votre ambition soit de devenir un danseur classique réputé. Vous vous inscrivez à un cours et bientôt le professeur vous dit que vous ne montrez aucune des dispositions qu'il faudrait pour réussir en ce domaine. *Ce ne serait pas raisonnable de vous obstiner.* Par contre, ayant décidé d'apprendre le latin, vous éprouvez quelques difficultés. Allez-vous abandonner après six mois d'études ? Surtout pas ! **Persévérez et vous réussirez.** Autrement, vous auriez perdu votre temps... et votre argent. Nombreuses sont les personnes qui entreprennent tout et ne finissent rien, ballottées au gré de leurs impulsions et des sollicitations tout au long de leur vie, sans ligne directrice, sans but bien déterminé. Ne faites pas comme elles. *Cette dispersion ne peut que conduire à la confusion mentale et à l'échec,* avec des regrets ulcérants au terme de l'existence (24).

LES FORMULATIONS

Pour développer une ambition légitime :

« *J'ai de l'ambition... je veux arriver... réussir... j'ai une ambition légitime... les aptitudes que j'ai... celles qui ne demandent qu'à s'exprimer... m'assurent de la réussite... aussi, je peux réussir brillamment... réaliser mes ambitions... toutes mes ambitions... Je sais que je peux tout obtenir... accéder aux plus hautes situations... je n'ai qu'à le désirer... qu'à avoir la foi en ma réussite, et je réussirai... J'ai cette ambition... de*

---

24. P.-C. Jagot : *L'Aptitude à l'effort réalisateur et l'énergie de la réussite* (épuisé).

réussir dans toutes mes entreprises... Je suis ambitieux... dans le bon sens du terme... sans sacrifier les autres, ni moi-même à mon ambition... en conservant ma lucidité... sans devenir orgueilleux... mais je serai fier de ma réussite... C'est mon ambition qui mobilise mes énergies... dans le but de devenir riche... de gagner de l'argent... Je ne pense jamais à la pauvreté... mais à la richesse... car je ne méprise pas l'argent... je le désire... et mon esprit tendu vers l'argent... la réussite matérielle... fera que l'argent viendra naturellement à moi... Ainsi je pourrai mieux réaliser mes projets... tout ce que j'ambitionne pour rendre les miens heureux... et m'accomplir pleinement... en ayant une grande aisance... pour parer aux difficultés de l'existence... pour libérer mon esprit des soucis d'argent... ne pas avoir peur du lendemain... Je me montre toujours généreux... sans largesses exagérées qui ne sont que de l'ostentation... mais avec discrétion... L'argent attire l'argent... comme de penser qu'on n'en aura jamais attire la pauvreté... Cependant, je n'aime pas l'argent pour l'argent... mais pour ce qu'il me permet d'entreprendre... et de réussir... C'est ainsi que j'attire la chance... que l'argent vient à moi... Je ne compte pas sur les jeux de hasard... mais sur moi-même... sur la providence qui m'est favorable... sur ma forme de pensée délivrée des inquiétudes de la gêne pécuniaire... que j'oriente résolument vers la perspective d'être riche... d'avoir de l'argent... pour le faire servir à la réalisation de mes ambitions légitimes... à ma réussite personnelle et matérielle... pour être heureux et répandre le bonheur autour de moi... »

Pour obtenir une puissante volonté :

« J'ai de la volonté... je ne cède jamais aux sollicitations... je me moque de ce qu'on peut penser... mais je n'accepte jamais une invitation me déplaisant... d'assister à un repas qui serait une corvée... je sais refuser poliment, mais fermement... Je ne me laisse jamais détourner de la voie que je me suis tracée... ni influencer par qui que ce soit... Je reçois les conseils... mais toujours en les passant au crible de la raison... et ne fais que ce que j'ai moi-même décidé... Je peux délibérément faire plaisir en m'imposant une contrainte... mais alors c'est que je l'ai décidé... sans subir aucune pression... Je n'admets pas qu'on cherche à influer sur mes décisions... à me faire faire ce dont je n'ai pas envie... Mais par contre je ne me formalise jamais de la critique... comme tout le monde, je sais que je ne suis pas parfait... et me garde du perfectionnisme... connaissant mes défauts et mes qualités... Donc, évitant de me vexer des remarques qui peuvent me paraître désobligeantes, mais sont peut-être justifiées... Je les accepte avec le sourire... en en reconnaissant parfois la justesse... Critiques et remarques, même acerbes, quand j'en

reconnais le bien-fondé, servent à mon évolution... en évitant de ne pas retomber dans les mêmes erreurs de comportement... Je me garde de m'obstiner dans certaines affirmations... si je ne suis pas absolument certain d'avoir raison... Et si on me dit que j'ai tort... que ce soit vrai, je le reconnais volontiers... Mais je ne me mets jamais en colère pour masquer mon ignorance ou mon incompétence... Quand j'ai raison... j'expose posément mon point de vue... développe mon argumentation... et si j'ai affaire à un autoritariste, j'évite d'envenimer la discussion... je le traite par le mépris... J'ai de la volonté... une volonté de fer que je montre par ma fermeté de caractère... dans les contacts journaliers, les petites choses de la vie... mais aussi dans les grandes décisions qu'il faut prendre... Ces décisions prises... je ne les regrette jamais... ma volonté inflexible tendue vers le but à atteindre... rien ne peut m'en détourner... jusqu'à ce que j'y sois parvenu... à force de volonté... »

Pour persévérer dans vos entreprises :

« Je suis persévérant... quand j'ai décidé une chose... je vais jusqu'au bout... sans défaillance... j'ai de la persévérance... de la constance dans les efforts... aussi, je ne me laisse jamais décourager... certain de triompher finalement de toutes les difficultés... de toutes les embûches... J'assume pleinement mes responsabilités... bien décidé de ne m'en prendre qu'à moi-même si j'échoue... mais j'ai la conviction, la conviction absolue que tout ce que j'entreprends réussira... Rien ni personne ne peut me détourner de mon chemin... Pourtant, je ne m'obstine pas bêtement, si je constate que je me suis trompé... car je suis capable de repartir à zéro... même dans une autre entreprise... Pourtant... je suis tenace... je m'accroche à tout ce que je fais... allant jusqu'au bout... sans désemparer... avec la plus grande énergie... ne doutant pas de la réussite... Si je veux aborder une activité... entreprendre l'étude d'une science... ou d'un art... faire l'acquisition d'un livre... je réfléchis auparavant... car si je me décide... c'est que j'irai jusqu'au bout de mes études, de ma lecture, ou de l'activité que j'aurai choisie... Et que rien ne pourra m'en détourner avant que j'en aie terminé... J'ai une volonté indéfectible... mais aussi une persévérance inlassable... Je sais que ce sont deux qualités indispensables pour réussir dans la vie... Aussi je les cultive journellement... à chaque instant... à propos de tout... et en toutes circonstances... »

10. Décuplez vos facultés

a) Le développement des facultés subconscientes

Il ne peut être question, dans cet ouvrage consacré au subconscient, d'exposer les méthodes de formation intellectuelle, mais nous ne pouvons non plus passer sous silence les perspectives que nous ouvrent les possibilités du subconscient concernant cette formation. **Elles sont fabuleuses** et on peut s'étonner qu'on n'y ait pas davantage recours en France dans l'enseignement, que les expériences d'audiovisuel soient si timorées, alors qu'en certains pays elles ont obtenu une grande audience — *malgré une synthèse technologique limitée* — auprès des pouvoirs publics.

Avant de montrer comment l'initiative privée peut suppléer la carence administrative — *c'est souvent le cas* — nous voudrions faire état d'applications consignées dans un ouvrage récent (25), applications qui recoupent nos méthodes *dont la synthèse remonte aux années 1960* et qui furent exposées dans *Relaxation psychosomatique*. Ces techniques de pointe reviennent au docteur Georgie Lozanoff qui, en 1963, publie à Sofia son premier livre : *Manuel de Psychothérapie*. Il devait alors élaborer la *suggestologie* qui, comme son nom l'indique, utilise la suggestion comme support de son action.

Intéressées par ses travaux et les premiers résultats obtenus, les autorités bulgares ont créé, sous l'égide de l'Académie des sciences de Bulgarie, un Centre de recherche en parapsychologie et en suggestologie dont, selon l'auteur cité, Jean Lerède, les résultats qu'il relate ne manquent pas de stupéfier ceux peu au fait des ressources du subconscient. « *Un programme d'enseignement général, normalement étudié en deux ans, l'est en quatre mois, à raison de vingt heures de classe hebdomadaire au lieu de trente-six heures, avec des résultats très supérieurs...* » Appliquant la méthode à l'enseignement des langues vivantes, Lozanoff obtient des résultats aussi spectaculaires : « *... en vingt jours de cours (quatre semaines), à raison de trois heures de cours par jour, les étudiants de français et d'anglais (tous débutants complets dans l'étude des deux langues) acquièrent la connaissance de quelque 1 800 mots avec des pourcentages de mémorisation de l'ordre de 90 à 95 %, le tout sans effort ni fatigue, pas plus chez les*

---

25. Jean Lerède : *La Suggestologie* (Éditions Privat).

enseignés que chez les enseignants. Six mois après le cours, le pour-centage des mots retenus est encore de l'ordre de 60 %. » Selon Loza-noff, « *ces résultats pourraient être attribués à l'activation — non spécifique — d'une partie tout au moins de ces 96 % des quatorze milliards de cellules du cerveau présentement inactives chez l'être humain* ». Pour nous, une autre cause pourrait être soupçonnée qui n'exclut d'ailleurs pas cette hypothèse : les médiums, on le sait, écri-vent parfois — *étant en transe* — dans une langue étrangère dont ils ne connaissent pas un traître mot à l'état de veille. **N'y aurait-il pas également une captation inconsciente du « langage » astral ?**

Les moyens utilisés par Lozanoff participent de ce que nous avons innové en France, à savoir : *un fond musical conditionnant, la suggestion* venant en surimpression, cela sans requérir l'attention, dans un état de détente absolue. Lozanoff a introduit une technique additionnelle qui nous paraît intéressante, que nous utilisons en hypnophorèse, l'ayant intitulée **la suggestion obscure,** consistant à inverser la précédente technique en une seconde audition, en sous-impression sonore de la parole. Un rituel réunissant de gros moyens et disposant d'une qualité exceptionnelle d'enregistrement favorise la passivité de l'élève, *son ouverture à l'activation subconsciente ;* enfin, il s'agit de séances de groupe.

b) Une faculté subconsciente : la mémoire

La mémoire participe du conscient et du subconscient. Vous pouvez apprendre « par cœur » un poème et le réciter aussitôt, vous avez travaillé consciemment. Par contre, des pensées et des souvenirs surgissent dans votre esprit sans que vous les ayez rappelés, c'est votre subconscient qui, les ayant enregistrés, les rend présents à votre cons-cience. Cependant, les expériences du docteur Lozanoff que nous avons relatées et mon éducation subconsciente personnelle, me per-mettent d'affirmer que *lorsqu'il s'agit d'apprendre et de retenir, le subconscient est infiniment plus efficace que le conscient.*

Effectivement, j'écris avec peu de notes, mais lis beaucoup et rapidement. Je ne prépare jamais mes conférences et ne sais pas à l'avance ce que je vais écrire ou dire. Mais j'écris d'un seul jet, sans arrêt, sur un thème que je fixe à l'avance ; quand je commence à taper, les phrases viennent toutes seules, et mieux, si j'ai besoin d'un renseignement, parmi mon fatras de livres, instinctivement je trouve ce dont j'ai besoin dans un livre contenant ce renseignement, l'ouvrant généralement à la page où il figure. Il en est de même pour les conférences, car je ne pense jamais à ce que je vais dire avant de prendre la parole. **Je ne suis pas seul dans ce cas,** beaucoup d'écrivains trouvent leur inspiration dans leur subconscient ; nombre d'artistes, peintres, musiciens, etc., n'ont cette inspiration qu'au moment même où ils ébauchent leur œuvre.

En ce qui concerne la mémoire, nous devons nous rappeler que tout étant inscrit dans notre subconscient — *les expériences hypnotiques le prouvent* — il n'est pas étonnant que nous ayons la possibilité d'en faire surgir les éléments dont nous avons besoin. Mais ces résurgences deviendront d'autant plus faciles que l'ensemencement du subconscient aura été plus profond, d'où la nécessité de déterminer dans quelles conditions celui-ci doit être effectué. Bien entendu, nous ne pourrons ici qu'énoncer des principes généraux, priant le lecteur de se reporter aux nombreux ouvrages publiés sur la mémoire (26).

Robert Tocquet, dans son livre sur la mémoire, met l'accent sur l'aspect affectif de la mémorisation. « *La mémoire,* écrit-il, *engage toute la personnalité et sa qualité dépend essentiellement du ressort affectif qui l'anime. On retient surtout ce que l'on aime, ce qui intéresse...* » A l'appui de cette constatation, il relate une expérience d'un psychologue américain qui nous paraît concluante : « *Kurt Lwin a mis en évidence le rôle de l'émotion dans le travail intellectuel et la mémoire. Il divisa ses élèves en deux groupes égaux, les fit installer dans deux salles différentes, puis félicita les élèves d'un groupe pour leur travail et blâma ceux de l'autre groupe. Ensuite il énonça un certain nombre de phrases sans grande signification et demanda à ses élèves de les apprendre par cœur. Les élèves du groupe complimenté ne firent que 25 % d'erreurs de mémoire, tandis que ceux du groupe vitupéré en commirent 52 %.* » D'être passionné pour une chose est donc la condition première de l'enregistrement mnémonique (27).

Tous les auteurs ayant écrit sur la mémoire sont d'accord sur les points suivants qui conditionneraient sa qualité : **n'emmagasiner que l'essentiel en en élaguant les données secondaires ;** classer ces condensés dans des « tiroirs mnémoniques » bien déterminés ; ouvrir fréquemment ces tiroirs mentaux *pour des répétitions qui renforcent la mémorisation.* La nécessité de mettre de l'ordre dans les pensées est fréquemment soulignée. Selon le psychologue Henri Marion,

---

26. P.-C. Jagot : *Méthode pratique pour développer la Mémoire* (Editions Dangles).
27. Robert Tocquet : *Votre mémoire : comment l'acquérir, la développer et la conserver* (Editions Dangles).

« *l'ordre est le besoin le plus impérieux de l'esprit ; la mémoire, en particulier, ne peut s'en passer. Grâce à l'ordre, elle retient sans peine, porte légèrement et retrouve à volonté une quantité incroyable d'idées et de faits ; sans ordre, elle succomberait sous un fardeau mille fois moindre* ».

De faire table rase des menus faits du passé, de vivre dans le présent en dehors de séances consacrées à l'introspection, à la méditation *soulage considérablement la mémoire.* **La mnémotechnie,** ou système permettant de retenir facilement nombre de données, *mais dont il faut se garder d'abuser,* est aussi un excellent moyen pour soulager la mémoire, particulièrement pour retenir les chiffres et les dates. Elle n'est que peu divulguée. *Ne faudrait-il pas apprendre d'abord aux enfants à apprendre...* Mais les enfants comme les adultes sont rebutés par les matières qui ne les intéressent pas, par suite de la formation particulière de leur esprit, de leurs goûts. Nous connaissons une personne qui, rentrant de classe, étant enfant, n'avait que des devoirs d'histoire... jamais d'arithmétique ni de géographie. Cela parut bientôt insolite aux parents qui, voyant la maîtresse, découvrirent la supercherie. Pour un historien, elle eût certainement, plus tard, été une excellente documentaliste. *Il est pourtant un moyen pour que la mémoire enregistre les données pour lesquelles l'affectivité n'entre en jeu que négativement,* contrecarrant par désintérêt ou même répulsion, les efforts que la raison impose. **Ce sont les méthodes que nous avons exposées d'infra-hypnose associée ou non à l'effet phosphène.** L'esprit des formulations concernant la sphère mentale peut être adapté à la formation intellectuelle. L'état de passivité supprime la réaction contre l'effort imposé, soit par l'enseignement général, soit par la nécessité d'apprendre des choses rebutantes, mais dont la connaissance est indispensable pour l'exercice d'une fonction. Dans cette perspective, l'affectivité n'entre pas en jeu ; les chiffres et les phrases constamment répétées *s'impriment sans aucun effort dans le subconscient.*

c) **Apprenez en vous relaxant**

Vous pouvez, pour apprendre sans effort en vous plaçant en relaxation, procéder comme pour l'autosuggestion, en répétant sans arrêt (*la répétition fait la force de la suggestion,* ne l'oublions pas), les données que vous voulez enregistrer dans votre mémoire. Cela, selon les diverses techniques que vous avez apprises. Disposez-vous d'un lecteur de cassette ? Au moyen de la cassette d'infra-hypnose qui vous laisse le loisir d'enregistrer vous-même les matières que vous voulez assimiler, pendant 8 à 9 minutes, enregistrez des condensés que vous renouvelez sans arrêt. L'appareil complété par une minuterie à distance, placez l'écouteur sous votre oreiller et, le lendemain, votre subconscient vous restituera aisément ce que vous aviez enregistré. Pour donner un exemple, voici une pensée de Joubert : « *Ce qu'il y a de pire dans l'erreur, ce n'est pas ce qu'elle a de faux, mais ce qu'elle a de volontaire, d'aveugle et de passionné.* » Voulant la retenir, vous pouvez la renouveler sans arrêt sur la cassette, pendant 4-5 minutes, etc. ; mais vous eussiez pu aussi bien enregistrer dix maximes, un poème, ou l'étudiant une leçon, l'orateur des membres de phrases qui, surgissant de son subconscient au moment opportun, lui rendraient d'éminents services.

L'intérêt du mixage phosphénique dans l'acquisition intellectuelle a été mis en évidence par le docteur François Lefébure qui indique comment l'utiliser. Conseillant de regarder une ampoule électrique opaline de 60 watts pendant une trentaine de secondes, puis d'éteindre la lampe à distance, restant dans l'obscurité, abaissant un bandeau sur les yeux que l'on ferme, il décrit le procédé qui consiste à associer au post-phosphène (voir page 158) une pensée condensant les notions à graver dans l'esprit : « *Un enfant qui veut retenir une carte de géographie, l'étudiera tout d'abord comme d'habitude dans son livre. Puis il fixera la lampe, l'éteindra et, pendant la présence du phosphène, repensera tous les détails de sa carte, comme il se la remémore d'habitude, pour mieux se la graver dans la mémoire, mais pendant la présence du phosphène. Il n'aura donc aucun effort particulier à faire. La pensée va se charger du phosphène, comme une éponge d'un plâtre, ce qui n'est pas tellement visible sur le moment même, mais c'est dans les jours suivants qu'elle revient à l'esprit, comme plus dense, plus nette, plus brillante. Elle restera mieux gravée dans la mémoire.* »

Dans son livre *Le Mixage phosphénique en pédagogie*, le docteur Lefébure publie la lettre d'un enfant qui raconte « *se souvenir d'une leçon apprise plus d'un mois auparavant, comme s'il venait tout juste de l'apprendre par cœur. Une autre enfant qui était dans une situation scolaire catastrophique en quatrième est passée, très facilement, en troisième, trois mois seulement après avoir commencé le mixage* ». Il ne fait pas de doute que tous ces procédés, s'ils étaient vulgarisés, résoudraient quantités de problèmes liés à la scolarité, permettant un enseignement plus rapide, moins évanescent, développant extraordinairement des aptitudes qui restent en sommeil. Comme le souligne

Lefébure, « *une amélioration de l'attention, non seulement pendant les exercices, mais aussi entre les exercices pour toutes les choses de la vie courante... aussi, une libération de l'énergie développant l'esprit d'initiative...* ». Les résultats que nous obtenons en psychodiovisuel dans le reconditionnement psychophagique par des moyens similaires s'intégrant à notre synthèse, **administrent la preuve de l'efficacité de ces moyens.**

d) Exaltez votre imagination pour la créativité

La spécialisation à outrance, scientifique comme littéraire, a fait progresser les techniques d'une manière foudroyante, mais elle a donné naissance à une ère de spécialistes qui, en dehors de leur domaine, ne s'intéressent à rien. **La spécialisation est l'ennemie de l'imagination** et partant, **s'oppose à l'esprit de synthèse.** Elle fait de l'homme un robot qui ne se penche que sur l'aspect matériel des choses. *Or, de rogner les ailes à l'imagination, c'est réduire à néant l'aptitude à la créativité.* Pour avancer dans la voie de la découverte, il faut d'abord imaginer. Et l'imagination n'est pas un produit du conscient, *mais une vertu du subconscient.* Les intuitions, qu'elles soient géniales ou non, les grandes découvertes sont rarement le fait de longues réflexions et bien souvent si la réflexion en a préparé l'éclosion, *elles jaillissent du subconscient.* Les idées mûrissent lentement, et c'est bien le subconscient *qui capte les pensées analogues flottant dans l'astral* et qui viennent leur apporter des matériaux les confortant et les complétant. N'est-il pas d'observation courante que des inventions, des découvertes identiques soient signalées simultanément en divers points du globe, sans qu'aucun contact n'ait eu lieu entre les novateurs. La tension d'esprit d'un chercheur est telle qu'elle produit fatalement des ondes de pensées, *extrêmement puissantes car concentrées sur le même sujet,* qui alertent les autres chercheurs accordés sur le même registre.

Le subconscient est souverain quand il s'agit de l'invention, de la créativité, de l'inspiration dans quelque domaine que ce soit. Qui n'a pas cherché vainement à résoudre un problème, sans y parvenir malgré ses efforts, mais en trouvait la solution dès son éveil le lendemain. Ce phénomène, qu'on ne peut nier car banal, montre bien que le subconscient, tel un ordinateur, *trouve de lui-même les chemins les plus propices à la réalisation de nos désirs et de nos projets,* du moment qu'on a la foi en ses pouvoirs.

Bien des capacités résident dans notre subconscient ; souvent elles y sommeillent car nous n'en avons pas pris une pleine conscience et nous accordons la primauté aux facultés conscientes que sont la logique, l'esprit analytique, le raisonnement. Nous nous donnons beaucoup de mal pour quelquefois de piètres résultats, car nos déductions ne sont pas toujours rigoureuses, *aveuglés que nous sommes par nos désirs et l'image déformée que nous nous faisons de nous-même,* alors que **notre subconscient,** lui, **connaît toutes nos failles,** sait éviter les embûches, et choisir sans parti pris les solutions qui nous sont les plus favorables. Il ne fait qu'agir en cela comme notre système sympathique qui, lorsqu'on ne le contrarie pas par une chimiothérapie abusive, restitue l'état de santé en rétablissant *sans que nous ayons conscience des moyens utilisés,* l'harmonie de nos fonctions.

L'esprit d'organisation participe de l'ordre, de l'imagination, de la capacité de synthèse ; il est soumis, comme la créativité, *au travail occulte du subconscient* qui recherche et brasse toutes les données qu'il possède pour en extraire les éléments qui sont nécessaires afin de réussir dans les grandes entreprises. Aussi, nombreux sont les hommes d'affaires qui font appel à l'intuition dans la conduite de leur action et qui, souvent, tiennent compte des avis de leur compagne, dont la vie subconsciente est plus riche que la leur.

Ces considérations montrent qu'en marge de l'éducation consciente des facultés qu'on peut développer et renforcer par un exercice conscient, systématique, la possibilité nous est offerte de faire de notre subconscient notre plus précieux collaborateur, *de lui laisser le soin de résoudre de nombreux problèmes, simplement en lui demandant la marche à suivre.* Qu'il nous réponde par l'écriture ou le pendule, qu'il nous apporte spontanément la solution que nous cherchons, peu importe. Si nous lui faisons confiance, *il ne nous décevra pas.* Nous pouvons développer ses aptitudes par des formulations spécifiques qui s'adresseront également aux facultés qui sont de son appartenance, la mémoire ou la créativité par exemple.

LES FORMULATIONS

Pour obtenir une mémoire fidèle :

« J'ai une bonne mémoire... une mémoire sans défaillance... je peux retenir ce que je veux... ma mémoire est excellente... je suis maître de ma mémoire... je n'oublie pas de réviser ce que j'ai conservé dans ma

mémoire... qui me le restitue fidèlement... ma mémoire est prodigieuse... je l'améliore chaque jour... en mettant de l'ordre dans mes pensées... mes connaissances sont bien rangées dans ma mémoire... j'ai une très bonne mémoire... je fixe ce que je veux dans ma mémoire... je me le rappelle à volonté... ma mémoire est de plus en plus fidèle... mon attention se fixe facilement sur ce que je désire inscrire dans ma mémoire... et je ne l'oublie plus... ma mémoire me restitue facilement ce que j'y emmagasine... j'ai une très bonne mémoire... mais elle s'améliore encore... de jour en jour... de jour en jour... »

Pour développer la créativité :

« Je ne m'abandonne jamais à la rêverie... mais j'ai de l'imagination... Quand je recherche une solution... mon imagination me permet de la découvrir... mais je peux aussi confronter mon imagination avec mes facultés objectives... je ne me laisse jamais entraîner par mon imagination au-delà de ce qui est raisonnable... Mon imagination me fait toujours découvrir de nouveaux moyens de réussite... de nouvelles voies enrichissantes... mon imagination est de plus en plus fertile... elle élargit chaque jour davantage mon horizon... elle me permet de quitter les sentiers battus... d'avoir ma propre originalité... mon imagination... que je contrôle... me permet de n'être jamais à court de solutions... quels que soient mes problèmes... Je fais confiance à mon imagination qui me fait apparaître les meilleurs moyens de franchir les obstacles... mon imagination de plus en plus fertile me fait... à chaque instant... découvrir des choses que je ne soupçonnais pas... qui enrichissent mon esprit... dont la diversité... l'étendue... me donne une supériorité sur ceux dont l'horizon est étroit et borné... C'est mon imagination... de plus en plus active... qui m'ouvre toutes les possibilités de créativité... Mon imagination me permet d'aborder n'importe quel domaine... scientifique... littéraire ou artistique... avec la conviction de réussir... grâce à mon imagination... qui m'inspire... me donne des idées personnelles originales... Je sais que je peux compter sur mon imagination... qu'elle m'ouvre les plus riches perspectives de réussite... j'ai une confiance absolue... absolue... dans les pouvoirs de mon imagination pour renforcer mes dons... ceux que je sens en puissance en moi et qui ne demandent qu'à se révéler... dans l'élaboration d'œuvres fortes et originales... grâce à mon imagination... qui me permet d'avoir un esprit de synthèse... d'embrasser la totalité des choses pour retirer à mon profit la quintessence de ce qu'il y a de meilleur pour moi-même... et aussi... pour la réalisation des objectifs que je me suis fixés... »

Pour décupler les pouvoirs de votre subconscient :

« *J'ai confiance en mon subconscient... je sais qu'il peut tout... mon subconscient peut tout... du moment que j'ai foi en lui... je ne doute jamais des pouvoirs de mon subconscient... Je programme mon subconscient pour la réalisation de mes désirs... de mes projets... et il donne à mon imagination les moyens de parvenir à mes fins... Mon subconscient est intelligent... c'est une entité... il trouve toujours les solutions de tous mes problèmes... quels qu'ils soient... pour les résoudre... je sais que je peux en charger mon subconscient... c'est lui qui est ma providence... Mon subconscient ne m'abandonne jamais... j'ai de plus en plus d'intuition... mais cette intuition provient de mon subconscient qui me protège... qui sait ce que je dois faire... pour être en bonne santé... être aimé... réussir dans mes entreprises... gagner de l'argent... Aussi... je me laisse guider par mon subconscient... recherchant sa voix... tout au fond de moi-même... le laissant s'exprimer... développant ainsi l'intuition de ce que je dois faire... de ce qui risque de me menacer... de ce qui me sera bénéfique... je m'abandonne aux directives de mon subconscient... dont je connais les pouvoirs prodigieux... mon subconscient est de plus en plus présent en moi-même... je peux l'interroger... il me répond... il me conseille... il me guide... J'ai pleinement pris conscience de la présence de mon subconscient... qui peut réaliser pour moi des choses fantastiques... que je ne soupçonne même pas... grâce à ses connaissances qui sont immenses... grâce à son intelligence qui ne se dément jamais... J'ai une foi inébranlable en mon subconscient... une foi inébranlable...* »

CHAPITRE VI

L'auto-hypnose
et la maîtrise du corps

1. L'influence plastique de la pensée

Le pouvoir de la pensée sur le corps est indéniable. Faut-il rappeler les effets placebo ? Administrer à un malade un liquide ou une pilule neutre exerce les mêmes effets que la médication réelle, si l'on ne dévoile pas la supercherie, cela dans la moitié des cas. Dans 50 % des cas également, « *les verrues guérissent à la suite d'une seule séance de suggestion hypnotique de deux minutes* » (cité par Baudoin). Il ne faut pas oublier que le corps est malléable, *qu'il est en constante transformation ;* nos cellules, exception faite de celles du cerveau — *nous en avons 14 milliards et n'en utilisons qu'à peine quatre* — se renouvellent, et le corps que nous avons aujourd'hui n'est pas le même que celui que nous possédions il y a sept ans. S'il se renouvelle selon notre propre schéma corporel, il n'en reste pas moins qu'il est certainement plus facile de modeler une forme en mouvement qu'une chose immuable. *La mode féminine administre la preuve que le corps se transforme selon les idéations,* même à l'échelle de la race, souvent en moins d'un siècle. Si les formes immortalisées par Rubens n'ont plus grand-chose de commun avec celles de nos cover-girls, le temps n'est pas si loin où les femmes avaient la poitrine d'une affligeante platitude et s'en enorgueillissaient. Les cellulites monstrueuses sont de plus en plus rares ; certes les procédés de l'esthétique corporelle (1) y sont pour quelque chose, mais le phéno-

___

1. Marcel Rouet : *L'Esthétique corporelle* (Editions Dangles).

mène ne se fut pas produit avec une telle ampleur si la pensée féminine ne s'était pas **constamment tendue vers la perfection du corps et
les moyens de l'obtenir.**

**Nous avons depuis longtemps découvert le pouvoir plastique de
la pensée sur la forme corporelle.** Peu favorisé par la nature qui
m'avait donné des épaules étroites et peu de muscles, vers l'âge de
dix-huit ans, m'étant passionné pour l'hypnose, ce qui m'avait conféré un fort pouvoir de concentration, je résolus de devenir ce qu'il
est convenu d'appeler un bel athlète. Je n'aurais certainement pas
obtenu les résultats que j'obtins (puisque je fus consacré « *Plus Bel
Athlète de France* » à plusieurs reprises) si je n'avais pas utilisé ma
force-pensée pour sculpter mon corps comme je l'avais décidé. Je fis
alors profiter mes lecteurs de cette expérience, puisque j'écrivais, dès
1937 (2) : « *La concentration de l'esprit sur votre idéal doit être telle
qu'au cours de la culture physique journalière, quand vous vous
regarderez travailler dans le miroir, l'image de l'athlète que vous avez
forgée se substitue à la vôtre. Il faudra vouloir énergiquement obtenir
la même perfection corporelle. Les efforts répétés que vous ferez dans
ce sens faciliteront votre développement musculaire par l'action plastique de la pensée.* »

Comme on le voit, **j'utilisais la concentration volontaire** n'y
associant pas encore l'ensemencement du subconscient, en me mettant en état de passivité. Ce ne fut que deux ans après que je décou-
vris, faisant alors du massage, *les extraordinaires pouvoirs du subconscient sur les chairs,* en faisant maigrir mes clientes et en les
délivrant de leur cellulite par l'hypnose que j'avais reprise. Les résultats étaient spectaculaires. De ces expériences est issue ma *Méthode de
Reconditionnement psychophagique* que je devais consigner dans un
autre livre (3) et que, pour cette raison, je ne ferai ici que résumer.
Cette mention montrera à quel point la pensée peut simultanément
modifier les métabolismes et exercer une influence plastique sur la
forme corporelle.

*

* *

---

2. *Santé et beauté plastique* (épuisé).
3. *Maigrir par la détente nerveuse* (Éditions Dangles).

2. Maigrir grâce au subconscient

a) Le reconditionnement psychophagique

Le reconditionnement psychophagique s'écarte des sentiers battus, en ce sens qu'il n'interdit aucun aliment, qu'il n'est pas un régime draconien, qu'il préconise de ne jamais penser régime, ni de s'occuper des basses calories ou des hautes ! J'avais constaté, à la lecture des lettres que je recevais, que la majorité de mes correspondantes ayant suivi des régimes pour maigrir n'avaient pas obtenu de résultats ou, ayant le plus souvent maigri, *avaient rapidement, malgré les privations, repris et souvent même au-delà du poids précédent, les kilos péniblement perdus.* Nous avons déterminé deux raisons fondamentales, responsables de ce phénomène. **Le déséquilibre de la ration alimentaire** qui fait que la personne privée de certains éléments (graisses et sucres par exemple) « *craque nécessairement* » en des impulsions qu'on qualifie, à tort, de gourmandise, alors que c'est l'organisme sevré de certains éléments nutritifs qui les réclame, *sans que la personne puisse s'opposer à cet impératif biologique.* **La frustration** est l'autre raison qui fait que la femme suivant l'un de ces régimes aberrants et dangereux se jette périodiquement et sans frein sur les aliments qui lui sont interdits. Effectivement, *la sensualité doit être satisfaite d'une manière ou d'une autre.* Pour des raisons diverses, beaucoup de femmes n'ont pas une entière satisfaction charnelle (4). Cette frustration, par suite de l'insatisfaction sensuelle, développe un **état d'anxiété latent** que la femme — ou l'homme — compense par les excès de table qui satisfont son plaisir oral. D'autre part, cette anxiété est très préjudiciable sur le plan physiologique, car *elle crée des tensions* qui paralysent les métabolismes et bloquent les émonctoires. Il fallait donc, prioritairement, apprendre à la personne à se détendre, la déconditionner de ses mauvaises habitudes et la reconditionner en faveur d'une alimentation équilibrée, mais réduite en quantité. Cela ne pouvait se faire que si la personne, *malgré cette réduction,* n'éprouvait aucun manque, donc ne devenait pas anxieuse. Cela, nous l'avons obtenu par **le freinage de l'appétit,** en agissant directement *sur les centres de commande de la faim, de la satiété et de l'appétit* qui ont leur siège, comme nous le savons, dans le diencéphale ou cerveau viscéral. C'est par suggestion, bénéficiant de nos expériences antérieures d'amaigrissement par hypnose, que nous pou-

---

4. *Le Comportement sexuel de la femme* (épuisé). En cassette C-60 : *L'épanouissement sensuel de la femme.*

vions exercer cette influence sur l'*hypothalamus.* De nombreuses let-tres de lecteurs et lectrices enthousiastes, ayant perdu **sans aucune fatigue ni frustration** souvent plus de 15-20 kilos et **ne les ayant jamais repris,** nous confirment journellement l'efficacité du recondi-tionnement psychophagique qui, non seulement a permis à des mil-liers de personnes de perdre leurs kilos superflus, mais les leur a fait perdre, dans l'enthousiasme et la joie, éliminant fatigues et troubles résultant de leur excès pondéral, *les délivrant de leur obsession de grossir qui confinait à la psychose.*

b) La cellulite, cette intoxication massive

La cellulite ne peut qu'exceptionnellement être considérée comme une maladie. Certes, elle peut provenir d'une affection orga-nique ; ainsi une grippe, une sinusite, une infection dentaire peuvent en être l'origine en développant insidieusement un état d'intoxication. Un dysfonctionnement glandulaire, les troubles des règles, ceux de la ménopause peuvent être rendus responsables. Dans certains cas, dont ceux précités, la consultation chez le médecin s'impose pour dépister et soigner les affections qui pourraient être rendues responsables de la prolifération cellulitique. Mais dans la majorité des cas, la cause est tout autre. *Elle réside dans l'intoxication du sang et de la lymphe* sous le double effet des erreurs d'hygiène, manque d'exercice et alimenta-tion défectueuse en particulier, et de la tension nerveuse. **La cellulite n'est donc pas une maladie** mais, dans ce cas, une rétention toxémi-que et un syndrome nerveux résultant de conditions de vie ignorant les lois de l'hygiène mentale, en particulier celles de la décontraction.

Nous avons souvent obtenu de remarquables résultats **unique-ment par la relaxation psychosomatique et la désintoxication** induite par le respir et le rétablissement du poids normal lorsqu'il était exces-sif. Avec cela, nous conseillions *un exercice adapté* et *l'automassage* pour lequel nous avons élaboré un enregistrement en cassette et fait réaliser une crème longuement étudiée pour l'amincissement et le modelage localisé des régions atteintes.

Voyons maintenant comment la tension nerveuse, **qui se déve-loppe rapidement chez la cellulitique obsédée par son état,** produit cette prolifération de tissus indésirables qu'on qualifie de cellulite et qui, lorsqu'elle n'est pas excessive, est commune à beaucoup de fem-mes. Ne faisant généralement qu'ajouter à la douceur des formes, lorsqu'elle s'accumule en certaines régions elle déforme le corps et menace la ligne, ce qui rend les sujettes inquiètes et parfois désespé-rées.

La cellulite peut se développer avec une vitesse foudroyante. Un deuil mal supporté, un accident dramatique, la rupture d'une liaison, la trahison découverte dans le cas d'une confiance absolue, etc., peuvent, en quelques semaines et même en quelques jours, faire prendre plusieurs kilos, développer monstrueusement une cellulite jusqu'ici diffuse. *Il s'agit alors d'un blocage* dont nous avons exposé le mécanisme dans un ouvrage récent entièrement consacré à l'aspect psychosomatique de la cellulite (5). « *Les tensions permanentes,* écrivions-nous, *qui résultent de l'angoisse de la cellulitique bloquent les émonctoires. Nous avons l'observation d'une femme à qui une mauvaise nouvelle, dont elle exagère la gravité, fait prendre plus de 1,5 kg dans la nuit, alors qu'elle eût dû normalement perdre au moins 800 g. Le retentissement sur les crispations particulières au tissu conjonctif ne sont pas moins fréquentes. On peut dire que toute inquiétude retentit sur les terminaisons nerveuses du tissu conjonctif quand le barrage de la régulation hypothalamique a craqué. Aussi, des pensées chargées d'angoisse concernant une localisation cellulitique doivent obligatoirement entraîner une crispation tissulaire d'origine nerveuse dans le territoire concerné. Ce qui explique que, par suggestion, nous puissions exercer une action déterminée sur telle région du corps atteinte de cellulite.* »

Par voie réflexe centripète, la crispation tissulaire — souvent douloureuse au pincement — retentit à son tour sur la fonction nerveuse en produisant d'intenses crises de sur-réflexibilité vago-sympathique. Il ne faut pas chercher ailleurs le processus — *véritable cercle vicieux* — qui fait qu'une situation émotionnelle éprouvante développe soudainement une cellulite douloureuse qui avait auparavant échappé à l'investigation. Bien entendu, le phénomène n'est pas sans retentir fâcheusement sur le climat moral, le caractère et le comportement.

On comprend qu'aucun traitement physique ne puisse, quand il néglige cet aspect psychosomatique, venir à bout de la cellulite. Les médicaments ne font qu'aggraver l'état humoral d'intoxication ; quant aux procédés externes de l'esthétique, du sauna, de la thalassothérapie, etc., *ils sont inopérants s'ils ne sont pas associés à la relaxation,* au reconditionnement psychophagique. En ce domaine, le relaxologue et le psychologue sont les plus aptes à obtenir des résultats. Cependant, on ne peut nier que les effets somato-psychiques puissent, par réciprocité, conforter les résultats obtenus par sugges-

---

5. *Psychosomatique de la cellulite* (Amphora).

tion ou hypnophorèse. C'est ainsi qu'une cure thermale ou de thalassothérapie, par le dépaysement et le repos qu'elle procure, favorise la sédation nerveuse ; que des séances d'ionisation puissent renforcer l'action psychique dans le traitement des localisations cellulitiques des genoux et des hanches. Chez elle, *la femme peut amplifier et accélérer les résultats obtenus* par la sur-respiration comburatrice des déchets, par l'automassage (6), de courtes séances de relaxation et d'autosuggestion en infra-hypnose.

LES FORMULATIONS

Pour perdre les kilos superflus :

« Je n'ai plus l'anxiété de grossir... je maigris... je maigris... et je ne suis pas du tout fatiguée... je suis délivrée de la hantise de prendre du poids, et maintenant... mon poids diminue... il diminue régulièrement... je maigris... je maigris... Je sais que je vais retrouver ma ligne... un poids normal... et que je ne regrossirai plus jamais... plus jamais... Je garderai le poids que je me suis fixé... et je ne regrossirai plus jamais... Mon poids diminue... il diminue de jour en jour... il diminue... Chaque soir avant de m'endormir... je me détends... et je pense... je maigris... je maigris... je maigris... je maigris de jour en jour... de jour en jour... Je maigris pendant tout mon sommeil... je maigris... Avant de sombrer dans le sommeil, je pense... je maigris... je vais m'abandonner au sommeil... et je vais maigrir encore... pendant toute la nuit je vais maigrir... et chaque soir, je m'endors d'un sommeil profond... et pendant toute la nuit je maigris... je maigris... je maigris... »

Pour freiner votre appétit :

« Je mange de moins en moins... et, plus je maigris... moins j'ai d'appétit... Je n'ai pas envie de manger entre les repas... car je n'ai plus jamais faim entre les repas... aussi, je maigris, je maigris... mon appétit diminue... il diminue... chaque jour il diminue... je n'ai plus hâte qu'arrive le repas... car je n'ai pas tellement faim... je ne me jette plus sur la nourriture... car je n'ai plus d'appétit... de moins en moins d'appétit... Dès que je commence à manger... je sens que je n'ai plus faim... mon appétit diminue... après quelques bouchées, je me trouve rassasiée... je n'ai plus faim... mon appétit diminue... il

---

6. Self-méthodes en cassettes.

diminue... il diminue de jour en jour... Moins je mange... moins la nourriture me fait envie... Je pense de moins en moins à manger... Je n'aime plus les grosses nourritures qui font grossir... je préfère la qualité à la quantité... D'ailleurs je n'ai plus tellement d'appétit... je ne prends qu'une petite quantité de chaque mets... et cela me fait maigrir... maigrir... Moins je mange... moins j'ai envie de manger... de moins en moins... et mon appétit diminue... il diminue... chaque jour il diminue... »

Pour affiner votre silhouette :

« Maintenant, la joie que j'ai de maigrir me donne plus de satisfaction que la table... de manger moins me devient indifférent... tellement je me sens revivre... depuis que je me sens plus souple... plus légère aussi... que ma taille s'affine... Je sens que mon ventre s'aplatit... je ne me sens plus lourde comme avant... Je deviens plus mince... chaque jour je mincis... je mincis... Je me vois par la pensée... telle que je vais bientôt devenir... évoluant avec aisance... d'une démarche élégante... et active... Je vois mon corps en maillot... sur la plage... délivré de la graisse en excès... souple et harmonieux... Ma silhouette s'affine de jour en jour... et je sais que je peux toujours améliorer ma ligne... avoir une silhouette telle que je la vois actuellement... par la pensée... C'est cette ligne que j'aurai... j'en ai la certitude... je ferai tout pour avoir cette ligne... D'ailleurs... je mange peu... et je sens se développer en moi le besoin de me dépenser davantage... de toutes les manières... pour améliorer encore ma silhouette. »

Pour vous défaire de la cellulite :

« J'ai de moins en moins de cellulite... je me libère de la cellulite... en me détendant... en respirant profondément... chaque fois que je me sens crispée... tendue... je me détends... et je me libère davantage de la cellulite... Si je sens l'anxiété me gagner... je me détends... je me détends... ce qui contribue à éliminer la cellulite... J'ai de moins en moins de cellulite... de moins en moins de cellulite... Bientôt, je n'aurai plus du tout de cellulite... plus du tout... car ma ligne s'améliore de jour en jour... pendant que j'élimine la cellulite... à laquelle je pense de moins en moins... Ce n'est plus un souci pour moi... je sais que je peux me débarrasser de la cellulite... chaque jour elle s'atténue... elle disparaît... Je n'ai plus du tout la hantise de la cellulite... plus du tout... j'ai d'ailleurs de moins en moins de cellulite... de moins en moins... »

3. Le modelage psychique de la forme corporelle

Puisque des milliers de personnes, *hommes et femmes,* ont perdu le poids qu'elles avaient en excès *uniquement par suggestion ou autosuggestion,* souvent en étant elles-mêmes étonnées et n'ayant fréquenté un Psycho-Center qu'avec un certain scepticisme au départ, il n'est pas déraisonnable de croire à l'action plastique de la pensée. Nous pensons que cette action s'exerce selon divers effets, **d'abord par régulation de la fonction hypothalamique qui harmonise le fonctionnement glandulaire.** Il s'agit de l'effet régulateur du cerveau viscéral en liaison avec l'hypophyse qui modère ou stimule le fonctionnement des autres glandes à sécrétion interne étant sous sa dépendance. On conçoit que, par exemple, dans le cas d'une jeune fille dont le « cocktail hormonal » serait trop riche en hormones virilisantes, ayant une tendance aux formes garçonnières (donc avec des seins dont le développement est insuffisant plastiquement), cette normalisation du fonctionnement endocrinien *puisse favoriser l'essor de sa poitrine* et la marquer de caractéristiques plus féminines. Ces effets s'obtiennent **par l'action autosuggestionnante concernant la région de l'hypothalamus** (voir chap. VII). Une action efficace peut être exercée directement sur une glande à sécrétion interne, par exemple sur les ovaires par la pensée intériorisée ; *il s'agit alors d'un effet spécifique.* La congestion sanguine obtenue par une concentration intense, ou par autosuggestion en infra-hypnose, permet de nourrir les tissus concernés par l'image intérieure qu'on propose au subconscient.

Ainsi, **chaque région du corps peut être modifiée par une pensée entraînée à cette action.** Il est possible d'obtenir la dérivation sanguine pour « dissoudre » les graisses dans le but de maigrir de telle ou telle région du corps, pour la débarrasser de la cellulite, ou encore pour nourrir les chairs afin de développer localement un groupe de muscles.

Vous intéressant à l'obtention de ces effets, *nous vous conseillons de vous exercer à la concentration de la pensée,* par exemple sur une main dont vous devrez accroître la chaleur par rapport à l'autre. Quand vous y êtes parvenu, exercez-vous à produire le même effet sur diverses régions de votre corps en « les sentant » et en « les voyant » mentalement. *Imaginez en même temps les sensations que vous pourriez éprouver* avec une nouvelle structure, ainsi que la forme idéale que vous désirez obtenir.

Le subconscient peut être programmé pour réduire certaines régions excessives du corps ou, au contraire, pour favoriser leur développement. Nous prendrons comme exemple de ces actions, *l'affinement de la taille chez la femme et le développement des seins.* En remarquant que dans cette dernière conjecture, l'homme peut bénéficier de la même technique pour développer les muscles pectoraux. *Le subconscient sait très bien adapter ses moyens aux cas particuliers* et il n'y a pas de danger que chez l'homme ce soient les glandes qui prospèrent. Quant à la femme, si le développement de ses glandes mammaires par ce moyen peut lui faire prendre quelques centimètres de tour de poitrine, *l'accroissement en volume de ses pectoraux ne peut que contribuer à ce résultat spectaculaire* (7). Nous avons déjà montré que le volume pectoral chez la femme, masqué par les seins, ne peut que donner plus de galbe à ces derniers et que la longévité esthétique de sa poitrine **est tributaire de la fermeté et de la tonicité de ces muscles.**

Bien entendu, à cette synthèse viendront s'adjoindre l'autosuggestion en infra-hypnose et l'action hyperémiante de la pensée dérivatrice du flux sanguin.

LES FORMULATIONS

Pour réduire votre tour de taille :

« Ma taille s'affine de jour en jour... Je prends conscience de mon tour de taille... de mon ventre... des côtés de la taille qui vont se creuser chaque jour davantage... de mes reins qui s'épurent de toute graisse... Mon tour de taille diminue... je pense que ma taille se resserre de jour en jour... elle se resserre... devient chaque jour plus mince... je sens mon tour de taille diminuer... il diminue... il comprime mes organes... mon ventre devient de plus en plus plat... et mes flancs sont minces... ils deviennent de plus en plus minces... La graisse autour de ma taille s'élimine... de ma taille qui devient de plus en plus étroite... de plus en plus mince... Maintenant j'ai conscience de mon ventre... de mon tour de taille... pour les réduire... les réduire au maximum... mon tour de taille diminue... il diminue... il diminue de jour en jour... Je me vois... la taille fine... serrée dans une jupe... un pantalon... la finesse de ma taille mettant ma poitrine en valeur... ainsi que le galbe de mes hanches... et cela ajoute à mon élégance... Je pourrai maintenant resserrer mes ceintures... maintenant que ma taille s'affine... qu'elle diminue, qu'elle s'affine de jour en jour... de jour en jour... »

---

7. Self-méthode en cassette C 60 : « Exercices pour les seins ».

Pour embellir et développer vos seins :

« *Je sens mes seins devenir chauds... c'est le sang qui les nourrit... qui stimule l'activité de mes glandes... mes seins vont se développer... je les sens se développer... mes seins grossissent... j'ai les seins qui se développent... qui grossissent... en même temps qu'il deviennent de plus en plus fermes... ma poitrine embellit... ma poitrine embellit de jour en jour... elle est de plus en plus belle... de plus en plus ferme... mes seins deviennent magnifiques... je les sens se galber... se dresser... se développer... ils se développent... chaque semaine ils se développent... Je sens une activité nouvelle dans mes glandes mammaires... Je prends conscience de mes glandes qui se développent... qui donnent du volume à mes seins... de plus en plus de volume... Je me vois avec une poitrine magnifique... les seins dressés sous mon pull-over... attirant les regards des hommes... ma poitrine va se développer de plus en plus... et je serai fière de ma poitrine... qui sera de plus en plus belle... de plus en plus attirante...* »

4. Prenez soin de l'écrin de votre corps

L'exercice, la culture physique localisée qui permet de modeler la forme corporelle selon ses désirs (8) confèrent l'harmonie de la silhouette. La contraction musculaire, en activant la circulation dans les muscles de la région concernée, *la libère des graisses en excès,* des cellulites, mais entraîne aussi les déchets organiques vers les émonctoires. *Il s'agit d'une épuration très efficace du milieu cellulaire.* Nous ne pouvons nous étendre ici sur cette action, mais il nous fallait souligner cet effet qui retentit sur l'enveloppe corporelle par la turbulence qu'il exerce dans le réseau sanguin superficiel (qui irrigue la peau), les capillaires. La culture physique localisée est donc le moyen de choix pour dissiper les graisses, cellulites et liquides extravasés (et nous en avons pour preuve qu'elle fait disparaître, par exemple, le « double-menton » et la « *bosse de bison* » qui affectent certaines femmes franchissant le cap de la cinquantaine), ainsi que pour rajeunir le revêtement cutané.

---

8. *L'Esthétique corporelle* (+ de 300 exercices illustrés).

a) L'action psychosomatique

L'action psychosomatique qui met en branle les mécanismes subconscients est loin d'être négligeable. C'est la raison qui nous a incité, en marge de conseils esthétiques et de formules de masques de beauté, à consacrer la face d'une cassette (9) à la relaxation et l'action autosuggestionnante, cette dernière *s'exerçant pendant les vingt minutes que dure l'application du masque.* Bien entendu, le massage facial que réalise en complément l'esthéticienne dans certains Psycho-Center, ne fait qu'ajouter à ce traitement psycho-esthétique.

Il ne faut pas confondre les rides d'expression qui donnent du caractère au visage **et celles qui proviennent des états habituels de tension.** Les préoccupations lancinantes, l'acuité et la permanence des problèmes personnels qui entretiennent l'inquiétude, font que le visage reste tendu, crispé à longueur de journée. Dans mes conférences j'ai souvent donné le conseil suivant à des auditeurs qui se plaignaient de ne pas trouver le sommeil : « *Avant de vous endormir, pensez à votre visage. Vous constaterez certainement que vos traits sont crispés, comme vos muscles le sont aussi certainement. Vous faites alors un léger sourire que vous laissez flotter sur vos lèvres. Vous constaterez alors que non seulement votre visage et votre corps s'abandonneront à la détente, mais qu'encore, les pensées pessimistes, peut-être même obsédantes qui vous empêchaient de dormir se sont évanouies comme par enchantement. Et vous trouverez facilement le sommeil.* »

Pensez comme il est nocif pour l'esthétique du visage d'entretenir en soi pendant des années un climat d'inquiétude **qui le marquera infailliblement de rides** pouvant être indélébiles. Toutefois, nous avons constaté que la relaxation psychosomatique associée aux soins esthétiques permettait des rajeunissements spectaculaires et durables quand la personne voulait bien modifier sous nos directives son climat moral (10).

b) La psychosomatique du cheveu

Vous avez pu remarquer qu'il y a beaucoup plus d'intellectuels ou tout simplement de personnes ayant un emploi sédentaire, travaillant dans un bureau à la lumière artificielle, qui perdent étant très jeunes leurs cheveux et souvent deviennent partiellement ou complète-

---

9. « En beauté. » (Cassette C 60).
10. En Psycho-Center, ou chez l'esthéticienne relaxologue.

ment chauves. Cela provient sans doute des agressions ambiantes, mais surtout *de la tension nerveuse à laquelle les soumet un travail cérébral continu.* Soigner ses cheveux sans une prophylaxie du mental ne sert pas à grand-chose. Ce n'est que le traitement local personnalisé par un examen microscopique du cheveu et une action psychosomatique concomitante qui peuvent restituer au cheveu sa pleine vitalité. Cette dernière action s'accompagne d'automassage du cuir chevelu, d'exercices très particuliers de culture physique du cou et de la nuque favorisant l'irrigation sanguine du cuir chevelu par effet de voisinage avec la région occipitale.

LES FORMULATIONS

Pour effacer ou atténuer les rides du visage :

« *Je détends les traits de mon visage... mon front... où je sens une onde de fraîcheur le détendre... Mes yeux se décrispent... ils sont fermés sans effort... et je les repose en pensant à une prairie verte... toute verte... Ma bouche est détendue... un léger sourire... comme un sourire intérieur... flotte sur mes lèvres... Un voile de détente... de tranquillité s'étend maintenant sur tout mon visage... pendant que je pense au mot sérénité... sérénité... sérénité... Chaque fois que je sentirai l'énervement me gagner... je penserai au mot sérénité... et à détendre aussitôt tous les traits de mon visage... De détendre mon visage... en atténue les rides... les efface... aussi, j'évite de crisper les traits de mon visage... en restant calme... le visage détendu... De temps à autre... je penserai à détendre mon visage... au mot sérénité... et cela chassera toutes les préoccupations de mon esprit... Aussi... mon visage va rajeunir... il va rajeunir... la décrispation... la détente des traits va empêcher les rides de se former... atténuer celles qui se sont marquées... et chasser les soucis... la morosité... pour leur substituer l'euphorie... la joie de vivre... ce qui va rejaillir sur l'expression de mon visage qui va gagner des années de jeunesse... des années de jeunesse... »*

Pour exercer une action psychosomatique sur vos cheveux :

« *Je peux améliorer l'état de mes cheveux... faciliter leur repousse... par l'action mentale... Je sens que mes cheveux reprennent de la vitalité... chaque jour, ils reprennent du tonus... de la vigueur... Je dérive mon influx magnétique au sommet de ma tête... il se répand maintenant sur tout mon cuir chevelu... dont je sens les picotements...*

qui stimulent l'activité des bulbes nourrissant mes cheveux... mes cheveux qui cessent de tomber... qui s'épaississent... qui reprennent leur éclat... Je n'ai plus la crainte de voir mes cheveux tomber... de les perdre... ce n'est plus un problème... car je sais que je peux garder mes cheveux... que leur santé ne peut s'altérer... Ils vont prendre de plus en plus de vigueur... de plus en plus... et ils ne tomberont plus... Je pense chaque jour à soigner mes cheveux... à en entretenir la force... la vitalité... De les frictionner chaque jour... de mobiliser sous mes doigts le cuir chevelu... facilite l'irrigation du cuir chevelu... et nourrit le cheveu qui reprend toute sa vigueur... Aussi, je soigne chaque matin mes cheveux... pour les défendre... et je n'ai plus peur de les perdre... je suis certain de les conserver... Je n'ai plus du tout la hantise de devenir chauve un jour... je sais que je conserverai mes cheveux... je ne pense plus que je les perds... j'ai au contraire la certitude de pouvoir les conserver... je suis délivré de la crainte de perdre mes cheveux... je sens qu'au contraire ils s'épaississent... ils deviennent de plus en plus vigoureux... vigoureux... »

5. Pour améliorer votre forme

a) La dépense musculaire

S'il est un domaine où la motivation est essentielle, c'est bien celui de la condition physique. Les raisons d'entretenir son corps sont toutes aussi valables qu'impératives. **Pour la santé d'abord,** car sans exercice systématique, sans activité sportive *il n'est pas possible de se maintenir en bonne santé,* ne fût-ce que parce que le corps est constitué pour s'épurer par l'exercice des muscles. Faute de dépenses musculaires suffisantes, les métabolismes se ralentissent, l'assimilation, la désassimilation se font mal, et il en résulte bientôt un encrassement organique *qui est le prélude à de nombreux troubles de santé.* Des fonctions qui contribuent à cette épuration nécessaire, comme la fonction respiratoire, perdent leur intégrité et ne remplissent plus leur rôle qu'imparfaitement. Alors que l'adulte moyen possède la capacité d'inspirer environ quatre litres d'air (C.V.), il est courant que l'homme ayant franchi la cinquantaine ne soit plus capable *que d'obtenir à peine deux litres au spiromètre.* Sans une éducation particulière lui permettant de compenser cette carence, il est condamné à l'athérosclérose que produit un sang qui est insuffisamment oxygéné, à l'emphysème et autres affections de l'appareil respiratoire.

De conserver jusque dans la vieillesse l'allure jeune est aussi une puissante motivation. Beaucoup d'acteurs, étant motivés par l'impératif de continuer à plaire au public, ont une étonnante longévité physique et morale, et souvent leurs moyens de séduction ne font que s'accroître avec l'âge. La voix elle-même conserve le timbre de la jeunesse ; c'est le cas d'Yves Montand qui, à 60 ans, reste semblable à ce qu'il était autrefois ; nous l'avions applaudi à l'Empire il y a de cela plus de quarante années...

Le corps étant l'instrument du plaisir charnel, **la beauté, ou du moins une forme physique attrayante pour le ou la partenaire, suscite le désir** et magnifie les ébats érotiques ; de conserver une forme acceptable jusque dans la maturité *représente une motivation très légitime.* Cela, d'autant plus qu'une bonne condition physique et musculaire est nécessaire, particulièrement à l'homme, pour prolonger à volonté l'acte sexuel, pour être à même d'apporter une grande variété à l'amour positionnel (ce qui implique de posséder force et souplesse). *De cette gymnastique sexuelle résulte, par ailleurs, une dépense d'énergie qui ne peut que compenser agréablement la sédentarité musculaire.*

Bien d'autres motivations peuvent être développées, par exemple pour une mère, *le désir de rester jeune très longtemps* pour que ses enfants continuent à l'admirer. Pour une femme, *le souci de garder un mari,* ou un amant plus jeune. Pour un couple vieillissant attaché à son jeune chien, *celle de lui survivre.* Pour un artiste, *le désir d'être enfin reconnu* comme ayant du talent. Pour un industriel, un homme politique, le stimulant que représente *la nécessité de consolider et d'achever brillamment l'œuvre entreprise.*

Nous pourrions multiplier les exemples. Ce qu'il vous faut considérer, c'est que vous devez, par la méditation, déterminer les motivations qui sont les vôtres, mais sans vous contenter de cela. Les ayant précisées, vous devez les entretenir consciemment pour les intensifier *et pouvoir y faire appel si vous sentez votre énergie, votre détermination faiblir.* Le moyen pour qu'elles surgissent à propos dans la sphère de votre conscient consiste à les formuler par écrit, puis de vous autosuggestionner par ces formules, en vous mettant en infrahypnose.

b) Ne confondez pas activité et exercice musculaire

Une confusion s'établit facilement en ce qui concerne les dépenses de fond. Ainsi que je le soulignais dans un autre ouvrage (11), l'homme et la femme d'aujourd'hui ont souvent une activité débordante, mais *ce n'est qu'une activité nerveuse* n'entraînant pas une réelle dépense musculaire mais qui, au contraire, agresse le système nerveux qu'elle fait prédominer au détriment des muscles qui sont, eux, **facteurs de santé.** Pris dans l'engrenage de la vie dite active, la plupart des gens deviennent en réalité des paresseux physiques qui, par ailleurs, peuvent manifester beaucoup d'énergie ; *mais le moindre effort leur coûte.* Pour cette raison, ils utilisent beaucoup d'échappatoires pour se donner bonne conscience vis-à-vis de leur corps qu'ils négligent. « *Je suis trop fatigué* », « *Je n'ai pas le temps* » sont les leitmotive les plus souvent invoqués, car personne ne réfute la nécessité de faire de l'exercice. La pratique d'un sport, *très souvent épisodique ou mal adapté à la résistance du sujet,* est souvent invoquée comme justification de l'absence réelle d'un exercice suffisant. Le jogging hebdomadaire est souvent plus dangereux que bénéfique, *car pratiqué inconsidérément.* En réalité, la pratique d'un sport ne doit pas se substituer à l'exercice quotidien qui, se poursuivant *pendant les 365 jours de l'année,* entretient parfaitement la condition physique, même si on ne dispose que de quelques minutes chaque matin. Alors que la pratique d'un sport, excellente même dans ce cas, est soumise à de nombreux aléas, obligations diverses, intempéries, etc., *qui la rendent épisodique.* Et on oublie vite le chemin du gymnase ou du stade.

Il s'agit par conséquent d'entretenir de fortes motivations afin de s'inciter non seulement à faire de l'exercice quotidiennement, mais encore à ne jamais l'abandonner.

c) Pour améliorer la capacité athlétique

Les expériences concernant les qualités de force et de résistance n'ont pas, semble-t-il, retenu beaucoup l'attention des médecins et entraîneurs sportifs. Cependant, des hypnotiseurs de music-hall ont démontré **qu'un accroissement considérable de la force musculaire pouvait être obtenu chez un sujet hypnotisé.** Faut-il souligner l'étonnante concentration d'un champion d'haltérophilie dans l'arraché d'une barre qu'un homme de force moyenne ne parvient même pas à bouger ? Il semble que l'athlète soit à ce moment *sous une sorte d'hypnose,* peut-être favorisée par la tension extrême qu'on perçoit dans une salle en attente de l'exploit.

_____ ,

11. *Chassez la fatigue en retrouvant la forme* (Editions Dangles).

Nous pensons qu'un athlète, ou une équipe, pourraient être hypnotisés et que, par post-suggestion, il serait possible d'accroître notablement leurs capacités athlétiques ainsi que leurs réflexes. Bien sûr, on pourrait objecter qu'il s'agirait d'un dopage moral qui pourrait s'avérer dangereux, car les athlètes dépassant leurs possibilités seraient exposés à des accidents, tels les claquages musculaires, le surmenage. Cela est exact, mais de même que nous avons vu que le cerveau est loin d'exploiter toute sa capacité, nous pensons que l'athlète le mieux doué, en dépit du meilleur entraînement qui soit, *est loin d'atteindre le summum de ses possibilités.* Déjà, **on a enregistré d'excellents résultats par la relaxation qui permet la récupération des énergies, abolit l'anxiété lors des grandes compétitions.** Ce n'est pas suffisant. Il n'y a pas de doute que l'athlète de compétition puisse augmenter considérablement son rendement par les moyens que nous préconisons d'ensemencement du subconscient, cela en état d'infra ou d'auto-hypnose. *Il lui faut associer l'image mentale à l'autosuggestion :* se voir vainqueur le jour de l'épreuve, dominant ses concurrents, ayant une inépuisable énergie, se montrant à l'aise, sans aucune anxiété, sur le stade, le ring, etc., indifférent aux rumeurs de la foule. Bien entendu, les formulations seront élaborées en considération du sport pratiqué et des qualités dont on doit rechercher le renforcement. Nous ne pourrons donner qu'un exemple de cette démarche.

LES FORMULATIONS

Pour renforcer vos motivations envers l'exercice :

« Faire de l'exercice est le meilleur moyen de préserver ma santé... je ne veux pas être malade un jour... diminué... je dois faire chaque jour de la culture physique, pour ne pas être malade... être toujours en pleine forme... Cela est pour moi un plaisir, que de faire de la culture physique... Après je me sens bien... je sens une chaleur agréable dans tous mes muscles... comme si ma vitalité s'accroissait à chaque séance... Je ne néglige jamais ma culture physique... c'est ma toilette musculaire... et chaque jour... je fais ma toilette... La culture physique fait partie de mes disciplines personnelles journalières... Elle entretient ma souplesse... me conserve l'allure juvénile... En faisant ma culture physique chaque jour... sans manquer de la faire un seul jour... même quelques minutes seulement quand j'ai peu de temps... je retrouverai plus tard au moins dix années de jeunesse... Ce souci de la santé de mon corps me préserve aussi des excès... de tabac, d'alcool... car je ne veux pas me

détruire bêtement... ayant conscience que la paresse musculaire... les excès sapent les forces vitales... me préparent des lendemains pénibles... Puis, l'exercice me maintient en pleine forme... décuple mes forces vitales... préserve et accroît mon énergie sexuelle... me conserve ma souplesse... Chaque jour je fais de la respiration complète... pour garder l'élasticité de mes poumons... leur capacité... pour purifier mon sang... donner plus de vitalité encore à mon organisme... Le sport est aussi pour moi une distraction... je n'aime pas rester sédentaire... j'aime la vie active... les activités de plein air... marcher... courir... j'aime le sport pour l'effort... pour me maintenir en bonne santé... pour être en pleine forme... toujours en pleine forme... »

Pour développer vos qualités sportives :

« J'ai de plus en plus d'endurance... de plus en plus de force... chaque jour ma force augmente... je peux progresser... devenir plus fort... Car je suis loin de mes possibilités réelles... de celles que je sens en moi... qui ne demandent qu'à se manifester... Je développe toujours davantage ma concentration dans l'effort... ma concentration qui me permet de réunir dans l'effort toutes mes énergies... pour améliorer mes performances... Je peux devenir le premier dans ma spécialité... je sais que je possède toutes les potentialités requises pour réussir brillamment... pour connaître le succès... la notoriété dans ma spécialité... mais aussi parce que cela mobilise mes énergies... développe mes qualités athlétiques et morales en m'obligeant à me surpasser... J'ai confiance en moi... en mon subconscient qui développera toutes les aptitudes nécessaires pour que je me hisse au premier plan de la compétition... qui accroîtra ma force... ma résistance à l'effort... qui perfectionnera mes réflexes... qui me donnera l'énergie et la constance nécessaires pour que je m'entraîne régulièrement... dans l'enthousiasme de me rapprocher du but que je me suis fixé... dans la certitude de progresser sans arrêt... de me hisser au premier plan... J'ai une confiance absolue en moi... et suis à l'aise en toutes circonstances... même en public, je n'ai aucune appréhension... je conserve tous mes moyens intacts... car je suis sûr de moi... Avant l'effort... j'ai la capacité de me concentrer sur ce que je vais accomplir... je ne pense qu'à cela... et je concentre mes énergies... aussi... je n'éprouve jamais aucune anxiété... même à l'idée de devoir me produire en public... je n'ai jamais peur... je ne suis jamais anxieux... je suis sûr de moi... »

6. Franchir allègrement les étapes de la vie

a) Préparez-vous à ne vieillir que lentement

De même que la destinée se prépare en entretenant des pensées de bonheur et de réussite, **la vieillesse se prépare dès le jeune âge** — et même à tous les âges qui la précèdent — en n'y pensant jamais, sauf pour en supputer les avantages (ces avantages qu'on ne perçoit pas quand on est jeune), en ne ressassant pas le passé, *en vivant dans le présent et l'avenir.* Il s'agit, en somme, de conserver l'esprit jeune (12) et surtout de ne pas renoncer, quel que soit l'âge, à entreprendre. Il faut pour cela se fixer sans cesse de nouveaux objectifs, *ne pas se laisser engluer dans des activités routinières.* Ces objectifs ne seront pas nécessairement grandioses. Ce peut être tout simplement un « hobbie » ; par exemple, pour un homme pondéré, de réussir quelques tours de prestidigitation ; pour une femme, de se passionner pour le bricolage. Nous avons connu un couple qui s'était mis à la course à pied après 50 ans et qui rivalisait avec des jeunes de 25 ans, les essoufflant sur des parcours de plusieurs kilomètres. **En somme la longévité de la jeunesse se conquiert tout au long de l'existence.** A vingt ans, on pense à tort que l'on sera déjà vieux à quarante ans, et à quarante ans on se dit que c'en est fini de la jeunesse. *C'est le moyen de vieillir prématurément.* Cependant il est des étapes de l'existence *où il convient de se montrer vigilant,* si on ne veut pas voir s'accélérer les processus du vieillissement (13).

b) Montrez-vous vigilant envers la maladie

D'une simple négligence peuvent découler de graves conséquences. Comme l'a dit Alexis Carrel (14) : « *La maladie laisse toujours des traces.* » C'est dans la jeunesse que l'on se montre souvent inconséquent envers sa santé. Chacun de nous a, par hérédité, un système fonctionnel plus ou moins résistant. Cela devrait être déterminé dès l'enfance et consigné sur un livret de santé avec les tendances maladi-

---

12. *La Vie recommence à 40 ans* (Presses-Pocket)
13. Louis de Brouwer : *L'Art de rester jeune* (épuisé).
14. *L'Homme, cet inconnu.*

ves qui tiennent au tempérament... ce serait trop beau ! **C'est donc à vous qu'il appartient de détecter vos points faibles.** Pour certains, ce peut être le système digestif, pour d'autres la circulation de retour ; il y a des familles de cardiaques, de diabétiques. Des sujets seront plus menacés que d'autres de dépression nerveuse. Déjà *le choix de la profession devrait être effectué en fonction de ces critères.* Un sanguin ne peut bien se porter sans activité de plein air ; un nerveux choisissant une carrière éprouvante comme celle d'avocat sera un jour frappé de dépression s'il n'observe pas des disciplines de vie compensatrices. Sans se laisser conditionner par la propagande médicale, se faire vacciner pour la grippe, se faire faire un électrocardiogramme à quarante ans alors qu'on n'éprouve aucun trouble, avoir la hantise de telle ou telle maladie, *il est judicieux de « faire le point » de sa santé tous les quatre ou cinq ans,* sans pourtant s'inquiéter outre mesure des résultats. L'organisme humain est complexe, et il est rare de ne pas trouver quelque trouble mineur *qui ne puisse disparaître par l'observance de disciplines naturelles,* sans avoir recours à un traitement chimiothérapique. Car n'oubliez pas que votre sympathique, la programmation de votre subconscient qui vous permet de mobiliser toutes ses ressources défensives, **rétablira de lui-même votre état de santé,** soit en renforçant le système défaillant, soit en trouvant les moyens de lui porter assistance. Cependant, vous pouvez être frappé d'une affection aiguë. Il serait déraisonnable, dans le cas par exemple d'une pleurésie contractée à cause d'une imprudence (rhume n'en finissant pas de guérir et négligé, refroidissement par suite d'une mauvaise réaction à un bain en eau glacée, etc.), de refuser les antibiotiques prescrits *qui éviteront que la maladie se prolonge ou qu'elle ait une issue dramatique.* Par contre, si après l'extraction d'une dent, pour un mal de gorge, le médecin vous déclare : « *Je préfère vous faire une couverture d'antibiotiques »,* c'est lui qui en réalité « *se couvre ».* Acceptez l'ordonnance, mais montrez-vous lucide, évitant de les prendre car si un jour vous deviez en prendre par nécessité absolue, les antibiotiques seraient devenus moins actifs si on vous en avait administré à tout propos. Soyez aussi circonspect pour d'autres médicaments ; les douleurs de l'arthrose peuvent souvent être supportées sans avoir recours à la cortisone... grâce à l'ensemencement du subconscient.

Il faut se montrer vigilant quand on franchit diverses étapes de son existence. C'est le cas à la puberté, pendant la période adolescente, pour la femme, pendant et surtout après la grossesse, à la maturité aussi bien pour l'homme que pour la femme, enfin, après soixante ans jusque dans le grand âge. C'est que *chacune de ces tranches de vie prépare les suivantes,* en conditionne le bon déroulement.

c) L'enfance et l'adolescence

L'enfant est soumis à l'assistance, d'une part *des organismes officiels* incomplets, trop souvent inadaptés qui gèrent plus ou moins bien son patrimoine vital par une éducation physique insuffisante et, sauf exception dérisoire, par des examens médicaux ou autres, fragmentaires, superficiels et sporadiques, d'autre part, *des parents* qui ont bonne conscience du fait de cette assistance étatique et qui ne se préoccupent du développement physique de leur enfant que pour le conduire chez le médecin dans les cas d'extrême gravité. C'est ainsi, que nous avons alerté les parents d'un jeune garçon au thorax étriqué, ayant visiblement à travers ses vêtements un voussure dorsale très accentuée, leur conseillant de le conduire auprès d'un spécialiste. Vainement, il mangeait et dormait bien, étudiait consciencieusement ses leçons... Les années ont passé, il est maintenant bossu, c'est manifestement un insuffisant respiratoire qui, toute sa vie, tant sur le plan sanitaire qu'esthétique *paiera cette double carence institutionnelle et parentale.*

Déjà l'adolescent peut prendre conscience de ses insuffisances et des menaces qui pèsent sur lui. A la puberté, certaines anomalies peuvent attirer l'attention du garçon, infériorité par rapport à ses camarades dans la pratique des sports, insuffisance de développement testiculaire, phymosis, etc. Divers problèmes qu'il doit affronter et dont, à notre époque, il peut s'entretenir avec ses parents. C'est généralement à la formation que se dessine l'avenir esthétique de la femme. Des règles anormales, mettant trop longtemps à se réguler, un développement insuffisant ou excessif des glandes mammaires *dénoncent des anomalies qui doivent donner l'éveil.* Il est rare qu'elles ne s'accompagnent pas dans l'adolescence de jambes cyanosées, de cellulite plus ou moins en voie d'organisation (15). **De lutter contre ces disgrâces participera,** au besoin avec l'assistance du médecin, **à l'établissement d'un meilleur équilibre.** Ainsi, sous l'effet de la relaxation psychosomatique conjuguée avec l'initiation respiratoire, les troubles d'une aménorrhée ou d'une dysménorrhée peuvent cesser et certains inconvénients esthétiques, tel l'acné juvénile par exemple, se trouver résolus.

Les problèmes d'esthétique ne doivent pas être sous-estimés. Ils peuvent être à l'origine, dès l'aube de la vie, *de complexes redoutables pouvant même dégénérer en psychoses.* Les préoccupations des jeu-

---

15. *Maigrir par la détente nerveuse* (Editions Dangles).

nes concernant leur physique ne sont pas rares et on n'y attache certainement pas suffisamment d'importance ; ce sont souvent eux qui doivent « *se prendre en mains* ». Une jeune fille dont le visage est déparé par un nez excessif, n'osera pas en parler à ses parents, mais en éprouvera *un sentiment d'infériorité* qui retentira fâcheusement sur toute sa conduite. Une opération, banale tant elle est courante, *l'en délivrera mieux que ne l'eût fait le psychanalyste.*

Dès l'adolescence, la plénitude de la satisfaction sexuelle est fondamentale pour assurer *des bases solides à la structuration normale de la personnalité, donc au bonheur.* Plus tard, après les expériences plus ou moins décevantes et enrichissantes de cette période troublée de la vie, survient *la fixation affective et le plein épanouissement du corps ouvert à la sensualité.* Nous traitons de cet aspect, celui de la vie sexuelle, dans une autre partie de l'ouvrage (voir chap. VIII). Mais il est un point sur lequel nous ne saurions trop insister, car il est crucial pour la femme, *c'est celui de la maternité.*

d) La maternité

En ce domaine la médecine a fait des progrès considérables. La femme enceinte est suivie au long de sa grossesse, tant sur le plan de l'évolution de celle-ci, des incidents pouvant survenir, que sur celui de son hygiène générale et alimentaire. *Des cours de préparation à l'A.S.D., qu'elle ne suit malheureusement pas toujours, la préparent à l'accouchement* et lui donnent pour plus tard les premiers éléments de la détente neuro-musculaire et de la respiration contrôlée. Mais si j'en crois le courrier que je reçois, beaucoup de femmes, après la lecture de certains de mes livres (16), **désirent profiter de cette expérience enrichissante de la maternité pour adopter un nouveau style de vie plus hygiéniste** leur garantissant de prolonger leur beauté et, partant, leur santé, jusqu'aux plus extrêmes limites. Les méthodes que j'ai élaborées le leur permettent. Je ne puis que les résumer.

J'ai longuement insisté sur ce que j'ai intitulé la *prânoxygénorelaxation* qui est hautement bénéfique pour la femme enceinte. Appliquée en certains Psycho-Center, elle conjugue l'initiation respiratoire avec l'inhalation d'oxygène dont on connaît les effets désintoxicants, *si importants pour la femme enceinte,* et dont bénéficie l'enfant qu'elle porte. Ma *Méthode préparatoire aux méthodes d'accouche-*

---

16. Dont, en particulier : *L'Esthétique corporelle* (Editions Dangles).

ment sans douleur est une synthèse de ces moyens auxquels s'ajoute la suggestion dont il serait trop long ici d'expliquer comment elle exerce ses effets à la fois sur la sédation des troubles inhérents à la grossesse et sur le développement fœtal. Chez elle également, la femme peut, au moyen d'enregistrements spécifiques, apprendre à respirer et à se détendre, cultiver les muscles du ventre et ceux dont la tonicité lui sera précieuse pendant l'accouchement. Des conseils d'hygiène, de reconditionnement psychophagique qui ne sont pas en contradiction avec les directives d'alimentation équilibrée du médecin qui la suit, *lui évitent de prendre un poids excessif qui la laisserait désemparée après son accouchement.* Là encore, un enregistrement (17) lui permet de recouvrer sa ligne rapidement, de prendre un nouveau départ après ce qui est, malgré tout, une épreuve pour son corps.

LES FORMULATIONS

Pour lutter contre les troubles de la grossesse :

« Je me détends... Beaucoup de femmes n'ont aucun trouble pendant leur grossesse... je ne crains pas d'avoir des troubles... D'ailleurs... en ce moment des centaines de milliers de femmes à travers le monde sont dans cet état... mon cas n'est pas exceptionnel... Certaines femmes, en de nombreux pays, travaillent jusqu'au dernier jour... et accouchent facilement... J'ai le privilège de soins attentifs... de conditions de vie toutes différentes... Aussi, il n'y a pas de raisons pour que j'éprouve quelque trouble que ce soit... Rien ne s'oppose à ce que je continue à vivre normalement... à me soucier de ma forme... de mon esthétique... Cela afin que mon enfant profite au maximum de ma bonne condition physique et psychologique... Je fais tout pour qu'il soit magnifique... ne fumant pas... ne buvant pas d'alcool... mais surtout faisant souvent de la respiration complète... de la relaxation pour détendre mon système nerveux... Je me porte merveilleusement bien... certaine que j'accoucherai avec facilité... Pour cela je fais chaque jour mes exercices... des courtes séances d'exercices... de la relaxation... C'est ce qui m'évite d'avoir des troubles comme en ont les femmes qui ne font rien pour les éviter... C'est cet équilibre qui va me permettre d'avoir un beau bébé... et de reprendre ma ligne rapidement après l'accouchement... Chaque jour je prépare mon accouchement (18), et je suis assidue aux " Cours

---

17. Self-méthode en cassette C 60 : « Après l'accouchement ».
18. Self-méthode en cassette C 60 : « Grossesse et accouchement ».

d'accouchement sans douleur ", pour accoucher en pleine lucidité... en femme maîtresse d'elle-même et de ses réactions... Je suis enthousiaste, dans la perspective d'avoir un enfant magnifique... »

Pour exercer une action psychophysique sur votre enfant :

« *Ma pensée influe sur la santé de mon enfant... sur son développement... Aussi... si des pensées dépressives m'assaillaient... je penserai... chaque fois... qu'elles peuvent nuire à mon enfant et... aussitôt... je leur substituerai des pensées joyeuses... optimistes... la vision d'un avenir radieux... radieux... Je ne me laisse jamais aller à l'inquiétude... à la crainte de la maladie... ou même de malaises qui, s'ils survenaient, ne seraient dus qu'aux bouleversements hormonaux inhérents à la grossesse... mais que je peux dominer... par ma pensée... éviter... en ensemençant mon subconscient d'images euphoriques... tonifiantes... et en me détendant... en me détendant... Je suis bien... tranquille... sans inquiétude... Je sens mes nerfs... mes muscles se détendre... et maintenant... toutes mes pensées s'estompent... je fais le vide dans mon esprit... le vide... le vide... Tout va bien... je suis résolument optimiste... résolument optimiste... ma grossesse se déroule normalement... il en sera ainsi jusqu'à l'accouchement qui se fera facilement... facilement.... Je sens que mon enfant se développe merveilleusement... Je le sens en moi... je descends vers lui par la pensée... je n'ai aucune inquiétude pour lui... je le sens plein de vitalité... ce sera un beau bébé... un enfant magnifique... je serai fière de lui... heureuse de m'en occuper... J'ai la certitude d'avoir un beau bébé... un enfant superbe... magnifique... Je continue à me détendre... je me détends... je suis bien... merveilleusement bien... merveilleusement bien...* »

7. Préparez votre maturité

a) La sédentarité musculaire

L'entrée dans la vie socioprofessionnelle, les responsabilités qu'apportent une union, le mariage et les enfants font que, parvenus à l'âge adulte, l'homme et la femme voient le mode de vie qui était le leur auparavant **totalement bouleversé**. Davantage de préoccupations concernant l'avenir, et souvent le présent, une vie moins décousue mais *plus sédentaire* réduisant l'activité et surtout, une alimentation plus régulière et trop copieuse *eu égard à la dépense musculaire*

menace d'apporter de profondes modifications tant sur le plan sanitaire que sur celui de l'esthétique corporelle. Surtout quand, après
quelques années de vie commune, le couple s'installe dans un confort
souvent chèrement acquis et qu'une certaine monotonie des rapports
sexuels l'incite à trouver des compensations dans les plaisirs de la
table. *Les métabolismes se ralentissent* et le corps se trouve au fil des
ans infiltré par les graisses et cellulites. D'où (et particulièrement chez
la femme) une anxiété concernant sa silhouette qui s'épaissit, anxiété
qui, développant les états tensionnels que nous connaissons, déclenche par réaction *d'irrésistibles crises de boulimie.* Le processus est
insidieux et nous l'avons longuement décrit dans un autre
ouvrage (19), apportant les moyens de le contrecarrer. Nous ne voulons ici qu'en souligner le danger. Entre l'âge de 25 ans et ce qu'il est
convenu d'appeler la maturité, le corps se modifie insensiblement. *Si
on ne se montre pas vigilant, celui-ci se tasse et s'épaissit.* Si bien que,
parvenus à la quarantaine, l'homme et la femme commencent à
s'inquiéter de la modification de leur aspect corporel et de certains
signes avant-coureurs qui ne manquent pas de les inquiéter, tels chez
l'homme la chute des cheveux, un certain embonpoint, chez la
femme, une cellulite jusque-là discrète qui commence à s'organiser en
localisations inquiétantes autour de la taille, aux hanches ou aux
genoux. Chaque semaine qui passe, chaque jour même **où on néglige
de faire un exercice suffisant,** où on fait des excès de table préparent
la litière de la déformation corporelle et des ennuis de santé *qui sur-
viendront inéluctablement* à l'âge de la maturité, entre quarante et
cinquante ans. **Des troubles mineurs** (essoufflements, fatigue, capacités sexuelles qui déclinent, douleurs de l'arthrose, désaffection pour
certaines activités qui vous passionnaient auparavant) **sont le signal
d'alarme qui doit inciter à réagir,** à adopter des disciplines compensatrices de la sédentarité qui permettent de freiner le vieillissement.

b) La vie recommence à tous les âges

Voici ce que j'écrivais dans un livre qui a réconforté beaucoup de
gens de ma génération, dont le titre est devenu un slogan (20), *La vie
recommence à 40 ans,* car, à cet âge, la résistance physique doit
atteindre son point culminant. Un homme qui continue à s'exercer *est
plus fort à 40 ans qu'à 25 ans.* Une femme qui se cultive **est plus belle
et plus attrayante à 40 ans,** qu'une fille de 20 ans « asphyxiée » par

---

19. *Maigrir par la détente nerveuse* (Éditions Dangles).
20. *La Vie recommence à 40 ans* (Presses-Pocket).

l'inaction. Sur le plan moral, l'homme ne discerne les véritables valeurs qu'à la lumière de son expérience, **cette expérience qui se forme à l'aide des erreurs du passé**, tant il est vrai que dans la jeunesse les conseils d'autrui ne sont jamais suivis. Sur le plan intellectuel, les connaissances acquises dans le jeune âge sont consolidées par l'application pratique et par l'observation. *L'horizon intellectuel s'élargit jusqu'à un âge avancé pour ceux qui ont su entretenir en eux l'avidité de connaître.* **Sur le plan sexuel**, la fougue de la jeunesse *cède le pas à une plus grande expérience* qui permet d'éprouver des joies autrement plus subtiles que celles de rapprochements souvent renouvelés, mais hâtifs et parfois maladroits... Ainsi l'homme et la femme ne goûtent pleinement les joies de la vie qu'à partir de 40 ans. **C'est donc la période qui s'étale entre 40 et 65 ans qu'il importe de rendre féconde.** C'est à ce stade qu'il faut freiner le plus possible le vieillissement. Le point culminant de la qualité humaine devrait se situer *aux alentours de 50 ans ;* c'est à cet âge que l'être humain se réalise pleinement.

c) Une période de la vie, dite critique

A la cinquantaine, et parfois avant, l'homme et la femme entrent dans le climatère. Des médecins en quête de « découvertes », servis par une presse à sensation, ont tenté d'assimiler le climatère (qui équivaut à une période de sept fois sept ans) de l'homme frisant la cinquantaine, à la ménopause qui provient d'une régression des fonctions hormonales des ovaires cessant de produire autant de folliculine qu'auparavant. **Rien de semblable chez l'homme** dont la fonction testiculaire ne fait que s'amenuiser très lentement — on a vu des octogénaires procréer — **et n'entrave absolument pas son activité sexuelle.** Alors que la femme, dans cette période de la vie qui s'étale pour elle de 45 à 50 ans et plus selon sa nature, *peut éprouver des malaises très caractéristiques :* bouffées de chaleur, fatigue inhabituelle, crampes, troubles circulatoires, etc., ainsi que les premières atteintes de l'ostéoporose et de l'arthrose, une fringale de sucreries provenant d'un excès d'insuline la faisant grossir.

On ne peut donc parler d'andropause, comme pendant de la ménopause. L'examen médical, à cet âge, ne détermine que des carences *qui peuvent aussi bien affecter un homme beaucoup plus jeune :* excès de cholestérol, insuffisance respiratoire ou cardiorénale, diabète, arthrose, etc. Toutes anomalies auxquelles beaucoup d'hommes échappent et il en est peu qui, aux abords de la cinquantaine, constatent un bouleversement radical de leur économie. Et, quand cela se produit, on ne peut en attribuer la cause **à ce qu'on a appelé à tort l'andropause.**

Le temps est lointain où la femme se trouvait désarmée devant la ménopause. Dans un ouvrage récent, nous citions les propos rassurants d'un médecin : « *Une fois franchi le cap de la ménopause, de nombreuses femmes retrouvent une vigueur, un équilibre, une capacité de travail et même d'efforts physiques qu'elles avaient perdus depuis un moment. Certaines femmes se découvrent même un tonus qu'elles n'avaient jamais eu auparavant.* »

Ces nouvelles possibilités proviennent de ce que la femme est soutenue dans cette période critique par le gynécologue qui, **par l'administration d'œstrogènes et de progestérones de synthèse,** parvient à prolonger les règles et à éviter le dessèchement et la sclérose des muqueuses génitales semblant sonner le glas de l'activité sexuelle. **C'est à partir de 45 ans que la femme doit se préoccuper de la ménopause,** même avant que ses signes avant-coureurs n'apparaissent. Cependant les traitements conservent leur efficacité, même quand elle s'est montrée négligente à cet égard.

Par les moyens précités (ceux que nous exposons dans nos livres et plus particulièrement par l'autosuggestion en infra-hypnose) **la femme peut gagner plus de vingt années de jeunesse...** et de séduction. Nos enregistrements, les soins associés en Psycho-Center ont permis à de nombreuses femmes de franchir ce cap délicat sans aucun problème, et même allègrement. *C'est que le moral de la femme est déterminant* dans ce qu'elle considère, à tort, comme mettant un terme à sa vie sexuelle. Dans un ouvrage consacré au comportement érotique de la femme, n'écrivions-nous pas, après avoir défini la période de la ménopause comme « **l'âge de maturation érotique** » : « *Dans ce que nous appelons l'âge de maturation érotique, et non l'âge critique, la femme doit être pleinement libérée de ses complexes... La dominante androgène, normalement, sans masculiniser la femme exalte ses désirs sexuels, mais dans le sens d'un comportement plus viril ; elle prend des initiatives érotiques qu'elle n'eût jamais prises auparavant. Toujours capable de connaître l'orgasme vaginal, plus rompue à le renouveler, elle connaît une jouissance clitoridienne qu'elle n'eût pas soupçonné pouvoir un jour atteindre ; il n'y a pas, comme on serait tenté de le croire, transfert de la sensation vagino-utérine au clitoris, mais accès à la culminance orgasmique dans laquelle c'est tout le ventre de la femme qui s'embrase dans la flambée du désir. En réalité, la ménopause qu'on considérait comme la fin de la vie sexuelle, n'est que le plein épanouissement de la féminité ; ce n'est pas une fin, c'est un renouveau.* »

Si la femme libérée de ses complexes peut volontiers donner libre cours à des penchants érotiques jusqu'ici refoulés, l'homme, au contraire, et c'est un juste retour des choses, *met parfois en doute sa capacité virile.* Effectivement, les pulsions sont de moins en moins fortes, l'aptitude à renouveler l'acte est moins grande. Le souvenir d'une adolescence où il libérait sa semence cinq ou six fois de suite, où il n'avait pas besoin de ménager ses forces, lui est un rappel pénible en un moment où il abandonne la jeunesse pour entrer dans la maturité, *avec la perspective lancinante du déclin de sa sexualité.* Certains veulent se prouver qu'ils ont conservé intacts leurs moyens de séduction en prenant une compagne, mais plus souvent une maîtresse de vingt ou trente années plus jeune qu'eux. S'ils connaissent mal les ressources infinies de l'érotisme, ils s'épuisent en démonstrations dérisoires. **Quelquefois, un fiasco qui n'eût été à 30 ans qu'un accident de parcours vite oublié, les marque pour le restant de leurs jours,** les rendant impuissants. Cette impuissance **qui n'est que psychique** les incite soit à renoncer à l'amour physique, soit *à sublimer leurs désirs* en se lançant à corps perdu dans la réalisation de leurs ambitions. Nous verrons plus loin comment on peut remédier à cette situation stressante pour celui qui en est victime (voir chapitre VIII).

d) Gagnez, chaque décennie, dix ans de jeunesse

Chaque seconde qui passe nous rapproche de la mort. Comme un sablier, la vie s'écoule inéluctablement. Mais quand on la vit dans l'enthousiasme toujours renouvelé d'objectifs à atteindre, **sans trop se préoccuper du devenir,** dans l'oubli des réminiscences des circonstances pénibles d'un passé dont on ne peut plus modifier ce qu'il fut, *elle vaut tout de même d'être vécue,* en serait-on à son crépuscule. L'hygiène intégrale maintient le corps et l'esprit très tardivement dans son intégrité. Mais s'il est une pratique bénéfique pour éviter de vieillir prématurément, c'est bien celle exposée dans ce livre. **Le subconscient a la capacité, si vous le programmez pour rester jeune, de vous faire gagner de nombreuses années de jeunesse et de vitalité.** Mes techniques reposant sur la relaxation psychosomatique, permettent de développer des habitudes de détente physique et de quiétude morale qui, tout au long de la vie, apaisent les tensions dont est responsable la vie harassante que mènent la plupart des femmes et des hommes qui travaillent. *Ce sont ces tensions qui usent l'organisme et les ressorts de l'esprit ;* ce sont ces tensions qui marquent les visages de rides indélébiles, qui sont responsables de la décrépitude du corps. Aussi, n'est-il pas exagéré de dire que vous pouvez, à partir de 40 ans et à chaque décennie, **paraître et avoir 10-15 ans de moins que votre âge chronologique.** Mais pour cela comme en toutes choses, l'important est de se fixer un but : celui de paraître moins que votre âge, d'où le conseil que je donnais dans *La vie recommence à 40 ans :* « *Si vous voulez rester longtemps jeune, reculer au-delà de ce que vous pouvez soupçonner les bornes de votre vitalité, si vous voulez avoir encore devant vous de très nombreuses années d'existence, il faut tendre votre volonté vers cet objectif que vous vous serez fixé : vivre long-temps jeune.* »

LES FORMULATIONS

Pour lutter contre les troubles de la ménopause :

« *Beaucoup de femmes franchissent la période de la ménopause en n'éprouvant que des troubles mineurs... facilement supportables... Mais je peux maîtriser ces troubles... facilement... en me détendant... en respirant comme j'ai appris à le faire... Mon subconscient peut aider mon organisme à trouver son nouvel équilibre... et jusque-là... je vais me préparer une nouvelle vie... plus calme... plus riche aussi... car je vais pouvoir m'occuper davantage de moi-même... En réalité ma méno-pause sera ce que j'en ferai... une longue période émaillée de regrets stériles... ou au contraire... l'ouverture vers la phase la plus passion-nante... la plus enrichissante aussi de mon existence... celle où la per-sonnalité de la femme s'épanouit pleinement... car délivrée des tabous... pleinement consciente de ses possibilités... surtout en ce qui concerne la vie sexuelle... la satisfaction charnelle atteignant son maximum d'inten-sité... D'ailleurs la jeunesse du sexe peut être prolongée pendant long-temps... le médecin est maintenant bien armé pour cela... Je ne suis aucunement inquiète pour ma vie de femme... car je peux rester jeune... rester jeune très longtemps... Maintenant je me détends... je me détends... Si je sens l'anxiété me gagner... mon climat moral s'assom-brir... je sais que rien... absolument rien ne me menace... que si j'avais certains troubles... ils seraient dus aux remous hormonaux qui peuvent dérégler certaines fonctions... comme la circulation... mais c'est absolu-ment sans danger... et je peux minimiser ces troubles quand ils survien-nent par la respiration complète et en me détendant... je me sens bien... je me détends... je suis sans inquiétude... résolument optimiste... je suis à l'âge ou la femme se réalise pleinement... Allons ! la vie est encore devant moi... pleine de promesses... et je suis bien... merveilleusement bien... Oui, la ménopause... loin d'être si pénible qu'on le disait autre-fois... est au contraire un renouveau que je vais vivre intensément...*

sans inquiétude... sans aucun problème... dans la détente... dans la certitude tranquille de découvrir ensuite des joies profondes qui m'avaient échappées... Je vais dominer ma ménopause... franchir allègrement une nouvelle étape encore plus enrichissante de ma vie de femme. »

Pour rajeunir et vivre longtemps :

« Je me sens rajeunir... rajeunir... la jeunesse, ce n'est pas seulement un tour d'esprit... le visage... le corps aussi peuvent rester jeunes... très longtemps... Normalement, je dois vivre cinq fois vingt ans... aussi... pour rester jeune... je dois me donner l'objectif de vivre longtemps jeune... Je ne pense jamais que je vieillis... je ne pense jamais à la vieillesse... et je vis dans le présent... sans penser que je peux vieillir... Je ne pense jamais à mon âge... car j'ai la certitude de rester longtemps jeune... Je ne m'appesantis jamais sur mon âge... ne demande jamais '' combien on me donne... '' Je ne pense pas au passé pour le regretter... car considérer que la jeunesse est le meilleur âge est erroné... cela vient de ce qu'on la magnifie avec le recul... mais elle a aussi ses faiblesses... ses inconvénients... ses soucis... Je vis au contraire l'heure présente... sans craindre la vieillesse qui est en réalité un nouvel âge d'or... Je continue toujours à faire des projets... qu'importe ! même s'ils ne se réalisaient pas... ce qui entretient et prolonge les facultés et les forces... c'est d'entreprendre... de se passionner pour quelque chose... Cependant... je sais ménager mes forces... par la détente... la distraction... et surtout... en faisant chaque jour de courtes séances de relaxation... et de respiration complète... désintoxicante... Je fais aussi de l'exercice... pour entretenir ma souplesse... éviter que mes muscles ne dépérissent... car ce sont eux qui défendent ma santé... qui m'évitent le tassement... la déformation vertébrale... la raideur de la démarche... qui me font paraître plus jeune que mon âge... Sans me priver... j'observe la règle des compensations... Je bois peu de vin... peu d'alcool... je sais que le tabac est nocif... aussi... je ne me laisse pas entraîner ni à boire ni à fumer beaucoup... quant à la nourriture... je sors toujours de table avec une légère sensation de faim et j'équilibre mes repas... Cependant quand je sors... je ne me prive de rien.. mais je ne fais jamais de gros excès... Et si cela arrive, exceptionnellement... le lendemain je saute un repas, et toute la journée je fais attention... et je ne bois rien d'alcoolisé... J'évite de rester inactif, à ne rien faire... je veille à ne pas me laisser ralentir dans mes gestes... je cultive la vivacité... pour conserver mes réflexes intacts... Ainsi... en observant ces règles de vie... en en imprégnant mon subconscient... mon subconscient qui entretient ma vigilance pour les observer, par l'intermédiaire de mon préconscient... je suis certain de rester toujours jeune... alerte et l'esprit lucide... de reculer jusqu'à

l'extrême vieillesse les bornes du vieillissement... pour avoir une vie riche et féconde... ».

Pour ne pas craindre la mort :

« *Je fais partie de cet univers où tout est en constante transformation... le jour succède à la nuit... le printemps à l'automne... Il n'y a rien de permanent... tout est en constante évolution et transformation... Chaque homme... chaque femme... les animaux et les plantes... tout évolue aux différents âges de la vie... de la naissance à la mort... Mais le corps physique n'est qu'un aspect du monde visible... nous avons d'autres corps... seulement visibles pour les voyants... Aussi... la mort doit-elle nous faire découvrir un autre monde... un monde peut-être merveilleux... et qui sait si nous ne revivons pas de nouveau dans une enveloppe charnelle... Rien ne le prouve formellement... mais rien non plus ne nous prouve le contraire... Aussi le moyen de savoir enfin... c'est la mort... la mort qui nous concerne tous... mais qui ne m'effraie pas... Je l'attends sans impatience, mais plutôt avec curiosité... Je la regarde en face et je me dis que la vie valant d'être vécue, même avec ses déboires et ses échecs, je m'y attache... je m'attache à vivre dans le présent... sans penser à la mort qui succède au crépuscule de la vie... mais il y a aussi de beaux crépuscules... aussi beaux que l'aurore... qui préparent la mort que je ne crains pas ; la mort qui, quand j'y pense, ne me fait pas peur... Dans ce cas... au lieu de la chasser de mon esprit... je la regarde fixement armé de ma philosophie de l'existence... D'ailleurs, je sais que la mort n'est jamais pénible... Tous les témoignages de ceux qu'on a considérés comme morts... qui ont été rappelés à la vie en témoignent... le passage de la vie à la mort est toujours doux et facile... merveilleux dit-on, et les derniers travaux scientifiques le prouvent... Ce qui est plus pénible que la mort est dans ce cas le rappel à la vie... Mais la mort n'est pas plus pénible que la naissance... C'est certainement une expérience encore plus enrichissante que la vie... aussi, je sais que j'attendrai la mort, le moment venu... avec sérénité... avec sérénité... »*

CHAPITRE VII

L'auto-hypnose dans la maladie et la douleur

1. Toutes les maladies sont psychosomatiques

Cette affirmation qui peut sembler péremptoire, n'est à la réflexion pas aussi déraisonnable qu'on pourrait le penser. Il est des affections qui sont reconnues comme étant d'origine psychosomati-. que. L'origine psychosomatique des maladies n'a été décelée que tardivement, et les médecins attribuent maintenant de nombreux troubles de santé à cette action. Une proportion de plus en plus importante de jeunes sont, selon les statistiques, victimes de ce phéno-mène. Même si cette progression peut être attribuée à une plus large ouverture médicale concernant l'influence de la psyché *(esprit)* sur le soma *(corps)*, il n'en reste pas moins que le déséquilibre sympathique produit par la prédominance du cortex, les agressions multiples de plus en plus traumatisantes sur les systèmes équilibrants et protec-teurs (dont l'hypothalamus et la fonction réticulaire) *ne fait que s'amplifier.* La plupart des maladies chroniques (telles le diabète, l'asthme, le rhumatisme et bien entendu nombre de maladies menta-les) participent d'une action psychosomatique pernicieuse, ainsi que la plupart des troubles mineurs passagers (rhume des foins, algies diverses dont les maux de tête qui proviennent d'inquiétudes réelles ou diffuses car flottant dans le préconscient, d'incomplétudes et refoulements de pulsions agressives et sexuelles dégénérant en états tensionnels).

Devant cette gamme de plus en plus étendue des affections psychosomatiques, on est porté à penser que certaines atteintes comme la tuberculose ou le cancer doivent s'inclure dans le même ordre de phénomène, par suite de ce que la médecine admet maintenant : l'unicité de l'homme et de la maladie. On ne saurait plus concevoir la maladie à travers le symptôme sans considérer ses causes réelles *qui intéressent, dans tous les cas, le psychisme du malade.* Ainsi, nous pouvons admettre que tout néoplasme (ou même toute tumeur non cancéreuse) peut provenir d'une lente maturation d'idées dépressives *ayant entraîné le déséquilibre sympathique,* celui-ci provoquant l'anarchie cellulaire. La rémission qu'on observe dans l'atteinte cancéreuse, chez certains sujets reprenant espoir ou ayant un ardent désir de guérir par rapport à ceux qui s'abandonnent à leur sort, en est la preuve manifeste. Le phénomène de dégradation se trouve inversé. Il n'est pas excessif de penser que de substituer des pensées euphoriques à des états habituellement dépressifs, comme ils le sont par exemple dans la mélancolie ou la psychasthénie, puisse modifier profondément, dans le sens de sa régénération, un terrain propice au développement d'une tumeur maligne ; *a fortiori* lorsqu'il ne s'agit que de repousser l'attaque microbienne ou virale, *puisque ce sont les immunités naturelles, sous la dépendance du sympathique, qui sont le meilleur garant contre l'infection.* Cette optique montre qu'en réalité aucune maladie grave ou bénigne ne peut entièrement échapper à cette loi psychosomatique. Rappelons que même les accidents corporels, dans bien des cas, n'échappent pas à cette loi. Un automobiliste dont les problèmes financiers sont insolubles, ou lui apparaissent comme tels, lancera sa voiture sur un platane, un ouvrier excédé par son contremaître et sa femme sera victime d'un accident du travail sans que l'un et l'autre l'aient fait exprès. **Perturbé, leur subconscient a résolu leurs problèmes à sa manière.**

De considérer certaines affections reconnues comme psychosomatiques, nous permettra de donner les moyens d'influer sur le subconscient pour y remédier, *ce qui doit apporter une importante contribution à la guérison* à laquelle s'emploie le médecin par les moyens classiques. Mais avant, nous ferons état d'une expérience montrant à l'évidence quels peuvent être les retentissements de l'émotion sur les organes fonctionnels.

Deux chercheurs, Mittelman et Wolff, ont montré que le ressentiment et la colère déclenchent une sécrétion exagérée de suc gastrique très acide *(hyperacidité),* une augmentation des contractions de l'estomac *(hyper-motilité)* et une congestion importante de la muqueuse gastrique et duodénale. « *Ces auteurs,* nous dit Slaughter qui relate cette observation, *ont observé un sujet qui était nourri depuis l'enfance par une ouverture pratiquée chirurgicalement dans la paroi de l'abdomen. Il s'agissait d'un homme qui avait accidentellement absorbé de la soude caustique lorsqu'il était enfant. Les brûlures consécutives avaient provoqué un rétrécissement de l'œsophage, rétrécissement si serré que toute alimentation était devenue impossible. De tels accidents ne sont pas rares. Comme il est habituel en pareil cas, on avait donc eu recours à une opération chirurgicale qui consiste à pratiquer dans l'estomac une ouverture par où l'alimentation redevient possible. Par cette ouverture, on peut examiner à loisir la muqueuse gastrique, la surface intérieure de l'organe. C'est ce que firent Mittelman et Wolff ; ils observèrent la muqueuse gastrique de leur sujet au cours d'expériences variées, après avoir vérifié qu'elle était saine, sans aucun ulcère. Ils s'aperçurent que, sous l'influence d'un ressentiment ou d'une colère, cette muqueuse subissait les mêmes modifications que dans le cas de l'ulcère : en particulier elle était le siège d'une forte hyperémie. Dans d'autres circonstances, lorsque le sujet était abattu, en état d'alarme, on assistait au phénomène inverse, la sécrétion du suc gastrique diminuait en quantité et en acidité, les mouvements s'arrêtaient et la muqueuse devenait pâle. En somme, le ressentiment et la colère provoquaient dans cet estomac des réactions opposées à celles de la peur et de la dépression* (1). »

Cet exemple nous dispensera de montrer le processus par lequel se forment les ulcères gastro-duodénaux ; disons seulement que sous l'effet du ressentiment, de la colère, ou même d'une incomplétude prolongée et mal supportée, *des sucs gastriques trop abondants et acides provoquent des ulcérations au niveau du pylore ou du duodénum.*

Dans l'exemple ci-dessus, *il s'agit d'un trouble fonctionnel qui dégénère en maladie lésionnelle organique.* Ce n'est pas toujours le cas. Ainsi que nous l'avons montré au sujet de la sexualité, il peut s'agir d'un phénomène d'inhibition ; les troubles concernent alors l'équilibre fonctionnel qui se trouve seulement perturbé, mais sans que cela entraîne une conséquence lésionnelle. **C'est le cas par exemple dans l'insomnie.** Sur le plan psychique, le déséquilibre sympathique, provoqué par l'entremise du cortex affecté par des atteintes brutales ou des micro-traumatismes, se traduit par la maladie mentale ou du moins ses prémices. Cette diversité d'effets nous contraint à une ségrégation de ces atteintes qui, nonobstant leur genèse, sont cependant du ressort de la psychosomatique, *domaine où la frontière est mal tracée entre le médical et le psychologique,* et qui exigerait un

_____

1. Slaughter : *Votre corps et votre esprit* (Presses de la Cité).

contact plus étroit entre les représentants de ces deux disciplines, sans préjuger de l'intervention du kinésithérapeute, du professeur de culture physique et du relaxologue. C'est dans cet esprit de synthèse que nous nous pencherons sur divers problèmes de santé, sans émarger sur ce qui appartient au médical, mais en montrant les ressources que possède le subconscient dans sa contribution à la guérison.

2. Le subconscient et la maladie

Dites-vous bien que ce sont vos pensées, celles d'hier comme celles d'aujourd'hui qui conditionnent votre état de santé. Cela vous le savez confusément. Vous vous levez le matin, vous êtes pour une raison quelconque de mauvaise humeur et « *vous n'êtes pas en train* ». Vous connaissez maintenant les lois du psychisme, rien d'étonnant. Vos pensées sont à la morosité, votre organisme aussi. Mais voici que vous « ouvrez » le poste de radio. Vous aviez joué au loto et vous apprenez que vous avez gagné le gros lot. Croyez-vous que même si vous n'êtes pas attaché à l'argent votre moral ne va pas se modifier ? Bien sûr que si ! Et aussitôt vous allez faire des projets, pouvoir réaliser ceux qui vous tenaient à cœur. *Finie la lassitude que vous éprouviez l'instant auparavant,* vous sentez circuler en vous d'inépuisables énergies, l'enthousiasme a remplacé la morosité.

Vous rendez-vous compte de l'importance de ce phénomène ? Si vous entretenez fréquemment des idées dépressives, **si vous êtes habituellement pessimiste, enclin aux idées noires, vous chargez maléfiquement votre karma** et vous n'ignorez pas quelles en sont les conséquences pour l'avenir. Mais aussi, vous développez en vous *des états tensionnels qui deviendront chroniques,* vous bloquez vos émonctoires, ce qui empoisonne votre sang et la lymphe dans laquelle s'accumulent tous les déchets. Vous éprouvez un sentiment de fatigue et cela vous rend incapable d'une action suivie et efficace dans la conduite de vos affaires, diminue votre activité, réduit vos capacités sexuelles et intellectuelles. Mais il ne tient qu'à vous « *de renverser la vapeur* » en libérant votre mental de ses contraintes et de ses poisons, en faisant le vide et en ensemençant votre subconscient de pensées euphoriques et dynamiques qui chasseront impitoyablement de votre esprit les pensées tristes et défaitistes, *celles qui entravent l'action et préparent la maladie.* **Non la maladie n'est pas inéluctable.** Nous sommes faits pour être en bonne santé. Ce sont nos habitudes, peu conformes aux lois de la vie saine, qui nous y conduisent, mais seulement dans une certaine mesure, car son déclenchement ne peut se faire que si le terrain en est préparé. Or, il l'est souvent de longue date. Un esprit habituellement chagrin, porté à l'acrimonie, à voir le mauvais côté des choses (et cela en permanence pendant des années) *désagrège lentement et insidieusement les organismes les plus robustes.* Ce sont les immunités naturelles, celles qui font la résistance à la maladie quelle que soit sa virulence, qui finissent par s'altérer : c'est alors la porte ouverte aux troubles mineurs d'abord, qui préparent des atteintes beaucoup plus graves, et à des affections redoutables ensuite qui trouvent l'organisme sans défense, *un terrain tout préparé.* Aussi, il vous faut prendre conscience de ce fait fondamental : **c'est la joie de vivre, donc d'user pleinement des ressources de son corps, qui conditionne l'état de santé.** Vous pouvez manger de tout, même épisodiquement vous livrer à des excès de toutes sortes, aller au bout de vos forces, vous exposer aux intempéries ; du moment *que vous avez un moral sans défaillance, que vous jouissez au maximum de votre corps sans retenue et sans complexes,* vous resterez en bonne santé. Mais si vous êtes préoccupé en permanence par des problèmes métaphysiques, si vous vous lavez les mains sans arrêt par peur de la contagion, si vous pensez trop à votre nourriture en comptant sur tel ou tel régime pour résoudre vos problèmes d'existence et d'esthétique, si vous négligez d'user sans pusillanimité des joies du corps qui tiennent à l'exercice des muscles et des organes sexuels, **alors vous amoindrirez vos résistances et vous prêterez le flanc à la maladie,** quelques précautions que vous puissiez prendre. Donc, ensemencez votre subconscient d'idées positives, de pensées ardentes et joyeuses, en un mot comme le dit Dale Carnegie : « *Vivez que diable !* »

3. Apprenez à intérioriser votre pensée

Vous pouvez exercer une action directe sur vos organes, par la pensée. Il n'est pas nécessaire de bien connaître l'anatomie de chacun de vos organes ; *il suffit de les situer dans leur territoire.* Il est bien évident que si vous désirez exercer une action sur votre cœur, il ne faut pas le situer au niveau de la vessie ; aussi, connaissez peu ou prou l'emplacement de la plupart de vos organes. La première démarche va cependant consister à « *vous intérioriser* » pour les appréhender psychiquement. Vous pouvez, par exemple, penser à votre foie, mais

Figure n° 12

LA CORRESPONDANCE DES CHAKRAS AVEC LES GLANDES ENDOCRINES

LA CHAÎNE SYMPATHIQUE ET LA COMMANDE ORGANIQUE

(interprétation schématique)

1 — ÉPIPHYSE
2 — HYPOPHYSE
3 — THYROÏDE
4 — THYMUS
5 — SURRÉNALES
6 — PANCRÉAS - RATE
7 — GONADES

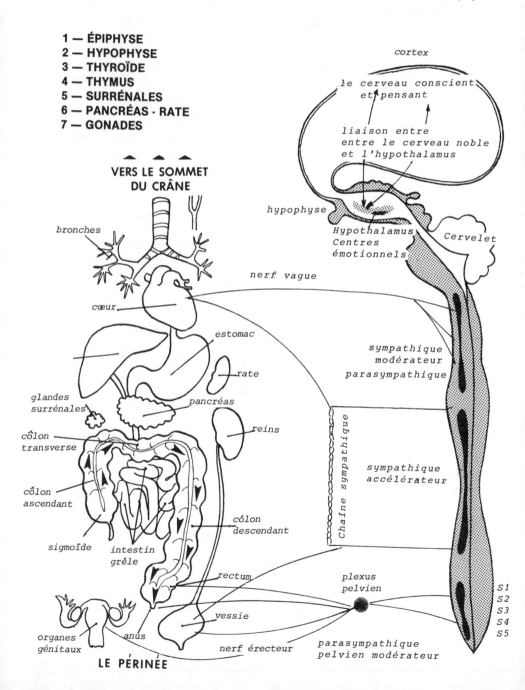

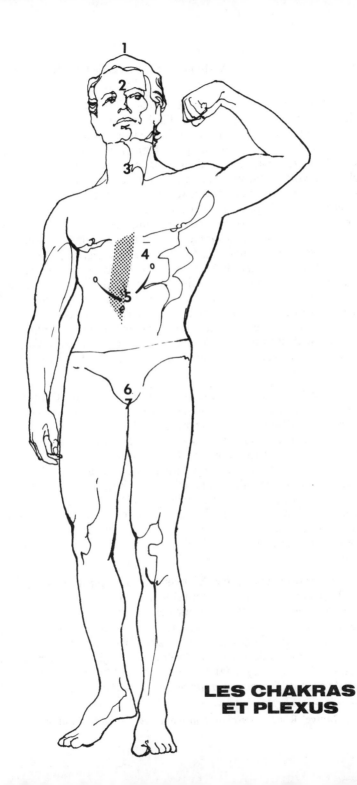

**LES CHAKRAS
ET PLEXUS**

vous le faites d'une manière superficielle. Bien sûr, vous le situez à droite de votre estomac, sous le diaphragme, mais le sentez-vous ? Certainement pas si vous ne vous êtes pas entraîné à le faire. *Il faut donc descendre en vous-même* pour bien situer chacun de vos organes. Cela se fait par le regard intériorisé étant en relaxation. Après avoir revu votre anatomie au moyen du dessin publié à cette intention, fermez les yeux et concentrez-vous à l'intérieur de vous-même sur cette région hépatique. Procédez de même en tant qu'exercice pour tous les autres organes essentiels, mais ce n'est là qu'une approche. Il vous faut ensuite apprendre à influer sur leur fonctionnement. Rappelez-vous que l'énergie est soit *yin,* soit *yang,* la première ayant la possibilité de *calmer,* la seconde de *stimuler.* Or, nos organes, et particulièrement dans la maladie, oscillent entre deux extrêmes qui correspondent à l'apathie ou à une activité excessive. L'apathie de la thyroïde donnera de l'asthénie, la suractivité surrénalienne élèvera dangereusement la tension. **Il s'agit donc de rétablir l'équilibre d'une fonction en dysharmonie, en la calmant ou en la stimulant.** Cette action, vous pouvez l'opérer par la concentration de votre pensée sur l'organe en cause.

Ne croyez pas ce que vous avez appris concernant l'impossibilité de commander aux muscles lisses qui sont sous la dépendance du système sympathique, ou de devoir subir les caprices de vos endocrines. Par la pensée intériorisée vous avez la faculté, par exemple, de commander les contractions péristaltiques de votre intestin, de faire affluer le sang dans vos organes sexuels pour en favoriser l'excitation ou, au contraire, de calmer une excitation indésirable ; vous pouvez stimuler l'hypophyse ou les ovaires, ou en réduire l'activité ; vous pouvez rééquilibrer l'hypothalamus ou exciter votre thyroïde pour éliminer les kilos superflus et même agir sur vos chairs pour faire disparaître à tel ou tel endroit la cellulite qui s'y est accumulée et qui vous obsède (15).

Cette action, vous allez l'exercer par la respiration complète qui capte le prâna, et ce prâna, autrement dit cette énergie, *vous allez l'accumuler dans vos plexus.* Pour cela, « *visionnez* » leur emplacement qui correspond sensiblement aux chakras des hindous. Les figures des pages 308 et 309 faciliteront cette opération. Je romps délibérément dans mes méthodes avec la doctrine yogie qui consiste à faire remonter l'énergie du chakra inférieur au chakra supérieur. Nos objectifs sont différents, et *nous pensons qu'il est plus facile de char-*

---

2. Marcel Rouet : *Psychosomatique de la cellulite* (Amphora).

Tableau n° 10

LES CHAKRAS ET PLEXUS

1. SAHASRARA - Epiphyse.

Visualisez la couleur violette. C'est le chakra de la méditation, de l'accession au nirvâna, de la supra-conscience. La concentration sur ce chakra permet d'attirer les énergies intérieures et ambiantes à des fins spirituelles, ou pour s'intégrer au mental cosmique.

2. AJANA - Hypothalamus-hypophyse.

Visualisez la couleur indigo. C'est le chakra de la concentration mentale. Il est situé derrière le front, entre les sourcils. De ce chakra, vous pouvez équilibrer l'hypothalamus ou stimuler l'hypophyse et, par son intermédiaire, les gonades, ainsi que favoriser la tumescence des organes sexuels.

3. VISHUDA - Thyroïde.

Visualisez la couleur bleue. La concentration sur ce chakra favorise l'accès à la mémoire cosmique (voyance). Vous pouvez exercer une action calmante pour vaincre l'éréthisme nerveux, ou stimulante dans le cas de lympantisme ou pour maigrir. Cette action stimulo-tonifiante joue également dans le cas d'indifférence sexuelle.

4. ANAHATA - Thymus.

Visualisez la couleur verte. Ce chakra se trouve au niveau du cœur qu'il permet de contrôler. C'est aussi le chakra de l'air et, à ce titre, il contrôle également la respiration. La concentration sur ce centre permet de ralentir ou d'accélérer la circulation, de réguler le cœur quand il éprouve quelque trouble ou douleur. La pensée intériorisée peut, dans ce cas, permettre d'échapper à l'infarctus (mais consulter aussitôt chez le cardiologue en cas de troubles ou douleurs).

5. MANIPURA - Surrénales.

Visualisez la couleur jaune. C'est le chakra qui correspond au plexus solaire et duquel, pour nous, on dirige le prâna accumulé par la respiration complète vers les autres chakras pour les charger de force vitale afin d'exercer son action sur tel ou tel organe correspondant à leur niveau. Ce chakra contrôle les viscères abdominaux sur lesquels il permet d'exercer une action mentale apaisante ou stimulante, dispersante ou congestionnante.

.../...

6. SWADHISTANA - Pancréas, rate.

Visualisez la couleur orange. C'est le chakra du dynamisme sexuel, car il influence de concert avec Muladhara le pénis et le clitoris, les petites lèvres et les glandes de Bartholin (lubrification). Il est aussi le centre de la connaissance intuitive. La communion psychique du couple qui permet à la femme d'accéder à la multi-orgasmie, s'établit au niveau de ce plexus par émission magnétique du partenaire masculin.

7. MULADHARA - Organes génitaux.

Visualisez la couleur rouge. C'est le siège de la kundalini où résident puissance et énergie. Il est situé entre le sexe et l'anus, et contrôle la région ano-rectale. La pensée intériorisée sur ce centre permet à l'homme de maîtriser son éjaculation, de résorber ce qui allait être une émission séminale pour en conserver l'énergie et, par ce moyen, prolonger à volonté l'acte sexuel.

ger le plexus le plus important, dit **le plexus solaire** (voir figure p. 309), pour faire ensuite rayonner le prâna vers les autres plexus. La circulation de plexus à plexus s'en trouve facilitée.

4. Comment charger vos plexus

Respirez selon les principes de la respiration complète, en concentrant votre attention sur le plexus solaire, sensiblement au-dessous du creux de votre estomac. Après avoir inspiré lentement, bloquez votre respiration en pensant : « *Je fixe le prâna... j'incorpore cette force subtile, universelle qu'est le prâna dans mon plexus solaire...* » Ensuite, laissez l'air s'échapper lentement par le nez. Trois séances par jour de 6 à 8 minutes sont suffisantes pour s'assurer une grande réserve d'énergie après quelques temps. Vous vous exercez par la suite à faire circuler le prâna de plexus à plexus, par exemple du plexus solaire au plexus sexuel. Pour cela, **il vous suffit de reporter votre pensée intériorisée de plexus à plexus** (voir l'emplacement des plexus et leurs fonctions pages 308 et 309). Vous déchargez ainsi le plexus solaire au profit d'un autre plexus. Bien entendu, *il est possible de charger directement un plexus en se concentrant sur son territoire.*

A partir de cette possibilité, faites intervenir votre pensée intériorisée en pensant fortement que vous apaisez ou stimulez tel ou tel

organe auquel il se trouve relié par les émergences nerveuses du sympathique.

Afin de vous familiariser avec ce genre d'action vous pouvez, étant en infra-hypnose, essayer *d'obtenir des modifications physiologiques superficielles,* par exemple la chaleur dans tel ou tel doigt, un fourmillement, le rougissement de votre front, le refroidissement d'un membre, etc. L'action sur la peau est aisée à obtenir ; si vous pensez à une démangeaison, vous vous gratterez certainement. Mais cela indique que les affections cutanées sont largement soumises à l'influence psychosomatique. Il suffit à une personne atteinte d'eczéma ou d'herpès de penser qu'elle va avoir une crise pour qu'elle se déclenche ; le processus inverse, celui de la guérison, peut être induit par celui qui s'est rendu maître de son esprit.

5. La guérison par le subconscient

En marge de cette action qui s'opère en se mettant préalablement en relaxation, vous pouvez ensemencer votre subconscient de formules destinées à vous préserver de la maladie ou à vous restituer la santé si elle est compromise. **Soyez certain que le subconscient intelligent, qui peut tout, saura de lui-même trouver les voies de la guérison si vous savez le programmer et si vous avez la foi en sa toute-puissance,** car c'est cette confiance qui empêche les contre-suggestions de dresser des obstacles sur sa route. Deux possibilités, dont l'une n'exclut pas l'autre, s'offrent à vous : d'utiliser des formules générales ou de vous composer des formulations adaptées à votre problème personnel de santé. Les moyens exposés au long de cet ouvrage me dispensent de m'apesantir sur cette technique. Les formulations qui vont suivre montrent la marche à suivre.

En ce qui concerne la douleur, la démarche est similaire. Vous pouvez l'atténuer et la vaincre par la relaxation psychosomatique, beaucoup de douleurs résultant de tensions musculaires inconscientes que vous ne pouvez réduire que par ce moyen. Ainsi, *nombre de douleurs imputées à l'arthritisme et aux rhumatismes ne sont que la conséquence de tensions neuro-musculaires qui proviennent d'un psychisme perturbé.* La pensée intériorisée sur le calme, la détente, produit une sédation qui atténue ou fait disparaître la douleur. Ce n'est pas une vue de l'esprit quand on sait qu'un mal de dent ou un mal de tête peut cesser immédiatement sous l'injonction d'un hypnotiseur. En apprenant à descendre en vous-même, à commander à votre organisme, vous pouvez avoir cette même faculté. **Et plus vous exercerez, plus vous prendrez en main les rouages de votre organisme,** plus vous vous rendrez maître de votre état de santé, plus vous dominerez la douleur.

LES FORMULATIONS

La reconnaissance intra-organique :

« ... *Je continue à respirer doucement... ma pensée se concentre sur mon plexus solaire... je sens maintenant une chaleur au niveau de mon estomac... elle irradie de mon plexus... je la sens qui s'intensifie... cette chaleur se développe... j'en prends conscience... elle inonde tout mon thorax... Je descends maintenant en moi-même pour y reconnaître tous mes organes... pour pouvoir, par la pensée, les apaiser... ou les stimuler... diriger le prâna vers chacun d'eux... pour faire cesser la douleur... décongestionner telle ou telle partie de mon corps... ou diriger vers elle le flux sanguin... Cette énergie que j'ai accumulée dans mon plexus solaire... cette chaleur... je vais la diriger sur chacun de mes organes... Sur le foie d'abord... sous le diaphragme... Je le situe par la pensée à droite, avec la vésicule en dessous... à droite également... Je me dirige vers la gauche... je prends conscience de mon estomac... dont je sens la présence à gauche du foie... puis plus bas vers le centre, le duodénum, le pancréas... Je peux agir sur tous ces organes... sur les reins... sur la vessie également... Je sens à présent mon ventre qui est chaud... chaud... Mais maintenant, ma main remonte à plat le long de mon ventre... du côté droit... jusqu'au foie... le long du côlon ascendant, puis elle se dirige vers la gauche... au-dessous du niveau de l'estomac... sur le côlon transverse... elle descend maintenant sur le côté gauche, sur le parcours du côlon descendant. Elle s'arrête sur mon bas-ventre, à gauche, mais maintenant je descends plus bas... pour prendre conscience de mes organes pelviens... Je porte maintenant ma pensée sur mes organes sexuels... au niveau du plexus génital... Toute la chaleur de mon ventre se concentre sur mon plexus génital... qui devient chaud... chaud... La chaleur me semble descendre de mes reins... elle se communique à mon périnée... à tout son pourtour... pour fortifier mes organes... pour charger mon plexus sexuels d'énergie vitale... Cette énergie baigne maintenant mes organes génitaux... dont je prends pleinement conscience... Ils sont chauds... chauds... chargés d'énergie vitale... Cette chaleur de tout mon bas-ventre, de mes reins... je la sens maintenant qui irradie dans tout mon corps... dont j'ai pris conscience entièrement... mon corps qui est chaud... abandonné... détendu... rempli d'énergie vitale...* »

Pour maintenir ou rétablir la santé :

« *Je suis bien... en bonne santé... j'ai confiance dans mon subconscient... c'est lui qui veille à l'équilibre de mon sympathique... de mon sympathique qui assure toutes les fonctions de mon organisme... qui me maintient en parfait état de santé... je me sens bien... en pleine forme... je sais que je peux résister à toutes les maladies... quelles qu'elles soient... je ne peux pas être malade... je me sens plein de vitalité... aucun malaise... aucune maladie ne peut prendre mon subconscient au dépourvu... c'est mon subconscient qui assure ma santé... qui est capable de repousser tous les assauts de la maladie... de les repousser victorieusement... je suis en bonne santé... et je n'ai pas peur de la maladie... je suis bien... détendu... en bonne santé... en pleine forme... rien ne peut m'atteindre... rien ne peut m'affecter... j'ai une santé à toute épreuve... mes forces vitales sont inépuisables... je suis en parfaite santé... en pleine forme...* »

6. La santé par le subconscient

Les suggestions en auto-hypnose agissent par la voie nerveuse du sympathique. Elles exercent des *effets vasomoteurs,* dérivent ou dispersent le courant sanguin ; elles *rééquilibrent l'hypothalamus* et ont une action spécifique sur *les sécrétions glandulaires* lorsque la pensée intériorisée est dirigée vers telle ou telle endocrine. En outre, l'imagerie mentale permet d'impressionner le subconscient *en recréant dans le champ psychique des ambiances de santé et d'euphorie psycho-organique.* C'est ainsi que les phobies peuvent être guéries par l'évocation d'un comportement normalisé, le phobique recevant par l'enregistrement ou en hypnophorèse les images suggérées qui substituent progressivement à la morbidité de ses pensées les certitudes d'une victoire sur des penchants qui étaient irrésistibles, comme dans la *claustrophobie* (ou crainte de se trouver seul dans un endroit clos), l'*agoraphobie* (la peur des lieux découverts, dont la rue), la *kleptomanie* (ou envie irrésistible de voler). Dans les cas frustres, lorsqu'il ne s'agit que de tendances, le sujet peut s'en libérer par l'autosuggestion en auto-hypnose. Il en est ainsi *pour la propension à boire avec excès, à fumer beaucoup.* Dans nos méthodes, les disciplines physiques qui sont **adjointes à l'autotraitement mental renforcent singulièrement leur efficacité,** ainsi la sur-respiration dans le tabagisme, la remusculation chez le névrosé, voire le psychasthénique.

Les maladies psychosomatiques sont extrêmement nombreuses en un temps ou le système nerveux est soumis à rude épreuve par les conditions de vie qui sont imposées soit dans l'atmosphère éprouvante des villes, soit à l'usine ou au bureau où la notion de rendement foule aux pieds les impératifs de la santé. Après en avoir montré le processus, l'examen de certaines d'entre elles vous permettra d'extrapoler cet exemple au traitement psychosomatique d'affections diverses ressortissant des mêmes causes, mais ayant provoqué des effets différents.

a) L'hypocondrie

Les troubles mineurs doivent requérir votre attention car ils sont *les signes avant-coureurs de la maladie psychosomatique.* Ces troubles sont fréquemment produits par une propension à l'**hypocondrie.** Cette névrose est, comme on le sait, caractérisée par un état d'anxiété habituel qui concerne la santé et la crainte de la maladie. Les magazines aux articles de vulgarisation médicale et surtout les émissions de télévision consacrées à la médecine *exercent des ravages considérables auprès des personnes hypocondriaques qui sont portées à se découvrir toutes sortes de maladies.* Or, ce sont celles-ci qui les regardent du fait de leur état d'esprit inquiet et pessimiste. *L'hypocondriaque se réveille le matin en se demandant où il a mal, quelle maladie le menace.* L'organisme est un tout d'une prodigieuse complexité. Rien d'étonnant à ce que nous ressentions épisodiquement telle ou telle gêne ou douleur passagère, vite oubliée *car disparaissant sous l'action du sympathique* rétablissant un fonctionnement momentanément défectueux mais sans conséquence grave. **N'est-il pas merveilleux que ce corps aux mille rouages ne nous fasse ordinairement subir aucune douleur, qu'il accomplisse ses fonctions dans le silence ?** L'individu sain, en bonne santé, ne s'inquiète pas d'une douleur passagère, d'une gêne qui peut être une oppression ou un début de torticolis, il continue à vaquer à ses occupations et son esprit n'est occupé que par les choses courantes de la vie. *Il en est tout autrement de l'hypocondriaque* qui perçoit toute douleur, même fugitive, comme le signe d'une maladie. Ayant le cœur qui bat plus vite que d'habitude, il se croit menacé d'un infarctus ; une douleur de la région stomacale lui fait craindre un ulcère.

L'hypocondriaque n'éprouve souvent aucune atteinte de dysfonctionnement organique, mais il est extrêmement influençable. Nous avons récemment entendu les propos d'un médecin à la radio ; il déclarait qu'une personne ayant un mal de gorge qui se prolonge ou étant enrouée devait voir le cancérologue, car les cancers du larynx sont en constante progression. La personne sensibilisée à la maladie se croira tout de suite atteinte de ce cancer si elle a un simple mal de gorge ; *ce sera pire chez l'hypocondriaque* qui, n'ayant pas mal à la gorge, ressentira souvent immédiatement la même gêne, du fait de sa pensée intériorisée dynamisée par une forte émotivité. Il n'est pas exclu que cette préoccupation se prolongeant, la douleur s'installe en cet endroit *et dégénère par la suite en tumeur maligne.*

b) Les troubles mineurs

Les troubles mineurs sont très fréquemment subjectifs, déclenchés par l'imagination. L'individu maître de son esprit (et par conséquent de son organisme) *les fait cesser immédiatement quand ils surviennent,* par la pensée intériorisée qui annihile la douleur en rétablissant l'équilibre, par la régulation qu'effectue le système sympathique sous cette influence. *Il suffit pour cela de se détendre et de concentrer son esprit sur la région en cause en évoquant le calme et la non-douleur.* Le mécanisme est le même que celui que nous avons décrit à propos du trac ; il y a bien une similitude d'action. Faire cesser le trac par les moyens que nous avons indiqués met fin aux tremblements, à l'oppression, à la sueur profuse qui en sont les manifestations physiologiques.

Si les troubles mineurs se prolongent en dépit des enseignements de ce livre, il serait imprudent de ne pas consulter le médecin, car la lisière est étroite entre un trouble mineur, fonctionnel, et la maladie psychosomatique caractérisée. Ainsi, l'irrégularité des règles cède fréquemment à la relaxation psychosomatique et à l'autosuggestion en infra-hypnose *(également par l'hypnose directe),* mais l'aménorrhée ou la dysménorrhée peuvent être l'indice d'une affection gynécologique qu'il appartient au médecin de dépister. Des palpitations dues à une nervosité excessive disparaîtront dans la majorité des cas en quelques séances de relaxation, mais rien n'empêche de se faire établir un électrocardiogramme *pour s'assurer que le cœur est indemne quand on éprouve quelque trouble de ce côté.*

c) Anxiété, tension musculaire, douleur

L'anxiété, la tension musculaire et la douleur ont des interférences qui échappent souvent à l'observation. L'anxiété peut avoir une toute autre cause que la crainte de la maladie. Ainsi, le travail dans une ambiance contraignante, la personne aspirant à vivre dans un autre milieu socioprofessionnel, *peut susciter une anxiété chronique provoquant une crispation musculaire dont le sujet n'a même pas conscience.* Ces contractions maintenues pendant des mois (et souvent même des années) entraînent parfois des déviations vertébrales par la contracture de certains muscles au niveau cervical ou lombaire, *d'où cyphose et lombalgies douloureuses dont la cause réelle est rarement dépistée.* Dans ce cas, l'association du traitement par la relaxation et l'hypnophorèse, le massage et la rééducation entrepris par un kinésithérapeute donnent de meilleurs résultats *que lorsque l'aspect psychique du problème est ignoré.* Les tensions musculaires résultant de l'anxiété se manifestent en n'importe quelle région du corps et donnent lieu à des manifestations douloureuses qu'on attribue souvent à tort à l'arthrite et au rhumatisme. La radiographie permet de préciser le diagnostic quand ces douleurs ne cèdent pas à la cure de relaxation psychosomatique.

La douleur peut être supprimée en de nombreuses algies ou du moins être considérablement réduite quand elle résulte d'affections graves. Chacun a un seuil différent où la douleur devient insupportable. Manifestement ce sont les personnes anxieuses et tendues à l'extrême qui supportent le moins bien la douleur. Or, *il est possible, par l'auto-hypnose, d'élever le seuil où la douleur commence à être difficilement acceptée.* Et, d'autre part, le masochisme montre que la perception de la douleur est très subjective, puisque le masochiste éprouve du plaisir quand les mauvais traitements lui sont infligés ou qu'il exerce des sévices corporels sur lui-même.

L'apprentissage de la détente permet de mieux supporter la douleur. Les soins chez le dentiste ne sont douloureux qu'en fonction de la crispation de la personne qui les appréhende. De se pincer, de se piquer, *sans verser pour autant dans le masochisme,* en restant détendu et en faisant le vide mental entraîne à supporter la douleur, à en élever le seuil. Ces expériences peuvent servir à maîtriser les douleurs les moins supportables, comme celles de l'arthrose cervicale, de la migraine et bien entendu celles de l'A.S.D. (3).

---

3. *Santé et beauté plastique de votre enfant* (épuisé).

La synthèse de nos méthodes apporte une importante contribution aux affections qui participent du dysfonctionnement psychique : psychasthénie, névroses et psychoses, phobies, dépression nerveuse et, dans le même ordre d'idées, l'insomnie. Certes des résultats intéressants sont obtenus par les antidépresseurs, les neuroleptiques, mais à la longue *ils dégradent le terrain et créent l'assuétude.* La suggestion en infra-hypnose peut modifier le climat moral **sans que dans nos méthodes on doive avoir recours à l'attention et à la volonté du malade qui sont évidemment défaillantes.** Cette infra-hypnose est aisément obtenue, ainsi que l'hypnose, par l'*hypnophorèse.* Le climat moral étant affermi, il devient ensuite possible d'exercer une action directe pour que la personne procède à une prise de conscience de ses problèmes existentiels *et voit s'ouvrir devant elle de nouveaux horizons,* apparaître de nouvelles raisons de vivre.

Cependant cette action psychique est insuffisante, *et cela explique les nombreux échecs de la psychothérapie et de la psychiatrie.* Les déprimés, les malades mentaux sont dans la majorité des hypersensibles, des intellectuels authentiques ou se prenant comme tels qui ne cessent de « *ruminer mentalement* ». Chez eux, la sphère psychique et spirituelle l'emporte considérablement sur la vie animale. Et surtout, comme nous l'avons déjà exposé, le nerf domine le muscle. Aussi, parallèlement à la cure psychique, *c'est une cure de réhabilitation physique qu'il faut entreprendre* avec une musculation systématique prudente et progressive en intensité ; sans omettre l'initiation respiratoire (4) et l'usage des agents naturels : air, eau, soleil, si possible en centre nudiste, pour achever de purifier le mental de ses miasmes délétères. Hélas ! les malades sont trop souvent soumis à la camisole de force chimiothérapique *et leur délabrement physique est complètement ignoré.* La contre-psychiatrie ne met pas davantage l'accent sur ces carences qui maintiennent sous neuroleptiques un million de malades mentaux en France et bien davantage en Amérique.

d) Les phobies

L'anxiété confine à l'angoisse dans la phobie qui est « *une crainte ou répulsion angoissante spécifiquement liée, pour un sujet déterminé, à la présence d'un être, d'un objet ou à une certaine situation dont les caractères ne justifient pas une telle émotion* » (5). On relève le plus souvent la crainte des lieux clos *(claustrophobie),* des

---

4. *Toute la culture physique* (Editions Amphora).
5. *Vocabulaire de la psychanalyse* (P.U.F.).

espaces libres, de la rue *(agoraphobie),* mais les phobies concernent une multitude de comportements anormaux qu'il serait trop long d'étudier ici. Certains sujets ont peur des microbes, de l'obscurité, de l'orage, des animaux, etc. Dans tous les cas, *la guérison peut être obtenue par l'imagerie mentale en état d'infra-hypnose,* son efficacité pouvant être confortée par l'autosuggestion utilisant ou non l'enregistrement. Prenons le cas d'un sujet dont la phobie consiste à avoir une peur panique de l'ascenseur. Le phobique a conscience de son état, mais la raison est impuissante à y remédier. *C'est donc bien au subconscient qu'il faut s'adresser.* Se mettant en infra-hypnose, le sujet visionnera un ascenseur dont la vue lui est familière, puis il évoquera la peur qu'il éprouve à l'idée de l'utiliser. Il intensifiera son angoisse volontairement, mais en s'efforçant de rester en parfait état de relaxation et de détente neuro-musculaire. L'exercice est interrompu au premier signe de tension physique, puis repris après avoir approfondi l'infra-hypnose. *Peu à peu l'exercice pourra être prolongé,* le sujet se voyant ouvrir la porte de l'ascenseur, s'imaginant ensuite seul à l'intérieur, puis appuyant sur le bouton pour la montée, en redescendant, etc. Cette imagerie mentale sera complétée par l'enregistrement (voir les formulations données en exemple). Cette technique est valable pour toutes les phobies, qu'il s'agisse de la crainte des objets tranchants, de l'eau, de l'avion, de la répulsion pour un aliment, etc.

e) La toxicomanie

La lutte contre la drogue est justiciable de l'action subconsciente. Nous englobons dans ce terme de drogue, tabac, alcool, calmants et euphorisants, stupéfiants et, bien entendu, les drogues dures comme l'héroïne. **Ces drogues ont un dénominateur commun :** l'intoxication plus ou moins massive de l'organisme qui se traduit généralement par la fatigue pathologique et, en de nombreux cas, par l'insomnie qui aggrave encore l'intoxication. *Or, c'est la présence des éléments toxiques de ces drogues au sein de l'organisme qui crée l'assuétude, autrement dit la dépendance envers la drogue qui est familière.* Tant qu'il subsiste dans le sang des traces de toxines spécifiques de ces drogues, le sujet ne parvient pas à se délivrer de son esclavage, car ce sont ces toxiques qui déclenchent « *le besoin* », quand un certain taux se trouve éliminé. Cela condamne les médications qui ne font qu'ajouter leurs toxines à celles déjà accumulées.

Dans cette optique, nos méthodes accordent la priorité à la désintoxication par la sur-respiration, *la prânoxygénorelaxation* qui

« lavent » le sang et les humeurs, atténuent graduellement le besoin incoercible auquel le drogué ne pouvait auparavant résister pour la raison que nous avons exposée.

L'usage de la drogue (particulièrement alcoolique et tabagique) *est généralement lié à la frustration et à l'incomplétude dans la vie socioprofessionnelle, affective ou sexuelle.* C'est un recours inconscient contre l'anxiété. Lorsque nous éliminons cette anxiété par les moyens précédemment décrits (entre autres la relaxation), le besoin de boire ou de fumer se fait moins sentir. Ainsi, chaque fumeur invétéré *sait qu'il fume souvent machinalement,* sans réel plaisir, car aucun esclavage, à moins d'être masochiste, n'est un plaisir. Notre processus de désintoxication qui allie la détente des émonctoires avec la désintoxication organique par la respiration et l'exercice, opère des effets tout aussi probants dans l'insomnie, la fatigue, le surmenage, l'asthénie et la dépression nerveuse. Il faut bien entendu faire une distinction entre les cas légers et ceux justiciables de traitements médicaux, les psychotiques par exemple, *bien que ces derniers puissent largement bénéficier de nos méthodes.*

f) Comment vaincre l'insomnie

Il n'est pas question, dans nos propos, d'insomnies dont seraient responsables des affections organiques qui, par la douleur qu'elles entraînent, empêchent de trouver le sommeil, par exemple : douleurs des cancéreux, des suites opératoires, de céphalées dues à une tumeur cérébrale, etc. *Ces cas sont rarissimes eu égard au nombre d'insomniaques dont l'examen ne révèle aucun trouble organique justifiant l'insomnie.* Aussi, devant les résultats que nous obtenons dans les Psycho-Center, nous sommes tentés de dire que l'insomnie est une *fixation névrotique* renforcée par la conviction qu'a l'insomniaque qu'il ne peut dormir. **C'est une inhibition par rapport à la faculté d'endormissement et non une maladie.** Effectivement, il suffit de rétablir la confiance en l'endormissement, par l'infra-hypnose, pour obtenir déjà une amélioration. Or, de se mettre dans cet état implique qu'on a appris à se détendre nerveusement et musculairement. **Si vous faites de l'insomnie vous la vaincrez en vous observant au moment de dormir.** Le visage, les mains et tout le reste du corps sont crispés et cette crispation entraîne la tension de votre esprit. *Ayant appris à vous détendre, vous vous libérez de ces tensions.* L'insomnie qui résulte de ces tensions a pour effets, en bloquant les émonctoires, de développer une intoxication massive de l'organisme. C'est la raison pour laquelle beaucoup d'insomniaques ont de la cellulite. J'ai montré dans un livre consacré à ce problème (6), que l'insomnie résulte encore d'autres facteurs que ceux liés à la tension nerveuse, par exemple au cérémonial qui préside au sommeil (sur lesquels nous ne pouvons nous étendre) *et surtout au manque d'exercice*. Non pas de l'activité fiévreuse qui énerve, mais d'une musculation lente et par conséquent sédative complétée par un sport comburant, donc de plein air. Pour nous il n'est pas d'inappétence qui résiste au jeûne, **comme il n'est pas d'insomnie qui résiste à la détente, à l'exercice et au manque de sommeil.** Beaucoup de personnes se plaignent aussi d'insomnie, *mais n'en font pas en réalité.* Elles se lamentent de ne pas dormir pendant huit ou neuf heures, **alors que sept heures de sommeil leur seraient suffisantes.** Personnellement je dors six heures et cela me suffit. Il est vrai que je récupère mes énergies dans la journée sous la forme de deux ou trois fois huit à dix minutes de relaxation. **Mais votre objectif,** à vous qui allez vous rendre maître de votre esprit et de votre organisme, est **d'obtenir la faculté de vous endormir à volonté,** n'importe où et en toutes circonstances, s'il le faut au milieu du vacarme ; et de dormir seulement pendant le temps que vous aviez préalablement décidé, de vous éveiller en étant aussitôt parfaitement lucide à l'heure que vous aviez fixée.

g) La dépression nerveuse et l'auto-hypnose

En passant par l'hypocondrie dont nous avons parlé, *la dépression revêt de nombreux visages,* mais des caractéristiques similaires en permettent le dépistage. Ce sont une propension à la tristesse, au pessimisme, à l'isolement et au repliement sur soi ; le dégoût de la vie, le désintérêt pour ce qui faisait auparavant l'attrait de l'existence journalière ; la désaffection pour les proches ou l'acrimonie les concernant et, sur le plan sanitaire, l'insomnie, les troubles digestifs complètent un tableau non limitatif *que peuvent aggraver des sentiments d'infériorité et de culpabilité.* A l'énoncé de ce qui précède, le lecteur peut se rendre compte que le contenu de ce livre est une prophylaxie multiforme, et combien efficace, de ce qu'on nomme le stress dans le langage populaire, autrement dit : **la dépression nerveuse.** Ce qui caractérise cet état est l'incapacité du sujet à réagir. Qu'il s'agisse d'une crise de mélancolie, du détachement pour les choses essentielles de la vie, de névrose obsessionnelle, de psychasthénie, il existe un

---

6. *Dormir enfin sans problèmes* (épuisé).

dénominateur commun : *la fatigue liée à l'incapacité de prendre des décisions et de réagir* (ralentissement psychomoteur), *l'impossibilité de fixer l'attention* qui est fugitive et évanescente. Dans ces conditions on conçoit que le psychiatre soit relativement impuissant dans la plupart des cas de dépression nerveuse, *puisqu'il s'adresse à un conscient ayant perdu sa faculté de concentration,* incapable dans la confusion qui est la sienne de comprendre et d'assimiler quelque directive que ce soit. Et que, d'autre part, les barbituriques, anxyolitiques, antidépresseurs, neuroleptiques, etc., *ne font qu'intoxiquer l'organisme,* instaurer un état de stupeur qui transforme le malade *en un automate au comportement lunaire.* Certes ! il est des états d'urgence qui nécessitent par précaution l'hospitalisation. C'est le cas **des crises de mélancolie** qui portent au suicide. Mais il s'agit *d'une névrose souvent passagère* qui cède assez rapidement aux antidépresseurs, ce qui ne veut pas dire que la guérison ne devra pas être consolidée afin d'éviter des rechutes. **Deux raisons font que les traitements classiques échouent dans la majorité des cas :** *l'imperméabilité du cerveau conscient* qui constitue un obstacle majeur pour la psychothérapie, et *l'ignorance du soignant concernant les immenses ressources de la maîtrise du corps* (effet somato-psychique) par l'exercice progressif personnalisé. Or, nos méthodes s'adressant au subconscient, ne faisant de prime abord *aucunement appel à la fonction vigile,* permettent un ensemencement bénéfique du subconscient, le sujet étant en infra-hypnose, ce qui peut s'obtenir sans qu'il en ait conscience. *L'intérêt de l'enregistrement sur la narcose est évident* : elle n'est pas nocive comme les narcoses prolongées et renouvelées ; le sujet peut ensuite en bénéficier chez lui par cassettes, selon les directives qui lui sont données. *Nous ne parlons pas du psychodiovisuel dont les possibilités en ce domaine sont immenses...*

L'activité est l'antidote de la dépression nerveuse et de la psychasthénie. Mais pas n'importe quelle activité. Une musculation systématique, mais pas n'importe quelle musculation. *Surtout pas celle aveugle, insensée, qui consiste à faire manier des poids lourds sans se préoccuper de l'état des sujets,* de leur tempérament et de leur résistance à l'effort. **Il reste à implanter l'idée d'une méthode musclante pour les hyper-nerveux, les névrosés, les psychotiques et malades mentaux qui en retireraient d'immenses bénéfices,** dont souvent la guérison. Nous travaillons dans ce sens.

Ne pouvant nous appesantir sur la maladie, *ce qui sortirait du cadre que nous nous sommes assigné,* **nous nous limiterons à l'énoncé des troubles mineurs justiciables de la pensée intériorisée ;** on trouvera en regard les affections organiques qui peuvent en résulter quand ils se prolongent et gagnent en intensité. **Nous donnerons ensuite quelques formulations** *dont l'exemple pourra s'extrapoler à de nombreux cas* par une orientation différente de la pensée intériorisée sur tel ou tel organe, telle ou telle glande endocrine au niveau des plexus ou chakras représentés par les illustrations qui figurent en tête de ce chapitre.

Les troubles mineurs psychosomatiques	Les maladies organiques et mentales qui menacent
Anxiété - Cauchemars - Tensions musculaires et nerveuses - Hyper ou hypotension - Palpitations - Oppression respiratoire - Ballonnements - Spasmes au niveau du foie, de l'épigastre, du larynx, de l'abdomen - Douleurs diffuses ou localisées - Rétention d'urine, de sueur - Fatigue - Insomnie - Dysfonctionnement menstruel - Prurit vulvaire ou anal - Crampes, courbatures, lombalgie - Impuissance d'origine psychique - Frigidité - Vaginisme, etc.	Psychoses - Phobies - Psychasténie - Insomnie - Tachycardie - Artérite - Cardiopathies - Asthme - Tuberculose - Rhumes - Ulcères gastro-duodénaux - Colites - Constipation spasmodique - Recto-colite - Hémorroïdes - Fissures anales - Migraine - Hyperthyroïdie - Aérophagie - Ovarite - Fibrome - Urticaire - Psoriasis - Eczéma - Vertige de Ménière - Obésité et cellulite d'origine psychique - Rhumatismes - Atteintes arthrosiques, etc.

LES FORMULATIONS

Pour cesser de fumer :

« *Je respire profondément... C'est la respiration désintoxicante qui va supprimer en moi le besoin de fumer... En la renouvelant souvent... je sens que le besoin que j'avais de fumer s'estompe de plus en plus... de plus en plus... Je respire profondément... à chaque expiration je chasse les toxines du tabac qui noircissent mes poumons... je me délivre de ces poisons qui corrompent mon sang... affaiblissent mon organisme... ruinent ma santé... ce qui abrégera mon existence... Je me détends... et cette détente chasse mon anxiété... qui me fait fumer... Chaque fois que je vais prendre une cigarette... je me détends... et je respire profondément en pensant... je n'ai plus envie de fumer... j'ai de moins en moins envie de fumer... Je suis calme... détendu... Après 10 jours... de ma cure de désintoxication... le lundi... (date) je déciderai de ne plus fumer... cela me sera facile... je serai déjà désintoxiqué... je n'aurai plus tellement envie de fumer... D'ailleurs... de fumer exerce des ravages sur la santé la plus robuste... et provoque à plus ou moins longue échéance de nombreux troubles... la fatigue cérébrale d'abord la cellule nerveuse ayant besoin de 20 fois plus d'oxygène que les autres... de fumer les en prive, ce qui produit leur dégénérescence... Il est d'autres atteintes aussi graves... Cancer de la gorge et des poumons... emphysème... ulcères de l'estomac... dépression... incapacité de fixer ses idées... Et de fumer porte atteinte à la capacité sexuelle chez l'homme... la femme se ride précocement et sa peau perd de son éclat... Puis, je ne veux pas porter atteinte plus longtemps à la santé de ceux qui m'entourent... que j'empoisonne journellement... puisque des observations médicales ont montré qu'un non-fumeur qui vit avec un fumeur est deux fois plus exposé au cancer des poumons, à une maladie de cœur que s'il vivait seul... Aussi... j'ai de moins en moins envie de fumer... la seule idée de fumer va bientôt me devenir insupportable... et de voir les autres fumer me sera complètement indifférent... complètement... D'ailleurs... quand on m'offrira une cigarette... et si on insistait... je la refuserai fermement en disant : merci, je ne fume plus... De ne plus fumer va me donner une nouvelle vitalité... me rendre plus euphorique... plus dynamique... Je me sentirai mieux à tous points de vue... et j'aurai remporté une victoire sur moi-même (7)... »*

Pour vaincre l'insomnie :

« Etre détendu physiquement, moralement... va me permettre de retrouver le sommeil... un sommeil profond... réparateur... Ce sommeil me donnera... dès mon éveil... la sensation d'être pleinement reposé... je serai parfaitement reposé... plus du tout fatigué... plus du tout... je serai en pleine forme... rempli de vitalité... Je ne serai plus jamais énervé... toujours décontracté... Je saurai me détendre et m'endormir quand je le voudrai... Maintenant... rien ne pourra m'empêcher de dormir... je pourrai dormir quand je le voudrai... Le soir... avant de m'endormir... je détendrai tous mes muscles.. ainsi que mon visage... en pensant au mot sérénité... à mes mains que je décrisperai et... aussitôt je sentirai le sommeil me gagner... une agréable torpeur qui obscurcira ma pensée... une lourdeur dans mes muscles... et je m'endormirai... je m'endormirai irrésistiblement... Je dormirai toute la nuit d'un sommeil profond... que rien ne pourra troubler... Et le matin, en m'éveillant je serai gai... lucide... parfaitement reposé... rempli d'une activité joyeuse et ordonnée... Je serai bien pendant toute la journée... en pleine forme... infatigable... avec le besoin de me dépenser... et le soir je sentirai une douce lassitude... agréable... qui m'incitera à dormir... à dormir d'un sommeil calme... profond... réparateur... » (8).

---

7. Self-méthode en cassette C 60 : « Antitabagisme ».
8. Self-méthode en cassette C 60 : « Enfin dormir ».

Pour commander à votre intestin :

« *Par la pensée... je peux commander à mon intestin... pour aller à la selle à volonté... ayant supprimé les tensions qui sont la cause de la constipation, dans la plupart des cas... Je prends conscience de mon ventre... par la pensée... Ayant présent dans mon esprit... la configuration de mes intestins... en pensant que le transit se fait en partant du bas de mon ventre, à droite... en remontant jusque sous le foie, à droite également... puis en dirigeant ma pensée transversalement de droite à gauche vers l'estomac... enfin... en descendant le long de la partie gauche de mon ventre... Jusque vers la cuisse gauche, au bas-ventre... Je reprends maintenant ce mouvement circulaire en imaginant que ma main se déplace à plat sur mon abdomen... dans le sens des aiguilles d'une montre... en bas à droite d'abord... à gauche ensuite... je descends du côté gauche... je porte ma main ensuite à droite... je remonte sous le foie... je continue mon mouvement circulaire... Je sens intérieurement les contractions de mon intestin... J'utilise cette influence de ma pensée chaque fois que je vais à la selle... et en même temps je laisse mon sphincter anal détendu.... Je m'exerce fréquemment à le contracter et à le décontracter... Je pense aussitôt avant l'exonération à le laisser détendu... et en même temps... j'accélère la migration des matières... imaginant comme une roue qui tourne dans le sens des aiguilles d'une montre et qui chasse le contenu de mon intestin... Et quand je sens naître le réflexe de défécation... alors seulement j'aide l'exonération par la contraction de mes muscles abdominaux... de ces muscles dont la tonicité est nécessaire pour ne pas être constipé... et défendre sa ligne... de ces muscles que je cultive chaque jour pendant quelques instants (9)... »*

---

9. Self-méthodes en cassettes C 60 : « Régulation intestinale » et « Restructuration du ventre ».

CHAPITRE VIII

Le subconscient et la vie sexuelle

1. Impuissance et frigidité

Nous avons montré (voir chap. I) le phénomène physique de l'inhibition sexuelle chez l'homme. Le mécanisme est le même en ce qui concerne l'indifférence sexuelle chez la femme. **La femme détendue parvient facilement à l'orgasme.** La crispation qui interdit la montée vers la culminance libidinale est induite par le psychisme, sauf bien entendu quand un obstacle mécanique ou physiologique s'oppose aux rapports sexuels. C'est le cas dans la dyspaneurie, encore que la douleur provoquée par la pénétration provienne généralement de l'appréhension ou de la répulsion de la femme concernant l'acte sexuel et soit la conséquence du vaginisme. Comme chez l'homme *où la fonction est rarement en cause,* la frigidité féminine peut être considérée comme le pendant de l'impuissance masculine, et les traitements spécifiquement médicaux sont inopérants. Seuls les sexologues, dont des médecins peuvent remédier à l'impuissance et à la frigidité par une rééducation portant sur la détente et sur de nouveaux conditionnements participant d'abord d'un déconditionnement eu égard aux réactions anxiogènes de la relation sexuelle, *puis d'une érotisation cérébrale obtenue par l'initiation aux techniques de l'acte sexuel* (1). Cette rééducation se fait avec l'accord des partenaires qui, généralement, découvrent (ou en certains cas retrouvent) la plénitude de leurs rapports sexuels.

---

1. Céline Gérent : *Le Guide du savoir-vivre sexuel* (Éditions Dangles).

Ces résultats, le couple peut les obtenir par une auto-éducation le libérant des tabous qui s'attachent au sexe et par ce que j'ai dénommé l'**aphrodisme sensoriel** consistant pour l'homme et la femme à exploiter réciproquement toutes les ressources de leur corps pour le sensibiliser à l'extrême. Enfin, nous avons transcendé les rapports du couple par la **communion psychique** qui le mène à l'acmé de l'extase dans la possibilité pour la femme d'accéder à *la multiorgasmie* et, pour l'homme, *de prolonger à volonté l'acte sexuel* dans le contrôle et l'épargne du réflexe éjaculateur. Nous ne reviendrons pas sur les phénomènes d'inhibition qui peuvent être résolus par la maîtrise respiratoire, les ayant pris comme exemple dans l'exposé concernant le système sympathique (voir chap. I). Cependant, les phénomènes inhibiteurs étant induits par une conception du sexe sur laquelle pèsent encore de nombreux tabous, nous avons proposé à cet égard **une nouvelle éthique qui libère le couple de ses entraves socioculturelles et, partant, de ses inhibitions.** Nous ne pourrons ici qu'en tracer les grandes lignes, ayant déjà largement exposé nos concepts dans nos ouvrages sur la sexologie (2).

2. Se libérer des tabous concernant le sexe

Nous avons posé en principe absolu « *que toute pratique sexuelle librement consentie entre deux personnes de même sexe ou de sexe complémentaire, ou entre un groupe de personnes responsables, du moment qu'elle n'altère ni l'équilibre mental ni la santé physique, qu'elle donne lieu à des satisfactions mutuelles, qu'elle n'entraîne ni contraintes ni violences imposées et non acceptées, qu'elle respecte l'intimité du couple ou du groupe, qu'elle ne trouble pas l'ordre public, est aussi légitime que de satisfaire la sensualité par la gastronomie qu'aucun censeur ne songerait à interdire* ». **Cet exergue nous fait rejeter toute idée de perversion dans la pratique sexuelle.** Nous ne considérons qu'il y a anomalie que lorsqu'une névrose résulte de la répétition compulsionnelle, c'est-à-dire lorsque le sujet (homme ou femme) ne peut s'adonner aux rapports sexuels qui impliquent le coït, qu'il ne peut éprouver l'orgasme que *d'une façon déterminée en recherchant toujours la même source d'excitation, à l'exclusion de toutes les autres qui le laissent impavide.* Encore faut-il considérer comme ayant une relation satisfaisante, *nullement pathologique,*

---

2. Six titres parus.

deux individus dont les goûts sont complémentaires et qui ont eu la chance de se rencontrer. Une femme aimant se faire fouetter développera chez un homme aux instincts sadiques une forte excitation dont elle sera l'heureuse bénéficiaire. Nous avons cependant là deux comportements que la morale stigmatise sous les termes de masochisme et de sadisme.

En fait, chaque individu a en lui des tendances dont il recherche la satisfaction, mais qu'il doit différer ou dissimuler par suite des tabous sexuels, alors que pouvant les formuler *il en éviterait le refoulement* et échapperait à l'obsession qui en est le corollaire. Beaucoup d'êtres humains ont des tendances et des goûts analogues qu'ils ne peuvent satisfaire faute d'en trouver l'exutoire avec un ou une partenaire. C'est ce qu'avait constaté Stékel, écrivant : « *Dans le domaine érotique, il n'y a pour ainsi dire pas d'individus normaux. On rencontre des individus qui, à tous points de vue, correspondent au type idéal de l'homme normal. Mais ils sont soumis à tel ou tel goût érotique absurde, qui, une fois raconté, les marque comme des êtres malades. Peut-être n'y a-t-il pas d'homme normal du tout. Chacun dévie de la ligne normale d'un côté ou de l'autre. Surtout quand on étudie la vie sexuelle, on n'a pour ainsi dire pas le droit de parler de maladie, parce qu'il faudrait considérer comme des malades les trois-quarts de l'humanité. Et les recherches approfondies de Bloch nous prouvent que toutes nos paraphilies se trouvent chez les peuples primitifs qui ne les regardent pas du tout comme maladives* (3)... »
Traitant de la sexualité des adolescents, **en particulier de la masturbation,** je soulignais : « *La connaissance des perversions a, pour l'adolescent, un effet cathartique par rapport à ses refoulements ; elle lui montre toutes les facettes des tendances sexuelles de l'humanité et, par conséquent, lui démontre que ses tendances personnelles, loin d'être anormales, sont les mêmes pour beaucoup d'autres que lui.* »
J'ajoutais : « *Une information sexuelle qui ne tiendrait pas compte de ces données essentielles, c'est ce qui se produit généralement, ou pour laquelle leur évocation n'aurait qu'une intention moralisatrice, manquerait à son postulat* (4). »

Cette optique libère des interdits qui sont la source de nombreux conflits intimes comme le montrent les lettres que je reçois concernant certaines pratiques qui culpabilisent leurs auteurs. **Beaucoup proviennent de jeunes ayant des difficultés sexuelles** (impuissance psychique,

---

3. *La Femme frigide* (Gallimard).
4. Marcel Rouet : *Le Guide de l'information sexuelle* (épuisé).

frigidité), dont beaucoup ont résolu leurs problèmes en appliquant les directives de mes livres et cassettes, mais aussi d'adultes (hommes ayant perdu leur confiance dans leur capacité virile à la suite d'un fiasco, femmes ne parvenant pas à l'orgasme ou hésitant à se le procurer elles-mêmes) me demandant s'il n'est pas anormal d'user d'un olisbos.

Dès l'instant où les uns et les autres abandonnent leurs préjugés, ils se trouvent sur le chemin de la plénitude sexuelle. Il ne s'agit que de considérer cette activité comme on le fait de toute joie physique. Personne, *sauf peut-être ceux qui suivent des régimes absurdes*, n'est culpabilisé pour avoir fait un repas gastronomique et donné libre cours à sa gourmandise. Cependant la démarche est la même : *la recherche du plaisir.* Et cette démarche est induite par la même pulsion libidinale. L'une et l'autre satisfont la sensualité. L'une et l'autre peuvent même participer du plaisir oral : la joie du palais dans la dégustation d'un mets succulent, la même joie dans la fellation ou le cunnilingus. La volupté éclate souvent dans les yeux d'une fille suçant avec délectation une glace sur bâtonnet...

Le plaisir justifie par conséquent tous les comportements dans le cadre que nous lui avons assigné en préambule. L'homosexualité masculine et féminine, l'exhibitionnisme mutuellement consenti, la masturbation solitaire ou dans le couple, le fétichisme, tout ce qui peut être considéré comme du sybaritisme *mais ne peut en aucun cas être taxé de perversion.* Traitant de masturbation, nous en avons défini les limites ; elles sont les mêmes pour tout comportement qui serait non plus un plaisir délibérément recherché, mais une échappatoire envers les difficultés existentielles. « *La masturbation,* disions-nous, *ne doit pas constituer un refuge devant les difficultés et responsabilités journalières ; ce serait alors une drogue. La masturbation doit être un acte délibéré et responsable et non un phénomène de régression ou de compensation (psychanalyse). Soit qu'elle ait pour but, dans une recherche pleinement assumée du plaisir qu'elle procure, la libération d'une tension, soit qu'elle vise à l'apprentissage de la prolongation volontaire de l'érection, de la maîtrise de l'éjaculation et de la rétention spermatique dans un but de contraception et, pour servir, par la fantaisie érotique que permet la durée de l'érection, à la satisfaction charnelle intégrale du couple... ainsi comprise, la masturbation se trouve libérée de sa charge culpabilisante, elle devient une discipline exhaustive (5)... »*

---

5. *Les Stimulants de l'amour* (épuisé).

En bien des cas, la loi physiologique à laquelle personne n'échappe absout des pratiques qu'on dit condamnables, ainsi, la **sodomie.** Voyons ce qu'en pense la psychanalyse : « *La zone anale, écrit Freud, comme la zone buccale, par sa situation, provoque des rapprochements entre la sexualité et d'autres fonctions physiques... Par la psychanalyse, nous apprenons alors, non sans étonnement, les transformations subies normalement par les excitations sexuelles débutant en cet endroit, et combien souvent cette zone garde encore une irritabilité génitale assez importante.* »

Ce que souligne encore un sexologue, Anthony Storr (6) : « *La sensibilité anale n'est pas très connue ; elle est pourtant indéniable. Le sphincter se contracte au rythme de l'excitation sexuelle et bat convulsivement après l'orgasme. Hommes et femmes peuvent atteindre à l'orgasme par la seule excitation du sphincter et il n'est pas du tout rare d'aimer être pris de cette façon.* » Nous concluions : « *Il y a entre les organes génitaux et la zone ano-rectale — innervés par les mêmes voies — une si étroite parenté qu'une information sexuelle objective ne peut l'ignorer ; psychiquement, nerveusement, musculairement et même sur le plan des sécrétions et de l'olfaction, les deux zones sont étroitement intriquées, il est impossible de les dissocier.* »

De le montrer à l'adolescent ne peut avoir qu'un effet bénéfique, en effaçant chez le garçon et la fille la pudeur et le dégoût qui résultent des effets de la contre-sexualité dont un barrage excessif peut empêcher le transfert de l'auto-érotisme à l'hétérosexualité. Le garçon et la fille doivent donc apprendre que les caresses et pénétrations concernant la zone ano-rectale ne sont pas anormales dans la recherche de la satisfaction sexuelle du couple ; la fille, qu'elle peut en obtenir une stimulation des désirs de l'homme, qu'elle ne peut s'offusquer que ce dernier confonde dans les mêmes caresses digitales et buccales des territoires si voisins... Nous avons également montré que l'exhibitionnisme est si banal qu'il ne peut être taxé de perversion : « *L'exhibitionnisme est commun à l'homme et à la femme. La vue réciproque des organes sexuels est fortement stimulante, et il n'est absolument pas anormal qu'une femme ou un homme aime voir son partenaire se masturber.* »

Partant de ce postulat (la recherche déculpabilisante et libératrice des tendances refoulées dans la culminance du plaisir), nous avons apporté la notion d'une éducation sensualisante de l'individu et des couples par ce que nous avons appelé **l'aphrodisme sensoriel.** Il consiste à affiner la perception de chacun de nos sens, à leur donner une

---

6. *Les Déviations sexuelles* (Robert Laffont).

sensibilité optimale par la pratique érotique ; il déborderait du cadre de ce livre d'en décrire les raffinements (7), mais disons que cette recherche en rejoint l'essentiel, **puisque de l'éducation et de l'affinement des sens dépendent,** nous l'avons vu, **la netteté et l'intensité de l'imagerie mentale qui servira d'autres fins,** dont l'efficacité de l'autosuggestion.

Il y a un abîme entre la pornographie que nous qualifions de vulgaire et ce que nous appelons « l'érotisme transcendant ». Si la pornographie a pu, mieux que ne l'a fait l'éducation sexuelle, enseigner à ceux qui n'en avaient qu'une idée confuse les techniques de l'amour physique, *elle ne s'est limitée qu'à l'aspect mécanique, pourrait-on dire, des rapports du couple.* Elle a vidé l'amour de son contenu affectif, n'en montrant que la caricature. Elle a par ailleurs, ce qui semble avoir échappé aux sexologues les plus qualifiés, complexé beaucoup d'individus qu'elle aurait dû, au contraire, libérer : les hommes mal partagés en ce qui concerne la dimension de leur pénis, qui m'écrivent m'en demandant le remède, consternés à la vue de sexes masculins choisis pour leur taille exceptionnelle et encore grandis par l'écran ; les femmes dont certaines se sentent infériorisées soit sur le plan de l'esthétique, soit qu'elles répugnent à certaines pratiques *dont l'insolite et la diversité tiennent souvent davantage d'exceptionnelles acrobaties que d'une pratique quotidienne.*

L'érotisme transcendant peut sauver le couple de la monotonie journalière. De surcroît, il rétablit le lien affectif *au contraire de la pornographie vulgaire qui méconnaît ce besoin d'affectivité* dont la satisfaction réciproque implique la délicatesse des sentiments et des comportements. Il ne s'agit pas de pudeur, et nous avons souligné dans l'un de nos livres l'excitation que procure, en certains moments, la crudité de l'aphrodisme verbal, mais **de la communion psychique du couple soudé par un amour réciproque** et qui, par ce lien, parvient à **l'orgasme divin** autrement gratifiant que les soubresauts d'un orgasme dont la sensation se trouve limitée au physiologique.

3. L'éthique sexuelle du futur

A l'opposé du zen préconisant le non-attachement qui participe, pensons-nous, de l'égocentrisme, la non-souffrance lors de la mort de

---

7. *Les Stimulants de l'amour* (épuisé).

l'être aimé, l'éthique que nous proposons **tend à réaliser l'unité du couple dans l'amour absolu.** Cet idéal ne peut être atteint que par l'adhésion à certains principes qui ont permis à nombre de correspondants qui m'ont suivi dans cette voie de trouver dans leur union un authentique bonheur. **Notre postulat repose sur la communion psychique qui implique l'interpénétration fluidique, sur la communication non restrictive** qui élimine la jalousie, rendant la notion d'adultère dérisoire, sur **la complicité érotique** qui autorise tout ce que la morale conformiste stigmatise dans les comportements sexuels, sur **la dichotomie de l'affectivité et du plaisir charnel** et, enfin, sur l'accession par la communion psychique **à l'orgasme divin** et, pour la femme, **à la multi-orgasmie.**

Nous avons montré dans nos ouvrages **comment le couple ayant recours aux ressources de l'hypnose décuple son plaisir** au cours du rapport sexuel et atteint des sommets orgasmiques qu'il ne peut connaître par ce que nous avons appelé l'amour vulgaire. En cela nous ne rejetons ni la spiritualité ni les sensations charnelles dans la perspective de la pérennité de l'amour que deux êtres se portent mutuellement : « *... Nous pensons qu'il y a des amours immortelles que même la mort physique ne peut détruire. Emanant de la fusion de deux êtres, il ne peut davantage trouver son accomplissement dans la relation charnelle que dans les amours éthérées. Car si l'union fluidique permet d'accéder au nirvâna de la jouissance sexuelle, l'érotisme transcendant magnifie les joies de la chair dans une ivresse mystique qui en fait une profession de foi. Ce n'est qu'à ce prix que la femme et l'homme peuvent considérer l'amour comme un acte pieux et légitimé non nécessairement par le mariage, mais par la totalité du don réciproque qui le caractérise.* »

Ce don total est exceptionnel, car il se heurte aux défenses du Moi, aux ambivalences qui font que chaque élément du couple ne se donne qu'avec réserve, *ce qui constitue le ferment des mésententes futures.* Rejoignant l'idéologie bouddhiste du vécu actualisé, nous ferons une mise en garde contre des idéaux matérialistes se traduisant par un désir tacite d'acquisition, contre des ambitions excessives. Dans ce cas, chacun met en commun ses aspirations ainsi que ses efforts pour obtenir toujours plus de confort, plus de joies tangibles, *mais chacun vit dans une sorte de fuite en avant à la poursuite de biens matériels, toujours insuffisants quelle que soit la position sociale.* Cette insatiabilité est menaçante pour le bonheur intime. **L'amour est désacralisé,** vidé de sa substance spirituelle par la dérivation des aspirations à la fusion mystique vers des objectifs prosaïques.

Le couple doit se garder de tels engrenages qui l'empêchent de vivre réellement chaque instant de son union. Il ne s'agit pas de rejeter les avantages du monde dans lequel nous vivons, non plus de retourner au romantisme inhibant, mais **de réconcilier les élans de l'âme avec l'éros.**

4. Une nouvelle conception des rapports du couple

La dichotomie entre l'amour absolu, indissociable du couple, et le plaisir sexuel libérateur des frustrations *doit promouvoir une autre politique des rapports entre l'homme et la femme.* Dans cette ségrégation de l'affectif et du sexuel, l'amour repose sur le complémentarisme polymorphe, sur des affinités *que vient renforcer le sentiment de l'unicité au sein du mental cosmique,* sur l'orgasme renouvelé et simultané se situant aux confins de l'extase, mais **n'excluant pas le plaisir sexuel sous toutes ses formes du moment qu'il est librement accepté et domestiqué.**

Cette conception cimente l'union du couple car elle implique **la transparence** en ce que j'ai nommé **la communion mutuelle non restrictive ;** celle qui consiste à dévoiler à l'autre ses pensées les plus intimes, ses désirs les plus fous, ses tendances et ses contradictions. Dans cette perspective libérante, *l'érotisme devient un support essentiel de l'entente du couple et de la solidité de son union,* en supprimant tout ce qui, autrement, est contraignant.

La recherche de la plénitude sexuelle s'opère sur deux plans bien distincts et dissociés des liens affectifs infrangibles. Une communion totale conduit le couple *à l'exaltation d'un orgasme transcendé par la frénésie érotique (8) et l'extase du don réciproque.* Cette conception abolit la lassitude et la monotonie des rapports sexuels dans le mariage. Selon l'éthique personnelle, la recherche du plaisir sexuel, en tant qu'exutoire de frustrations vectrices d'incomplétudes, peut être admise soit en marge du couple, soit de concert pour maintenir dans l'union le niveau de la libido quand il menace de baisser sous l'usure du quotidien. **C'est admettre toutes les formes de stimulation du désir** (hormis celles qui détruisent comme l'alcool et la drogue) depuis le recours à la pornographie, avec ses accessoires, jusqu'aux échanges sexuels et activités épisodiques de groupe.

---

8. *La Magie de l'amour* (épuisé).

Nul doute que cette proposition *qui, dans moins de vingt ans, sera adoptée,* quand nous entrerons dans l'ère du mental, puisse susciter la controverse. Mais à y bien réfléchir, les « *aventures* » et liaisons en marge, sources de conflits et de difficultés pour le couple, *ne sont que les vestiges malfaisants d'une morale archaïque.* Elles entraînent pour le responsable la dissimulation, l'hypocrisie, la nécessité de combinaisons tortueuses pour ne pas être découvert, *elles désagrègent sournoisement l'entente du couple en sapant la confiance mutuelle* indispensable à sa sérénité. Et dans un ouvrage précédent (9), nous posions déjà la question : « *Lequel de deux couples est le plus moral : celui qui, sous un label de " bonnes mœurs " vit dans l'hypocrisie, dont la vie familiale se trouve perturbée par la duplicité de l'un de ses éléments (parfois des deux), ce qui entraîne des complications et des compromissions, ou celui qui, libéré des tabous (10), respecte la liberté de l'autre, se fait le complice de ses désirs érotiques pour les satisfaire, cela dans la transparence mutuelle des sentiments et des pulsions instinctuelles, sans que le mensonge ou la trahison de la foi jurée (qui doit être celle du cœur et non des sens) puissent altérer les liens du mariage ou troubler l'atmosphère familiale.* » Nous pensons que le second montrera plus de quiétude dans ses rapports personnels et dans la vie de tous les jours que le premier.

Il est cependant des couples privilégiés, *très rares si on scrute attentivement son entourage,* **qui s'aiment d'un amour exclusif,** dont l'union ne présente aucune faille. Ceux-là savent que le bonheur repose sur la sincérité des sentiments, la communication qui permet de résoudre les conflits inévitables de la vie conjugale avant qu'ils ne dégénèrent en mésentente. C'est, en définitive, *l'acceptation de l'autre* avec ses qualités qui n'apparaissent pas toujours comme telles, avec ses travers et ses goûts sexuels qu'il ne faut surtout pas juger avec le critère de la morale conventionnelle, *qui assure le mieux la solidité du couple.*

5. Le corps, support de l'entité psychique

Pour nous, le reniement du corps est une attitude contraire à l'équilibre de la personnalité, d'abord *parce qu'il doit être le reflet*

---

9. *La Magie de l'amour* (épuisé).
10. *Le Comportement sexuel de la femme* (épuisé).

par sa beauté de l'harmonie intérieure et que, par ses séductions, *il inspire le désir* (11). Ensuite, parce qu'on ne fait pas l'amour avec ses méninges, *mais avec son corps ;* sans lui pas de montée du désir, pas d'explosion de l'orgasme. Les élucubrations d'intellectuels névrosés, de mystiques déboussolés *ne peuvent rien changer à cela.* Il ne faut pas seulement à notre sens accepter le corps, il faut *en transcender chez « soi » et chez « l'autre » les servitudes pour qu'elles participent à la communion des âmes.* Dans cette perspective, les corps des amants **deviennent les instruments de leur entité** et, en tant qu'instruments, ils perdent leur identité à son profit. Cette conception, qui ne peut être que celle de l'amour absolu, *modifie profondément la vie sexuelle du couple,* car, d'une part, nous avons l'entité indestructible et, d'autre part, les corps périssables. Comment, dès lors, l'enveloppe charnelle éphémère pourrait-elle provoquer des dissentiments du couple formant entité ? **Ainsi, les corps deviennent les instruments dociles du plaisir sexuel.** Encore faut-il que l'homme soit éduqué à la prolongation de l'acte, à la rétention spermatique et que la femme puisse accéder à la multi-orgasmie. Pour cela, l'homme doit connaître *toutes les ressources de l'érotisme,* ce qui le dispense d'une fornication purement instinctuelle, *et maîtriser son éjaculation* pour la commander et la différer à son gré et à celui de sa partenaire.

6. La maîtrise sexuelle dans les rapports du couple

La technique respiratoire que nous avons donnée au chapitre I comme exemple du fonctionnement sympathique permet, quand elle est maîtrisée (12), de prolonger l'acte sexuel. C'est cette possibilité de faire l'amour longuement **qui permet à la femme le renouvellement de l'orgasme,** alors que son partenaire se retient pour le lui permettre. Ce dernier doit, par l'éducation, parvenir à un certain automatisme. **La respiration contrôlée qui détend et fait prédominer le parasympathique est le remède à l'éjaculation précoce.** Il n'est pas inutile de rappeler ici les effets antagonistes dont nous avons montré comment on peut les maîtriser pour vaincre l'émotivité (voir page 33). **Le sympathique est constitué de deux éléments antagonistes qui se neutralisent et se contrôlent.**

En marge de cette maîtrise par la respiration, il existe d'autres moyens qui favorisent la prédominance du parasympathique et qui,

---

11. *L'Esthétique corporelle* (Editions Dangles).
12. Self-méthode en cassette C 60 : « Sex control ».

L'orthosympathique	Le parasympathique
Effets dus à la sympathine et à l'adrénaline :	*Effets dus à un médiateur chimique : l'acétylcholine*
Vasoconstricteur - Contracturant - Constriction thoracique - Source de retrait, de repliement - Tensions musculaires - Anxiété - Développement de l'angoisse - Suées - Tremblements - Panique sexuelle chez l'homme - Peur incontrôlable.	Vasodilatateur - Décontractant - Provoque l'afflux sanguin et la détente - Libère des tensions musculaires - Source d'épanouissement et d'offrande - Rétablit le rythme cardiorespiratoire normal - Développe l'euphorie.

par ces effets, *permettent de prolonger l'acte sexuel.* Parmi ceux-ci que j'ai exposés par le détail (13), une certaine technique copulatoire instaure un automatisme qui donne la possibilité de pratiquer le coït *aussi longtemps qu'on le désire.* Nous ne ferons que la résumer. « *C'est la concentration de l'esprit sur la bascule régulière du bassin au cours de l'action pénienne qui opère le mieux la déconnexion du sympathique au profit du parasympathique.* » Nous n'aurions pas fait cette découverte si nos travaux ne nous avaient pas conduit à élaborer une méthode de relaxation (14). **Elle est capitale pour la maîtrise sexuelle.**

Des exercices journaliers permettent d'amplifier, par l'assouplissement articulaire, la bascule du bassin. **Il s'agit d'obtenir un basculement aussi ample et aussi souple que possible,** tout en mettant dans un repos absolu tous les autres groupes musculaires qui ne participent pas au mouvement. Pratiquement, l'exercice consiste à porter toute l'attention sur l'amplitude de la bascule. Quand les reins se creusent et que les fesses s'écartent, l'homme partage la sensation pénienne avec celle de la région ano-rectale, **ce qui implique d'érotiser cette dernière.** Cela permet, pendant le coït, d'opérer le transfert de l'excitation pénienne à une excitation plus diffuse dont l'effet, tout en maintenant l'érection, fait momentanément baisser la tension qui menaçait de produire l'éjaculation. En bref, *l'homme doit érotiser sa fonction érotogène de l'extrémité de son pénis à la région ano-rectale et apprendre à concentrer la sensation sur tel ou tel point de son territoire sexuel.* Cette dissociation des mouvements du pelvis du reste du

---

13. *Les Techniques de l'acte sexuel* (épuisé).
14. *La Relaxation psychosomatique* (Éditions Dangles).

corps donne au phallus le rythme régulier d'une bielle puissante. Il faut alors s'exercer à varier les cadences. Dans une cadence rapide, l'homme doit avoir soudain le sentiment qu'il se sert d'un instrument, son pénis, qui serait étranger à lui-même, *mais dont toutefois il aurait le parfait commandement.* Alors **le coït peut être prolongé autant que nécessaire, dans la gamme des variations posturales.**

7. L'épanouissement sensuel de la femme

Les travaux de Masters et Jhonson, qu'on ne peut nier car scientifiques, ont apporté la preuve formelle que ce n'est pas le premier orgasme qui est le plus intense chez la femme mais les suivants et que, d'autre part, « *du point de vue anatomique, il n'y a absolument aucune différence dans la réaction du viscère pelvien à une stimulation sexuelle effective, que cette stimulation soit le résultat d'une manipulation de la région clitoridienne, un coït naturel ou artificiel ou encore la seule stimulation des seins (...). Les femmes qui se désespèrent de ne pas atteindre " l'orgasme vaginal " peuvent être ainsi rassurées. Il n'existe ni orgasme purement clitoridien ni orgasme purement vaginal. Du point de vue physiologique, il n'existe qu'un type d'orgasme : l'orgasme sexuel* (15) ».

Nous avons exposé les techniques qui permettent à la femme indifférente sexuellement de s'érotiser **et de parvenir à la multi-orgasmie qui est la consécration de son épanouissement sensuel.** Nous sommes en conformité de vues avec les auteurs précédemment cités quand ils affirment : « *Ce serait en fait une erreur d'affirmer que les femmes apparemment les plus frigides ne sont pas capables, dans des conditions convenables, d'éprouver des orgasmes multiples.* » Ces sexologues, en hommes de science, **n'ont cependant pas perçu la différence fondamentale qui existe entre l'orgasme induit seulement par la relation physique, même érotique, et ce que nous appelons l'orgasme divin.** La femme est portée au summum de sa capacité érotique par l'éducation sensualisante (16), cependant qu'elle est initiée à la gymnastique sexuelle **qui lui apprend à se servir de ses muscles intimes pendant le coït.** La communion psychique est d'autant plus étroite que certaines pratiques de magnétisation réciproque la favori-

---

15. *Les Mésententes sexuelles* (Robert Laffont).
16. *Les Stimulants de l'amour* (épuisé).

sent. *L'orgasme peut alors être déclenché et renouvelé par le mélange intime des regards et la pensée intériorisée de l'homme et de la femme sur leur sensation génitale,* de même qu'une congestion de ces régions peut être obtenue par la caresse *accompagnée de projection magnétique sur le territoire sexuel* (ovaires, clitoris, périnée). Il est ainsi possible d'obtenir l'orgasme réciproque *même dans l'immobilisation des corps.* Cet orgasme qui participe à la fois du corps et de l'esprit **est d'une tout autre essence que celui qui n'est que l'aboutissement d'un contact physique.** Nous ne pouvons mieux le décrire qu'en reprenant la définition de l'amour absolu que nous avons donnée en conclusion de *La Magie de l'Amour* (17) : « *L'amour absolu, c'est la fusion dans le même creuset des pensées, des goûts et des idéations, c'est le désir de construire ensemble quelque chose de plus fort que la mort. Enfin, c'est accéder au divin dans un avant-goût d'éternité (...). L'accord parfait de deux êtres pétris de fluides et de chairs ne peut que leur faire découvrir les joies ineffables de l'extase. C'est le don réciproque, total, de tout leur être qu'ils jettent dans le foyer du désir. Il n'y a alors, au moment de leur orgasme simultané, aucune mesure commune entre la sensation limitée à la matérialité de la chair et l'ivresse divine qu'ils ressentent à la fois comme un arrachement des liens terrestres et un plongeon dans l'inconnu. Cependant que l'homme se trouve anéanti par le don exhaustif de sa substance, la femme bascule dans l'inconscience, elle prend l'apparence de la mort : c'est l'orgasme divin.* »

Comme on le voit par cet exposé, *les difficultés sexuelles* que rencontrent certains couples ou individus dans leurs relations hétérosexuelles ou auto-érotiques ne peuvent, *sauf exceptions rarissimes, être considérées comme des maladies.* Il est possible de remédier par soi-même à ces difficultés par une optique plus libérale du sexe, une morale délivrée des tabous ancestraux, une rééducation portant sur l'érotisation, l'initiation à la technique sexuelle, la détente neuro-musculaire par la relaxation psychosomatique, par la gymnastique des muscles intimes (18) ; enfin, **par la prise de conscience des possibilités que nous apporte en ce domaine comme en tant d'autres la conquête des pouvoirs psychiques** qui, en l'occurrence, *magnifient la relation charnelle.* Ce qu'ont découvert nombre de couples ayant adopté l'éthique que je leur proposais, à cent lieues d'imaginer ce que leur apporterait d'exaltant le rapport psychique jusqu'ici ignoré.

---

17. Épuisé.
18. Self-méthode en cassette C-60 : « L'Épanouissement sensuel de la femme ».

Les formulations concernant la sexualité ont un caractère d'intimité *(recherche de la prolongation de l'acte sexuel pour l'homme* (19), *autostimulation pour l'accession à la multi-orgasmie chez la femme* (20)) et n'ont pas leur place dans cet ouvrage devant rester accessible à tous. Mais l'ensemble de mes travaux — *livres et cassettes* — consacrés à la sexologie permet à la personne seule, ainsi qu'au couple, **de connaître la plénitude affective et sexuelle** dans le renversement des tabous qui subsistent encore en dépit de la libéralisation des mœurs.

---

19. *Virilité et puissance sexuelle* (épuisé).
20. *Le Comportement sexuel de la femme* (épuisé).

Conclusion

Apporter, avec ce livre, une nouvelle méthode de pensée a été mon principal objectif, en prenant pour option de réaliser une synthèse entre diverses disciplines personnelles. Cela me fut facilité par ma formation initiale de culturiste et d'athlète complet, puis par les travaux auxquels je me suis toujours intéressé : hypnose, méthodes naturelles de santé et relaxation. J'ai coiffé cet ensemble culturel par les enseignements des mystiques extrême-orientales (dont le zen), par ceux de la psychanalyse (en élaguant ce qu'ils ont d'irrationnel et de chimérique) et sans jamais m'écarter des lois fondamentales, universelles, reposant sur la Tradition.

La connaissance de ces lois est indispensable pour assimiler le contenu de l'ouvrage. Je ne saurais donc trop inciter le lecteur à s'en imprégner, non pas en se contentant de lectures superficielles d'écrits extravagants qui, flattant le besoin de merveilleux, tiennent davantage de la mystification que de la réalité, mais au contraire en approfondissant et en assimilant parfaitement certaines œuvres relatives à la spiritualité et à l'ésotérisme traditionnel.

Ce souci de vérité m'a conduit à des exposés qui, pour sortir souvent des sentiers battus, n'en sont pas moins passés au crible de la raison. Beaucoup de mes lecteurs et lectrices m'écrivent pour me dire : « Votre livre (il s'agit le plus souvent de *Relaxation psychosomatique* et de *L'Esthétique corporelle*) est devenu mon livre de chevet, et je vous remercie de l'avoir écrit... »

Ces encouragements m'ont incité à composer ce nouvel ouvrage qui tient compte de la nature des problèmes personnels se reflétant le plus souvent dans le courrier que je reçois. L'abondance des formulations que j'ai établies doit permettre à chacun d'élaborer ses propres formules et de répondre ainsi à ses préoccupations personnelles. Par les moyens pratiques d'ensemencement du subconscient, nous ne doutons pas que nous apportons un complément utile à nos écrits précédents.

Lexique

La compréhension de cet ouvrage vous sera grandement facilitée en vous reportant fréquemment aux tableaux dont vous trouverez la liste page 368. Le lexique vous donne un complément d'informations sur le contenu du livre. Quand l'explication donnée au mot recherché comporte d'autres termes techniques dont la signification peut vous échapper, il est conseillé de consulter également les autres mots figurant en italique. Certains termes sont passés sous silence, soit que chacun les connaisse, soit qu'ils se trouvent inclus dans un texte explicite.

Acétylcholine. C'est un *médiateur chimique* sécrété par un grand nombre de fibres nerveuses. L'acétylcholine, ou ACh, produit la contraction des muscles striés, élève la tension du liquide *céphalo-rachidien ;* elle produit l'érection du pénis et du clitoris par *vasodilatation* des vaisseaux artériels qui desservent les corps caverneux (tumescence).

Adaptation. Faculté que possède l'individu de se mettre en harmonie avec son *environnement,* avec le mode de pensée et d'agir qui le caractérise et, ainsi, de maintenir son équilibre intérieur.

Adipocytes. Cellules adipeuses dont le nombre est fixé à la puberté et qui se chargent anormalement de graisses (lipides) dans l'obésité.

Adrénaline. *Hormone* de la glande médullo-*surrénale* dont l'action stimulante élève le degré tensionnel. Par exemple : l'émotion intense produit des décharges d'*adrénaline* qui augmentent la tension *céphalo-rachidienne.*

Affect. Désigne, dans cet ouvrage, tout état affectif agréable ou pénible, présent ou non à la *conscience.* En psychanalyse, l'affect est l'expression qualitative de la quantité d'énergie pulsionnelle et de ses variations (Freud).

Agressivité. Consciente ou inconsciente, l'agressivité naît d'une disjonction du besoin vital, ou *instinct de vie,* et d'une pulsion autodestructrice : l'*instinct de mort.* L'agressivité est partie intégrante de l'instinct sexuel dont elle favorise la satisfaction.

Anamnèse. Méthode qui consiste, pour l'analyste, à provoquer chez un sujet la réminiscence de son *vécu* antérieur. Le même résultat peut être plus facilement obtenu sous hypnose et dans *l'entretien préalable* sous infrahypnose.

Androgènes. *Hormone* sécrétée par certaines cellules des testicules et des glandes cortico*surrénales.* La sécrétion de ces hormones mâles, dont la *testostérone,* est sous le contrôle de *l'hypophyse.* Ce sont les androgènes qui stimulent la croissance des organes génitaux masculins et produisent l'apparition des caractères sexuels secondaires. Chez la femme, mais à un degré moindre, la production d'androgènes par le *cortex surrénal* et les ovaires exagère le côté viril du caractère et de la morphologie : excès de pilosité par exemple ou, dans l'insuffisance, c'est la féminité qui prédomine.

Ano-rectale. Partie terminale du gros intestin formée par le rectum et l'anus.

Anorexie mentale. Symptôme d'amaigrissement et de cessation des règles résultant chez la jeune fille de *conflits* intimes ou du refus de sa féminité.

Anxiété. Défaut d'*intégration* des *pulsions* inconscientes. L'anxiété se différencie de *l'angoisse* par l'absence de troubles physiologiques. Elle est l'indice d'une faiblesse du *Moi* impuissant à arbitrer les pulsions de l'instinct et la censure du *Surmoi*.

Anxiogène. Qui provoque l'anxiété. Le climat moral assombri, anxiogène, est un indice de *névrose* et d'*inadaptation*.

Ambivalence. Etat d'esprit d'une personne qui éprouve simultanément deux sentiments contradictoires en face du même objet. Il en résulte des situations *conflictuelles*.

Archaïques (images, situations, etc.). Qui appartient au passé. Qui remonte à la période primitive ou en provient.

Archétype. Modèle primitif. Selon Jung, formes préexistantes faisant partie de *l'inconscient collectif* qui appartient au trésor commun de l'humanité.

Asthénie. Etat *neuro-psychique* dépressif caractérisé par la fatigabilité. Elle peut être due aux tensions émotionnelles inconscientes provoquées par des refoulements qui épuisent les forces vitales.

Aura. Emanation du corps astral dont les effluves et la couleur sont perçues par certains voyants.

Autodestruction. Comportement qui s'assimile à l'*instinct de mort* et participe de l'autopunition. A la base de ce comportement se trouvent le sentiment d'avoir commis une faute et le désir de rachat. Dans la mélancolie, le sujet peut se sentir responsable des malheurs d'autrui et recourir à l'automutilation, voire au suicide. Un individu se croyant responsable du malheur des siens peut se détruire inconsciemment en versant dans l'alcoolisme.

Autopunition. Comportement par lequel le sujet se punit lui-même par suite d'un sentiment de *culpabilité*, souvent inconscient, ou pour éviter son irruption dans le champ de la *conscience*.

Auto-érotisme. Dans l'auto-érotisme, la *pulsion* sexuelle n'est pas dirigée à l'extérieur mais se satisfait sur son propre corps. Ainsi, la masturbation en solitaire est auto-érotique ; elle est cependant l'exutoire normal de la pulsion sexuelle chez l'adolescent. Exclusive chez l'adulte qui doit avoir atteint la maturité affective, elle dénonce une *régression* aux stades antérieurs de l'évolution sexuelle.

Boulimie. Désigne l'état anormal de la personne dont le *centre de la satiété* est perturbé sous l'effet de diverses influences, et qui ne peut résister à l'envie de manger. Il faut faire la différence entre un état lésionnel et les causes psychologiques. Dans le premier cas, nous proposons le terme de boulimite.

Bulbe. Le bulbe rachidien prolonge la moelle épinière et se situe à la partie inférieure de l'*encéphale*. Il renferme des centres nerveux importants (centres respiratoire, circulatoire, etc.) en un endroit appelé nœud vital.

Catharsis. Terme utilisé par Freud pour définir le rappel à la conscience des fortes charges émotionnelles. La méthode cathartique est utilisée en psychanalyse.

Censure. Fonction psychique qui effectue le tri entre ce que la *conscience* peut admettre, car conforme aux normes socioculturelles, et ce qui, les contredisant, se trouve *refoulé* dans l'inconscient et n'en conserve pas moins son pouvoir *dynamique*.

Centres émotionnels. Ils siègent dans le *diencéphale* à la région postéro-inférieure du cerveau, au-dessous de la couche optique (le thalamus) qui abrite elle-même le centre de la colère. Dans ce territoire qu'on définit comme la région de l'*hypothalamus* siègent les centres émotionnels qui commandent la faim et la soif, le sommeil, la *pulsion* sexuelle, mais aussi nos passions (amour, haine, peur, angoisse, anxiété). Ces centres émotionnels sont en liaison, d'une part, avec le *cortex* et, d'autre part, avec l'*hypophyse* qui préside au fonctionnement des glandes *endocrines*.

Céphalo-rachidien. Les quatre poches (ou ventricules) qui forment l'*encéphale* sont baignées par le liquide céphalo-rachidien qui baigne également les canaux de communication. Il sert d'élément-tampon aux tissus cervicaux que les chocs et compressions pourraient altérer.

Champ de conscience. La *conscience,* selon les individus et leur évolution, est plus ou moins limitée. C'est le champ de conscience personnel. Par l'éducation et la méditation, ce champ de conscience peut être élargi à des perceptions plus étendues dans le sens de l'horizontalité concernant la maté-

rialité de la vie, ou étendu dans le sens de la verticalité pour parvenir à des états de conscience plus subtils (nirvâna des hindous). Il faut cependant se défier des descriptions délirantes de soi-disant états altérés de la conscience qui tiennent de la duperie ou de la fantasmagorie.

Chimiothérapie. Traitements par les médications chimiques. Leur abus produit une intoxication massive de l'organisme, jugule brutalement la maladie qui resurgit sous une autre forme encore plus redoutable. L'abus des neuroleptiques, tranquillisants, amphétamines, etc., si répandu, est la cause de nombreuses affections tant organiques que mentales. La *naturopathie* par ses principes est à l'opposé de cette médecine symptomatique.

Chromopsychie. Méthode de l'auteur (déposée) qui utilise l'influence des couleurs au moyen de filtres colorés adaptant des vues de nature ou symboliques à la recherche d'une modification d'états psychiques exerçant des effets psychosomatiques *(psychodiovisuel).*

Chronaxie. Temps d'excitation pendant lequel un courant électrique doit parcourir un *nerf* pour exciter le muscle.

Climatère. Terme provenant de la Tradition, du multiple du chiffre 7. Désigne la ménopause qui survient aux approches de la cinquantaine ($7 \times 7 = 49$ ans).

Cœnesthésie. Sensations perçues provenant des organes internes, des contractures et de la détente des muscles, des organes qui échappent habituellement à l'attention vigilante : fonctions circulatoires, respiratoires, nutritionnelles, nerveuses, endocriniennes, etc.

Compensation. Mécanisme le plus souvent inconscient qui contrebalance par un autre investissement un manque, une *frustration,* une infirmité, ce qui donne lieu à un comportement qui peut être bien adapté à la réalité, ou à une compensation imaginative et fabulatrice dans la *névrose* d'échec.

Complexe. Ensemble des caractères acquis dans l'enfance influençant le comportement de l'adulte, qui n'en a pas conscience. La psychanalyse fait état de nombreux complexes : de castration, de Diane, d'Electre, d'*infériorité*. Le mieux connu selon les travaux de Freud est le complexe d'Œdipe, ou attachement érotique inconscient de l'enfant au parent de sexe opposé.

Comportement. Manière d'être et d'agir par rapport à soi et aux normes socioculturelles de la société dans laquelle on est inséré et de ses mœurs.

Composante agressive. Participe de la *phase sadique-anale* de la maturation psycho-sexuelle. Cette composante est un élément dynamique de la structuration de la personnalité. Quand cette *agressivité* est trop sévèrement réprimée chez l'enfant, il peut en résulter, pour l'adulte chez lequel elle a été *refoulée* par répression, un complexe d'*infériorité* qui l'empêche de s'exprimer pleinement.

Compulsion. Processus incoercible et d'origine inconsciente, par lequel le sujet se place activement dans des situations pénibles, répétant ainsi des expériences anciennes sans se souvenir du prototype et avec, au contraire, l'impression très vive qu'il s'agit de quelque chose qui est pleinement motivé dans l'actuel. Ce mécanisme participe du sentiment de *culpabilité,* de l'*autopunition* et de la conduite d'*échec.*

Conditionnement. Comportement déterminé par le développement des *réflexes conditionnés.*

Conflit. Affrontement de tendances, d'intérêts, de situations opposées entre lesquelles l'individu doit opérer un choix. Les conflits non résolus sont générateurs d'*anxiété,* d'angoisse, d'affaiblissement du *Moi.* Les conflits intimes ressortissent souvent à l'*ambivalence.*

Conscience (la). Sa sphère se situe dans l'écorce cérébrale et particulièrement à la partie frontale spécifique à l'homme. On distingue deux modalités de la conscience : la conscience spontanée qui se présente immédiatement à la perception (la douleur par exemple, les impressions sensorielles) et la conscience réfléchie qui est délibérée, sciemment active. C'est elle qui nous permet la réflexion, la déduction, le jugement ; c'est elle qui structure notre personnalité, qui contrebalance les *pulsions* aveugles de l'instinct par les freins du *Surmoi.*

Conscience du corps. Un large abus a été fait de ce terme qui ne recouvre que le sentiment que l'on a de son corps, de ses fonctions et de ses possibilités. Les méthodes ne reposant que sur une intériorisation psychique ne sont que fragmentaires et ne peuvent prétendre à celles obtenues par la synthèse que nous proposons : la *relaxation psychosomatique* qui permet la prise de conscience organomentale, la *culture physique localisée* qui donne la conscience de l'appareil musculaire, l'*éducation sensualisante* par la caresse limitative (voir *Les Stimulants de l'amour*) qui affine et intensifie la perception sensorielle.

Corps astral. Le corps astral est le véhicule de la vitalité et l'agent de l'organisation matérielle, l'intermédiaire obligé, le pont entre le physique (corps et vitalité) et le mental (animalité et raison) (Carton). Les occultistes ont, depuis la nuit des temps, perçu l'analogie entre le corps astral, le système sympathique, végétatif et le subconscient. Le corps astral jouit de la propriété de s'extérioriser (dans le somnambulisme magnétique) pour agir dans le corps physique et hors du corps dans l'astral cosmique.

Corps mental. Le corps mental participe de l'intellectualité et des fonctions du *néo-cortex*. Il est le support de la *conscience* réfléchie. C'est le véhicule du discernement.

Cortex. Ce mot latin vient d'écorce. Il désigne la partie superficielle de certains organes, dont le cerveau (écorce cérébrale) et les cortico*surrénales*. On intitule communément cortex le cerveau conscient.

Créativité. C'est l'aptitude à créer, à inventer (Le Robert). La « créativité » qui ressortit aux facultés d'imagination peut être développée par l'élargissement du *champ de conscience,* mais également par l'exploitation des potentialités du subconscient que peuvent révéler la radiesthésie et l'écriture automatique. Il s'agit d'un terme relativement récent, abusivement utilisé à la place de faculté de créer.

Culpabilité. Sentiment qui, selon Freud, aurait sa source dans le *complexe d'Œdipe.* La faute, subjective, s'inscrirait dans le *comportement* et déboucherait sur la *névrose.* Par extension, la culpabilité peut résulter d'un état conflictuel qui oppose la loi morale à un comportement qui l'enfreint, d'où le *conflit.*

Culture physique localisée. Méthode de culture physique de l'auteur exposée dans son premier ouvrage *Santé et Beauté plastique.* Le système musculaire, divisé en 12 régions, est exercé localement selon les régions musculaires à développer en priorité pour obtenir la beauté plastique dans la recherche d'un idéal d'harmonie corporelle.

Déconditionnement. L'inverse de *conditionnement.* Il consiste à annihiler par suggestion certains comporte-ments *inadaptés* et néfastes, pour leur substituer plus facilement des comportements adéquats.

Défoulement. Retour à la conscience des pensées et tendances *refoulées.* La résolution des *conflits* et *tensions* peut être obtenue par ce mécanisme qui permet d'en discerner les causes. C'est, dans ce cas, une *prise de conscience* favorisant la maîtrise et l'*intégration* au *comportement.*

Dépendance. Soumission à une habitude, à une personne dont le sujet ne peut se soustraire. La dépendance s'observe dans les sentiments contradictoires du *masochisme,* la personne ayant besoin de cette dépendance car incapable de faire front toute seule à la vie et nourrissant en cette *ambivalence* de violents besoins d'indépendance.

Dépersonnalisation. Trouble du sentiment de soi et de la perception du monde. Se caractérise par un sentiment d'irréalité, de transformation du monde dans lequel le sujet a l'impression qu'il est dirigé de l'extérieur, qu'il n'est plus lui-même. Cet état est marqué par la *régression* affective, l'écroulement des défenses du *Moi.*

Dichotomie. Séparation entre deux éléments. Par exemple, dans notre éthique sexuelle, la frontière qui peut s'établir pour le couple entre le sentiment et l'affectivité d'une part et, d'autre part, la recherche du *plaisir* sexuel dont le sentiment peut être exclus.

Diencéphale. Partie postérieure et inférieure du cerveau qui abrite l'épiphyse, le thalamus, les couches optiques, l'*hypothalamus.* C'est le territoire des centres émotionnels et de la commande sympathique.

Dissociation. Mécanisme de défense qui s'apparente aux phénomènes de fuite et de *régression,* mais caractérisé par des *ambivalences* multiples qui donnent un *comportement* étrange et flottant. S'observe dans la *schizophrénie.*

Dynamique. En psychologie, étude des forces qui s'exercent sur l'individu et influencent sa personnalité. Par extension, le pouvoir dont se trouvent chargés les idées et les mots. Peut être entendu dans le sens de l'action réalisatrice : un *comportement* dynamique.

Dyspaneurie. Ce terme désigne des rapports sexuels douloureux qui peuvent tenir au vaginisme, mais aussi à de nombreuses autres causes, dont l'amincissement et l'assèchement du vagin, des lésions des muqueuses génitales, etc.

Dystonie. Troubles du *tonus* et de l'excitabilité des systèmes ortho- et parasympathiques. La *vagotonie* et la *sympathicotonie* sont caractéristiques de ces états. La dystonie *neurovégétative* est responsable de nombreux troubles dits *fonctionnels.*

Echec (névrose d'). L'échec est le prix payé par toute *névrose,* dans la mesure où le symptôme implique une limitation des possibilités du sujet, un blocage partiel de son énergie (Laplanche et Pontalis). L'*autopunition* et l'*autodestruction* provenant d'un sentiment de *culpabilité* peuvent engendrer le mécanisme par lequel le sujet recherche inconsciemment l'échec et se sent soulagé quand il a échoué. La névrose d'échec participe également de la *compulsion* de répétition.

Education sensualisante. Elle procède d'exercices consistant à perfectionner chacun des sens en en exaltant et en en affinant la perception. Les zones érogènes sont susceptibles d'être révélées ou sensibilisées par la caresse limitative qui consiste, dans le cas d'indifférence sexuelle de l'homme ou de la femme, à ne procéder au coït qu'après des préalables plus ou moins longs et renouvelés ayant accru la tension *libidinale* pour susciter le désir et permettre l'accession à l'orgasme (prolongation de l'acte sexuel chez l'homme, *multiorgasmie* chez la femme).

Ego. Synonyme du *Moi,* ou instance psychique qui équilibre les tendances du *Ça* et du *Surmoi.*

Emonctoires. Organes éliminateurs : poumons, foie, reins, intestins, peau, etc.

Encéphale. C'est la partie du système nerveux central située dans la boîte crânienne et appelée communément cerveau. Mais ce dernier ne comprend que les 5/6e de la masse totale, l'encéphale groupant en outre le cervelet situé en arrière du cerveau et le tronc cérébral.

Endocrines. Glandes qui déversent les hormones dans le sang (glandes à sécrétions internes) : hypophyse, thyroïde, surrénales, pancréas, ovaires, testicules, etc.

Endogène. Qui vient de l'intérieur. Les toxines endogènes proviennent de l'intérieur de l'organisme.

Entité. En philosophie, ce qui constitue l'essence d'un être ou d'un individu. En *occultisme,* les divers corps forment chacun une entité. Dans notre concept, l'homme et la femme reliés psychiquement dans un amour absolu sont une entité.

Entretien préalable. Définit, dans les méthodes Marcel Rouet, l'étude des caractéristiques et des aspirations d'un sujet pour tracer le *plan de vie* au moyen de la *Psycho-Morpho-Synthèse* (technique utilisée par les *relaxologues* formés par l'auteur).

Environnement. Désigne l'entourage de l'individu, ce qui participe à son *vécu :* le monde où il évolue, les conditions matérielles et géographiques de son existence, le milieu socio-culturel où il vit, l'entourage familial, etc.

Eros (l'). Chez les Grecs, Eros était le dieu de l'amour. Sa personnalité a beaucoup évolué dans les temps modernes. Il semble que l'éros désigne maintenant la face sublimée de l'amour, opposant *érotisme* et instinct sexuel ou *libido*.

Erotisme. L'auteur distingue l'érotisme de la pornographie vulgaire et banalisée à laquelle échappe tout le côté psychique des rapports du couple. Pour lui, « l'érotisme participe de l'éclectisme sensuel qui fait appel, sans inhibitions limitatives, à toutes les formes de sensations que beaucoup assimilent à des perversions, mais qui ne peuvent être considérées comme telles, du fait qu'elles ne sont pas obsessionnelles, et qu'au contraire elles libèrent le couple de ses refoulements » *(La Magie de l'amour).*

Etat vigile. Etat diurne habituel. La conscience est pleine et entière. On dit aussi état de veille, mais en hypnose ce dernier est utilisé à tort pour désigner l'hypnose superficielle dans laquelle le sujet obéit sans perdre conscience de ce qu'il fait.

Ether. Fluide qui, selon les *occultistes,* imprègne tous les corps et qui est le support de nos pensées, ainsi que le milieu dans lequel elles laissent leur marque indélébile.

Exhibitionnisme. La vue des organes sexuels est stimulatrice du désir et n'a rien que de très normale dans les relations du couple. Contrairement à une idée reçue, la femme est plus exhibitionniste que l'homme *(Le Guide de l'information sexuelle).* L'anomalie réside dans la composante *narcissique* ou *agressive,* quand la satisfaction libidinale ne peut être atteinte que par l'exhibition des organes sexuels.

Exogène. Qui provient de l'extérieur. Par exemple les miasmes que nous introduisons dans notre organisme en respirant l'air pollué des grands centres urbains. Par extension : les miasmes de notre esprit, les pensées dépressives qui le polluent.

Extraversion. Tendance à l'extériorisation des sentiments. L'extraverti s'ouvre au monde extérieur, recherche la société et les contacts humains, à l'opposé de l'*introverti* qui les fuit.

Fantasme (ou phantasme). Apparition dans le champ de la conscience d'une image irréelle. Base du mécanisme par lequel les sujets névrosés échappent au réel en se réfugiant dans la rêverie.

Fixation. Le névrosé, ou plus généralement tout sujet humain, est marqué par des expériences infantiles, reste attaché de façon plus ou moins déguisée à des modes de satisfaction, à des types d'objet et de relation archaïques (Laplanche et Pontalis). Ainsi, la fixation au *stade anal* serait à l'origine de la *névrose obsessionnelle* et d'un certain type de caractère.

Floculation. Phénomène de précipitation colloïdale qui, selon Alexis Carrel, accélérerait le vieillissement et avancerait la mort. L'intoxication du *tissu conjonctif* présiderait au phénomène.

Fluide vital. Propriété de l'organisme humain qui peut extérioriser une force pouvant agir à proximité et à distance sous l'impulsion de la pensée. Les termes de magnétisme animal (Mesmer), de force odique, de force neurique rayonnante, de rayonnement vital, etc., ont été tour à tour utilisés pour désigner ce qui émane du corps magnétique dont l'*aura* est la manifestation.

Fonctionnels (troubles). Troubles qui n'affectent pas la structure de l'organe et ne s'accompagnent d'aucune lésion organique décelable. Ces troubles peuvent, à la longue, retentir sur la structure même de l'organe et devenir *lésionnels* (vomissements préludant à un ulcère *gastro-duodénal*).

Folliculine. Sécrétion de l'ovaire dont cette hormone, celle de la féminité, fait mûrir l'ovule et prépare la muqueuse de l'utérus à accueillir l'ovule fécondé.

Formation réticulaire. Formation mal précisée de substance blanche et grise qui s'étendrait du *cortex* à la base de la moelle, qui aurait des fonctions d'activation et d'*inhibition* qui se feraient par voie nerveuse, *hormonale* ou humorale.

Frustration. Tendances, besoins qui, ne pouvant être satisfaits sur le plan affectif ou instinctif, peuvent se trouver *refoulés* et dégénérer en états *complexuels*.

Gastroduodénal. Désigne les ulcères de l'estomac et du duodénum, portion initiale de l'intestin grêle.

Gonades. Se dit des glandes sexuelles, testicules et ovaires. Jusqu'au 45e jour de la vie embryonnaire, il est impossible de déterminer si l'orientation gonadique va bifurquer dans le sens mâle ou femelle. Mais nous conservons toujours des caractères morphologiques de l'autre sexe, ainsi qu'un certain taux des *hormones* qui lui sont spécifiques. Ce sont les hormones mâles (les *androgènes*) qui prennent, à partir du deuxième mois, le relais de l'impulsion chromosomique pour faire pencher la balance du côté de la masculinisation ou, par leur mutisme, permettre la formation intériorisée du sexe féminin.

Hallucinogènes. L'opium, la morphine, la cocaïne, la marijuana, le hachisch, le cannabis et le péthiol sont les drogues dangereuses des paradis dits « artificiels », de même que les drogues pharmaco-dynamiques qui conduisent à la dépendance et sapent les forces vitales. Pour l'auteur, sur le plan de la sensation « les hommes et les femmes n'ont pas retiré la quintessence des facultés qui gisent au fond d'eux-mêmes. Exploitées, elles peuvent les mener bien au-delà de ce que peuvent procurer les drogues hallucinogènes sur le plan des sensations charnelles et des ivresses spirituelles » *(Les Stimulants de l'amour).*

Hétérosexualité. Ce terme définit la relation sexuelle entre des personnes de sexe différent.

Homéostasie. C'est le maintien du fonctionnement normal des organes. Il est assuré par le système nerveux *sympathique* et les *endocrines*.

Homosexualité. Ce terme désigne indifféremment la tendance et les comportements sexuels qui sont ceux de certains hommes et certaines femmes pour des individus du même sexe que le leur.

Hormones. Substances de la sécrétion des glandes *endocrines* déversées directement par celles-ci dans le torrent circulatoire. Elles ont pour effet de favoriser la croissance des organes, d'en freiner ou d'en stimuler l'activité. Ainsi, l'activation de la thyroïde par la thyroxine accroît le *métabolisme* des graisses.

Hyperémie. Afflux de sang dans un organe, mais plus spécialement à la surface de la peau sous l'effet de l'émotion, de la chaleur, d'un révulsif, etc.

Hyperesthésie. Sensibilité exagérée de la peau, d'un organe. Peut être le symptôme de l'éréthisme nerveux ou d'une maladie : myélite, névrite, etc.

Hypertonie. Taux excessif de *tonus* musculaire et exagération de l'excitabilité nerveuse.

Hypnoïde (état). Se dit d'un état voisin de l'hypnose dans lequel la *conscience* est partiellement abolie.

Hypnophorèse. Méthode enregistrée de l'auteur qui conduit le sujet au seuil de l'hypnose et permet au praticien de plonger aisément la personne en hypnose profonde.

Hypophyse. Glande de la grosseur d'une cerise appendue à la base du crâne par la tige pituitaire. Reliée à l'*hypothalamus* dont elle reçoit les messages hormonaux, elle opère une influence normalement régulatrice sur les autres glandes à sécrétion interne *(endocrines)*.

Hypothalamus. Centre supérieur du système *neurovégétatif*. Situé à la base du cerveau, en liaison avec le *cortex,* il commande en réalité toute l'économie par le relais de l'*hypophyse.* Selon Chauchard, l'hypothalamus est « le chef d'orchestre des harmonies organiques ».

Hystérie. Les crises d'hystérie sont la manifestation *somatique* de *conflits* affectifs et de *refoulements* résultant des *interdits*.

Identification. En psychanalyse, processus d'attachement à un parent. L'adolescent s'identifie fréquemment à un modèle dont il subit le rayonnement ; par une sorte de mimétisme, il s'approprie son rôle, sa puissance. Cela peut décider de son orientation dans la vie.

Idéo-dynamisme. En suggestion, la réalisation en effets physiologiques, *psychosomatiques* et psychologiques obtenus par l'idée implantée dans le subconscient.

Inadaptation. Incapacité dans laquelle se trouve un individu de s'adapter à son *environnement,* à la réalité, d'assumer son rôle au sein de la société. L'inadaptation peut être physique par suite d'infirmité, ou morale (soit scolaire, familiale, socio-professionnelle, conjugale, etc.).

Incomplétude. Sentiment de manque, d'inachevé, d'incomplet éprouvé par rapport aux pensées, aux émotions, aux actes, à la réalité qui ne comble pas les besoins, les ambitions et les désirs ; d'où un sentiment de *frustration.*

Inconscient. Synonyme de subconscient. Partie de l'appareil psychique échappant à la conscience où sommeillent les instincts refoulés, où se développent les fantasmes, naissent les désirs, s'organisent les liens interhumains et les comportements intuitifs et spontanés.

Inconscient collectif. Vaste réservoir de l'héritage ancestral de l'humanité qui contient les archétypes et *symboles* structurés depuis les premiers âges et qui influencent inconsciemment nos pensées et nos actes. En montrant que rien ne se perd dans l'astral qui serait l'immense mémoire de l'humanité, les occultistes (bien avant Jung) ont découvert l'énorme influence de l'inconscient collectif et ont indiqué comment en reconnaître les effets et l'explorer.

Infériorité (sentiment d'). Fondement de la théorie d'Adler selon laquelle l'enfant se trouvant dans une situation d'infériorité par rapport à l'adulte en ressentirait des effets déprimants, se réfugierait dans l'inaction. Le sentiment ou complexe d'infériorité peut provenir d'une anomalie physique : nez excessif, bégaiement par exemple mais, dans ce cas, il peut donner lieu à un mécanisme de *compensation* qui rétablit l'équilibre de la personnalité. Dans le cas contraire, le sujet manque de confiance en lui, est timide, fuit les contacts humains, se trouve mal armé pour la lutte journalière de l'existence.

Infra-hypnose. Terme utilisé par l'auteur qui indique l'état hypnotique voisin du somnambulisme. C'est la phase inductrice de l'état plus profond qu'est l'auto-hypnose.

Inhibition. Incapacité de penser, de s'exprimer ou d'agir malgré le désir de le faire. L'inhibition peut être morale ou physique. Morale, elle tient souvent au *refoulement* ; physique, elle résulte d'un *conflit* entre le *sympathique* agissant, décontracturant et le sympathique freinateur. Ainsi, le jeune conscrit invité à uriner pour un examen de laboratoire et qui, malgré ses efforts, étant de nature émotive, ne peut y parvenir.

Instinct de vie. Selon Freud, procède de la *pulsion.* Pour Laplanche et Pontalis, c'est l'opposition aux pulsions de mort « *qui permet le mieux de saisir ce que Freud entend par pulsions de vie ; elles s'opposent les unes aux autres comme deux grands principes qu'on verrait à l'œuvre déjà dans le monde physique (attraction-répulsion) et qui surtout serait au fondement des problèmes vitaux (anabolisme-catabolisme)* ». Les pulsions de mort tendant « *à la destruction des unités vitales, à l'égalisation radicale des tensions et au retour à l'état anorganique supposé être l'état de repos absolu* ».

Insuline. Hormone du pancréas. S'utilise en psychiatrie pour provoquer le coma insulinique dans le traitement du diabète.

Intégration. Idées, tendances instinctuelles pouvant devenir *conflictuelles* qui, au lieu d'être *refoulées,* sont admises avec des aménagements dans le cadre de la forme de pensée et de l'activité du sujet, donc intégrées au *comportement.*

Interdits. On entend par interdits les barrières qu'élèvent dans le subconscient les ukases de l'*inconscient* collectif et la morale traditionnelle qui s'oppose à la satisfaction *libidinale.* Les interdits participent de la censure du *Surmoi.*

Intériorisation. Opération mentale qui consiste à descendre en soi pour y reconnaître le *vécu* corporel ou y discerner les états d'âme, les *conflits.*

Intéroceptif. Récepteurs nerveux viscéraux renseignant sur la sensation interne, organique.

Introspection. Observation, par la *prise de conscience* de ses états d'âme, de son contexte psychologique pour définir les raisons de son propre *comportement.* Selon nos moyens, l'introspection peut s'extrapoler à notre état de santé, au fonctionnement de nos organes.

Introversion. Selon Jung, l'introversion caractérise l'individu par le retrait du monde extérieur, la *libido* s'investissant dans le sujet lui-même, au contraire de l'extraverti tourné vers l'*environnement.* Ce qui définit deux sortes de comportements et même de morphologies. (*Psycho-Morpho-Synthèse*).

Investissement. Chargement d'une grande valeur affective par un individu d'un objet (personne, situation, idéal) ou charge de cet objet en énergie psychique.

Langage du corps. Il s'exprime par la relation *psychosomatique* qui fait que toute situation émotionnelle, conflictuelle, se transfère à la fonction *tonico*-musculaire et qu'ainsi les organes et les muscles deviennent le reflet du psychisme. S'entend également par les symptômes de maladies *fonctionnelles* destinées à masquer les *conflits* et angoisses.

Lésionnelles (maladies). Les troubles *fonctionnels* peuvent provoquer des atteintes lésionnelles ou altération anatomique des organes ; ce que relève la médecine *psychosomatique* destinée à les guérir ou à apporter sa contribution à la médecine classique.

Libido. D'origine latine, libido signifie plaisir. Pour Freud la libido est le moteur de notre *comportement* dynamique. Elle est considérée comme l'équivalence de l'énergie sexuelle, elle-même conditionnée par l'activité plus ou moins intense des *gonades* (endocrines).

Lymphatique (système). Ensemble des ganglions et des vaisseaux lymphatiques qui forment cette circulation à sens unique ramenant la lymphe vers le cœur. Le terme désigne aussi quelqu'un de tempérament mou, nonchalant, ne réagissant que faiblement aux émotions et aux circonstances adverses de la vie.

Masochisme. Pour Freud, contemporain de Sacher Masoch, « le masochisme ne serait que la continuation du *sadisme* qui se retourne contre le sujet, lequel prend pour ainsi dire la place de son objet sexuel. Le masochiste ne peut jouir que de sa soumission et atteint le plaisir par là douleur et l'humiliation. Cependant, certains comportements montrent que la tendance masochiste est très répandue en dehors des sévices physiques : hommes et femmes ayant un besoin névrosique d'obéissance et d'humiliations ».

Mass media. Ensemble des moyens de diffusion massive de l'information ou de la culture (presse, radio, télévision, cinéma, affiches, etc.) (d'après Le Robert).

Maturation. Modification des cellules sexuelles avant leur état de maturité. Venant de mûrissement, le terme s'extrapole au domaine psychique : une lente maturation des idées.

Médecine symptomatique. Qui relève des symptômes des maladies et s'attache à les faire disparaître par les moyens classiques de l'allopathie, à l'inverse de la médecine naturelle et de la *psychosomatique* qui considère l'homme dans son unicité et s'attaque aux causes de la maladie (médecine causale).

Médiateurs chimiques. L'excitation des nerfs organiques (influx nerveux) produit des substances chimiques actives qui agissent comme des stimulants ou des modérateurs. Les fibres nerveuses *parasympathiques* agissent par l'intermédiaire de l'acétylcholine qui est modératrice, les fibres *sympathiques* par celui de la sympathine et de l'*adrénaline* qui sont activatrices.

Métabolisme. Ensemble des transformations chimiques et biologiques qui s'accomplissent dans l'organisme. Le métabolisme de la nutrition élève les dépenses de fond (métabolisme basal).

Mental cosmique. Dans le zen, c'est le Principe suprême, autrement dit le Principe divin, universel, qui englobe la matière et l'esprit.

Milieu intérieur. Désigne ce que contient l'enveloppe charnelle, mais notamment le sang, la lymphe et les fluides. Corruption du milieu intérieur, de l'élément sanguin.

Moi (le). Instance que Freud distingue du *Ça* et du *Surmoi*. « Du point de vue *dynamique*, le Moi représente éminemment dans le *conflit* névrotique le pôle défensif de la personnalité ; il met en jeu une série de mécanismes de défense, ceux-ci étant motivés par la perception d'un *affect* déplaisant » (d'après Laplanche et Pontalis).

Monoïdéisme. Etat mental caractérisée par l'occupation du champ de la pensée par une seule image ou idée, à l'exclusion de toute idée parasite.

Morphologie. Structure des tissus. Concerne l'étude et la définition de la forme des organes, de l'aspect extérieur du corps et de ses différentes régions.

Motivation. Terme employé abusivement à la place de motif. La motivation serait déclenchée par les stimuli sensoriels et psychiques ; elle est l'aiguillon de l'action. En *relaxation psychosomatique,* la motivation est renforcée ou créée par la suggestion.

Multi-orgasmie. Possibilité, pour la femme éduquée sensuellement, de connaître plusieurs orgasmes successifs par l'autostimulation ou dans le rapport sexuel.

Narcissisme (de Narcisse, amoureux de lui-même). Continuation ou résurgence, chez l'adolescent et l'adulte, du *stade* narcissique de l'enfant encore incapable de se différencier d'autrui et de se situer par rapport à son *environnement,* donc d'investir l'affectivité et l'amour dans un objet extérieur à lui-même.

Néo-cortex. Du grec *néos* « nouveau ». Désigne le *cortex* ou écorce cérébrale dans sa forme la plus élaborée.

Nerfs. Les fibres nerveuses sont les organes de transmission de la commande nerveuse qui provient du système nerveux *conscient* et *sympathique.* Les moyens utilisés sont l'onde électrique et les *médiateurs chimiques.*

Nerf érecteur. Le nerf érecteur qui émane des 2e et 3e segments sacrés (S2, S3) dessert les organes érectiles (clitoris et pénis) ainsi que la vessie, la portion inférieure du côlon et le rectum.

Neurone. Désigne la cellule nerveuse avec son prolongement protoplasmique (dendrites) et son cylindraxe qui constitue la fibre nerveuse.

Neurovégétatif. Concerne le système nerveux *sympathique* qui commande la vie organique, végétative.

Névrose. Exagération morbide de certaines tendances qui existent chez tout individu. Le sujet est conscient de son déséquilibre, mais ne discerne pas les causes de son *anxiété* et de ses angoisses, contrairement au *psychotique* qui élabore un monde imaginaire qu'il prend pour la réalité.

Névrose obsessionnelle. Dans cette névrose, les doutes et *inhibitions* mobiliseraient et bloqueraient les énergies du sujet sous l'effet paralysant d'états *conflictuels* (Freud). Alors que pour Janet cette névrose s'assimilerait à la *psychasthénie* et résulterait d'un déficit des forces vitales. Mais il est manifeste que ces causes sont imbriquées dans la majorité des *névroses* et *psychoses.*

Niveau de vigilance. Le sujet conserve la *conscience.* Au-dessus de ce niveau, il perd progressivement ou brusquement conscience.

Occultisme. La science occulte n'est pas un système métaphysique, mais une science synthétique universelle, qui fournit les clefs des mystères, qui donne la pierre de touche des vérités générales pour contrôler et rassembler les vérités de détail, qui fait connaître l'analogie de l'univers et de l'homme (...) qui enseigne des lois précises et irrévocables pour se placer en ordre surnaturel et naturel (Carton).

Optiques (couches). Représentent la masse la plus volumineuse des centres sympathiques. D'elles partent d'innombrables nerfs qui parviennent au *cortex,* le cerveau noble et conscient.

En bas, elles reposent sur la région sous-optique, *l'hypothalamus.*

Orthosympathique. C'est l'un des éléments du sympathique qui libère *l'adrénaline* et la sympathine. Il est vasoconstricteur et contracturant, au contraire du *parasympathique* dont le médiateur est *l'acétylcholine.*

Paranoïa. *Psychose* caractérisée par la distorsion du jugement, l'inadaptation sociale. Etat constitutionnel ou provoqué par une *régression* au *stade* primitif de *l'agressivité.*

Paraphilies. Pratiques sexuelles dites perverses, en marge du coït, mais qui ne sont anormales que lorsqu'elles donnent lieu à une *fixation* névrotique résultant d'une *régression* aux *stades* antérieurs de l'évolution sexuelle.

Parasympathique. Le sympathique pur est situé à la partie médiane de la moelle épinière, alors que le parasympathique est situé au-dessus avec le nerf vague, ou pneumogastrique, et au-dessous devant le sacrum (plexus sacré).

Paratonies. Tensions musculaires résultant des troubles de la fonction *tonique.* Leur résolution retentit sur la régulation centrale. Ces tensions peuvent persister en certains points électifs, alors que la détente a été obtenue en d'autres territoires. On les dit résiduelles. Le praticien doit les dépister pour établir la relation qui existe entre ces paratonies et les problèmes existentiels du sujet.

Phases (de maturation sexuelle). Etats successifs par lesquels l'individu franchit, de la naissance à la puberté, les divers *stades* de son évolution sexuelle, celle-ci étant soumise à l'activité des *gonades* et aux pulsions *libidinales.*

Phimosis. L'anneau du prépuce recouvre anormalement le gland pénien qui se trouve emprisonné. L'organe mâle, peu irrigué, peut être freiné dans son développement. L'intervention à laquelle donne lieu le phimosis est bénigne.

Placebo. Médicament à base de produits inertes qu'on confronte avec des médicaments actifs pour en tester l'efficacité sur les malades. On obtient, en certains cas, un taux égal de guérison avec la substance neutre, ce qui montre la puissance de la suggestion, le sujet ayant cru en l'efficacité du placebo qu'on lui a administré comme s'il s'agissait d'une réelle préparation pharmaceutique. La présence du médecin au chevet du malade agit souvent comme le placebo.

Plaisir-déplaisir. D'instinct l'homme recherche son plaisir ou le mieux-être ; il tend au bonheur. Quand cette tendance à la satisfaction est contrariée, il y a *tension,* donc déplaisir. C'est alors qu'elle peut dégénérer en *névrose* si elle ne trouve pas d'exutoire ou si elle ne se libère pas par les mécanismes de défense.

Potentialités. Chaque individu a en lui des facultés qui ne demandent qu'à être révélées ; elles gisent dans les profondeurs du subconscient, mais il est possible de les mettre à jour par *l'introspection,* la radiesthésie, l'écriture automatique, l'hypnose.

Pulsions. La pulsion participe de l'instinct. On peut la considérer comme le moteur de l'action. En psychiatrie, c'est la tendance irrésistible, qui peut être inconsciente, à se livrer à une activité donnée sans que la raison puisse intervenir pour l'empêcher.

Pranoxygéno-relaxation. Méthode de l'auteur où la respiration complète est dirigée par l'enregistrement, pendant que le sujet se relaxe et inhale ou non de l'oxygène (déposée).

Préconscient. Instance psychique intermédiaire entre le subconscient et le conscient, mais dans laquelle « flottent » des réminiscences pouvant être restituées à la *conscience* claire.

Prise de conscience. Terme largement utilisé qui tend à habiliter une notion aberrante de possibilités d'extension de la conscience qui tient davantage de l'affabulation que de la réalité. Nous utilisons ce terme dans le sens objectif de l'attention consciente qui permet d'appréhender un *vécu* qui, autrement, serait mal perçu.

Psychasthénie. *Névrose* dont la caractéristique est la fatigue physique et intellectuelle accompagnée de l'incapacité d'agir et de prendre des décisions, d'*anxiété,* d'*inhibitions.*

Psyché. C'est le nom donné à l'âme. La psyché est l'ensemble du psychisme formant l'unité personnelle.

Psychique. Définit ce qui touche au mental, mais aussi aux facultés paranormales (sciences psychiques).

Psychodiovisuel. Terme créé par l'auteur pour l'application de ses méthodes audiovisuelles à la *relaxation* et à l'action psychique par l'association du visuel et de la verbalisation (déposé).

Psycho-morpho-synthèse. Méthode de psychologie faisant appel aux diverses sciences humaines d'investigation, réalisant une synthèse permettant une définition caractérielle et tempéramentale de l'individu, le bilan de ses problèmes esthétiques et existentiels, de ses aspirations afin de lui établir un plan de vie personnalisé de plein épanouissement personnel (déposée).

Psychose. La psychose se différencie de la *névrose* en ce sens que la personne ne se reconnaît pas malade. La psychose est assimilée à nombre de maladies mentales, dont la *paranoïa,* la *mélancolie,* la *schizophrénie,* les *phobies,* etc. Le névrosé, à l'inverse, est conscient de ses difficultés, mais la frontière entre névrose et psychose n'est pas toujours bien tracée.

Psychosomatique. De *psyché* (âme) et *soma* (corps). Conception de l'unicité de l'homme, de l'interdépendance et de l'interaction du *psychisme* et du physique, des facteurs émotionnels conscients et inconscients dont l'action répétée sur le système *neurovégétatif* retentit sur le fonctionnement des organes et sur leur structure (médecine psychosomatique). *Relaxation psychosomatique* : actions réciproques du psychisme et du corps dirigées et maîtrisées par la relaxation.

Psychotique. Psychose ou état d'un sujet évoluant vers la *psychose.*

Psychovisualisation. Visualisation intérieure d'images maintenues ou défilant sur le champ mental par la concentration, ou par projection en fondu-enchaîné selon les méthodes de l'auteur (*psychodiovisuel*).

Pulsions. Il s'agit de processus dynamiques induits par une charge énergétique relevant d'un état de *tension.* L'objectif de la *pulsion* est de supprimer une tension devenue insupportable ; elle participe par conséquent des incitations du *ça* qui tend à la satisfaction *libidinale* (plaisir) : faim et besoin sexuel. La psychanalyse fait état de *pulsions* de mort, d'agression, de destruction et d'emprise, cette dernière étant de dominer l'objet par la force ; ce serait une dérivation *sadique* de la pulsion de mort dirigée vers l'extérieur, alors que l'*agression* et la destruction peuvent être dirigées vers le sujet lui-même *(autopunition).*

Reconditionnement psychophagique. Terme créé et déposé par l'auteur pour définir une méthode d'amaigrissement psychosomatique reposant sur le reconditionnement alimentaire, la suggestion enregistrée freinatrice de l'appétit pour réduire les excès pondéraux et la cellulite sans régime et par une reprise progressive de l'exercice. La méthode a été largement exposée dans un ouvrage consacré aux problèmes de poids : *Maigrir par la détente nerveuse* (Editions Dangles).

Réflexe conditionné. On dit conditionné ou conditionnel. C'est un réflexe acquis (par rapport au réflexe simple inconditionnel) par la mise en jeu de processus d'excitations et d'*inhibitions*. Chez l'homme, les réflexes conditionnés supérieurs se forment par l'intervention du *psychisme,* la répétition en un sens donné développant les centres coordinateurs de la fonction nerveuse (répétition des mêmes formules dans la méthode de *Relaxation psychosomatique*).

Refoulement. Opération par laquelle le sujet cherche à repousser ou à maintenir dans l'inconscient des représentations (pensées, images, souvenirs) liées à une *pulsion*. Le refoulement se produit dans les cas où la satisfaction d'une pulsion — susceptible de procurer par elle-même du *plaisir* — risquerait de provoquer du déplaisir à l'égard d'autres exigences (Laplanche et Pontalis). Le refoulement peut résulter d'une *censure* excessive tenant à l'affrontement entre les pulsions instinctuelles et une morale d'une excessive rigueur.

Régression. La régression est le retour à une étape antérieure de l'évolution psycho-sexuelle. Elle produit, sous l'effet de circonstances *infériorisantes* ou traumatisantes, une *fixation* aux *stades* antérieurs du développement du sujet.

Régulation. Normalité de la fonction. S'emploie en *psychosomatique* pour indiquer le retour à la normale

de la commande nerveuse, de la fonction *tonique,* etc.

Relaxologie. Terme innové par l'auteur désignant ses méthodes de relaxation et l'ensemble des disciplines y afférant (cours professionnel de Relaxologie d'enseignement à distance).

Relaxation psychosomatique. L'originalité de la méthode appliquée dans les « Psycho-Center » par les relaxologues, réside dans l'utilisation de l'enregistrement. Cette méthode permet d'ensemencer le *subconscient* sans faire appel à la volonté du sujet, la prise de *conscience* n'intervenant que lorsque se sont développés les *réflexes conditionnés* de détente neuro-psychique. La méthode s'applique à de nombreux cas qui ressortissent à la *psychosomatique*. Des traitements accessoires confortent la méthode selon la spécialisation des praticiens : médecins, kinésithérapeutes, psychologues, esthéticiennes, professeurs de yoga et de culture physique, etc.

Sadisme. Pour Freud, « le sadisme ne serait pas autre chose qu'un développement excessif de la composante *agressive* de la pulsion sexuelle qui serait devenue indépendante et qui aurait conquis le rôle principal ». Le sadique recherche l'excitation sexuelle en infligeant une douleur. Il a pour mobile d'asservir l'Autre, de l'utiliser en tant qu'objet. Dans notre éthique les formes frustes du sadisme — griffures, flagellation par exemple — sont licites du moment qu'elles n'utilisent pas la contrainte et sont acceptées pour une *auto*satisfaction ou pour faire plaisir au partenaire. Dans cette perspective, elles ne peuvent que renforcer la *libido (Les Stimulants de l'amour).*

Schéma corporel. C'est l'image mentale du corps qui fait coïncider les sensations qu'on éprouve avec l'image et les limites de son corps. Certaines atteintes cérébrales altérant le schéma corporel empêchent cette auto-identification. La pratique du sport et surtout de la culture physique analytique perfectionnent le schéma corporel.

Schizophrénie. Affection caractérisée par le retrait de la réalité, le retranchement dans un univers morbide qui rend indifférent à l'entourage. Le schizophrène évolue le plus souvent en crises successives qu'on jugule par les neuroleptiques. Le traitement par l'*insuline* (choc insulinique) est utilisé, mais ses résultats sont aléatoires.

Sensualisation. Caresse limitative dont la pratique permet au couple ayant des difficultés sexuelles imputables à l'absence d'érection chez l'homme de les résoudre par accumulation de la tension *libidinale (Les Stimulants de l'amour).*

Somation. Se dit des maladies fonctionnelles résultant de troubles nerveux d'origine psychique qui affectent anatomiquement et physiologiquement les organes (de *soma : le corps).*

Somatique. Atteinte structurale d'un organe. Dans l'optique *psychosomatique,* cette définition nous paraît suspecte ; toute maladie n'est-elle pas plus ou moins déterminée (éventuellement par affaiblissement du terrain) par des troubles *psychiques,* de même que ces derniers peuvent apparaître à la suite de la lésion accidentelle d'un organe.

Somato-psychique. Influence du corps sur l'esprit ou d'un trouble organique sur le *psychisme.*

Sous-cortical. Partie du cerveau située au-dessous de l'écorce cérébrale, du *cortex.*

Spécificité. Ce qui caractérise une maladie et le traitement qui lui est particulier.

Stades. Les stades de l'évolution psycho-sexuelle comportent la phase phallique d'organisation génitale infantile et, séparée par la période de latence qui s'étend de 6 ans à la préadolescence, l'organisation génitale qui intervient à la puberté. Le stade oral de la première année est celui de la succion indépendant du plaisir de boire et d'absorber des aliments. Le stade anal s'étend normalement de la deuxième à la troisième année, l'enfant accédant finalement à l'autonomie sphinctérienne (entre 2 et 3 ans). Le stade *sadique*-anal désignant la composante agressive. Après la troisième année intervient le stade phallique, la *libido* se transférant sur les organes génitaux. C'est le premier âge masturbatoire qui précède la période de latence où la sexualité entre en sommeil pour se manifester impérativement à la puberté.

Stimuli. Sensoriels et psychiques, les stimuli désignent davantage des stimulations (ou excitations) répétées que le *stress.*

Stress. Agressions psycho-pathologiques qui agissent sur le système nerveux et perturbent l'*hypothalamus.* Les stress, par leur répétition ou leur violence, finissent par saper la résistance de l'individu qui finit par « craquer » (break-down, dépression nerveuse).

Subconscient. Représente, par rapport à l'*inconscient* (indisponible), ce qui serait latent et disponible *(préconscient).* La fonction entre ces instances n'est pas nettement tranchée, d'où la synonymie. La psychanalyse admet que l'oublié ou le refoulé qui gît dans le subconscient, tend à revenir à la *conscience* et influence le *comportement.*

Sublimation. Mécanisme d'*adaptation* de l'individu à son milieu par lequel il transforme ses besoins et *pul-*

sions instinctuelles en énergie pour la poursuite de buts élevés, idéologiques, socioprofessionnels, etc.

Surmoi. Fraction du *psychisme* composée des *interdits* moraux et socioculturels qui exercent leur *censure* sur les *pulsions* instinctuelles.

Surrénales. Glandes qui coiffent les reins et sécrètent l'*adrénaline.*

Sympathicotonie. Sensibilité élective de l'*orthosympathique* par rapport au *parasympathique.*

Sympathine. C'est le médiateur chimique de l'orthosympathique. La sympathine est contracturante, elle augmente l'adrénaline dans le sang, entraîne la constriction thoracique et à divers titres, est vectrice d'*anxiété* et d'émotivité excessive.

Sympathique. Le sympathique comprend deux éléments : l'orthosympathique qui comprend 12 centres ganglionnaires situés à l'étage moyen de la colonne vertébrale et le parasympathique, antagoniste du précédent, qui se situe à la partie supérieure et inférieure de la moelle (cf. p. 308).

Syndrome. Ensemble de symptômes, de troubles pouvant être observés en divers états, mais ne permettant pas de définir spécialement une maladie (syndrome des dirigeants).

Tension. La tension artérielle et la tension nerveuse résultent souvent de la tension *psychique* et peuvent être résolues par la *relaxation.*

Testostérone. La testostérone ou *hormone* mâle préside à l'apparition et au développement des caractères sexuels secondaires et de la maturation de la verge, des testicules, de la prostate, etc. Elle est indispensable à l'impulsion sexuelle. La testostérone, produite synthétiquement, peut être utile pour remédier à certaines formes de frigidités féminines et dans le traitement de l'impuissance aux approches de la vieillesse.

Thermorégulation. *Régulation* de la température du corps par le système *neurovégétatif* qui assure l'*homéostasie.*

Tissu conjonctif. Tissu plus ou moins lâche, réservoir de la *lymphe,* qui entoure les vaisseaux, tapisse les organes et les muscles. Il est formé d'une substance fondamentale qui se présente sous la forme de liquides ou de gelées de densité variable. L'intoxication de la lymphe favorise le développement de la cellulite sous l'effet de l'irritation du tissu conjonctif.

Tonico-émotionnel. Concerne les *tensions* produites par l'émotion, par les troubles de l'affectivité, par l'excitation sexuelle, etc., qui se traduisent par des troubles du *tonus* (hypertonies organiques et musculaires).

Tonus. Contraction permanente et normale du muscle. Tension équilibrée du système nerveux et du *psychisme* (tonus mental).

Totalité. Notion de la médecine *psychosomatique* qui considère l'homme dans son unité (unicité), c'est-à-dire dans l'indissolubilité de son être *somatique* et *psychique.*

Toxémie. Etat d'intoxication chronique qui se traduit par la fatigue pathologique.

Toxines. Poisons des bactéries qui pénètrent dans le sang mais, par extension, tout poison ou produit de désassimilation (acide lactique) qui séjourne dans l'organisme et ne peut être normalement éliminé.

Transfert. En psychanalyse, le transfert est le report sur le psychanalyste des attitudes affectives ou hostiles de l'enfance.

Vagotonie. Cet état indique la prédominance du *parasympathique* sur l'*orthosympathique.*

Vasodilatation. Dilatation des vaisseaux sanguins correspondant à l'afflux sanguin.

Vasoconstriction. Diminution du calibre des vaisseaux sanguins par contraction de leurs fibres musculaires.

Vécu corporel. Désigne l'ensemble des impressions sensorielles ressenties par le corps par rapport à la dimension spatiale, dans la vie antérieure et actualisée.

Vécu tonique. Perception *cœnesthésique* dans l'appréciation du *tonus* musculo-organique.

Verbalisation. Expression de la pensée, des tendances par la parole et recherche de formules précises pour cerner les sentiments, définir les nuances de la psychologie.

Yoga. Selon les voies qu'ils empruntent, les divers systèmes de yoga portent des noms différents : par exemple, le Hatha yoga vise prioritairement à la maîtrise du corps cependant que d'autres approches reposent uniquement sur celle du mental. Le terme yoga signifie « joindre » et « joug », mettre le corps et l'esprit sous le joug du Moi. Les pratiquants de yoga sont appelés yogis.

Zazen. C'est la posture de méditation dans le zen. Elle consiste à s'asseoir sur un coussin ou un tapis, le buste droit, genoux écartés. Les jambes sont croisées, pieds posés sur les cuisses, plantes tournées vers le haut.

Table des matières

Deuxième partie :
LA RÉSOLUTION DE VOS PROBLÈMES PERSONNELS

RÉPERTOIRE DES TABLEAUX :

RÉPERTOIRE DES FIGURES :

La composition et l'impression de cet ouvrage
ont été réalisées par CLERC S.A.
18200 SAINT-AMAND - Tél. : 48-96-41-50
pour le compte des ÉDITIONS DANGLES
18, rue Lavoisier - 45800 ST-JEAN-DE-BRAYE

Dépôt légal Éditeur n° 1817 - Imprimeur n° 5050

Achevé d'imprimer en Janvier 1993

Du même auteur, dans la même collection :

Marcel ROUET

CHASSEZ LA FATIGUE EN RETROU-VANT LA FORME !
Culture physique de détente pour tous les âges.

Format 15 × 21 ; 280 pages ; abondamment illustré.

La vie trépidante et harassante de notre époque laisse bien peu de loisirs pour se consacrer à l'entretien de son corps, entretien pourtant indispensable si l'on veut se maintenir en bonne santé et ne pas grossir.

Par ailleurs, la tension nerveuse et la fatigue sont, sous l'effet des diverses agressions que nous subissons, le lot commun des hommes et des femmes d'aujourd'hui.

Surmenés, fatigués par un environnement qui épuise, beaucoup qui reconnaissent la nécessité de l'exercice corporel mais qui l'ont souvent abandonné depuis longtemps, ressentent le besoin de se remettre en forme, à condition de ne pas se fatiguer exagérément et de n'y consacrer que quelques instants par jour.

C'est pour répondre à ces impératifs que Marcel ROUET, spécialiste incontesté dans ce domaine, propose aujourd'hui cette nouvelle méthode de culture physique « de détente », différente de tout ce qui a déjà été fait dans ce domaine, et réellement adaptée aux nécessités de notre temps.

Quels que soient votre âge, votre sexe et vos activités, vous trouverez dans cet ouvrage des exercices progressifs adaptés à votre cas personnel. Ces exercices résultent de la synthèse de techniques initiatrices au respir, de mouvements de culture physique conçus dans une optique inédite et d'une discipline organo-musculaire qui ouvre la voie à la maîtrise du corps.

Cette nouvelle méthode vous permet de :

— Ne faire, au début, que 2 ou 3 minutes d'exercice par jour et d'en ressentir aussitôt les effets bienfaisants.

— Faire dans la journée des mouvements spécifiques de quelques secondes seulement, tout en restant habillé et au sein de vos occupations professionnelles ; vous ferez ainsi votre culture physique sans vous en apercevoir !

— Si vous êtes déjà en bonne forme, de faire des séances plus longues pour conserver la sveltesse.

— Si vous vous êtes laissé grossir, de perdre du poids et de remplacer la graisse par des muscles fermes et endurants.

— Si vous manquez de souplesse, de la retrouver progressivement sans souffrir ni vous essouffler.

— De vous composer un programme d'entretien corporel adapté à votre âge (en particulier pour les personnes du 3e âge).

— D'améliorer votre condition physique si vous êtes handicapé.

N'attendez pas pour découvrir dans cet ouvrage les exercices et tous les « trucs » qui, dès les premiers essais, feront de vous un autre homme... ou une autre femme, car toute une partie du livre est consacrée au modelage du corps et au rajeunissement.

Du même auteur, dans la même collection :

Marcel ROUET

RELAXATION PSYCHOSOMATIQUE
De la conscience du corps à la maîtrise du mental

Format 15 × 21 ; 328 pages ; illustré.

Qu'est-ce que la relaxation ?

La RELAXATION est un bouclier particulièrement efficace contre nos conditions de vie épuisantes. Elle permet, par la maîtrise de l'esprit et du corps, d'éviter la tension intérieure qui « use les nerfs », et apporte d'innombrables bienfaits, tant sur le plan physique que psychique.

Il ne faut pas confondre le repos et le sommeil avec la Relaxation.

« SE RELAXER, C'EST PLACER QUASI-INSTANTANEMENT SON CORPS ET SON ESPRIT DANS UN ETAT DE PASSIVITE ABSOLUE. »

On y parvient aisément après un entraînement accessible à tous décrit dans ce livre.

« La relaxation crée un automatisme subconscient qui permet ensuite, à la personne entraînée, de se plonger rapidement dans un état hypnoïde fruste, phase la plus profonde de la relaxation. Quand on sait qu'en cet état, le subconscient ouvre un champ de possibilités infinies à la médecine psychosomatique, on conçoit tout l'intérêt de ces récentes techniques. »

Docteur Jean LEININGER

Quels bienfaits pourrez-vous retirer de la pratique de la relaxation psychosomatique ?

— Chasser la fatigue en quelques instants et récupérer rapidement vos énergies.

— Vous reposer autant en 10 minutes qu'en plusieurs heures de sommeil, et décupler ainsi tous vos moyens.

— Agir sur vos organes pour les réguler et les calmer par l'action concentrative interne.

— Réduire vos tensions — souvent inconscientes — par la détente spécifique ou globale de vos muscles.

— Opérer la déconnexion du mental, ce qui vous permettra de vous libérer à volonté de vos soucis, préoccupations ou pensées obsessionnelles.

— Devenir capable de modifier sur-le-champ votre climat moral, de substituer au pessimisme et au découragement des pensées euphoriques dynamisantes.

— Vous initier à la respiration transcendentale pour en conquérir les merveilleux pouvoirs.

— Vous placer dans un état voisin de l'hypnose — très agréable — pour exercer sur vous-même une action autosuggestionnante, vous permettant de renforcer vos aptitudes physiques et mentales, ou d'en acquérir de nouvelles.

De plus, la RELAXATION PSYCHOSOMATIQUE est particulièrement indiquée dans les cas suivants :

— Troubles nerveux (tension nerveuse, obésité, cellulite, insomnie, cauchemars, fatigue cérébrale, idées fixes, douleurs et algies,...).

— Troubles de la nutrition (ulcères d'estomac, constipation, asthme,...).

— Troubles sexuels (frigidité, impuissance, obsessions sexuelles, acte bref,...).

— Troubles cérébraux (épuisement nerveux, incapacité à se concentrer, déficience de la mémoire, complexes, timidité, états anxieux et dépressifs,...).

— Intoxications (alcool, tabac, drogue,...).

— Préparation psychologique à l'accouchement sans douleur, etc.

Enfin une méthode applicable par tous, qui a largement fait ses preuves et qui vous apporte les **moyens pratiques** de vivre mieux plus longtemps.

Du même auteur :

Marcel ROUET

L'ESTHÉTIQUE CORPORELLE. Santé et beauté plastique de la femme.

Grand format 16 × 24 ; 408 pages ; relié + jaquette couleurs ; 348 dessins ; 50 photos ; 39 planches ; 30 tableaux ; présentation luxueuse .

Être belle... c'est le désir bien légitime de la femme d'aujourd'hui !
La beauté n'est-elle pas devenue pour elle un puissant atout dans la réussite de sa vie familiale, affective et sexuelle, ainsi que socio-professionnelle ?
L'admiration se porte vers ce qui est beau et sain. Aussi, quel que soit son âge, la femme se doit-elle d'être bien faite, de défendre son corps contre les agressions et le vieillissement. Cet ouvrage unique lui en fournit les moyens.
Ce livre, riche de près de **400 illustrations, photos, planches d'exercices, de 39 tableaux,** surpasse en précision tout ce qui a déjà été publié sur l'esthétique féminine. Il vous permet de prendre conscience de votre corps, de ses imperfections éventuelles, de votre type morphologique, de vos possibilités, etc. Il vous indique avec clarté — et immédiatement grâce à son « répertoire de beauté » — tous les moyens pratiques pour retrouver votre ligne ou la défendre :
Culture physique esthétique - Modelage de votre corps région par région - Reconditionnement psychophagique pour vous défaire des kilos superflus et de la cellulite - Sports à pratiquer - Diététique et méthodes naturelles de santé - Relaxation et maîtrise du corps - Hypnophorèse appliquée à l'insomnie, l'asthénie, la fatigue, la dévitalisation, les troubles de la ménopause, etc. - et bien d'autres moyens encore, tout aussi efficaces.
De plus, pour la première fois dans un ouvrage consacré à la beauté, l'auteur aborde sans réticence les problèmes spécifiquement féminins avec :
— LA PRISE DE CONSCIENCE DU VENTRE qui permet de vaincre la constipation, l'aérophagie, de réduire les ptôses... en affinant la taille.
— LA GYMNASTIQUE DES MUSCLES INTIMES qui résout les inhibitions sexuelles responsables de la frigidité, prolonge la jeunesse des organes et assure la santé gynécologique.
— LA MÉTHODE PRÉAMBULAIRE A L'ACCOUCHEMENT SANS DOULEUR qui traite, sous un angle révolutionnaire, des problèmes de l'accouchement, avec de nombreux tableaux d'exercices à faire durant la grossesse et après l'accouchement, pour retrouver fermeté et sveltesse du corps.
Pour rester jeune et belle, un livre qui vous est indispensable et dont vous regretteriez plus tard de vous être privée !

L'OUVRAGE LE PLUS DOCUMENTÉ A CE JOUR, EXCLUSIVEMENT CONSACRÉ A LA BEAUTÉ FÉMININE ET SURTOUT AUX MOYENS PRATIQUES DE LA DÉFENDRE ET DE L'ENTRETENIR.

Les innombrables « méthodes miracles » pour maigrir prouvent bien, du fait même de leur multiplicité, qu'aucun moyen — médical ou empirique — ne s'est finalement révélé durable et efficace. En effet, les délicats mécanismes endocriniens de la faim, de l'appétit et de la satiété sont réglés par l'ordinateur de votre poids : l'HYPOTHALAMUS, situé à la base du cerveau.

Pour maigrir, rien ne sert de suivre un régime strict et astreignant, ou de se livrer à de fastidieux calculs de calories, autant de méthodes qui, développant les frustrations, font finalement grossir ! Il faut au contraire rééquilibrer directement ce centre de commande des glandes endocrines pour obtenir des résultats durables et positifs, et ce par la détente nerveuse et le reconditionnement psychophagique.

La méthode, maintenant largement éprouvée, décrite dans ce livre :
— amènera la détente nerveuse qui libérera vos fonctions éliminatrices bloquées par les tensions et l'anxiété de grossir ;
— rééquilibrera votre hypothalamus dont le dérèglement perturbe les glandes endocrines et fausse le métabolisme des graisses ;
— stimulera, au niveau de votre hypothalamus, votre « centre de satiété » afin de réduire l'appétit, et agira sur votre « centre de la faim » dont il freinera l'activité ;
— élèvera dans votre subconscient des barrières qui s'opposeront aux crises de boulimie habituellement déclenchées par les régimes ;
— modifiera votre comportement et votre rythme de vie dans le cadre de l'équilibre alimentaire et de la satisfaction sensuelle que vous procurent les joies gastronomiques ;
— s'opposera définitivement, par post-suggestion, à la reprise des kilos perdus, sans avoir à vous priver.

Vous comprendrez alors pourquoi, malgré vos tentatives, vous n'arriviez pas à maigrir, mais surtout vous apprendrez à MAIGRIR RAPIDEMENT et à NE PLUS JAMAIS GROSSIR, SANS AUCUNE PRIVATION, par la simple utilisation des fabuleuses ressources de votre subconscient.

Dans la même collection :

Patrick ESTRADE :

**L'AMOUR RETROUVÉ.
Itinéraires pour une nouvelle vie sentimentale.**

Format 15 x 21 ; 240 pages ; illustré.

Beaucoup d'entre nous en sont (au moins) à leur deuxième histoire d'amour (rupture, divorce, deuil…), et pourtant, nombreux sont ceux qui ne parviennent pas à se remonter d'une séparation. En effet, lorsque l'orgueil a été bafoué, l'âme meurtrie, le cœur « laminé », combien d'incertitudes, de souffrances et d'appréhensions faudra-t-il surmonter avant de se resituer, de se restructurer, de se reconstruire ?

« Refaire sa vie » n'est pas une sinécure ! Tous ceux qui ont vécu la séparation le savent. Certains (rares) ont tôt fait de reprendre pied et de renouer une nouvelle vie sentimentale. Mais, il faut bien l'avouer, la plupart d'entre nous « cafouillent » souvent durant de longs mois – voire de longues années – avant de pouvoir retrouver leurs marques et partager à nouveau leurs sentiments. Toutefois, un tel « cafouillage » n'est pas un hasard, mais le résultat d'une méconnaissance plus ou moins consciente de certains facteurs clés contribuant à paralyser notre entourage et notre capacité d'action. Comment analyser les différents aspects de la rupture ? Quelles remises en cause effectuer ? Comment éliminer les freins que nous instaurons (inconsciemment) à l'éventualité d'une nouvelle rencontre amoureuse ? Comment réagir, comment clairement resituer l'autre en soi-même ? Comment éviter les hésitations, les enlisements, les erreurs ? Comment réenvisager une nouvelle vie de partage et d'amour ?… Telles sont quelques-unes des questions, bien réelles, auxquelles l'auteur, spécialiste de la psychologie du couple, s'efforce de répondre concrètement dans ce guide pratique.

EXTRAIT DE LA TABLE DES MATIERES :

Professeur Robert TOCQUET :

VOTRE MEMOIRE : comment l'acquérir, la développer et la conserver.

Format 15 x 21 ; 264 pages.

Cet ouvrage est un **guide essentiellement pratique** permettant d'obtenir, de développer et de conserver une mémoire tenace, souple, rapide et fidèle.
L'**aspect physiologique** du mécanisme et de la culture de la mémoire y est largement traité : l'auteur met en évidence la grande influence, dans le mécanisme de la mémorisation, de certains aliments riches en calcium, phosphore, magnésium, de certaines vitamines et de l'acide glutamique dont on dit, avec raison, qu'il est l'acide aminé de l'intelligence et de la mémoire. De plus, il préconise certains exercices respiratoires et l'ionisation négative de l'air qui augmentent considérablement la capacité d'attention, le pouvoir de mémorisation et la résistance à la fatigue. Enfin, un certain nombre de médicaments allopathiques et homéopathiques, efficaces dans les cas d'amnésies plus ou moins graves, sont indiqués.
Du point de vue **psychologique,** ce livre indique avec précision les principes mnémotechniques qu'il faut connaître et l'entraînement cérébral qu'il faut appliquer pour assimiler et retenir durablement la matière des diverses disciplines intellectuelles. Il montre également comment on peut faire travailler l'inconscient pour apprendre avec plus de facilités.
Enfin, l'ouvrage se termine par la description d'expériences – en quelque sorte récréatives – permettant de simuler une extraordinaire mémoire.
Ce livre s'adresse donc à toutes les personnes désirant améliorer leurs possibilités mnémoniques dont l'utilité est incontestable dans la vie courante, aux étudiants préparant examens et concours ainsi qu'aux jeunes écoliers au travers des « conseils aux parents » formant un chapitre spécial. **Un ouvrage particulièrement utile, à étudier et à méditer soigneusement.**

EXTRAIT DE LA TABLE DES MATIERES :